# L'Art

de

# l'allaitement
## maternel

# Ligue La Leche

C.P. 874
Saint-Laurent, Québec
H4L 4W3

Données de catalogage avant publication (Canada)

Vedette principale au titre

*L'Art de l'allaitement maternel*

4ᵉ édition revue et augmentée – Traduction de : *The Womanly Art of Breastfeeding.*

Comprend des références, une bibliographie et un index.

ISBN 2-920524-08-9

1. Allaitement maternel. I. Ligue internationale La Leche.

RJ216.W214          1995          649'.33          095-940901-7

**Tirage**

Première édition, 1966
  2 000 exemplaires

Deuxième édition, 1978
  5 réimpressions – 30 000 exemplaires

Troisième édition (révisée), 1983
  Première impression – 7 500 exemplaires
  7 réimpressions – 33 000 exemplaires

Quatrième édition (révisée et adaptée), 1995
  Première impression - 2 300 exemplaires
  Révision février 1996 - 3 000 exemplaires
  Deuxième réimpression, janvier 1997 - 5 000 exemplaires

© Copyright 1958, 1963, 1981, 1987, 1991
  par la Ligue internationale La Leche

Traduction : Céline Dumont

Adaptation et révision : Louise St-Pierre

Révision linguistique : Ginette Trudel

Graphisme : Pouliot Guay, graphistes

Tous droits réservés

Bibliothèque nationale du Québec

Dépôt légal – 2ᵉ trimestre 1995

# L'Art

de

# l'allaitement
## maternel

Ligue internationale La Leche

C'est avec beaucoup d'amour que nous
dédions ce livre aux parents nombreux et
dévoués qui ont contribué à bâtir la
Ligue La Leche que nous connaissons ;
à nos époux et à nos enfants,
aussi patients qu'aimants, qui nous ont aidées,
toutes les sept, à apprendre
l'art de l'allaitement maternel.

Ce livre n'aurait jamais vu le jour
et les principes de base qui sous-tendent
le travail de la Ligue La Leche
n'auraient jamais passé l'épreuve du temps
sans la collaboration inestimable
des docteurs Herbert Ratner
et Gregory White
qui nous ont appuyées de tout leur cœur
depuis le tout début de la Ligue.
Nous leur en sommes très reconnaissantes.

# Remerciements

Quelle aventure ! Un peu à l'image de la maternité ! On ne sait pas trop dans quoi on s'embarque. On vit de l'angoisse, de l'incertitude, de l'impatience. Sera-t-on prête à temps ? Le « bébé » sera-t-il correct ? Mais la voilà enfin cette toute nouvelle édition tant attendue.

Nous sommes heureuses de vous présenter cette adaptation francophone de l'Art de l'allaitement maternel. C'est le résultat d'un travail de longue haleine et de toute une équipe. Nous tenons à remercier toutes celles qui ont fait partie du comité de révision :

Chantal Boissinot, Martine Chazelle, France Dallaire, Jocelyne Desjardins, Claude Didierjean, Colette Dufour, Dany Gauthier, Léna Jézachel, Rachèle Leboeuf, Marlène Simard, Pierrette Tremblay.

Antoinette Hauri et Lilian Marage, qui ont coordonné la cueillette de témoignages en Belgique et en Suisse romande.

Michel Guay et Lucie Pouliot, qui ont su donner un coup de jeunesse à cette nouvelle édition grâce à un graphisme plein de fraîcheur.

Ginette Chartier pour nous avoir épaulées dans le sprint final de la fabrication de l'index.

Yvette Chabot qui nous a gracieusement offert deux de ses oeuvres pour illustrer les parties 1 et 5.

Enfin, merci à tous les parents qui ont répondu si généreusement à notre appel et qui ont partagé leur album de famille avec nous.

**Louise Saint-Pierre**
Responsable du projet

Nous apprécions le fait que les bébés naissent de sexes différents et nous en sommes heureuses. Si, dans ce livre, nous désignons le bébé par « il », ce n'est pas par sexisme mais simplement par souci de clarté.

---

Nous avons choisi d'utiliser le terme « lait artificiel » pour désigner les substituts du lait maternel comme le suggère l'Organisation mondiale de la santé. On définit artificiel comme étant ce qui est fabriqué par l'homme. Cela est bien le cas des laits maternisés, des formules lactées pour nourrissons et des préparations lactées pour nourrissons.

# Sommaire

# Préface
## 1

J'ai eu la chance de connaître la Ligue La Leche, il y a 17 ans déjà. J'étais enceinte de mon premier enfant. Une amie m'avait encouragée à assister à des réunions avant mon accouchement. «L'information sur l'allaitement te sera des plus utiles», m'avait-elle dit. Elle m'avait aussi prévenue de prendre tout le reste avec un gros grain de sel. Je suis donc allée à une première réunion avec une certaine réticence. J'y ai toutefois découvert des femmes chaleureuses, heureuses de vivre leur maternité, et une vision de l'enfant et de la famille qui me rejoignait instinctivement. J'ai aussi trouvé réponse à mes questions, solutions aux problèmes que j'anticipais. Je n'étais pas d'accord avec toutes les idées que j'y trouvais mais, comme on nous invitait à le faire, je prenais ce qui me convenait.

Après la naissance de David, je me suis engagée de plus en plus dans la vie du groupe. Et puis, certaines des idées qui m'avaient au départ parues différentes m'ont semblées bien logiques une fois que j'ai eu mon bébé dans les bras. La chose la plus importante que j'aie appris au contact de la LLL a été d'écouter mon cœur. Car les décisions du coeur, on ne les regrette jamais.

Plus tard, j'ai eu le goût de redonner à d'autres mères ce qu'on avait si généreusement partagé avec moi. Voilà 12 ans qu'à mon tour j'anime des réunions mensuelles, que je consacre du temps bénévolement à la LLL. La passion est toujours là car l'allaitement, c'est bien plus que nourrir un bébé, c'est une façon d'entrer en relation avec notre enfant, de donner des assises solides à cette relation fondamentale pour tout être humain. Et quand on aide une mère à allaiter son bébé, c'est toute la relation mère-enfant qui en bénéficie.

En relisant pour la énième fois cette nouvelle adaptation de *L'Art de l'allaitement maternel*, je me suis dit : voilà l'ouvrage que j'aurais aimé lire alors que je me préparais à devenir parent. J'y ai trouvé la chaleur, le gros bon sens, le respect des parents. J'espère qu'il en sera de même pour vous et qu'à travers sa lecture, vous apprendrez à écouter votre cœur.

**Pierrette Tremblay**
Présidente de la Ligue La Leche

# Préface

C'est le printemps. Il fait soleil. Je suis assise dehors et je regarde la nature renaître. Je me rappelle la naissance de notre fille et les découvertes que j'ai faites alors...

Un nouveau-né surgit du ventre de sa mère, tous les sens aux aguets.

Couché sur elle, il la sent, la touche, la caresse.

Il reconnaît une voix, il voit des yeux qui le regardent.

Il touche le corps de sa mère en rampant sur lui, il se familiarise avec son nouvel environnement.

Il en perçoit les mouvements et la respiration.

Il cherche, salive et voit les aréoles.

Il sent et trouve le mamelon.

Il tète... il boit le lait de sa mère.

Il s'arrête, se calme et s'endort.

Je n'ai pas mis ma fille au sein : elle l'a cherché et trouvé toute seule. Des années plus tard, en voyant la vidéo de Anne-Marie Widstrom[1], j'ai compris que

---

1. Anne-Marie Widstrom. Vidéo *Breasfeeding is... baby's first choice*.

son comportement avait été celui de tous les petits
mammifères, lorsqu'on leur en laisse la chance.
Les forces de la nature se sont exprimées
et les explications scientifiques de ce phénomème
ont suivi beaucoup plus tard. L'existence
précède la science !

Dans mon travail, on me demande souvent :
« Pourquoi allaiter ? Quels en sont les avantages ? »
Ne faut-il pas plutôt se poser la question : « Pourquoi
donner du lait artificiel ? » Alors que le lait humain
et le lait artificiel sont, du strict point de vue nutritionnel,
deux sources d'énergie pour le nourrisson, le lait de sa
mère apporte beaucoup plus à l'enfant, avec ses propriétés
immunologiques, ses enzymes qui facilitent la digestion et
ses facteurs de croissance qui permettent une maturation
optimale de la muqueuse intestinale, pour ne citer que
quelques différences.

Le lait humain est vivant, frais et en perpétuelle
adaptation, du début à la fin d'une tétée, de la naissance
d'un enfant jusqu'à son sevrage. Même les anticorps
(immunoglobulines A sécrétoires) changent selon
l'environnement microbien dans lequel la mère évolue.

En plus des bienfaits liés à la composition unique
et inimitable du lait maternel, la façon dont un enfant
reçoit le lait, c'est-à-dire du sein de sa mère, a
probablement plus d'influences sur son développement
que ce que les connaissances scientifiques actuelles nous
permettent de vérifier. On commence à expliquer

l'importance de la succion non nutritive (tétée de réconfort) sur le développement psychomoteur et la croissance de l'enfant. Allaiter, c'est bien plus que le nourrir, c'est lui apporter réconfort et sécurité.

En 1970, quand j'ai fait mon cours de médecine, j'ai étudié l'anatomie et la pathologie des seins. Les médecins d'alors ne recevaient aucune formation sur la lactation... Un stage d'obstétrique au Sénégal m'a mise en contact avec des mères qui allaitaient, mais ma passion pour l'allaitement est née véritablement quand je suis devenue enceinte de mon premier enfant. Avec le soutien enthousiaste de mon conjoint, nous nous sommes dit : « Pourquoi ne pas essayer ? Ça pourrait être amusant ! » Un long apprentissage commençait et il continue encore. Devenus parents, nous avons eu besoin de soutien et c'est la Ligue La Leche qui nous a mis en contact avec l'univers de l'allaitement.

Depuis bientôt 40 ans, la Ligue La Leche encourage un parentage à l'écoute des besoins des enfants et de la famille. Par exemple, elle a toujours enseigné qu'une écoute attentive et une réponse aux besoins du nourrisson lui apprenaient à avoir confiance en son environnement ; que le père et les proches n'ont pas besoin de donner le biberon pour entrer en contact avec lui, qu'ils peuvent communiquer et prendre soin d'un enfant en le prenant, le berçant, en marchant avec lui, en lui parlant, en dormant à ses côtés...

Les parents peuvent donc aller puiser réconfort, connaissances et échange dans l'expérience commune des femmes et des hommes qui font la Ligue La Leche. Voir une mère allaiter avec plaisir, où que ce soit, au travail, à la maison ou dans les lieux publics, reste le meilleur moyen de sensibiliser la société à faire en sorte que l'allaitement redevienne la norme et les laits artificiels, l'exception. C'est grâce à la Ligue La Leche et à d'autres groupes semblables, aux espoirs de millions de femmes qui allaitent et qui ont allaité que la tradition vitale de l'allaitement a pu se poursuivre dans plusieurs pays dits développés.

L'allaitement est la première expression de la tendresse à un enfant. Puisse ce message rejoindre tous les parents du monde.

**Suzanne Dionne**, médecin

# Préface 3

On dit de notre siècle qu'il est « l'ère des professionnels ». À « l'ère des professionnels », toute personne est d'abord un consommateur ou un client. À tout besoin, à tout « problème », correspond un expert appartenant à une profession bien établie.

Au milieu du présent siècle, au moment où « l'ère des professionnels » avait atteint un sommet, des mères qui allaitaient ont senti les limites et même l'insuffisance des services offerts par les experts. Quand on parle d'allaitement, ces derniers ne peuvent donner que de l'information, des conseils ou des soins. Mais les mères qui allaitent requièrent plus que cela. Elles ont d'abord besoin de partager leur confiance en elles. Ainsi, l'illusion que tout besoin pouvait être satisfait par des services professionnels s'est brisée. La Ligue La Leche est donc née, un groupe d'aide de mère à mère, un modèle pour tout groupe du genre.

Le rôle de la Ligue La Leche revêt une importance capitale dans une société de nature particulière comme la nôtre où la famille est couramment réduite à un petit noyau. Ce rôle est encore plus important après un accouchement à l'hôpital. Même dans les meilleurs hôpitaux, il est impossible de ne pas perturber le commencement de la relation mère-enfant, soit le début de l'allaitement.

On n'apprend pas un art dans un manuel, comme une discipline de la médecine. Par contre, *L'Art de l'allaitement maternel* n'est pas un manuel. C'est une œuvre d'art. Il n'y a que les mères qui allaitent pour transmettre les croyances, les convictions, la confiance, les attitudes envers la vie... et le véritable savoir, ce qui diffère de l'information. Toute femme enceinte, toute jeune mère devrait s'imprégner de l'atmosphère que ce livre dégage.

**Michel Odent, M. D.**
Obstetrics
France
1988

# Préface 4

L'importance de l'allaitement pour la santé des bébés et des jeunes enfants est sans cesse réaffirmée à mesure que de nouvelles preuves scientifiques, concernant ses qualités incomparables du point de vue nutritif et immunologique, sont publiées. Dernièrement, on s'est attardé à la façon dont l'allaitement aide à établir une relation équilibrée entre la mère et le bébé de même qu'au rôle que l'allaitement peut jouer dans l'espacement des grossesses. Puisque tous ces avantages sont de première importance pour les bébés et les mères des pays industrialisés, il ne fait aucun doute qu'il faut aussi promouvoir et préserver l'allaitement dans les pays en voie de développement.

Pourtant, les quatre dernières décennies l'ont prouvé, l'allaitement reste un comportement très instable. Pour qu'il soit une réussite, il faut un soutien constant. Malheureusement, ce soutien à la mère est demeuré limité dans bien des situations. C'est pour cette raison que le travail de la Ligue La Leche est devenu aussi important. En tant que source d'inspiration, d'encouragement et d'information pour les mères, en leur offrant un lieu de rencontre leur permettant de partager leurs idées et de discuter d'allaitement et de soins quotidiens aux enfants, la Ligue La Leche et *L'Art de l'allaitement maternel* se sont avérés une ressource essentielle tant pour les mères que pour les travailleurs en santé.

**L'Organisation mondiale de la santé**
Maternal and Child Health Unit
Genève
*1986*

# Avant-propos

Qu'y a-t-il de plus naturel que d'allaiter son bébé ?
Il suffit de prendre tendrement ce cher nouveau-né dans
vos bras et de lui offrir le sein. Cela semble plutôt facile.

L'allaitement est simple et naturel, si on sait comment et ce qui nous attend. Pour allaiter un bébé, on a
aussi besoin de renseignements et d'encouragements. C'est
ce que nous, les sept fondatrices de la Ligue La Leche,
avons découvert lors de nos premières expériences d'allaitement. À quelle fréquence doit-on allaiter ? Combien de
temps à chaque sein ? Comment savoir si le bébé boit
suffisamment ? A-t-il besoin d'autres aliments ? Lesquels ?
Que faire s'il semble affamé une heure seulement après la
dernière tétée ?

Lorsque nous nous sommes réunies, en 1956, pour
fonder la Ligue La Leche, les réponses à ces questions
étaient aussi rares que l'allaitement. À nous sept, nous
avions allaité 24 bébés ; nous avions donc une bonne idée
de ce qui convenait ou non à un bébé et de ce qui était
utile ou ne l'était pas. Nous avions aussi découvert qu'une
bonne information et le soutien d'une autre mère qui
allaite représentaient la clé du succès.

*L'Art de l'allaitement maternel* propose une philosophie de maternage et d'éducation. Cet ouvrage est notre manière de partager avec vous le sentiment de satisfaction et de plénitude que nombre de mères ont éprouvé à allaiter leur bébé. Il vous fera entrevoir les moments privilégiés qui vous attendent tout au long de la grande aventure de la maternité.

La première traduction de l'ouvrage américain *The Womanly Art of Breastfeeding* a été publiée en 1966 au Québec sous le titre *L'Art de l'allaitement maternel*. L'ouvrage était basé en majeure partie sur les expériences personnelles des sept fondatrices. La deuxième traduction, publiée en 1983, avait été revue et augmentée pour faire place à des témoignages que des centaines de parents avaient fait parvenir à la Ligue internationale La Leche. Un deuxième tirage, comportant quelques ajouts, a été effectué en 1985.

La présente édition marque le 35e anniversaire de l'existence de la Ligue La Leche au Canada. On y trouve des renseignements récents, reflet des dernières recherches médicales, ainsi que des conseils pratiques fondés sur les expériences d'allaitement de mères venant de tous les pays. Nous voulons de plus apporter une autre dimension à cette édition en faisant une plus large place aux témoignages francophones afin de refléter les différentes réalités culturelles.

Vous constaterez que nous avons écrit cet ouvrage en pensant à une famille composée d'un père, d'une mère et d'un ou de plusieurs enfants. On nous a fait remarquer que, de nos jours, cette situation n'est plus réaliste. Toutefois, nous croyons que l'allaitement et le maternage peuvent s'épanouir plus facilement dans un tel contexte, bien que nous sachions pertinemment que la réalité peut être différente. Parfois, le père est absent et la mère doit remplir seule la mission. Cette situation n'est facile pour aucune femme. Quelles que soient les circonstances, une mère peut éprouver une grande satisfaction à allaiter son bébé et à demeurer près de lui. Les efforts faits en ce sens procurent un sentiment d'accomplissement qui s'intensifiera avec le temps.

Nous souhaitons que toutes les mères désireuses d'allaiter leur bébé puissent recevoir l'information et le soutien dont elles ont besoin, peu importe l'endroit où elles habitent. Oui, l'allaitement est simple et naturel ; c'est aussi une façon merveilleuse de nourrir une vie nouvelle.

# EN PRÉVISION
# DE L'ALLAITEMENT

**Chapitre 3**

# Un réseau de soutien  33

# CHAPITRE 1

# *Pourquoi allaiter?*

*allaitement* est la source de nourriture et de réconfort la plus naturelle pour votre bébé. Pour de nombreuses mères, l'allaitement est une expression de leur sexualité. La grossesse, l'accouchement et l'allaitement constituent une étape particulière dans la vie d'une femme, étape remplie de toute une gamme d'émotions.

L'attente d'un enfant vous fait soudainement prendre conscience que votre vie ne sera plus jamais la même. Vous ressentez le besoin d'en savoir davantage sur la maternité et vous vous demandez peut-être si vous serez à la hauteur.

Les sentiments de cette mère ressemblent possiblement aux vôtres :

*Lorsque j'attendais mon premier enfant, mon mari et moi étions un peu perplexes à l'idée de devenir parents. Nos parents et amis n'avaient pas d'enfants. Ce que nous lisions, entendions et ressentions semait la confusion [...] Après quatre ans et deux allaitements, nous nous sentons plus confiants en tant que parents et nous savons maintenant quoi écouter : notre cœur.*

Tout comme votre corps change et se modifie pour faire place au bébé qui grandit en vous, vous saurez développer vos propres compétences maternelles adaptées aux besoins de votre bébé. L'allaitement sert alors de transition idéale, tant à la mère qu'au bébé, car tous deux apprennent à se connaître dans les premières heures et les premiers jours qui suivent la naissance.

## UNE ÉTAPE SPÉCIALE

Au début de la grossesse, le développement du bébé est tout à fait remarquable. Dix-huit jours après sa conception, son cœur bat déjà. Vers le quatrième mois, vous le sentez bouger, mouvement qui ne trompe pas et qui ne ressemble à aucun autre. C'est la révélation d'une vie nouvelle. Votre corps change et s'adapte aux besoins du bébé. Vos seins se gonflent en prévision de l'allaitement, votre utérus prend de l'expansion. Vous êtes resplendissante.

Dans le dernier trimestre – les septième, huitième et neuvième mois – vous serez peut-être impatiente, désireuse d'arriver à terme et d'avoir votre bébé. Puis, souvent au moment où vous vous y attendez le moins, vous sentez une contraction, puis une autre. Le temps est venu. Un mélange de soulagement et de nervosité peut s'emparer de vous. Aujourd'hui, dans quelques heures, votre bébé viendra au monde !

Vous prévenez le médecin ou la sage-femme. Vous vous préparez à accoucher. Ce jour ne ressemble à aucun autre. Votre esprit, votre corps tout entier se concentrent sur cet état qui vous envahit.

Comme une vague, une contraction débute, s'intensifie, atteint un sommet puis se retire. Vous cherchez à vous concentrer afin de vous relaxer et détendre vos muscles au moment opportun. Entre les contractions, temps d'arrêt accueilli avec plaisir, vous vous reposez.

Puis le rythme s'accélère. Les contractions s'amplifient et se succèdent rapidement. Vous n'avez probablement jamais travaillé aussi fort de votre vie. Le mot « travail » est vraiment approprié ! Et lorsque vous êtes au bord de l'épuisement et du découragement, ceux qui vous entourent vous réconfortent : « Continue ! Le bébé sera bientôt là ! »

Finalement arrive ce moment que vous attendiez depuis si longtemps, l'expulsion. Votre bébé vient au monde ! En reprenant votre souffle, vous entendez les vagissements de votre bébé.

Voici qu'on coupe le cordon ombilical ; c'est la première séparation. Qui aidera votre nouveau-né dans son passage à ce monde, qui l'apaisera et lui fera comprendre qu'il est toujours en sécurité ? Qui, sinon sa mère ?

Votre corps le berce à nouveau. Vous le touchez, embrassez sa joue, caressez sa petite tête encore humide. Tétera-t-il ? Peut-être. Il prendra probablement le sein au cours de la première heure. Vous le tenez tout contre vous et il sent votre sein. Sa petite bouche attrape votre mamelon. Quel moment merveilleux ! Vous pouvez vous détendre tous les deux. Après avoir mis autant d'efforts à donner la vie, voilà une douce récompense.

Inconsciemment et sans effort, vous produirez du lait. Au fil des jours passés ensemble, l'allaitement fera de vous un couple. La sécurité et la chaleur de vos bras, le réconfort immédiat de votre lait, l'odeur familière et les battements de votre cœur constituent autant d'aliments indispensables à la croissance physique de votre bébé et au développement rapide de son intelligence. Une telle réalisation exige du temps, mais existe-t-il une tâche plus noble ? L'éternelle beauté de la mère et de son enfant, période de plénitude et de paix.

Vous le serrez dans vos bras, parfaitement consciente de sa dépendance envers vous. Bien sûr il grandira, s'épanouira et, finalement, vous quittera. Mais pas pour l'instant... Donnez-vous le temps de vivre ensemble ; qu'il n'y ait aucun regret. Tous deux vous établirez un nouveau lien qui remplacera celui qui vient d'être coupé. Ce lien se créera simplement et naturellement par votre présence constante, quotidienne. Indestructible, il constituera sa première relation d'amour et de compréhension humaine.

Toutefois, il est possible que, au lieu de l'accouchement naturel auquel vous vous étiez préparée, vous ayez une césarienne. Ou encore que la grossesse soit écourtée et que le bébé naisse prématurément si bien qu'on devra l'emmener rapidement recevoir des soins spécialisés. Il se peut alors que vous ne ressentiez que peu d'attachement pour le bébé.

Ce sont des choses qui arrivent. Ces circonstances peuvent retarder le début de l'allaitement, mais elles ne doivent pas l'empêcher. La mère et le bébé possèdent des trésors insoupçonnés de force et d'adaptation, pourvu qu'ils aient le soutien nécessaire. Depuis des siècles, les mères ont allaité leurs bébés avec joie, pourquoi pas vous ?

La préparation se fait avant la naissance du bébé. Il n'y a rien de plus important dans votre planification que de vous préparer à l'allaitement, et le meilleur moment pour commencer, c'est aujourd'hui.

## BON POUR LE BÉBÉ, BON POUR VOUS

En allaitant votre bébé, vous lui donnez le meilleur aliment qui soit. Aucun autre produit que le lait maternel n'a été testé sur une aussi longue période. Il contient tous les éléments nutritifs nécessaires à votre bébé ; il se digère et s'assimile mieux que tout autre aliment pour nourrisson. Son excellente valeur nutritive n'est toutefois qu'un des multiples avantages de l'allaitement dont votre bébé et vous pouvez bénéficier.

La mise au sein du bébé dans les minutes qui suivent la naissance provoque la contraction de l'utérus et diminue ainsi les risques d'hémorragie. L'allaitement permet également à l'utérus de retrouver sa taille initiale plus rapidement.

Sa petite tête reposant sur votre sein et son corps réchauffé de votre lait, votre bébé découvre les liens étroits qui vous unissent. C'est ainsi qu'il apprend l'essence même de la vie : l'amour.

En tétant votre sein, votre bébé exécute un exercice qui permet un bon développement de la structure osseuse de son visage et de ses mâchoires. L'allaitement favorise également une prise de poids régulière, ce qui constitue un bon moyen de prévenir une éventuelle tendance à l'obésité.

L'allaitement représente la meilleure protection contre les risques d'allergie. Un régime composé uniquement de votre lait, durant les six premiers mois environ, prépare son corps à recevoir d'autres aliments. De plus, le lait le protège contre les infections. En effet, la présence de cellules vivantes propres au lait maternel empêche le développement de bactéries nocives et de virus dans le système digestif encore immature du bébé.

L'allaitement fait partie intégrante du processus normal de la reproduction qui comprend la grossesse, l'accouchement et la lactation. Une mère qui allaite exclusivement son bébé – sans donner de biberons ni d'aliments solides – devient rarement enceinte avant que son bébé ne commence à prendre d'autres aliments. Ses premières menstruations peuvent n'apparaître que six mois après la naissance, parfois même plus tard, surtout si le bébé tète fréquemment. Puisque l'allaitement brûle de nombreuses calories, vous pourriez perdre du poids plus rapidement dans les mois qui suivront la naissance.

L'allaitement permet également de gagner du temps et d'économiser de l'argent si on le compare à l'alimentation au biberon. Ainsi, la mère évitera des heures de travail à préparer les biberons de lait artificiel. Le temps accordé à l'allaitement permet de se relaxer. Jour et nuit, automatiquement et avec précision, le lait est fabriqué et emmagasiné dans les seins. Toujours à la bonne température, il est pur et son approvisionnement, quasi illimité.

L'allaitement nous permet d'apprécier les façons de faire, différentes mais complémentaires de l'homme et de la femme dans l'éducation d'un enfant. Si vous avez des enfants plus âgés, l'allaitement contribuera à leur éducation sexuelle. C'est une manière d'apprendre qui vaut bien un cours donné dans n'importe quelle école renommée.

L'allaitement demeure le meilleur départ dans la vie d'un bébé. Contrairement à toutes ces choses que l'on croit « meilleures » mais qui sont inaccessibles, même dans nos rêves les plus fous, le lait maternel, lui, est disponible. Vous n'avez qu'à l'offrir.

## DES APPUIS SOLIDES

Si vous étiez Romaine en l'an 180 de notre ère et que vous veniez d'accoucher, il est fort probable que Galien, médecin qui prononçait des conférences publiques sur l'anatomie et la physiologie, vous aurait donné le conseil suivant : « Si on met le nouveau-né au sein, il tétera et avalera le lait avidement. Et s'il lui arrive d'avoir mal ou de pleurer, le meilleur moyen de soulager sa peine consiste à le mettre au sein. »

Plus près de nous, le docteur Grantly Dick-Read, reconnu comme le père du mouvement moderne de l'accouchement naturel, affirme que : « Le bébé naissant n'a que trois besoins : la chaleur des bras de sa mère, le lait de ses seins et sa présence rassurante. L'allaitement comble ces trois besoins. »

Le docteur Ashley Montagu, anthropologue et biosociologue de renom, écrit dans *La peau et le toucher*[1], publié aux Éditions du Seuil, en 1979 :

---

1. Traduction de *Touching*, publié en 1971.

*Ce qui s'établit pendant la relation d'allaitement constitue les assises du développement de toutes les relations sociales chez l'humain. De plus, les messages que le nourrisson reçoit par le chaud contact corporel de sa mère constituent la première expérience de socialisation de son existence.*

Plus près de nous encore, l'Académie américaine de pédiatrie et la Société canadienne de pédiatrie ont déclaré qu'elles « recommandent fortement l'allaitement ». Leur déclaration conjointe, publiée en 1979, est largement reçue comme une adhésion sans équivoque à l'allaitement maternel.

Les pédiatres affirment : « Nous croyons que le lait maternel est supérieur aux laits artificiels », et ils concluent que « la supériorité nutritionnelle globale du lait maternel demeure inchangée ». Comme on peut s'y attendre, leur rapport insiste sur l'importance de l'allaitement là où les conditions sanitaires et le logement sont insuffisants. « Pour la grande majorité des pays en voie de développement, est-il écrit, les considérations économiques et sanitaires plaident de manière concluante en faveur de l'allaitement maternel. » Une constatation plus surprenante encore porte sur des régions jouissant d'un niveau de vie élevé. Dans ces endroits, on rapporte moins de maladies chez les bébés allaités que chez ceux qui sont nourris au biberon. Malgré les derniers progrès en technologie et en médecine, « des informations récentes indiquent qu'il existe toujours des avantages appréciables pour le bébé allaité ». Ce rapport mentionne aussi que seul le lait maternel contient des éléments indispensables à l'immunisation du nouveau-né au cours de la période où son propre système immunitaire se développe.

Les pédiatres évoquent également le lien affectif qui se tisse entre la mère et le bébé allaité. « Un contact précoce et prolongé entre la mère et le nouveau-né peut être un facteur important dans l'établissement du lien mère-enfant et influence le comportement que celle-ci aura plus tard envers son enfant. »

La Société de pédiatrie de la Nouvelle-Zélande affirme que : « Un nombre croissant de preuves confirme que la santé des enfants, et éventuellement celle des adultes, peut être nettement améliorée en généralisant davantage l'allaitement. »

Le Kinderzentrum, l'institut de pédiatrie sociale et de médecine infantile de l'Université de Munich, en Allemagne, considère l'allaitement comme « une mesure importante en pédiatrie préventive ».

Le slogan de l'Organisation mondiale de la santé (OMS) annonce : « L'allaitement, base fondamentale de la vie ». L'OMS a également rédigé un dossier recommandant vivement, en des termes clairs, que des démarches soient entreprises afin de contrebalancer la progression de l'alimentation artificielle parmi les populations à risques élevés.

L'UNICEF, organisme des Nations Unies soucieux du bien-être des enfants, a placé l'allaitement au centre de sa stratégie visant la diminution du taux de morbidité et de mortalité infantile partout au monde.

En 1985, James P. Grant, directeur général de l'UNICEF, parlait des conséquences sur la vie liées à la décision d'allaiter.

*Peu à peu, un nombre grandissant de pays tentent de préserver un élément vital pour la protection des enfants : l'allaitement.*

*L'allaitement constitue un « filet de sécurité » naturel contre les pires effets de la pauvreté. En effet, si un enfant atteint l'âge d'un mois (la période la plus critique de l'enfance), alors dans les quatre mois qui suivent, ou à peu près, l'allaitement exclusif permet, pour ce qui est de la santé, de diminuer l'écart entre l'enfant né dans un milieu défavorisé et celui qui naît dans un milieu aisé. Sauf dans le cas d'une alimentation très pauvre, le lait maternel d'une mère vivant dans un village africain est identique à celui d'une mère qui habite dans un appartement de Manhattan [...] C'est un peu comme si l'allaitement sortait l'enfant de la pauvreté durant ces quelques mois vitaux et lui permettait de commencer sa vie de façon équitable en compensant l'injustice du lieu de naissance [...]*

*Dans un grand nombre de villes des pays en voie de développement, le taux et la durée d'allaitement ont commencé à décliner rapidement [ces dernières années]. Cela peut avoir pour conséquence de doubler ou tripler les cas de malnutrition, d'infections et de mortalité infantile.*

L'augmentation du taux et de la durée d'allaitement fait partie des objectifs du Department of Health and Human Services des États-Unis. Voici ce que le chirurgien en chef, C. Everett Koop, a déclaré en 1989 devant un sous-comité travaillant sur la nutrition à la demande du Congrès :

*Tous les programmes de santé maternelle
et infantile devraient promouvoir activement l'allaitement. Les experts en santé du monde entier
s'entendent sur le fait que l'allaitement constitue la
meilleure façon de nourrir les bébés et qu'il devrait
être envisagé lorsque c'est possible. J'utilise le terme
« nourrir » délibérément puisqu'il signifie « élever,
alimenter en allaitant » [...]*

*Les preuves abondent : le lait maternel est conçu
pour maximiser la croissance, le développement et le
bien-être du bébé. Il offre une meilleure protection
contre des infections précises. Les laits artificiels ne
peuvent fournir cette protection [...]*

*Nous pourrions améliorer de façon notable la
santé des enfants américains au cours des dix
prochaines années en mettant sur pied des programmes efficaces de promotion de l'allaitement. Ainsi,
grâce à ses avantages exceptionnels et considérables,
l'allaitement assurerait la santé des enfants de
toutes les couches de la société de même que leur
alimentation et leur développement optimal.*

## LA CLÉ DU MATERNAGE

Bien que votre lait soit important pour votre bébé,
comme aliment et comme source de protection contre les infections, l'allaitement est plus qu'un simple mode d'alimentation.
En effet, c'est la façon la plus naturelle et la plus efficace de
comprendre les besoins du bébé et de les satisfaire. « Allaiter son
bébé, c'est apprendre le bon maternage par soi-même », faisait
observer une mère.

L'effet de l'allaitement sur le maternage s'explique par le
fait que la mère qui allaite est différente physiquement de celle
qui n'allaite pas. Les taux d'hormones diffèrent. Chez la mère
qui allaite, le taux de prolactine – l'hormone « maternelle » – est
élevé.

Nous savons toutes que la maternité peut être très
exigeante, mais l'allaitement permet de compenser les soucis qui
accompagnent la venue d'un bébé. Il sert de lien entre la mère
et l'enfant et vice versa. Le docteur Lucy Waletzky, psychiatre
ayant allaité ses enfants, explique que :

*Le contact physique intime, particulier à l'allaitement, engendre un sentiment d'identité psychologique avec son enfant. Cela permet à la mère de satisfaire son propre besoin de dépendance (besoin d'aimer et d'être aimée) tout en comblant celui de son bébé. Le besoin de la mère peut être accentué après l'accouchement par la douleur, la fatigue et par le stress psychologique dû à l'adaptation à sa nouvelle maternité. Lorsque son besoin est satisfait, son ressentiment face à la dépendance du bébé (un problème souvent très difficile) est adouci et les sentiments positifs de la mère peuvent s'épanouir sans ombrage.*

## Materner, qu'est-ce que cela signifie ?

Materner, c'est prendre soin de votre bébé, communiquer avec lui et l'encourager à communiquer avec vous. Cela comprend tous ces petits gestes que vous faites pour garder votre bébé en santé et en sécurité afin que son corps et son esprit se développent. L'allaitement est une forme de communication inégalée entre la mère et son bébé. Tous les sens y jouent un rôle. Votre bébé goûte votre lait, il en reconnaît l'odeur et celle de votre peau qu'il sent contre la sienne. En position d'allaitement, il peut facilement vous regarder dans les yeux. Il entend votre voix. Chaque fois que vous allaitez votre bébé vous lui dites indirectement : « Oui, tu es en sécurité. Tout va bien ! » Pour sa part, il vous dit qu'il se sent aimé et rassuré. C'est un apprentissage sécurisant pour vous deux.

Depuis la nuit des temps, les mères ont rassuré leurs bébés en les mettant au sein. Elles savent que quelques minutes d'allaitement peuvent apaiser les craintes ou la colère d'un tout-petit. Rien ne peut le sécuriser davantage que le contact physique de sa mère et le goût de son lait chaud.

Pour expliquer comment l'allaitement améliore l'interaction de la mère avec son bébé, le docteur Williams Sears, pédiatre et père de six enfants, écrit ceci :

> *Les mères qui allaitent répondent de façon plus intuitive et avec moins de restrictions à leur bébé. Le signal de faim ou de douleur du bébé provoque une réaction physiologique chez la mère (l'écoulement du lait), et elle s'empresse de prendre le bébé et de l'allaiter. Cette réaction positive fait naître de bons sentiments tant chez le bébé que chez sa mère. Si le bébé est alimenté au biberon, la réaction de la mère aux signes de faim ou de douleur de son bébé est légèrement différente. Au départ, elle doit détourner temporairement son attention du bébé pour la fixer sur un objet, le biberon, et prendre le temps d'aller le chercher et de le réchauffer. Des recherches ont démontré que le temps de mémoire d'un bébé âgé de moins de 6 mois varie entre quatre et dix secondes. Le temps requis pour préparer un biberon dépasse habituellement le temps de mémoire du bébé. Le bébé alimenté au biberon ne reçoit pas le même renforcement immédiat de ses signaux que celui qui est allaité. Dans l'exercice de mes fonctions, j'ai remarqué que les mères qui allaitent ont tendance à démontrer une très grande sensibilité à leurs bébés. Je crois que c'est le résultat des changements biologiques qui s'opèrent en elles lorsqu'elles répondent aux signaux de leur bébé.*

Materner signifie cajoler le bébé, le prendre dans ses bras lorsqu'il est rassasié mais pas prêt à dormir, accepter que, pour lui, désirs et besoins sont indissociables. Materner c'est aussi changer sa couche ou lui faire des coucous. C'est reconnaître que chaque enfant a un besoin inestimable d'être aimé pour ce qu'il est : un être ayant sa propre personnalité et dont les besoins changent au fur et à mesure qu'il grandit. La façon de répondre ou de ne pas répondre à ces premiers besoins influera grandement sur son comportement futur envers les gens et dans certaines situations. La manière dont l'enfant est materné est non seulement importante pour la mère et l'enfant, mais aussi pour la société. Marian Tompson, une des fondatrices de la Ligue La Leche (LLL), fait remarquer que :

*Quelle que soit l'étendue des progrès technologiques que nous réalisons, les décisions relatives à l'utilisation de cette technologie seront toujours prises par des gens. La qualité des personnes que nous formons est donc primordiale pour l'orientation de notre monde. Vous savez, apprendre à un enfant à être bon et humain, c'est la contribution la plus importante que chacune d'entre nous peut apporter à l'avancement du monde.*

## Apprendre à connaître son enfant

Le maternage ne s'apprend pas dans les livres. Nous pouvons vous dire, par exemple, que la plupart des jeunes bébés aiment être emmaillotés confortablement et serrés tendrement. Nous pouvons aussi vous affirmer que vers l'âge de 3 mois, la majorité des bébés adorent la compagnie. Ils aiment être entourés de toute la famille. Plutôt que de vouloir être nourris ou bercés, ils préfèrent souvent se trouver avec des gens. Ces observations sont probablement vraies pour la plupart des bébés, mais votre nouveau-né peut préférer être libre de ses mouvements. Il est aussi possible que votre bébé de 3 mois devienne surexcité par autant d'activités et que cela le rende maussade. Il vous faut donc être attentive à ses besoins.

Cette sensibilité qui vous aide à faire la bonne chose au bon moment vient de votre connaissance de votre bébé. Elle s'acquiert au fil du temps passé avec lui, mais elle se développe davantage et plus rapidement encore si vous l'allaitez. La proximité et l'intimité de l'allaitement permettent de percevoir mieux et plus vite les émotions et les besoins de ce petit être. De plus, cela vous permet d'apprendre à les satisfaire.

Ann Van Norman, de l'Ontario, au Canada, nous rapporte de quelle façon l'allaitement lui a permis d'apprendre à connaître les besoins de son bébé.

*Je croyais m'être préparée à devenir mère avant la naissance de Sarah. J'avais appris à changer les couches, à donner le bain et à allaiter mais je n'avais aucun moyen de me préparer à « materner ». J'ai découvert que le maternage s'apprend par l'expérience. Savoir comment réagir avec souplesse aux demandes d'amour, d'attention et de stimulation du bébé, comment mettre en veilleuse ses propres besoins et accepter la constance et l'intensité*

*des besoins du bébé, voilà autant de leçons qui
s'apprennent par la pratique.*

*Je crois que l'allaitement a adouci mon
apprentissage, surtout par le renforcement positif
que me donnait Sarah. Elle m'a montré combien
elle m'aimait et avait besoin de moi. L'allaiter,
c'était prendre le temps de lui répondre, de relaxer
et de réfléchir. Je suis une tout autre personne
maintenant. Sarah m'a transformée. De tigresse
acharnée que j'étais, je suis devenue une douce
chatte domestique.*

Vous aurez plus de plaisir à materner à mesure que vous
découvrirez cette tendresse intense et profonde tellement naturelle entre une mère et son bébé. Ce plaisir grandira aussi à
mesure que vous comprendrez les besoins de votre bébé et que
vous prendrez confiance en vos capacités à les satisfaire. Il sera
encore plus grand lorsque vous constaterez les bienfaits de cette
saine relation sur votre bébé en croissance. Pierrette Roy, de
Saint-Adolphe d'Howard, au Québec, nous fait part de ses
sentiments.

*Vous est-il déjà arrivé de connaître quelqu'un sans
toutefois jamais lui avoir touché ? Vous lui donnez
la main et il s'établit spontanément une communication plus profonde. Dans
l'allaitement, c'est la
même chose :
mère et enfant
en viennent à
mieux se
connaître en
vivant une
relation tactile
intense. C'est sur
ce plan que la mère
ressent les bienfaits de
l'allaitement. Voir son bébé
s'endormir paisiblement au sein, c'est gratifiant.*

*Lorsque notre bébé cherche le sein en roucoulant,
tout un système d'échange sensoriel passe entre la
mère et l'enfant. Quand il reçoit
le sein avec un air d'extase, il est heureux
et la mère l'est aussi.*

L'allaitement n'est pas la garantie d'un bon maternage
tout comme l'alimentation au biberon ne l'exclut pas. Le plus
important, c'est l'amour que vous donnez à votre bébé et le fait
que vous faites de votre mieux pour être une bonne mère. Mary
White, une des fondatrices de la Ligue La Leche, nous rappelle :

*Nous apprenons toutes continuellement. Nous
essayons toutes d'atteindre le sommet, mais nous
avons un long chemin à parcourir avant d'y
arriver. Cependant, pour chacune d'entre nous,
notre bébé est la personne qui peut nous en
apprendre le plus. Écoutez-le, dévouez-vous pour
lui. Le don de soi nous fait grandir en tant que
mère et femme. En l'observant se développer
et s'épanouir, nous contemplons une œuvre dont
nous pouvons être fières.*

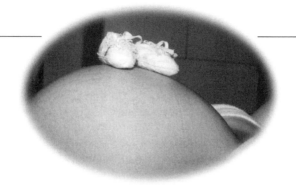

# CHAPITRE 2

# *Vous êtes enceinte*

*La préparation* à la venue d'un bébé représente une des aventures les plus excitantes de la vie d'un couple. Vous choisissez un professionnel de la santé, vous vous renseignez sur les cours prénatals et vous assistez aux réunions de la Ligue La Leche. Puis vous songez à redéfinir vos priorités. Les bébés exigent du temps et vous aurez à faire certains ajustements. Comment vous y prendrez-vous pour modifier une occupation journalière ou éliminer une activité afin d'intégrer le nouveau membre de la famille à votre vie déjà si bien remplie ?

Avec le temps, nous avons appris que lorsqu'une occupation journalière vient en conflit avec les besoins d'un membre de la famille, il faut mettre cette occupation de côté. « Les personnes avant les choses », voilà une devise dont il faut se souvenir.

Ces changements ne constituent pas un intermède. La vie ne redevient pas ce qu'elle était lorsque le bébé a grandi. Avoir un bébé, aimer un enfant, c'est pour la vie. Des expériences nouvelles, des occasions infinies et des sentiments profonds que vous n'auriez pu connaître autrement vous attendent.

C'est vrai, l'investissement qu'exige un bébé est énorme. La question monétaire préoccupe certainement bon nombre de couples. Pourtant, ce qui est plus fondamental et plus difficile à assurer, émotivement et physiquement, c'est le don de soi perpétuel. Les bébés n'ont aucune idée de ce qu'il en coûte aux parents de les soigner, les rassurer et les aimer, jour et nuit. Bien sûr, ils ne pourront s'en rendre compte tant qu'ils ne deviendront pas eux-mêmes parents. C'est à ce moment-là qu'ils prendront conscience de ce cadeau et qu'ils le transmettront aussi affectueusement qu'ils l'ont reçu.

## La préparation à la naissance

Nous avons appris, dès la création de la Ligue, que l'expérience d'accouchement d'une femme influence le début de l'allaitement et nombre de ses comportements maternels. La participation consciente et active de la mère à l'accouchement favorise le bon départ de l'allaitement.

L'accouchement peut être une expérience enrichissante, heureuse et stimulante. Les femmes qui ont accouché sans avoir recours aux médicaments ou aux interventions médicales savent que la phase d'expulsion et le premier cri du bébé viennent couronner un moment exceptionnel dans la vie d'une femme.

L'accouchement est une fonction naturelle et normale pour laquelle le corps de la femme est merveilleusement bien conçu. Les circonstances d'accouchement les plus saines, tant pour la mère que pour le bébé, sont celles où il n'y a aucun recours aux médicaments. Presque toutes les mères sont en mesure, physiquement, de donner naissance à leur bébé sans intervention médicale. Cependant, la présence d'un médecin ou d'une sage-femme diplômée au moment de la naissance de votre bébé est nécessaire. Cette présence se compare à celle d'un surveillant de plage qui est de service dans l'éventualité où il y aurait des complications. Dans le déroulement normal et naturel de l'accouchement, ce n'est pas le médecin mais bien la mère qui met le bébé au monde.

Une bonne préparation permettra à la mère et à son bébé de vivre une expérience d'accouchement heureuse et saine. Votre mari et vous pouvez commencer à vous y préparer en essayant d'en apprendre le plus possible. La majeure partie de vos craintes, inquiétudes et fausses idées concernant l'accouchement disparaîtront au fur et à mesure que vous serez mieux informés et plus confiants. En assistant aux cours prénatals, vous apprendrez les phases de l'accouchement, comment y participer et coopérer.

Avec de la concentration et de la pratique, vous pouvez apprendre des techniques de relaxation qui vous seront très utiles pendant le travail. Puis à la phase d'expulsion, quand vous pousserez au moment des contractions, qui sait, votre bébé verra peut-être le jour dans les mains de son père. Le fait de voir et de prendre son nouveau-né lie le père à son enfant et à la mère d'une façon toute particulière.

Si tout se déroule normalement, vous pourrez prendre votre bébé immédiatement après la naissance et le mettre au sein. À ce moment, le flot d'amour et d'émotion que vous ressentirez envers votre enfant lui assurera spontanément le confort et la sécurité qu'il a toujours connus avant sa naissance. Ce contact précoce peut être très rassurant et satisfaisant pour vous deux. L'allaitement dans la première heure après la naissance favorise la production de lait.

## Progrès réalisés

Heureusement, pour les femmes enceintes, il y a eu au cours des 20 dernières années une grande humanisation des soins face à l'accouchement et à l'allaitement. Louise St-Pierre, de Saint-Rédempteur, au Québec, nous fait part de son expérience à ce sujet.

*En 1973, dans la région de Québec, l'un des rares endroits où se donnaient des cours prénatals était au YWCA. L'accouchement naturel et l'allaitement étaient des éventualités présentées mais peu encouragées. Mon médecin était l'un des premiers à permettre la présence du père dans la salle d'accouchement. Quelques bébés dans la pouponnière étaient allaités. On nous les amenait toutes les quatre heures mais pas pour les tétées de nuit.*

*Trois années plus tard, nouvel accouchement. J'aurais dû attendre quelques mois de plus car on songeait à instaurer la cohabitation.*

*Cependant, un plus grand nombre de bébés étaient*
*allaités, toujours toutes les quatre heures, et on*
*nous demandait si on voulait qu'on nous amène*
*notre bébé aussi la nuit.*

*Enfin un troisième bébé me permit de connaître*
*une nette amélioration. Après deux accouchements*
*sous épidurale, Catherine est née en chambre de*
*naissance avec l'aide de son papa. On la garda avec*
*nous. Elle était allaitée lorsqu'elle en manifestait le*
*besoin et les infirmières de la pouponnière firent très*
*peu sa connaissance. Quarante-huit heures plus*
*tard, nous retournions à la maison, heureux*
*de nous retrouver en famille. Ce fut ma plus*
*belle récupération.*

## Les choix de naissance

De nos jours, les mères considèrent la naissance de leur
bébé comme l'événement naturel et normal qu'il est et non
comme un acte médical. Elles se renseignent sur les divers types
d'accouchement. La popularité de l'accouchement à domicile
et dans les maisons de naissance ou maternités s'accroît dans
quelques endroits. Certains hôpitaux offrent des chambres de
naissance et des soins centrés sur la famille en remplacement
des traditionnelles salles de travail et d'accouchement. Nombre
de ces changements ont été faits pour répondre à la demande
des parents. Renseignez-vous sur les possibilités avant la naissance de votre enfant.

## La césarienne

Dans l'ensemble des pays industrialisés, le taux d'accouchement par césarienne atteint 15 p. 100 (et même 25 p. 100
aux États-Unis). Cela signifie que près d'un quart de toutes les
naissances sont faites par césarienne, fait alarmant que nombre
de professionnels de la santé considèrent comme une épidémie.

Pratiquer une césarienne est une décision importante
qui est souvent prise à un moment critique du travail où les
parents ne risquent pas de contester la décision du médecin. Dès
le début de la grossesse, il serait sage de demander au médecin
sa position face à la césarienne. Un petit nombre de médecins en
sont venus à croire que la césarienne est nécessaire dans les cas
de jumeaux, d'accouchement par le siège ou de travail soi-disant
« prolongé ». D'autres médecins la considèrent comme l'ultime
recours et croient que, bien souvent, il faut seulement un peu

plus de temps et de patience. Pourvu qu'ils soient entourés d'un bon soutien médical et d'attention, la plupart des bébés, même les gros, peuvent naître par voie vaginale pour leur plus grande sécurité et celle de leur mère.

Si votre médecin juge nécessaire l'accouchement par césarienne dans votre cas, informez-vous des complications possibles pour votre bébé et vous. Vous pouvez aussi consulter un autre médecin avant de prendre votre décision.

Si vous avez déjà eu une césarienne, sachez que cela ne signifie pas nécessairement que vous devrez en subir une autre. Plusieurs mères ont pu accoucher par voie vaginale par la suite. Il arrive souvent que les raisons motivant la première césarienne ne s'appliquent pas aux autres accouchements.

Un nombre croissant de médecins et d'hôpitaux permettent aux pères d'assister à la césarienne. La mère apprécie le réconfort et le soutien apportés par le père et celui-ci est heureux de pouvoir participer à la naissance de leur enfant. Discutez de ces possibilités avec votre médecin.

Pour bien vivre un accouchement par césarienne, vous pouvez discuter à l'avance de certains sujets avec votre médecin. Voici ceux que Debbie Pollock, du Wisconsin, nous a soumis.

*Pendant la grossesse, la communication avec votre médecin est très importante, que vous accouchiez par césarienne ou par voie vaginale. Si un problème survient pendant ou après la naissance, la mère ayant subi une césarienne est désavantagée. Elle peut avoir des difficultés à surmonter ce problème car elle doit se rétablir de la chirurgie et des effets de la médication.*

*L'utilisation minimale de médicaments et, si possible, le fait pour la mère de pouvoir vivre quelques heures de travail l'aideront à mieux accepter l'accouchement par césarienne et favoriseront un rétablissement rapide. Une anesthésie péridurale lui permettra d'être consciente pour la naissance de son bébé. De plus, le bébé sera plus éveillé que si la mère a eu une anesthésie générale.*

*Pour favoriser un bon départ de l'allaitement, la mère peut demander que le bébé ne reçoive aucun supplément. Quelques instants après la naissance, mon mari a emmené notre fils à la pouponnière, où il n'est resté que quelques minutes, puis il me l'a ramené à la salle de réveil. Le bébé a tété pour la première fois moins d'une heure après la naissance.*

*Si on peut obtenir une chambre individuelle, le père, la mère et le bébé peuvent être autorisés à partager la même chambre. Dans ce cas, le bébé n'aura pas besoin d'être séparé de sa mère puisque le père est présent et qu'il peut aider.*

*Les mères peuvent vivre toutes sortes d'émotions après une césarienne. Pour moi, il était important de ne pas penser continuellement à ce qui était arrivé, de ne pas me sentir coupable, ni d'avoir de regrets. Au contraire, il me fallait plutôt savourer chaque moment passé avec mon fils.*

## DES PROFESSIONNELS DE LA SANTÉ ATTENTIONNÉS

Il ne fait aucun doute que le choix du médecin ou de la sage-femme diplômée qui vous accompagnera à l'accouchement est important. Car cette personne exercera une grande influence sur la façon dont l'enfant naîtra, tout comme le médecin traitant de votre bébé influencera le cours de l'allaitement. De plus, le médecin qui vous prescrira des médicaments, si jamais vous étiez malade, devra tenir compte de votre état et du fait que vous allaitez votre bébé. Un médecin n'ayant pas eu l'occasion de se familiariser avec l'allaitement peut être facilement enclin à sevrer le bébé lorsqu'il doit traiter la mère ou le bébé. Une telle solution est rarement nécessaire.

L'expérience des parents rencontrés dans les réunions de la Ligue La Leche (LLL) et aux cours prénatals constitue une

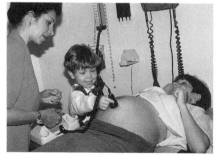

bonne façon d'apprendre. À mesure que vous vous informez, par des lectures ou des discussions, vous saurez quelles questions poser afin d'en savoir davantage sur les différentes pratiques médicales ou hospitalières.

La première étape consistera probablement à choisir le médecin ou la sage-femme diplômée qui vous accompagnera à l'accouchement. Recherchez un médecin qui ne fait pas un usage systématique de médicaments, d'intraveineuses ni du moniteur fœtal pendant le travail, qui ne déclenche pas systématiquement le travail, qui n'a pas systématiquement recours à l'anesthésie ou à l'épisiotomie. Demandez-lui quel est le taux de césarienne de sa clinique et de l'hôpital où naîtra votre bébé.

Vous voudrez peut-être rencontrer quelques professionnels de la santé avant d'arrêter votre choix. Faites une liste des sujets dont vous aimeriez discuter. Lorsque vous prendrez rendez-vous, demandez s'il y a des frais pour ce genre de consultation. Informez la réceptionniste que vous ne voulez pas vous soumettre à un examen complet. Demandez si le médecin est associé à un groupe de médecins. Il est judicieux de savoir si l'un des associés peut remplacer votre médecin à l'accouchement. Assurez-vous que les médecins associés respecteront aussi vos désirs.

Après avoir discuté avec votre médecin, vous pourriez écrire ce qui est acceptable pour vous tous et demander au médecin de signer votre liste en guise d'acceptation. (Évidemment, le médecin se réserve le droit de modifier le mode d'action en cas d'urgence.) Apportez cette entente à l'hôpital avec vous. Des mères affirment que le simple fait de présenter ce billet suffisait à empêcher quelqu'un de procéder à une intervention de routine, d'administrer un médicament au moment de l'accouchement ou de donner un biberon de supplément à la pouponnière.

## Le médecin du bébé

Lorsque vous choisirez le médecin qui prendra soin de votre bébé, cherchez une personne en faveur de l'allaitement et compétente en la matière. Un médecin de famille peut s'occuper à la fois de vous et du bébé et vous pourrez discuter d'allaitement au cours des visites prénatales. Sinon, choisissez un pédiatre pour prendre soin du bébé après la naissance. Prenez rendez-vous avec lui avant la naissance et dites-lui que vous prévoyez d'allaiter votre bébé. Posez des questions. La majorité de ses patients sont-ils allaités ? Comment traite-t-il le gain de poids lent ? Si les réponses ne vous satisfont pas, cherchez un autre médecin. Si cela vous est impossible, faites-lui part de vos préoccupations et expliquez-lui pourquoi l'allaitement est si important pour vous.

## La nécessité du dialogue

Lorsque vous avez affaire à des professionnels de la santé, il importe de faire connaître vos désirs. Une phrase simple, directe, peut ouvrir le dialogue. « Docteur, j'ai besoin de discuter de ceci avec vous. C'est primordial pour moi. » Si votre bébé doit prendre des médicaments ou être hospitalisé, cherchez un médecin qui accepte de le traiter sans interrompre l'allaitement, ou le moins possible. Il est toujours préférable de demeurer près de votre bébé lorsqu'il est malade et de l'allaiter quand c'est faisable. Si votre médecin traitant, ou celui de votre bébé, n'est pas disposé à discuter des possibilités que vous lui présentez, peut-être voudrez-vous obtenir une autre opinion médicale.

## LES MAMELONS ET LEUR PRÉPARATION

Lorsque vous mentionnerez à d'autres mères que vous voulez allaiter votre bébé, certaines vous parleront probablement de mamelons douloureux. À une certaine époque, la douleur aux mamelons était la raison universelle pour cesser l'allaitement. On a alors accentué la nécessité de « préparer les mamelons » avant la naissance du bébé. On a récemment découvert que la douleur aux mamelons est principalement causée par une mauvaise position du bébé au sein ou une succion inadéquate ou par les deux. Bien que la mère puisse préparer d'une certaine façon ses mamelons dans les dernières semaines de grossesse, la préparation ne constitue plus une condition préalable à la réussite de l'allaitement.

Kittie Frantz, infirmière autorisée, monitrice[1] de la Ligue La Leche et directrice du Breastfeeding Infant Clinic à l'University of Southern California Medical Center, a été une des premières personnes à souligner l'importance d'une bonne position. L'évaluation de 300 mères lui a permis de constater que 57 p. 100 des mères se plaignaient de douleur aux mamelons et que 43 p. 100 n'éprouvaient aucune douleur. Voici ce qu'elle a découvert.

*Nous avons observé une différence entre les deux groupes, une différence dans la façon dont les mères tenaient leur bébé et dont les bébés prenaient le sein dans leur bouche. Nous avons enseigné la technique utilisée par les mères ne sentant aucune douleur à celles qui avaient des mamelons douloureux. Dans*

---

1. Animatrice en Europe.

*la plupart des cas, elles ont affirmé que la douleur
avait disparu ou diminué considérablement.*

Vous trouverez plus de renseignements sur la bonne
position du bébé au sein dans le chapitre 4 intitulé « Les
premiers jours ».

## Ce que vous pouvez faire

Certaines femmes appliquent une substance hydratante
sur leurs seins et leurs mamelons pendant la grossesse. La crème
hydratante que vous utilisez habituellement devrait convenir.

Puisque le savon peut dessécher la peau, il faut éviter de
l'utiliser sur l'aréole et le mamelon. L'eau claire suffit à nettoyer
cette région. Lorsque vous allaitez votre bébé, les glandes de
Montgomery entourant le mamelon sécrètent une substance
qui détruit les bactéries. Par conséquent, il n'est pas nécessaire
d'appliquer de l'alcool ni une autre substance antiseptique sur
vos mamelons. Si vous êtes à l'aise de rester sans soutien-gorge
durant une période de la journée, l'air et la légère friction de vos
vêtements seront profitables à vos mamelons. Si vous préférez
porter un soutien-gorge en tout temps, vous pouvez en porter
un d'allaitement et ouvrir les rabats. Chez certains couples, les
caresses des seins et la succion du mamelon font partie des jeux
amoureux. Elles peuvent être une façon naturelle de préparer
les seins à l'allaitement.

## Le massage des seins

Un léger massage des seins aidera à vous sentir plus à
l'aise dans la manipulation de vos seins et peut se révéler utile
plus tard si vous devez extraire du lait. Tenez votre sein de vos
deux mains en plaçant les doigts sous le sein et les pouces sur le
dessus. En partant de la cage thoracique, déplacez vos mains
vers le mamelon en serrant légèrement vos doigts contre vos
pouces. Faites le tour de votre sein en répétant ce mouvement
puis passez à l'autre sein.

Un autre genre de massage du sein consiste à faire de
petits cercles avec vos doigts sur une zone précise du sein en
exerçant une légère pression. Après quelques secondes, déplacez
vos doigts vers une autre zone. Débutez par le haut du sein, près
de la cage thoracique, et faites le tour comme pour décrire une
spirale en vous rapprochant graduellement de l'aréole.

## Les mamelons plats

Pour téter efficacement, le bébé doit amener le mamelon au fond de sa bouche. Si vos mamelons sont plats, le bébé peut avoir de la difficulté à prendre le sein correctement. Si vous choisissez de ne faire aucune préparation, vérifiez au moins si vos mamelons sont plats ou invaginés.

Pour faire ressortir le mamelon, placez le pouce et l'index à la base du mamelon et serrez légèrement entre vos doigts. Vous pourrez alors sentir la démarcation entre la masse de tissus du sein et le mamelon. Tirez alors légèrement sur le mamelon puis faites-le basculer vers le haut puis vers le bas. Certains experts croient qu'en faisant cet exercice plusieurs fois par jour on améliore l'élasticité des mamelons, ce qui permettrait au bébé de le saisir plus facilement.

Si vous essayez ces étirements sur vos mamelons et qu'ils ne semblent pas pointer suffisamment pour vous permettre de les attraper, il se peut que vous ayez des mamelons plats ou invaginés. Une légère pression à environ deux centimètres de la base du mamelon devrait le faire ressortir.

Le docteur J. Brooks Hoffman, du Connecticut, propose l'exercice qui suit pour aider à faire ressortir les mamelons plats. Placez vos pouces de chaque côté du mamelon, exactement à la base et non autour de l'aréole. Écartez les pouces l'un de l'autre en poussant fermement. Ce mouvement étire le mamelon et brise les adhérences à la base de celui-ci, ce qui lui permet de pointer et de ressortir. Le docteur Hoffman recommande de répéter cet exercice cinq fois par jour en déplaçant les pouces autour de la base du mamelon.

## Les mamelons invaginés

Si vos mamelons ne ressortent pas du tout lorsque vous faites ces exercices, vous avez probablement ce qu'on appelle des « mamelons invaginés ». Un mamelon invaginé entre dans le sein lorsqu'on exerce une pression sur l'aréole. Certains types de mamelons invaginés semblent poussés vers l'intérieur en permanence. Le mamelon est là, de dimension normale, prêt à remplir la tâche pour laquelle il a été conçu. Laissé à lui-même, il se rétracte à l'intérieur du sein au lieu de ressortir lorsque le bébé essaie de téter.

Dans les cas de mamelons plats ou invaginés, le meilleur traitement consiste à porter des boucliers[2] spécialement conçus

---

2. On utilise aussi le terme « coquille ».

pour les faire ressortir. Ces boucliers ne gênent aucunement et sont légers et invisibles sous le soutien-gorge. Au début, vous pouvez les porter quelques heures par jour pendant la grossesse en augmentant graduellement la durée. Chaque bouclier comporte deux parties : un anneau qui se place sur le sein et une coupole qui s'emboîte dans l'anneau afin d'éloigner le soutien-gorge du mamelon. Ces boucliers sont disponibles auprès des groupes de la Ligue La Leche. Ils sont accompagnés d'instructions sur leur utilisation.

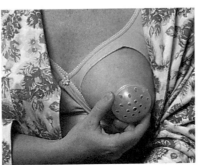

Parfois, on découvre seulement après la naissance que les mamelons sont plats ou invaginés et cela peut occasionner des problèmes au début. Vous pouvez alors porter les boucliers entre les tétées afin de corriger la situation.

## L'extraction du colostrum

Au cours de la grossesse, vos seins commencent à produire du colostrum afin de se préparer à l'allaitement. Vous remarquerez peut-être que vos seins laissent perler quelques gouttes pendant les dernières semaines de grossesse ou encore au moment du massage des seins.

À une certaine époque, on recommandait d'extraire quelques gouttes de colostrum chaque jour, mais il n'a pas été prouvé que cette pratique aidait à prévenir l'engorgement ou la douleur aux mamelons. Suivez les recommandations de votre médecin.

## DES VÊTEMENTS POUR ALLAITER

Vous serez probablement heureuse de ranger vos vêtements de maternité après la naissance du bébé. Votre silhouette s'amincira et votre poitrine sera temporairement plus généreuse. En fait, presque tous les vêtements permettent d'allaiter, mais certains vous faciliteront la tâche.

Durant la grossesse et au début de l'allaitement, la poitrine s'alourdit et le support d'un soutien-gorge bien ajusté peut se révéler important. Fiez-vous à votre confort. Si vous ne portez pas de soutien-gorge habituellement, vous n'en aurez peut-être pas besoin non plus pendant la période d'allaitement.

Un soutien-gorge conçu pour l'allaitement vous paraîtra sans doute plus confortable. Il est habituellement muni d'un rabat qu'on peut abaisser pour allaiter. Nous vous suggérons d'acheter deux ou trois soutiens-gorge pour commencer. À l'usage, vous saurez s'ils conviennent et s'ils sont faciles à utiliser. Si vous en achetez un dans les dernières semaines de la grossesse, assurez-vous que les bonnets et le tour de poitrine sont un peu plus grands. En effet, les seins augmentent de volume après la naissance du bébé et au moment de la montée de lait, il faut donc prévoir un peu d'espace supplémentaire. Un soutien-gorge trop serré, que ce soit au tour de poitrine ou pour ce qui est des bonnets, peut comprimer un canal lactifère ou causer une infection du sein.

Au moment de l'essayage en magasin, remarquez de quelle façon le rabat s'attache. Choisissez un modèle qui se rattache facilement d'une seule main, afin de vous éviter d'avoir à déposer le bébé chaque fois que vous ouvrirez ou fermerez le rabat. Vous pouvez également acheter des compresses d'allaitement lavables ou jetables qui s'insèrent dans le soutien-gorge et qui absorbent le lait qui s'écoule parfois entre les tétées. Un morceau de coton plié ou un mouchoir de lin fera tout aussi bien, mais évitez les tissus ne nécessitant pas de repassage car leur traitement les rend moins absorbants.

Certaines mères portent un soutien-gorge la nuit. Cela n'est pas nécessaire, mais si vous êtes plus à l'aise ainsi, choisissez un modèle suffisamment grand ou extensible pour ne pas comprimer vos seins qui se gonflent pendant la nuit.

Les deux-pièces, jupes, pantalons longs ou courts assortis d'un corsage ample ou d'un tricot sont l'idéal pour allaiter. Si vous relevez votre chemisier ou votre tricot à partir de la taille, le bébé couvrira la partie dénudée de votre corps. Si vous portez un chemisier, déboutonnez-le à partir de la taille. Avec un trois-pièces ou une veste, vous pourrez allaiter si discrètement que la personne assise près de vous ne s'apercevra pas que votre bébé est au sein.

De nos jours, la mère peut choisir parmi de nombreux styles de vêtements confortables et à la mode pourvus d'ouvertures spéciales permettant d'allaiter discrètement. Des compagnies spécialisées dans la conception de vêtements d'allaitement ont pour objectif de rendre les vêtements d'allaitement aussi courants que les vêtements de maternité.

## L'allaitement discret

Cela nous amène à une de vos préoccupations possibles concernant l'allaitement. Allaiter votre bébé lorsque vous n'êtes pas à la maison ou que vous êtes en présence d'autres personnes vous inquiète peut-être. L'Académie américaine de pédiatrie nous fait remarquer : « Curieusement, notre société tolère tout ce qu'il y a de plus explicite en matière de sexualité et de violence dans la littérature et dans les médias, mais l'acte naturel qu'est l'allaitement demeure tabou. »

La gêne constitue parfois une excuse pour ne pas allaiter ou pour sevrer au cours des premières semaines. Fait intéressant, des études effectuées auprès de mères qui allaitent démontrent que celles qui cessent tôt l'allaitement connaissent rarement une autre mère qui allaite et n'ont personne pour les aider dans leurs nouvelles tâches. Les mères expérimentées savent comment nourrir un bébé si discrètement que seuls elles et leur bébé savent ce qui se passe. L'allaitement peut être aussi privé que la mère le souhaite, sans qu'il lui soit nécessaire pour autant de s'isoler avec son bébé.

Il est parfois possible qu'une personne soit très contrariée à l'idée que le bébé puisse prendre le sein de sa mère en présence d'autres gens. Dans ces circonstances, les mères savent que la discrétion est de mise. Certaines jugent plus simple de quitter la pièce le temps de mettre le bébé au sein. Puis, lorsque le bébé tète calmement, elles placent une couverture légère sur leur épaule pour couvrir le bébé et retournent sans gêne parmi leur groupe d'amis.

Julie Dupont, de Montréal, au Québec, nous fait part de son expérience.

*Bien que je sois une personne plutôt réservée, lorsqu'il s'agissait d'allaitement j'étais plutôt frondeuse ! Et tout en étant discrète, surtout en face de personnes qui auraient pu se sentir mal à l'aise, je ne me suis jamais empêchée d'allaiter en public. Très rarement suis-je allée à l'écart, et lorsque je l'ai fait, c'était moins par gêne que pour éviter de stresser mon tout-petit avec le bruit.*

*Ma propre attitude décontractée et naturelle convainquait souvent les gens que l'allaitement est une belle et gratifiante relation et qu'elle ne les menaçait pas dans leur vie quotidienne. Bien sûr, un peu de gêne parfois se glissait dans les attitudes (surtout de personnes proches comme mes frères, mon beau-père), mais je crois que ma propre attitude « relax » les aidait, et peu à peu ils n'en faisaient plus de cas.*

Que le fait d'être en public ne vous empêche pas de profiter des avantages et de la facilité de l'allaitement. Le chapitre 5 propose plein d'astuces pour les voyages et les sorties avec votre bébé.

# CHAPITRE 3

# Un réseau de soutien

**C**omment vous faire comprendre l'importance d'entrer en contact avec d'autres mères qui allaitent ? Aucun livre sur l'allaitement ne peut remplacer le fait de parler avec une mère qui allaite ou de voir son bébé heureux. Quand vous connaissez une femme qui aime allaiter, vous avez accès à une source d'information et d'inspiration intarissable. Nous espérons que vous pourrez rencontrer d'autres mères et qu'ensemble vous trouverez le même encouragement et la même satisfaction que nous avons connus.

D'après nous, votre groupe local de la Ligue La Leche représente le meilleur endroit pour recevoir un soutien de mère à mère. Un bon moyen de vous préparer à l'allaitement est d'assister aux réunions de la LLL pendant votre grossesse. Vous y apprendrez aussi les réalités du métier de mère. Voici ce qu'en pense Betty McLellan, membre de la Ligue en Ontario.

*J'ai une formation en psychologie, mais ce sont les réunions de la Ligue La Leche et l'exemple d'une monitrice formidable qui m'ont fourni des solutions de rechange aux soins qu'on donne habituellement aux enfants dans notre société. La « psychologie du maternage » s'apprend plus facilement par l'exemple des autres mères, et ces exemples sont nombreux aux réunions de la Ligue La Leche.*

## LA LIGUE LA LECHE ET SES RÉUNIONS

« L'allaitement, n'est-ce pas naturel ? Ma grand-mère n'a jamais assisté à une réunion de la Ligue La Leche et elle a allaité tous ses enfants. » « Pourquoi une femme qui allaite a-t-elle besoin du soutien d'un organisme mondial ? »

De nos jours, de plus en plus de femmes choisissent d'allaiter leurs bébés, mais peut-être ne comprennent-elles pas jusqu'à quel point un groupe de soutien comme la LLL peut les aider à apprécier leur expérience.

Quand la Ligue La Leche a été fondée, il y a plus de 35 ans, l'art de l'allaitement s'était perdu. Les mères suivaient l'avis des médecins concernant les soins du bébé plutôt que de se fier au bon sens des autres mères.

De nos jours, des réunions de la Ligue La Leche ont lieu tous les mois partout dans le monde. L'information est regroupée par sujet et discutée au cours de la série de quatre réunions. Puisqu'il n'y a pas deux séries identiques, beaucoup de mères continuent à assister aux réunions longtemps après la première série, parfois même durant des années. Une contribution annuelle permet de devenir membre de la LLL et confère certains avantages.

Les réunions ont parfois lieu dans la maison d'une mère membre de la Ligue. Nous encourageons les mères à amener leur bébé allaité. Ces réunions sont animées par une mère qui a l'expérience de l'allaitement et les compétences nécessaires pour représenter la Ligue La Leche. Ce ne sont pas des cours mais bien des discussions instructives où toutes peuvent participer. En assistant aux réunions du groupe de votre région, vous apprendrez les rudiments de l'allaitement et bien plus encore.

La première réunion de la série traite des avantages de l'allaitement. Vous découvrirez qu'il y en a auxquels vous n'aviez pas pensé – certains résultats de recherches sur la valeur du lait maternel et les avantages que les mères ont découverts. Après la réunion, de nombreuses mères affirment :

> *Je savais que l'allaitement était bon pour mon bébé et pour moi, mais je ne m'imaginais pas jusqu'à quel point. Ma décision d'allaiter s'est confirmée plus que jamais grâce à ces renseignements et je suis fière de savoir que je fais quelque chose d'aussi merveilleux pour mon bébé.*

La deuxième réunion porte généralement sur la famille et le bébé allaité. Les mères suggèrent des trucs pour favoriser un bon départ pendant le séjour à l'hôpital et au moment du retour à la maison avec le nouveau-né. Le fait de connaître à l'avance les façons de faire et les pratiques de l'hôpital peut être très utile pour une future mère. Parmi les sujets de discussion on trouve : comment faciliter l'ajustement émotionnel de tous les membres de la famille, comment alléger la charge de travail, de quelle façon établir une bonne sécrétion lactée et comment prévenir les problèmes.

Dans la troisième réunion, on aborde les techniques de base de l'allaitement et les solutions aux problèmes éventuels. Vous pouvez recevoir des conseils précis des meilleurs experts au monde, les mères qui ont l'expérience de l'allaitement. Voici le message à retenir : quel que soit le problème auquel vous faites face, il y a presque toujours une solution autre que le sevrage du bébé.

La dernière réunion a pour objet l'alimentation de la femme enceinte et de la mère qui allaite. On y discute aussi de l'introduction des aliments solides de même que du moment et de la façon de sevrer le bébé. La discipline des bambins constitue souvent un des sujets de cette réunion.

Presque tous les groupes de la Ligue La Leche ont un service de prêt de livres réservé aux membres. Aux réunions, vous pourrez trouver des livres qui ne sont peut-être pas disponibles partout et qui traitent d'allaitement, d'accouchement, de « parentage » et de nutrition. La plupart des groupes vendent aussi des livres, des brochures et des aides techniques à l'allaitement.

## Toutes sont les bienvenues

Toutes les femmes que l'allaitement intéresse sont invitées aux réunions de la Ligue La Leche. Les mères sont accueillies à bras ouverts : les mères de toutes races, de toutes religions, les mères monoparentales, celles qui travaillent. Chaque mère est encouragée à puiser dans la philosophie de la Ligue ce qui lui paraît raisonnable et utile. La grossesse est le moment idéal pour commencer une série car les renseignements pris à l'avance pourraient se révéler essentiels au moment de la naissance.

Après avoir assisté à sa première réunion, une des femmes enceintes a fait ce commentaire : « J'ai lu tous les livres sur le sujet et je pensais tout savoir. J'en ai appris beaucoup plus ce soir que je ne l'espérais. » Heather Karlheim, de l'Ohio, a eu une réaction semblable après une réunion de la LLL. Voici son témoignage.

*En tant que pharmacienne et grande lectrice, j'ai passé ma première grossesse à lire tout ce que je pouvais trouver sur l'accouchement, l'allaitement et l'éducation des enfants. J'envisageais la naissance de mon enfant avec confiance.*

*J'ai une amie qui est monitrice à la Ligue La Leche. Je connaissais donc un peu la Ligue grâce à elle mais je n'étais pas convaincue que j'avais « besoin » de cet organisme.*

*Pendant mon cinquième mois de grossesse, une collègue, enceinte elle aussi, m'a persuadée de l'accompagner à une réunion de la Ligue La Leche. Cette réunion a été un point décisif. La Ligue m'a aidée par ses suggestions précises et par le soutien rassurant des autres mères.*

*À mesure que les mois passaient et que l'allaitement nous rendait heureuses ma fille et moi, les réunions de la Ligue et les amies que je m'y étais faites ont continué à m'être utiles.*

*Quand j'y repense, je ne peux pas croire que j'étais naïve au point de penser que je pourrais « tout » apprendre dans les livres. La Ligue La Leche a été une bouée de sauvetage pour moi quand je suis devenue mère pour la première fois et croyez-moi, je ne vais pas la lâcher de sitôt !*

## La nécessité du réseau d'entraide

Bien qu'un grand nombre de femmes allaitent à leur sortie de l'hôpital, la plupart passent au biberon dans les mois ou les semaines, parfois les jours, qui suivent. Pourquoi ? Le manque de lait, les mastites, la gêne, la peur de la critique de la part de l'entourage et la confusion font partie des raisons invoquées. La grande majorité de ces difficultés peuvent être évitées ou surmontées par une bonne information et du soutien. Si un problème survient, la mère peut téléphoner en tout temps à une monitrice pour obtenir de l'aide. Parfois, le simple fait de pouvoir parler à une mère compréhensive, renseignée et compétente en allaitement permet de poursuivre la relation d'allaitement avec succès.

Ruth A. Lawrence, médecin ayant allaité ses enfants et auteure de *Breastfeeding : A Guide for the Medical Profession*, reconnaît que les mères ont besoin d'information et de soutien au cours de leur apprentissage de l'allaitement.

*L'allaitement n'est pas un réflexe mais un processus d'apprentissage. Dans notre culture, bien des femmes n'ont jamais vu un bébé au sein. Lorsqu'une mère souhaite allaiter son enfant, une grande partie de sa réussite repose sur un processus d'apprentissage. Le succès de l'allaitement est lié à une bonne information.*

Les mères qui assistent aux réunions de la Ligue La Leche découvrent rapidement qu'on en retire beaucoup plus que la seule information de base en allaitement. La participation et l'amitié des autres mères apportent quelque chose de très particulier à ces réunions. Anita Leblanc, du Nouveau-Brunswick, nous dit ce qu'elle en pense.

*J'ai toujours assisté à quelques réunions de la Ligue pendant mes grossesses et après la naissance de mes trois plus jeunes enfants. J'ai toujours été chaleureusement accueillie, je sentais que j'appartenais vraiment à un groupe d'amies qui me comprenaient parce qu'elles avaient les mêmes idées que moi et envisageaient les mêmes problèmes. C'est là que je gagnais de la confiance en moi et qu'enfin j'ai réussi à répondre aux besoins de mon bébé un peu n'importe où et devant n'importe qui. C'est aussi la sortie idéale avec un bébé nourri au sein ; s'il existe un endroit où l'allaitement (même d'un bébé plus âgé) est totalement accepté, c'est bien là. Ces réunions m'ont servi et et me servent encore de « boost » quand j'ai le moral un peu bas. Le « job » de mère n'est pas facile, ça fait du bien de parler et de partager nos opinions avec d'autres femmes qui ont des enfants de tout âge.*

Dans un témoignage anonyme, une mère membre de la Ligue La Leche nous dit combien celle-ci l'a aidée à surmonter ses souvenirs d'enfant malheureuse.

*Nos parents nous transmettent leurs valeurs, leurs attitudes, leur façon d'éduquer les enfants [...] Consciemment ou non, nous reproduisons souvent leurs faits et gestes. Lorsque notre enfance a été marquée par la violence physique ou verbale, nous avons souvent peur de reproduire ces comportements [...]*

*Mes parents ont su me transmettre certaines valeurs que j'apprécie beaucoup, mais avec tout le respect que je leur dois, ils avaient un point faible, c'était le « parentage » de leurs enfants. Pour ma mère, être enceinte, accoucher, prendre ses enfants étaient vraiment une corvée. (Elle m'a même avoué un jour que, si elle avait à recommencer sa vie, elle n'aurait pas d'enfant.) À bout de patience et de ressources, elle nous battait... et rebattait. Mon père ayant de la difficulté à communiquer avec elle, son intervention auprès de nous amenait souvent de*

*grands froids entre eux. Cela n'améliorait en rien
l'attitude de ma mère envers nous. Il a tout simplement démissionné de son rôle de père.*

*Maintenant, je suis mère de quatre enfants et je
sais que je donne à mes enfants un bon maternage.
J'ai réussi à briser le cercle de violence physique.
Sur le plan verbal, il y a une grande amélioration
comparativement à mon enfance et, au fil des
années de maternage avec mes enfants, le taux de
violence verbale a beaucoup diminué.*

*Ce qui m'a le plus aidée à briser le type de mater-
nage hérité a été l'allaitement maternel. Grâce à
lui, j'ai établi un grand lien d'amour entre mes
enfants et moi, ce qui m'a permis de ne pas passer
aux actes quand des pensées violentes traversaient
mon esprit. Il y a eu aussi le maternage patient et
inconditionnel que m'ont procuré les monitrices de
la Ligue La Leche, cet état de conscience et les
moyens que me donne la vie tous les jours pour
rendre mes relations familiales plus harmonieuses.*

Sally Olson, du Nebraska, avait déjà allaité deux bébés
lorsqu'elle a assisté à sa première réunion de la Ligue La Leche.
Son troisième fils n'avait qu'un mois à ce moment.

*À vrai dire, j'allais à la réunion pour rencontrer
d'autres mères car nous venions de nous établir
dans une nouvelle ville et je ne connaissais personne. J'y ai trouvé ce que j'allais chercher –
l'amitié d'autres mères qui allaitaient – et bien
plus encore. Les mères de mon groupe, les feuillets
d'information et les livres disponibles à la
bibliothèque de la Ligue La Leche m'ont aidée à
exprimer en paroles et en actes ce que je ressentais
au fond de mon cœur.*

## Comment trouver la Ligue La Leche ?

Il y a de nombreuses façons de trouver le nom de la
monitrice de votre localité. Vous pouvez vérifier si le numéro
apparaît dans l'annuaire téléphonique ou demander à la bibliothèque municipale s'il y a des renseignements concernant le
groupe local de la Ligue La Leche. Si vous assistez aux cours

prénatals, la personne qui donne ces cours sait peut-être où joindre le groupe de votre région. Vérifiez si le journal local publie les avis de la LLL, vous pourriez y trouver le numéro de la monitrice.

Vous pouvez aussi écrire ou téléphoner à la Ligue internationale La Leche pour obtenir le nom et le numéro de téléphone de la monitrice la plus près. Voici l'adresse : Ligue internationale La Leche, P.O. Box 4079, 1400 N. Meacham Road, Schaumburg, Illinois, 60168-4079, États-Unis ; téléphone : (708) 519-7730, télécopieur : (708) 519-0035.

Lorsque vous adhérez à la LLL, vous faites alors partie d'un réseau international d'entraide de mère à mère, ressource précieuse pour obtenir aide et soutien parental. Vous pouvez devenir membre en payant un certain montant annuellement et aussi vous abonner à la revue de votre pays. Elle est remplie de témoignages, de trucs et d'idées provenant de familles où les bébés sont allaités. Les membres peuvent bénéficier de certains avantages, par exemple un rabais à l'achat de livres ou de publications sur l'allaitement, l'accouchement, la nutrition et l'art d'être parents. Une partie de la contribution de membre permet à la Ligue La Leche de continuer ses activités. Votre groupe offre peut-être d'autres avantages à ses membres, informez-vous.

Même les mères qui ne peuvent assister aux réunions du groupe trouvent le soutien dont elles ont besoin dans leur adhésion à la LLL. Lorsque son premier bébé est né, Élisabeth Hunsaker habitait la Belgique, loin de sa famille et de ses amies. Voici ce qu'elle a écrit.

*J'ai toujours voulu allaiter parce que j'avais lu que c'était ce qu'il y avait de mieux pour le bébé et que l'allaitement créait un lien spécial entre la mère et le bébé. J'ai acheté de nombreux livres sur les soins du bébé et j'ai adhéré à la Ligue La Leche. Notre fils a maintenant 10 mois et tète toujours. C'est une expérience que je chérirai toute ma vie. Cela n'a pas toujours été de tout repos, et parfois je me sentais frustrée et découragée.*

*Votre revue m'a aidée à traverser des moments difficiles et a contribué à rendre mon expérience d'allaitement plus satisfaisante. Les lettres des autres mères qui vivaient des expériences identiques à la mienne et qui avaient les mêmes idées face à*

*l'allaitement m'ont fait sentir que je n'étais pas*
*seule et que ça en valait la peine.*

Une autre mère, Elena Hannah, de Terre-Neuve, affirme que la collection d'anciens numéros d'une amie l'a aidée à traverser des moments difficiles.

*Alors que j'étais accablée de problèmes, à mon*
*premier bébé, une amie m'a fait parvenir les*
*numéros des deux dernières années. Au premier*
*coup d'œil, j'ai su que j'avais trouvé ce qu'il me*
*fallait. La lecture des témoignages, dont bon nombre*
*faisait état de problèmes plus graves que les miens,*
*m'a permis de redonner aux choses leurs justes*
*proportions. Le message principal semblait : « Tu*
*peux le faire. Tu peux venir à bout des difficultés ! »*
*Quand j'ai eu fini de dévorer la collection, je me*
*sentais plus calme et plus confiante. C'est pourquoi*
*j'ai envie de dire aujourd'hui : Merci à toutes les*
*mères qui m'ont fait partager leurs expériences, et*
*merci à la Ligue La Leche de faire paraître une si*
*merveilleuse publication.*

Dorothée Leclerc, une mère qui a participé aux activités d'un groupe de la Ligue La Leche, en banlieue de Québec, séjourne à Bruxelles pour quelques années. Voici ce qu'elle nous a écrit.

*À Bruxelles, la revue La Voie Lactée circule*
*beaucoup et est très appréciée. En effet, je la prête*
*aux monitrices et aux mamans de La Leche League*
*de Bruxelles. Ici, je vais aux réunions mensuelles*
*et j'ai aussi participé à la marche mondiale de*
*l'allaitement du mois d'août.*

*J'aime beaucoup avoir des nouvelles du Québec ;*
*j'aime toujours autant lire les témoignages des*
*mamans, surtout lorsque je reconnais ceux de mes*
*bonnes amies. Même à l'étranger, on sent la force de*
*la Ligue La Leche, ça fait du bien.*

La Ligue La Leche s'adresse-t-elle uniquement aux nouvelles mères ? La réponse est non. D'une part, les mères qui allaitent forment la base des groupes de la LLL car elles peuvent donner des suggestions et offrir l'encouragement qui stimule la nouvelle mère. D'autre part, les mères ayant des bébés âgés de quelques mois et celles qui ont des bambins trouvent aussi des avantages à leur participation à la Ligue. Elizabeth Hormann, mère expérimentée et monitrice de la Ligue La Leche, explique.

*Pourquoi continuer à assister aux réunions de la Ligue quand son enfant est sevré ? Ce n'est pas toujours facile à expliquer mais le soutien qu'on y trouve est l'une des bonnes raisons. La Ligue La Leche parle plus que d'allaitement. On y trouve une philosophie de maternage qui s'enrichit de l'expérience des mères qui allaitent, et cette philosophie est peu présente ailleurs qu'à la Ligue. Nous avons besoin les unes des autres, surtout quand nos enfants grandissent et que leur personnalité se développe un peu plus.*

*Les mères de bambins, en particulier, ont probablement besoin du genre de soutien offert par la Ligue. En effet, s'occuper d'un bambin n'est pas toujours facile.*

En plus de l'information, la Ligue La Leche offre un avantage remarquable aux mères. Une monitrice l'a résumé ainsi :

*La LLL m'a donné l'occasion de m'entourer du genre de personnes que je veux avoir dans ma vie : des femmes bienveillantes, intelligentes, qui croient en l'importance de la famille, qui voient leurs enfants comme une richesse et qui apprécient la maternité.*

## Au-delà des informations de base

Outre les réunions mensuelles offertes par les groupes de la LLL partout dans le monde, des réunions spéciales sont souvent prévues pour répondre aux demandes des mères du groupe. Certaines portant sur les bambins ont lieu fréquemment pour les mères qui veulent discuter des besoins changeants de leurs bébés qui grandissent. Lorsque suffisamment de mères veulent discuter des contraintes de l'allaitement et du travail, le groupe peut également planifier des réunions pour ces mères qui sont retournées au travail. De plus, les réunions prévues pour les couples ou les pères permettent aux hommes de parler entre eux.

Ajoutons que la Ligue La Leche organise périodiquement des congrès nationaux ou internationaux. Ceux-ci durent un, deux ou trois jours et permettent d'approfondir l'information donnée au cours des réunions habituelles sur l'allaitement et l'art d'être parent. Des médecins, des professionnels de la santé et des parents prêtent leur concours en animant une variété d'ateliers tout au long de la journée. Souvent, un conférencier invité prononce une allocution pendant le déjeuner, ou encore cette période permet les discussions entre les participants. Les mères, les pères et les bébés apprécient l'occasion qui leur est donnée de passer la journée ensemble à un congrès de la LLL.

Aux congrès internationaux, qui se tiennent tous les deux ans, des centaines de parents et de professionnels du monde entier se rassemblent pour parler de leurs expériences et de leurs compétences. De plus, la Ligue internationale La Leche organise annuellement des séminaires pour les professionnels de la santé. Ces séminaires sont officiellement reconnus et accrédités par les principales associations médicales. De semblables journées de formation pour les professionnels de la santé se tiennent aussi au Canada et en France.

La Ligue La Leche a été une source d'inspiration et d'encouragement pour les mères depuis plus de 35 ans. S'il existe un groupe de la LLL dans votre localité, nous vous recommandons vivement de vous joindre à ce réseau d'entraide de mère à mère.

# LES PREMIERS MOIS

# CHAPITRE 4

# Les premiers jours

*Le nouveau-né* est fascinant. Il semble si petit et si fragile, mais il a déjà un certain savoir-faire en matière de survie qui, jusqu'à tout récemment, n'était pas reconnu de tous. Un nouveau-né peut voir clairement le visage de sa mère lorsqu'elle le tient dans ses bras et, effectivement, le bébé préfère regarder un visage humain. De plus, il entend très bien.

Dans leur livre intitulé *L'étonnant nouveau-né*[1], le docteur Marshall Klaus et son épouse, Phyllis, font état d'une recherche qui a modifié notre perception des facultés du nouveau-né.

---

1. Traduction de *The Amazing Newborn*.

*À la naissance de nos enfants, nous n'étions pas
conscients de leurs talents étonnants ni de leurs
aptitudes. À cette époque, presque tout le monde –
y compris les médecins – croyait que les nouveau-nés
ne pouvaient voir correctement, et encore moins
réagir à la voix de leur mère ou la reconnaître.
Personne ne parlait du don d'imitation des bébés,
de leurs réactions au rythme d'un discours, de leur
capacité de saisir des objets et de leur surprenante
faculté d'apprentissage [...]*

*Immédiatement après leur naissance, dans leur
première heure de vie, les nourrissons en santé
connaissent une période d'éveil calme qui dure une
quarantaine de minutes : ils regardent fixement le
visage et les yeux de leur mère et de leur père,
et ils réagissent aux voix ; ils agissent comme s'ils
avaient répété avec soin le moment de leur première
rencontre avec leurs parents.*

## LA PREMIÈRE TÉTÉE

Le mieux sera de mettre le bébé au sein le plus tôt possible. La majorité des bébés sont prêts à téter dans l'heure qui suit la naissance. Ils manifestent même parfois de l'impatience. Le réflexe de succion d'un bébé né à terme et en santé atteint habituellement un point culminant 20 à 30 minutes après l'accouchement, si l'usage de médicaments ou le recours à l'anesthésie pendant le travail ne l'a pas rendu somnolent. Si on laisse passer ce moment particulièrement propice, le réflexe de succion du bébé pourrait être diminué au cours des 36 prochaines heures.

La mère et le bébé bénéficient tous deux d'un allaitement tôt après la naissance. En effet, non seulement il favorise un bon départ de l'allaitement, mais cette première tétée accélère l'expulsion du placenta. Vous perdrez également moins de sang car la succion du bébé provoque la contraction de l'utérus. Quant au bébé, la proximité de sa mère le rassure et le premier lait, le colostrum, lui sert en quelque sorte de vaccin contre les maladies.

Lorsque la mère peut accueillir son nouveau-né, le cajoler et l'allaiter, et lorsque le bébé peut demeurer avec sa mère et téter à volonté, l'allaitement se poursuit habituellement sans trop de problèmes. La mère et son bébé ont besoin d'être ensemble le plus tôt possible et souvent afin d'établir des liens affectifs satisfaisants et une sécrétion lactée adéquate.

Votre première tentative d'allaitement constitue une expérience d'apprentissage, un moment pour faire connaissance. Le bébé peut répondre de diverses façons ; il peut simplement sentir le mamelon ou le lécher. La naissance vous aura fort probablement émue et vous pourrez vous sentir maladroite en essayant de mettre votre bébé au sein. De plus, s'il y a beaucoup d'activité autour de vous, il sera difficile de vous relaxer.

Ce qui importe, c'est de prendre votre bébé contre vous, de lui parler et de le rassurer. Soutenez le sein de votre main (une description de la position est donnée plus loin) et chatouillez les lèvres du bébé avec votre mamelon. Lorsqu'il ouvre la bouche toute grande, rapprochez-le de vous pour qu'il puisse facilement saisir le mamelon et l'aréole (le cercle foncé qui entoure le mamelon) ou une partie de celle-ci. Il tétera à quelques reprises et s'endormira ou bien il préférera regarder ce qui l'entoure et ne s'intéressera pas au sein.

Si certaines complications d'ordre médical vous empêchent d'allaiter immédiatement après l'accouchement, ne vous inquiétez pas. Vous pourrez rattraper le temps perdu lorsque vous serez à nouveau réunis et que vous pourrez commencer à allaiter. Cet ouvrage consacre un chapitre à l'allaitement dans le cas de certains problèmes médicaux et dans des situations particulières. Si une difficulté ou un problème précis se présente, parlez-en à une monitrice de la Ligue La Leche.

## LA MISE AU SEIN

Mettre votre bébé au sein simplement et sans difficulté deviendra rapidement une seconde nature. Il est vraiment beaucoup plus simple d'allaiter que d'en décrire la façon de faire.

Voir des mères allaiter leurs bébés, voilà un des avantages d'assister aux réunions de la Ligue La Leche pendant votre grossesse. Cela vous sera plus profitable que n'importe quelle photo ou description, puisque vous verrez des mères allaiter des bébés de tous âges en utilisant leurs propres techniques. Elles se serviront peut-être d'oreillers, de coussins, de tabourets ou d'accoudoirs pour faciliter la mise au sein de leurs bébés. Évidemment chaque mère, chaque bébé, est unique, et plus le bébé grandit et prend le sein convenablement, moins vous vous soucierez de la mise au sein.

## La tétée en détail

Les étapes qui suivent décrivent la manière appropriée de mettre le bébé au sein afin qu'il puisse téter efficacement et obtenir assez de lait. Cette façon de faire permet également de prévenir la douleur aux mamelons.

**1. Installez-vous confortablement.**

Les premières fois, il est plus facile d'allaiter en position assise. Assoyez-vous dans votre lit, dans un fauteuil confortable ou un fauteuil à bascule. Les oreillers sont indispensables. Placez-en un derrière votre dos, un autre sous votre coude et un dernier sur vos genoux pour soutenir le bébé. Un tabouret permettra de surélever vos genoux. Vous devriez être à l'aise et ne ressentir aucune tension.

**2. Installez votre bébé confortablement.**

Le bébé doit être étendu sur le côté, tout son corps vous faisant face. Posez sa tête au creux de votre coude. Soutenez son dos de votre avant-bras et tenez ses fesses ou le haut de sa cuisse avec votre main. L'oreille du bébé, son épaule et sa hanche doivent former une ligne droite. Sa tête doit suivre l'alignement de son corps, elle ne doit pas être inclinée ni tournée.

Le bébé doit se trouver à la hauteur de vos seins. Cela vous évitera de vous pencher sur lui et il n'aura pas à s'étirer pour saisir votre mamelon. D'où l'importance de placer un ou deux oreillers sur vos genoux.

**3. Présentez le sein au bébé.**

Entourez votre sein de votre main libre. Placez les doigts sous le sein et le pouce sur le dessus afin de le soutenir. Le pouce et l'index de votre main formeront alors un « C ». Assurez-vous cependant de bien placer vos doigts derrière l'aréole afin de ne pas gêner la prise du sein.

### 4. Encouragez le bébé à bien saisir le mamelon.

Chatouillez les lèvres du bébé de haut en bas avec votre mamelon. Si votre bébé tourne la tête, caressez-lui doucement la joue qui vous fait face. Le réflexe des points cardinaux lui fera tourner la tête vers vous. Essayez encore de lui chatouiller les lèvres tout en lui parlant et en  l'encourageant à ouvrir la bouche. Lorsqu'il ouvre la bouche toute grande, centrez rapidement le mamelon dans sa bouche et approchez le bébé de votre corps en ramenant vers vous le bras qui le tient. Il importe de rapprocher le bébé de vous et non de vous pencher sur lui. Quelques essais seront probablement nécessaires avant que vos mouvements et les réactions du bébé soient synchronisés et que tout se déroule rondement. S'il semble frustré, arrêtez-vous et prenez le temps de le calmer un peu avant de recommencer.

### 5. Une succion efficace.

Pour téter efficace-ment, le bébé doit prendre une bonne partie de l'aréole dans sa bouche en plus du mame-lon. En effet, c'est en compri-mant les sinus lactifères, situés sous la peau autour de l'aréole, que le bébé obtient du lait. Ses gencives doivent donc exercer une pression sur  l'aréole, à environ deux centimètres de la base du mamelon. Assurez-vous que le mamelon est bien centré dans sa bouche et que sa langue est placée sous celui-ci. Vous devez tenir le bébé très près de vous. Le bout de son nez doit toucher votre sein. Il pourra respirer à son aise, soyez sans inquiétude. Si son nez semble écrasé par votre sein, essayez de relever votre sein, plutôt que d'exercer une pression sur le dessus, ou de déplacer légèrement son corps en le rapprochant de vous.

### 6. Les mamelons douloureux.

Si le bébé saisit bien le mamelon et s'il tète convenable-ment, vous ne devriez sentir aucune douleur au mamelon. Par contre, s'il ne tète pas bien ou si vous sentez une douleur au moment de la tétée, arrêtez et recommencez. Brisez d'abord la succion en introduisant un doigt au coin des lèvres du bébé tout en exerçant une pression sur votre sein ou en repoussant douce-ment la joue du bébé. Ne laissez pas votre bébé téter de façon incorrecte. Cela peut occasionner de la douleur aux mamelons, et plus le temps passe, plus il est difficile de corriger cette mauvaise succion.

Si la douleur persiste, vérifiez si une des situations ci-dessous n'est pas la cause de cette douleur et suivez ces conseils :

• Ne laissez pas la bouche du bébé glisser sur le mamelon, arrêtez-vous avant qu'il ne tète de façon incorrecte. Assurez-vous qu'il ouvre la bouche toute grande pour amener le mamelon au fond de sa bouche.

• Si le bébé serre trop fortement ses mâchoires au début de chaque tétée, abaissez-lui la mâchoire inférieure en exerçant une pression sur son menton avec un doigt et dites-lui « ouvre » d'une voix ferme et claire.

• Si la douleur persiste, abaissez la lèvre inférieure de votre bébé pendant qu'il boit et vérifiez si sa langue est placée entre sa lèvre inférieure et votre sein. Si vous n'apercevez pas sa langue, c'est peut-être parce qu'il la tète en même temps que le mamelon. Arrêtez la tétée et recommencez en vous assurant que sa bouche est grande ouverte et que sa langue se trouve sous le mamelon quand il saisit le sein.

Bien des bébés savent exactement comment téter dès leur naissance. Par contre, d'autres bébés prendront quelques jours pour apprendre et auront besoin de l'aide particulière mentionnée ci-dessus. Tout cela doit être accompagné de beaucoup de réconfort et de patience. Cependant, dès que votre bébé tétera adéquatement, vous prendrez plaisir à le regarder. Les muscles du visage d'un bébé qui tète travaillent si fort que même ses oreilles bougent. Vous pouvez constater l'action puissante des muscles des mâchoires et entendre votre bébé avaler. Puis, lorsque sa faim commence à être apaisée, il se détend, tète moins vigoureusement, avale moins souvent, mais il apprécie autant la proximité et le réconfort apportés par le sein de sa mère.

## AUTRES POSITIONS D'ALLAITEMENT

C'est une bonne idée de varier les positions d'allaitement. En tenant le bébé d'une autre façon, l'angle de succion est modifié et la pression s'exerce alors sur des endroits différents du mamelon, du sein et de l'aréole. Ces changements de position aident à prévenir la douleur. De plus, il peut se révéler utile de connaître d'autres positions d'allaitement.

### La position couchée

Dans les premières semaines, vous trouverez peut-être qu'il est plus confortable d'allaiter couchée. Vous aurez alors besoin d'oreillers pour vous soutenir ainsi que le bébé. Au début, il vous faudra peut-être de l'aide pour placer le bébé de sorte qu'il puisse saisir le  sein correctement. Étendez-vous sur le côté, la tête sur un oreiller. Placez le bébé sur le côté, face à vous, sa bouche vis-à-vis votre mamelon. Glissez votre bras sous lui, sa tête reposant au creux de votre coude. Calez-vous dans les oreillers placés dans votre dos et offrez le sein au bébé. Soutenez votre sein avec vos doigts (dessous) et votre pouce (dessus) sans toucher à l'aréole. Encouragez votre bébé à saisir le sein convenablement en lui chatouillant les lèvres jusqu'à ce qu'il ouvre la bouche toute grande comme s'il bâillait. Centrez alors votre mamelon dans sa bouche et approchez votre bébé pour qu'il puisse téter efficacement.

Lorsque le bébé aura commencé à boire, vous pourrez mettre un oreiller ou une serviette roulée dans son dos pour le tenir près de vous et placer votre bras sous votre tête si vous êtes plus à l'aise ainsi. Certaines mères placent également un oreiller entre leurs genoux. Pour changer de côté, assoyez le bébé et tapotez-lui le dos pour lui faire faire un rot puis tenez-le couché sur votre poitrine et roulez sur le dos. Étendez-vous sur le côté et mettez le bébé au sein. Cette position est particulièrement utile pour les mères ayant accouché par césarienne ; pendant le séjour à l'hôpital, vous pouvez vous servir des montants du lit pour vous aider à vous tourner.

## La position « ballon de football »

La position « ballon de football » est une autre position utile à connaître. Voici comment faire. Assoyez-vous confortablement. Placez un oreiller dans votre dos et des oreillers à côté de vous pour que votre bébé soit à la hauteur de votre sein. Déposez votre bébé sur les oreillers de façon que ses fesses touchent au dossier de votre fauteuil. Maintenez-le contre votre corps avec votre bras. Soutenez-lui le dos de votre avant-bras et la tête avec votre main. Votre bébé est alors face à vous. Relevez légèrement sa tête pour qu'il prenne le sein. (Pour éviter qu'il ne pousse avec ses pieds, prenez soin de relever ses jambes contre le dossier.)

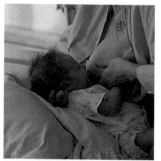

Quand il aura commencé à téter, adossez-vous bien sur les oreillers. Si votre bras fatigue dans cette position, mettez votre pied sur un tabouret ou une table basse et appuyez votre bras sur votre cuisse. Un oreiller additionnel ou une couverture pliée peut aussi servir à vous soutenir la main et le poignet.

Cette position permet à la mère de bien voir son bébé et de mieux limiter les mouvements de tête de ce dernier. Elle est particulièrement utile dans certains cas, par exemple lorsque la mère a une forte poitrine ou des mamelons plats ou invaginés[2].

## Au début, respectez ces étapes

Puisqu'il est important que le bébé apprenne à téter efficacement, nous vous recommandons d'appliquer cette technique étape par étape durant les premiers jours. Après un certain temps, lorsque vous êtes devenus tous deux des experts, vous pourrez utiliser les positions et les façons de faire qui vous conviennent le mieux. Vous verrez parfois des photographies où des mères soutiennent leur sein de deux doigts seulement lorsqu'elles mettent leur bébé au sein. Auparavant, cette technique était recommandée et certaines mères la trouvaient efficace. Cependant, on a découvert récemment qu'en formant un « C », avec le pouce et l'index, la mère pouvait soutenir le sein sans exercer de pression sur l'aréole et sans serrer trop fortement.

---

2. Extrait de *The Breastfeeding Answer Book*, publié par la Ligue internationale La Leche.

## LE RÉFLEXE D'ÉJECTION DU LAIT

Après que le bébé a tété vigoureusement durant quelques minutes, plusieurs mères sentent un picotement et remarquent que leur lait coule abondamment. C'est le réflexe d'éjection du lait. Cela se répète quelques fois pendant la tétée et certaines mères remarquent parfois que du lait s'écoule goutte à goutte de l'autre sein. Habituellement, le bébé réagit en avalant plus souvent. Même si vous ne sentez pas de picotements aux seins, vous saurez que le réflexe d'éjection s'est produit en surveillant votre bébé. Il tétera plus vite et avalera plus souvent. Parfois, les pleurs du bébé stimulent ce réflexe avant même que le bébé ne commence à téter.

Il arrive parfois qu'un bébé soit surpris par la puissance du réflexe d'éjection et il réagit en s'étouffant et en laissant couler un peu de lait de sa bouche. Il est bon d'avoir sous la main une serviette ou une couche pour éponger le lait, pendant que le bébé, assis, reprend son souffle.

## L'ENGORGEMENT OU LA « MONTÉE DE LAIT »

La production ou la montée de lait survient générale-ment entre le deuxième et le sixième jour après la naissance. Avant la montée de lait, votre bébé recevra du colostrum qui lui fournira tous les éléments nutritifs dont il a besoin ainsi que des éléments importants qui le protégeront contre les infections. Après deux semaines environ, votre lait ne contiendra plus de colostrum.

Le moment où se produit la montée de lait dépend de divers facteurs. Allaiter tôt et souvent après la naissance favorise la production de lait. Un accouchement sans médication et la présence du bébé près de vous font une énorme différence. Être relativement à l'aise a aussi son importance. Pour la plupart des mères, le fait de retrouver leur environnement familier, où elles ont la liberté de prendre leur bébé et de l'allaiter fréquemment, représente bien souvent tout ce dont elles ont besoin pour que le lait « monte ».

Lorsque la production de lait devient plus abondante, vos seins peuvent vous sembler sur le point d'éclater tellement ils sont gonflés. Vous vous sentez comme si vous pouviez nourrir des jumeaux ou des triplets ! Cette abondance est due à un état qu'on appelle « engorgement ». Une quantité additionnelle de sang gorge les seins pour s'assurer que le nouveau-né aura assez de nourriture. Tel le rassemblement d'une grande armée, toutes les forces se mobilisent pour que tout marche comme sur des roulettes. Ce surplus de sang et un certain gonflement des tissus occasionnent l'engorgement. Cela se produit plus souvent chez les femmes qui en sont à leur premier bébé, bien que cela varie selon les personnes. Certaines mères n'observent qu'un engorgement faible ou modéré après la naissance de leur premier bébé tandis que d'autres connaissent un engorgement après chaque naissance.

Normalement, l'engorgement se résorbe en quelques jours. Cependant, lorsque les seins sont engorgés, il est particulièrement important de continuer à allaiter fréquemment car l'allaitement soulage la congestion. Une douche chaude suivie d'une tétée permet souvent de réduire l'engorgement. L'application locale de chaleur aide à le diminuer chez certaines mères ; d'autres utilisent de la glace. Dans certains hôpitaux on recommande d'alterner glace et chaleur.

Un léger massage peut aussi aider à diminuer l'engorgement. Parfois une zone précise du sein est engorgée, sous l'aisselle, par exemple. Avec la paume de la main, exercez une légère pression en déplaçant la main vers le mamelon. Cette technique est plus efficace sous la douche ou penchée au-dessus d'un récipient d'eau tiède tout en aspergeant les seins.

Isabelle Hadorn, de la Suisse romande, raconte comment elle a réglé son problème d'engorgement.

*Durant les quelques jours où je n'avais pas encore eu la montée de lait, j'ai donné le sein à plusieurs reprises, toutes les fois où il me semblait que le bébé en avait besoin. Au troisième jour, mon lait a commencé à monter et ma fille, de son côté, s'est trouvée en pleine jaunisse. Tout à coup, je me retrouvais avec des seins énormes, engorgés et un bébé tout à fait endormi. À un moment où, affamée, elle se réveillait, j'en profitais pour lui donner le sein, le plus plein bien sûr. Quel soulagement de voir cette enfant boire et de sentir mon sein qui se vidait. Je n'étais pas sans savoir qu'il vaut mieux donner les deux seins dans le cours d'une tétée, et j'étais toute prête à lui donner l'autre sein, mais j'avais surestimé la faim de mon bébé et elle est retombée dans le sommeil, repue, me laissant avec un sein de volume normal et un sein vraiment énorme. J'ai appliqué des compresses, essayé d'extraire du lait, appelé la sage-femme et tourné*

*en rond dans la maison, en attendant le réveil
de mon bébé.*

*Après deux jours, la jaunisse était beaucoup moins
forte et nous avons enfin pu prendre un rythme
pour les tétées. Quelques jours plus tard,
je contactais l'animatrice de la LLL, sur les conseils
de ma sage-femme. Là, on m'a rendue attentive à la
façon dont je tenais le bébé durant la tétée ; il fallait
vraiment lui présenter le sein de face. J'ai, par la
suite, continué à assister aux réunions de la LLL.
J'y ai trouvé un soutien et une philosophie
qui correspondaient tout à fait à ma vision
du maternage.*

L'engorgement devient problématique lorsque les mamelons ne peuvent plus ressortir. En effet, le bébé aura de la difficulté à les saisir convenablement. L'utilisation préalable d'un tire-lait ou l'extraction manuelle peut se révéler utile pour assouplir l'aréole. De plus, on peut parfois faire ressortir les mamelons à l'aide de compresses d'eau froide ou de glace. Entre les tétées, le port de boucliers, faits de plastique rigide, peut donner de bons résultats. (Ne pas confondre avec la téterelle[3] que l'on pose sur le mamelon pour la tétée. Elle est parfois recommandée pour les mamelons plats mais elle est rarement utile et cause souvent des problèmes de succion et de confusion entre tétine et mamelon. On devrait en éviter l'usage.)

## LA TÉTÉE

À une certaine époque, on recommandait aux nouvelles mères de limiter la durée de la tétée à trois ou cinq minutes par sein, pendant les premiers jours. Elles pouvaient ensuite augmenter graduellement la durée jusqu'à environ dix minutes le troisième ou le quatrième jour. Un tel conseil ne tenait pas compte du fait qu'il faut parfois deux à trois minutes pour que le lait commence à couler, particulièrement dans les premiers jours. Allaiter moins de cinq minutes peut signifier la fin de la tétée presque avant qu'elle n'ait commencé. Dès que le lait coule, le léger malaise que vous pouviez ressentir, lorsque le bébé commence à téter, disparaît. Au début, gardez à l'esprit qu'allaiter souvent, toutes les deux heures environ, est préférable pour les mamelons et que cela stimule en même temps la

---

3. Aussi appelé « bout de sein ».

production de lait. Des tétées fréquentes peuvent aussi jouer un rôle dans la prévention de la jaunisse chez le nouveau-né.

Nous savons aussi maintenant qu'une bonne position du bébé au sein et qu'une succion adéquate constituent la meilleure protection contre les mamelons douloureux. Donc, il n'est pas nécessaire de limiter le temps passé au sein pour prévenir la douleur aux mamelons.

La durée de la tétée devrait être déterminée par l'intérêt du bébé et par ses réactions. Habituellement, il tète avidement et avale souvent les dix premières minutes environ. Puis le débit de lait ralentit et le bébé s'endort ou manifeste moins d'intérêt. C'est alors le temps de lui offrir l'autre sein. On peut profiter de ce moment pour lui faire faire un rot ou le changer de couche avant de le remettre au sein. Vous pouvez le laisser boire aussi longtemps qu'il le veut, à condition qu'il tète convenablement.

## Comment enlever le bébé du sein

Si vous devez interrompre la tétée pendant que votre bébé tient fermement le mamelon, vous pouvez le faire sans douleur en exerçant une légère pression sur le sein près de ses lèvres. Vous pouvez aussi repousser sa joue, près de sa bouche. Enlever le bébé du sein en l'éloignant peut être douloureux et peut blesser votre mamelon.

## Allaiter d'un ou des deux côtés ?

La plupart des mères préfèrent offrir les deux seins à chaque tétée. La stimulation additionnelle due à l'allaitement des deux côtés constitue une façon de maintenir l'intérêt du bébé pour l'allaitement et de combler son besoin grandissant de lait. De plus, cela permet d'éviter l'engorgement.

Vous pouvez offrir en premier le sein par lequel vous avez terminé la tétée précédente. Par exemple, si vous avez terminé par le sein gauche, c'est celui-là que vous offrirez en premier à la tétée suivante. Les mères ont trouvé plusieurs trucs pour se rappeler par quel sein commencer. Certaines utilisent une petite épingle de sûreté[4] qu'elles fixent du côté du soutien-gorge où elles ont terminé et qu'elles changent de côté après chaque tétée. D'autres changent une bague de main.

Si vous oubliez, votre bébé et votre sein plein vous indiqueront probablement que vous avez offert le « mauvais » côté. Si cela vous arrive parfois, il n'y a pas lieu de s'inquiéter.

---

4. En France, on utilise le terme « épingle de nourrice ».

## « Est-ce que je dois vider mes seins ? »

On dit parfois aux mères de vider leurs seins complètement après chaque tétée en extrayant le lait que le bébé n'a pas bu. En pratique, ce n'est pas vraiment réalisable parce qu'un sein qui produit du lait n'est jamais vide ; il y aura toujours une autre goutte de lait, puis encore une autre.

Cependant, si votre bébé ne tète pas bien au début, ce qui peut arriver chez les prématurés et parfois chez un bébé né à terme, vous devrez extraire du lait après chaque tétée. Cela stimulera votre production et vous aurez assez de lait pour votre bébé.

## L'hygiène des mamelons

Il n'est pas nécessaire de nettoyer vos mamelons, que ce soit avant ou après la tétée. Les glandes de Montgomery qui entourent le mamelon sécrètent une substance qui détruit les bactéries. Lorsque vous prenez une douche ou un bain, utilisez seulement de l'eau claire sur les seins et les mamelons car le savon peut dessécher la peau. Il est important de se laver les mains avant la tétée, surtout lorsque vous êtes à l'hôpital et après avoir changé la couche du bébé.

## Les rots

Pendant la tétée, le bébé avale parfois de l'air et il peut être nécessaire de faire sortir cet air pour le bien-être de votre tout-petit. Votre expérience avec votre bébé constituera votre meilleur guide pour savoir s'il est nécessaire de lui faire faire un rot. Certains bébés allaités semblent n'avoir jamais besoin d'en faire. D'autres avalent de l'air lorsque les seins de leur mère sont gonflés et que le lait coule en abondance. Le bébé glouton de nature aura souvent besoin de faire des rots. Lorsque le bébé est agité, vous pouvez essayer de lui en faire faire un.

Il existe diverses façons de faire faire un rot au bébé. Vous pouvez le placer sur votre épaule et frotter doucement son dos. Une couche de tissu ou une petite couverture jetée sur votre épaule absorbera le lait régurgité. Le simple fait de tenir votre bébé plus ou moins à la verticale fera facilement remonter les bulles d'air. Une autre méthode éprouvée consiste à asseoir lentement le bébé. Lorsqu'il est très petit, soutenez sa tête et son dos et ne le maintenez dans cette position qu'un court moment. Certaines mères couchent le bébé à plat ventre sur leurs genoux et lui frottent ou lui tapotent le dos. Essayez de faire faire un rot au bébé au moment du changement de sein et après la tétée.

S'il n'en fait pas après un court moment, n'insistez pas, à moins bien sûr qu'il ne soit agité.

Chaque fois que votre bébé fait un rot particulièrement fort, vérifiez s'il veut encore un peu de lait. Cette grosse bulle d'air pouvait lui faire croire qu'il était rassasié alors qu'il ne l'était pas vraiment. Par contre, si le bébé s'endort au sein, il n'est pas nécessaire de le réveiller. Couchez-le doucement, sur le côté ou sur le dos sur une surface plate et ferme. En dormant sur le côté, s'il régurgite un peu, le lait s'écoulera de sa bouche et ne l'incommodera pas.

### Le hoquet

Il ne faut pas oublier le fameux hoquet. Les petits bébés semblent y être particulièrement sujets. Ils l'ont souvent après chaque tétée. Ne vous tourmentez pas, c'est tout à fait normal et il importe davantage les parents que le bébé. Si vous le voulez, vous pouvez laisser téter le bébé quelques minutes de plus, ce qui fait parfois cesser le hoquet.

## LE MODE DE FONCTIONNEMENT DE L'HÔPITAL

Les hôpitaux souhaitent ce qu'il y a de mieux pour leurs patients, mais souvent leur taille et la bureaucratie s'interposent entre leurs bonnes intentions et le genre de soins que vous recherchez. Préparez-vous à demander ce que vous voulez avec fermeté. Obtenir ce que l'on veut est souvent une question de persévérance. Une mère affirmait que chaque fois qu'on lui répondait : « Je suis désolée, nous ne pouvons faire cela », elle rétorquait qu'elle ne voulait pas que qui que ce soit aille à l'encontre de la politique de l'hôpital, mais demandait à parler à une personne qui avait le pouvoir de la modifier. En acheminant sa demande à un niveau plus élevé de la hiérarchie, cela menait parfois à une heureuse solution.

### Vous pourrez avoir besoin d'aide

Cette assurance demande de l'énergie, évidemment, et vous ne serez peut-être pas en état de discuter à ce moment. Votre conjoint peut vous épauler en vous aidant à contourner les formalités qui minent vos efforts pour allaiter. Vous vous centrez sur les soins au bébé et votre conjoint fait face à la bureaucratie et aux règlements qui vous rendent parfois la tâche difficile. Après tout, il s'agit de votre bébé ! Un fait qu'on a tendance à oublier dans cette recherche de l'équilibre entre les obligations institutionnelles et les demandes des parents.

Susan et Larry Kaseman, de la Virginie, racontent leur expérience lors de la naissance de leur fils Peter.

*Quand mon mari, Larry, et moi avons planifié la naissance de notre deuxième enfant, nous voulions que notre famille reste ensemble le plus possible. Nous avons changé nos plans rapidement, mais pas nos priorités, lorsque la césarienne est devenue inévitable. Larry a fait part de nos désirs avec diplomatie et détermination et il a commencé le dialogue avec le personnel de l'hôpital. Si les membres du personnel mentionnaient une politique de l'hôpital, on offrait une solution de rechange qu'ils prenaient en considération et, parfois, ils coopéraient.*

*« Puis-je avoir mon bébé, s'il vous plaît ? » C'était devenu ma rengaine durant mon séjour à l'hôpital. J'hésitais à appeler notre premier enfant « mon bébé » de peur de passer pour une mère trop possessive. J'ai depuis jugé que c'était une façon efficace d'indiquer au personnel, et même à moi, qui avait la responsabilité première.*

*À plusieurs reprises, j'ai constaté qu'on pouvait faire exception à bien des règles. On nous a amené Peter dans la salle de réveil. Il avait 2 heures et il était endormi mais prêt à téter et capable de le faire. Quel cadeau magnifique ! Quand l'infirmière a dit qu'une injection de calmant me rendrait trop nonchalante pour m'occuper de Peter, j'ai refusé l'injection. Elle a alors trouvé un autre médicament, moins fort et qui s'administre par la bouche, qui m'a bien soulagée.*

*Durant tout mon séjour, j'ai dû demander Peter. Si quelqu'un refusait de me l'amener, je demandais à une autre personne. Le personnel coopérait en général mais on m'offrait rarement de me l'amener. Je me sentais marginale à cause de mes idées « inhabituelles » et j'ai apprécié le soutien des personnes qui partageaient mes idées.*

*Au départ, je me préoccupais d'avoir Peter avec moi pour satisfaire ses besoins. Puis j'ai été étonnée de voir à quel point j'avais vraiment besoin de lui. Je me sentais tellement mieux, physiquement et émotivement, quand il était dans mes bras. C'était difficile quand il était à la pouponnière.*

## Allaitement fréquent – sans supplément

À l'hôpital, il est important que le personnel sache que vous ne voulez pas que votre bébé reçoive des biberons d'eau ou de lait artificiel lorsqu'il est à la pouponnière. Mentionnez que vous voulez l'allaiter souvent. C'est très important car les suppléments de lait artificiel sont au nombre des plus grands obstacles à l'établissement d'une bonne sécrétion lactée. L'allaitement fréquent est non seulement important pour vous aider à avoir une bonne sécrétion lactée mais aussi pour prévenir la jaunisse chez votre nouveau-né. **Votre quantité de lait est déterminée par ce que le bébé boit, donc plus il boit, plus vos seins produiront de lait. Si votre bébé boit au biberon, il prendra moins de lait au sein.** De plus, votre bébé pourrait éprouver de la confusion quand il passera de la souplesse du mamelon maternel à la rigidité de la tétine de caoutchouc.

Le bébé est particulièrement sujet à la confusion entre tétine et mamelon dans les premiers jours car c'est à cette période qu'il apprend à téter convenablement. Si on lui donne des biberons pendant cette période, il se peut qu'il doive faire de grands efforts pour apprendre à téter efficacement.

Si la cohabitation est impossible, assurez-vous que tous savent que vous voulez qu'on vous amène votre bébé chaque fois qu'il veut boire. Ce devrait être toutes les deux heures environ pendant le jour et chaque fois qu'il se réveille la nuit. Les bébés ont aussi besoin de boire la nuit et si on ne vous l'amène pas, c'est peut-être parce qu'on lui donne un biberon d'eau ou de lait artificiel à la pouponnière.

## La cohabitation

Les problèmes causés par les habitudes quotidiennes de l'hôpital peuvent souvent être évités si vous avez la chance de cohabiter avec votre bébé. La cohabitation vous donne la chance d'avoir votre bébé dans votre chambre continuellement ou la majeure partie de la journée. Vous prenez soin du bébé et les autres prennent soin de vous. Connie Horenkamp, de l'Illinois, raconte son expérience.

*J'ai allaité mes deux pre-
miers enfants, mais ils ont dû
passer leurs premiers jours,
si importants, à la pou-
ponnière. J'ai passé des
heures debout devant la
vitre pour m'assurer que
tout allait bien. Quand
Marissa est née, la politique de l'hôpital était plus
souple et j'étais plus déterminée. Nous avons cohabité. Je
l'allaitais souvent, nous sommeillions ensemble et
nous nous blottissions l'une contre l'autre. Elle a
très peu dormi la première journée. Elle s'adaptait
à sa nouvelle vie. J'ai quand même pu téléphoner à
une monitrice pour me rassurer. Je me rappelle
encore (trois mois plus tard) comme Marissa
dormait dans mes bras ou dans les bras de mon
mari. Ces premières journées ont été pour nous,
pour grandir ensemble. Je suis revenue confiante à
la maison car je connaissais mon bébé.*

Laurel Cohen, du New Jersey, avait prévu cohabiter, mais
quand sa fille, Debbie Sue, est née, on l'a informée qu'aucune
chambre individuelle n'était disponible. Le bébé devrait demeurer à la pouponnière et il boirait seulement toutes les quatre
heures. Laurel occupait une chambre pour deux personnes et,
lorsque l'autre patiente quitta peu après, elle se rendit immédiatement au bureau du surveillant. Pourrait-elle payer les frais
d'une chambre individuelle et avoir son bébé avec elle ? On lui
accorda cette autorisation après un appel au bureau d'admission
et, enchantée, elle déclara : « J'ai eu ma chère petite avec moi
toute la journée. »

## Bébé dormeur ou pleureur ?

S'il vous est possible de cohabiter ou, au moins, d'allaiter votre bébé à la demande, les inconvénients causés par les
horaires d'allaitement de l'hôpital ne vous dérangeront pas.
Toutefois, il peut arriver que le bébé ne se réveille pas pour
boire aussi souvent qu'il le devrait. Un nouveau-né a besoin
de boire au moins 8 à 12 fois par 24 heures.

Si votre bébé dort depuis plus de deux ou trois heures, essayez de le réveiller doucement. Une manipulation brusque dérange beaucoup le nouveau-né, mais vous pouvez le bouger un peu, lui caresser la tête, lui parler ou passer votre mamelon sur sa joue. Essayez de lui frotter les pieds ou de souffler dessus.

On suggère aussi d'asseoir le bébé sur vos genoux et de le pencher doucement vers l'avant en tenant son menton dans votre main. Cela le réveille habituellement en quelques secondes. Sinon, faites marcher vos doigts le long de sa colonne vertébrale. Ou bien faites-le passer d'une position horizontale à une position verticale en soutenant sa tête d'une main et son derrière de l'autre.

Vous pouvez aussi le dévêtir ou le changer de couche. Si rien de cela ne réussit à l'éveiller, attendez environ une demi-heure et essayez à nouveau. Si l'infirmière vient chercher le bébé pour le ramener à la pouponnière, dites-lui que votre bébé ne s'est pas éveillé pour boire et que vous aimeriez qu'on vous le ramène pour sa tétée aussitôt qu'il sera éveillé. Dites bien que vous ne voulez pas qu'on lui donne de biberon.

Si votre bébé pleure beaucoup avant même que vous ne puissiez le mettre au sein, il vous faudra un peu de patience pour parvenir à le calmer d'abord. Bercez-le ou placez-le sur votre épaule et frottez-lui le dos. Fredonnez une chanson douce, votre bébé se calmera en entendant cette voix familière. Puis offrez-lui le sein pour voir s'il s'apaise et s'il commence à téter. S'il n'est pas prêt à téter, continuez à le calmer quelques minutes pour l'aider à se détendre.

Dans les deux cas, bébé dormeur ou bébé pleureur, faites tomber quelques gouttes de votre lait dans sa bouche pour l'encourager à prendre le sein. Nous recommandons de ne mettre aucune autre substance, comme du miel, sur le mamelon pour inciter le bébé à le prendre. Toute autre substance que votre lait peut provoquer une réaction chez un bébé prédisposé aux allergies. De plus, certains de ces produits peuvent contenir des impuretés qui pourraient causer des problèmes au bébé. Par exemple on trouve dans le miel un certain type de spores responsables du botulisme. On ne devrait pas en donner au bébé avant l'âge d'un an.

# LES AIDES TECHNIQUES À L'ALLAITEMENT

L'expérience nous a appris que l'allaitement s'épanouit facilement lorsqu'il est pratiqué aussi simplement et naturellement que possible. Toutefois, des circonstances particulières nécessitent le recours à des produits conçus pour aider l'allaitement. Des tire-lait et d'autres accessoires sont disponibles auprès des monitrices de la LLL.

## Les tire-lait

Toutes les mères qui allaitent n'auront pas besoin d'un tire-lait. Si une mère doit extraire son lait durant une courte période, elle peut généralement le faire en utilisant la technique d'extraction manuelle décrite au chapitre 7. Cependant, il y a des situations où le tire-lait s'avère utile, par exemple lorsque la mère doit conserver son lait pour un bébé prématuré ou malade, lorsqu'elle prévoit de retourner au travail ou doit être séparée de son bébé pour d'autres raisons. Le chapitre 7 donne davantage d'informations sur les tire-lait.

À l'hôpital, on peut vous conseiller l'utilisation du tire-lait pour soulager l'engorgement. Dans ce cas, extrayez seulement la quantité de lait qui permettra d'atténuer le gonflement des seins et d'assouplir l'aréole. Vous n'aurez pas à extraire du lait avant chaque tétée mais probablement une ou deux fois seulement.

## Les boucliers

Ce sont les mêmes boucliers en plastique rigide que ceux qui sont recommandés pour traiter les mamelons plats ou invaginés pendant la grossesse. On peut les utiliser entre les tétées pour faire ressortir les mamelons plats ou invaginés qui n'auraient pas été traités au cours de la grossesse. Un des types de boucliers est percé de trous pour permettre à l'air de circuler. On les recommande également lorsque le traitement de mamelons douloureux exige une circulation d'air. Le lait qui s'accumule dans ces boucliers doit être jeté. Ne le donnez pas au bébé.

## Le vaporisateur nasal

Vous avez peut-être entendu parler d'un vaporisateur nasal utilisé pour stimuler le réflexe d'éjection. Ce genre d'intervention est parfois suggéré aux mères tendues et nerveuses ou à celles qui doutent fortement de leur capacité d'allaiter. L'utilisation à long terme du vaporisateur nasal à l'oxytocine est rarement nécessaire ou recommandée. Cependant, dans les cas de stimulation très lente du réflexe d'éjection, son utilisation au cours de la première semaine d'allaitement peut parfois aider.

## La téterelle

Une téterelle ressemble à un mamelon en caoutchouc et se place sur le mamelon de la mère pendant la tétée. Nous avons la certitude, acquise par nos années d'expérience, que la téterelle ouvre une porte aux difficultés. Son utilisation n'est presque jamais justifiée et elle apporte plus de problèmes qu'elle n'en résout. La stimulation provenant normalement de la succion directe du bébé au mamelon de sa mère est moins grande, par conséquent la sécrétion et l'écoulement du lait diminuent.

Un bébé qui a l'habitude de la téterelle est généralement contrarié quand sa mère essaie de ne plus l'utiliser. On peut sevrer un bébé de la téterelle mais ce n'est pas une tâche facile et il faut beaucoup de patience et de compréhension. Commencez la tétée avec la téterelle, puis après une ou deux minutes, lorsque le lait coule bien, enlevez-la rapidement et remettez le bébé directement au sein. Lorsque le bébé est habitué à téter au sein, jetez la téterelle.

À l'hôpital, si on vous offre une téterelle, nous vous suggérons de la refuser. Cependant, si votre bébé est déjà habitué à la téterelle, une monitrice de la LLL pourra vous faire des suggestions précises pour l'aider à téter efficacement.

## LA SORTIE DE L'HÔPITAL

De nos jours, le séjour à l'hôpital d'une accouchée ne dure pas plus de deux ou trois jours après la naissance. Certaines mères jugent bon de retourner à la maison encore plus rapidement. Même les hôpitaux les plus organisés ne peuvent recréer l'atmosphère calme et vous donner le sentiment de liberté dont vous jouissez à la maison pour materner votre bébé comme bon vous semble.

Regula Bartels, de la Suisse romande, explique comment s'est passé le retour à la maison après sa sortie précoce de la maternité.

*Stéphanie est née le matin à l'hôpital. Dans l'après-midi, nous sommes retournés à la maison. Les deux « grandes » sœurs ont accueilli Stéphanie avec beaucoup d'émotion.*

*P*our dix jours, nous pouvions bénéficier des services d'une aide familiale qui s'occupait du ménage et des enfants avec beaucoup de compétence. Ma maman venait nous aider les fins de semaine. J'avais tout mon temps pour me remettre tranquillement, pour établir de nouvelles relations dans la famille.

*L'*allaitement s'installait sans problèmes, à part les engorgements et la montée de lait très forte (comme pour les deux autres bébés). Notre sage-femme me soutenait de son mieux.

*L*ivia et Miryam, alors âgées de 4,5 et 3 ans, ne montrèrent pas le moindre signe de jalousie. Elles ne considérèrent pas comme une séparation ma petite absence pour l'accouchement, et la transition « du grand ventre à maman » au bébé se fit tout naturellement et harmonieusement.

*A*près cette bonne expérience, il était clair pour moi de vouloir répéter l'expérience pour notre quatrième enfant. Quelques heures après la naissance de Frédéric, nous avons pu quitter l'hôpital.

*L*e fait que Frédéric pouvait passer ses premiers jours en famille fût à nouveau une expérience très positive pour nous tous. La vie familiale avec quatre enfants est parfois très tourmentée. J'aurais désiré quelques moments plus tranquilles, pour moi et le bébé tout seuls. Mais les avantages de ne pas vraiment quitter la famille pour l'accouchement, de vivre cet événement de l'arrivée d'un enfant tous ensemble et de voir les plus grands enfants accueillir chaleureusement ce petit frère ont dominé nettement. Je suis très contente que nous ayons pu réaliser de cette façon l'accueil de deux de nos enfants, grâce à l'entourage chaleureux et compétent de la sage-femme et de ma mère.

Vous vous rendrez service, à vous et à votre bébé, en ne rapportant pas de lait artificiel à la maison. Vous n'en aurez pas besoin. De plus, s'il n'y en a pas à la maison vous ne serez pas tentée d'en donner au bébé quand surviendra un de ces moments de doute que toutes les mères vivent. Les emballages cadeaux font la promotion de l'alimentation artificielle pour les nouveau-nés, c'est simplement de la publicité. Des recherches ont démontré que ces emballages minent la détermination à allaiter de la mère.

Ces dernières années, les hôpitaux ont pris de plus en plus conscience de l'importance des consommateurs et veulent savoir ce que les patients ont aimé ou n'ont pas aimé pendant leur séjour. Prenez quelques minutes pour écrire une lettre personnelle ou pour répondre au questionnaire en y indiquant vos préférences. Votre geste pourrait contribuer à modifier certaines règles et à garder en application celles que vous jugez utiles. Vos suggestions faciliteront peut-être les choses à la prochaine mère qui accouchera à cet hôpital et allaitera son bébé. Et qui sait, vous y constaterez peut-être un agréable changement d'atmosphère à votre prochain séjour.

Si, pour quelque raison que ce soit, vous avez connu une mauvaise expérience d'allaitement à l'hôpital ou si vous n'avez pas réussi à vous détendre, ne vous tourmentez pas. Votre séjour à l'hôpital est maintenant chose du passé. Maintenant que vous êtes à la maison avec votre bébé, vous parviendrez à l'allaiter. Des milliers de mères ont réussi. Vous réussirez aussi.

# CHAPITRE 5

# Le retour
# à la
# maison

**T**out le monde est heureux et comblé
quand le bébé devient enfin membre à part entière
de la famille. Vous êtes tous réunis à nouveau et c'est
bien ainsi. Vos talents de mère s'amélioreront de jour
en jour, vous verrez. Cependant, ne soyez pas surprise
si vous manquez d'assurance et si vous vous sentez
un peu débordée à l'occasion. Vous devez prendre
soin de ce petit être jour et nuit et cette responsabilité
peut parfois vous paraître lourde à porter.

Nous avons toutes connu ces moments, nous
savons ce que c'est. Une des fondatrices de la Ligue
La Leche se rappelle avec amusement son manque

d'expérience lorsqu'elle et son mari ont ramené leur première-née à la maison.

*Je me rappelle très bien la scène. Elle était couchée dans son berceau joliment décoré d'un volant bordé de dentelle que j'avais confectionné avant sa naissance. Elle pleurait de tout son cœur, indifférente à cette belle parure. Je l'avais nourrie et changée, elle aurait dû dormir. Puis, je me souviens avoir pensé : « Si seulement elle pouvait parler, elle pourrait me dire ce qui ne va pas. » Malheureusement, je ne connaissais pas encore le langage, beaucoup moins complexe, qu'on peut utiliser avec les bébés : la tendresse du toucher, combien plus efficace que la parole ! Cela aurait été si simple de la prendre ! Mais je me sentais déroutée par la tournure des événements, déçue de moi et de mon bébé.*

Considérez les quatre à six premières semaines comme une période d'ajustement pour vous deux, période pendant laquelle vous apprenez à vous connaître mutuellement. D'un côté, votre bébé apprend l'art de téter pour obtenir du lait et, de l'autre, votre corps s'ajuste pour produire la quantité de lait désirée. Un jour la nouvelle mère croit que ses seins vont « éclater » et puis, quelques jours plus tard, elle est dans tous ses états parce qu'elle croit « qu'elle n'a plus de lait ».

Boit-il assez ? Pourquoi pleure-t-il ? Nous nous sommes toutes posé ces questions et combien d'autres ! À un moment ou l'autre pendant ces premières semaines, la plupart d'entre nous affirmons avec certitude que l'allaitement est « impossible ». Mais, encouragée par notre conjoint ou appuyée par une autre mère qui allaite, nous décidons de poursuivre encore quelques jours.

De nos jours, les mères peuvent téléphoner à une monitrice de la LLL lorsque des questions ou des problèmes surgissent. Ses réponses vous rassureront et vous bénéficierez du soutien de mère à mère. Pierrette Roy, de Saint-Adolphe d'Howard, au Québec, a apprécié son allaitement et elle se souvient de ses débuts.

*Pierre-Olivier a maintenant 10 mois. Que le temps passe vite ! C'était hier les premiers jours de mon expérience d'allaitement. J'avais affaire à un gros bonhomme de 4 kg, insatiable. Il passa les six premières semaines de sa vie dans mes bras. Il y a eu des moments où c'était difficile, surtout les tétées de nuit. Les jours passaient, les semaines et bientôt les mois. L'allaitement allait de mieux en mieux. Après les six premières semaines, Pierre-Olivier se stabilisa et à 6 mois, quand il commença à manger, il espaça ses tétées.*

*Au début de l'allaitement, la mère a l'impression de donner dans un sens unique. Le manque d'expérience, l'adaptation à une nouvelle vie, la fatigue font que le début est parfois ardu. Malheureusement, on se rend compte que les mères arrêtent souvent leur allaitement pendant cette période. C'est dommage car une fois passée la période d'investissement et d'adaptation réciproque, les beaux jours commencent avec notre bébé.*

## LES BÉBÉS SONT FAITS POUR ÊTRE AIMÉS

Dans les moments de doute et d'anxiété, rappelez-vous : les bébés sont faits pour être aimés. En gardant cette pensée à l'esprit, les soins requis par votre bébé vous sembleront un peu moins accaparants. « De la tendresse et de l'amour », voilà ce dont les bébés ont fondamentalement besoin, affirment les meilleurs experts. Observez votre bébé. Est-il heureux lorsque vous le serrez dans vos bras, lorsqu'il tète très souvent, peut-être même toutes les heures ? Se sent-il mieux lorsque vous le couchez après la tétée et que vous lui caressez le dos jusqu'à ce qu'il s'endorme ? Laissez-vous guider par le bien-être, le confort et la sécurité de votre bébé.

James Kenny, psychologue clinicien et auteur de nombreux livres et articles sur l'éducation des enfants, en collaboration avec sa femme Mary, écrit au sujet des besoins du bébé :

*Le nourrisson a des besoins urgents, essentiels à sa survie. Quand les adultes satisfont ces besoins jour après jour, semaine après semaine, avec une certaine constance et une certaine promptitude, la confiance du nourrisson s'installe graduellement.*

Il y a, dans l'éducation des enfants, une simplicité étonnante qui est propre aux soins du jeune bébé et unique à cette période de la vie : les besoins et les désirs du bébé sont une seule et même chose, nous pouvons l'affirmer avec certitude. Par contre, les désirs d'un enfant de 2 ou 3 ans ne correspondent pas toujours à ses besoins. Ses parents lui répondront alors avec autant d'amour mais ils adapteront leur façon de faire au monde changeant de leur bambin.

Dans son livre *The Heart Has Its Own Reasons*, Mary Ann Cahill, une des fondatrices de la Ligue La Leche, parle des besoins du nouveau-né.

> *Il est passé de la vie intra-utérine, où le cordon ombilical subvenait à tous ses besoins, à la vie extra-utérine, blotti contre sa mère. La chaleur de ses seins et le son de sa voix sont prévus pour lui. La nature nous en a fait don pour que la transition entre l'ancien monde et le nouveau soit plus agréable pour lui. Assuré d'un amour inconditionnel, le nouveau-né est maintenant libre de se développer. Le lien fondamental mère-enfant remplace le cordon ombilical.*

Nourrissez-le en respectant son propre horaire, consolez-le quand il est triste. Mais, vous demanderez-vous, une telle permissivité ne risque-t-elle pas de « gâter » le bébé ? De nombreux parents, vraiment préoccupés par leurs enfants et soucieux de faire ce qu'il y a de mieux pour eux, se posent cette question. Marion Blackshear, mère, grand-mère et monitrice de la Ligue, leur répond ceci :

> *Lorsque vous pensez à un fruit gâté, vous imaginez qu'il est taché, qu'il a pourri sur la tablette, qu'on l'a manipulé avec rudesse, qu'on l'a oublié. Mais répondre aux besoins d'un enfant, l'entourer d'attention, le prendre avec douceur, ce n'est pas le « gâter ». J'irais même plus loin en disant qu'un fruit est à son meilleur quand on le laisse mûrir à l'arbre, sa source de nourriture, et que le bébé est heureux lorsqu'il est près de sa source de nourriture physique et émotive, sa mère.*

D'autres personnes pensent de la même façon. Le docteur William Sears, auteur de *The Growing Family Series*, affirme : « Gâter est un mot qui devrait être à jamais banni des livres destinés aux parents [...] On ne peut gâter un bébé en le prenant dans nos bras. Il se "gâte" s'il n'est pas pris. »

Dans son livre *Comment vraiment aimer son enfant*[1], un classique du genre, le docteur Ross Campbell explique : « Nous ne pouvons jamais commencer trop tôt à donner à un enfant une affection soutenue. Il doit recevoir cet amour inconditionnel afin de bien faire face à notre monde actuel. »

## À QUELLE FRÉQUENCE DOIS-JE NOURRIR MON BÉBÉ ?

Tout au long de l'ouvrage, nous faisons continuellement référence à un allaitement toutes les « deux à trois heures » puisque cela correspond généralement à la fréquence des tétées chez la plupart des bébés. Il est de plus reconnu que, lorsque le bébé boit assez souvent et que les seins de sa mère sont vidés assez régulièrement, on peut ainsi éviter une grande partie des problèmes liés à l'allaitement. Cependant, aucun horaire ne peut vous indiquer à quelle fréquence allaiter votre bébé. Certains bébés tètent plus fréquemment que toutes les deux heures. D'autres, par contre, tètent moins fréquemment ou dorment plus longtemps la nuit.

Certaines personnes se sentent rassurées lorsqu'on leur explique qu'un nouveau-né boit habituellement entre 10 et 12 fois par période de 24 heures. De cette façon, la mère ne regarde pas toujours l'heure pour savoir si deux heures se sont écoulées depuis la dernière tétée.

Les mères vivant dans une société peu industrialisée et sans horaire rigide seraient tristes à l'idée d'offrir, à heures fixes, le réconfort de leurs seins. Dans une étude effectuée auprès de tribus de la Nouvelle-Guinée, on a constaté que les nourrissons prenaient le sein toutes les 24 minutes environ. Les mères portaient continuellement leur bébé et la tétée moyenne durait trois minutes.

Babette Francis, collaboratrice au *Journal of Tropical Pediatrics and Environmental Child Health*, écrit ceci : une lactation abondante est une expression de la féminité et la femme n'a pas à compter le nombre de fois où elle allaite plus qu'elle ne compte le nombre de fois qu'elle embrasse son bébé.

---

1. Traduction de *How to Really Love Your Child*.

## LES STYLES D'ALLAITEMENT

Les parents l'apprennent rapidement, chaque bébé a sa personnalité et c'est dans sa façon de concevoir l'importante question de l'alimentation qu'elle se manifeste le plus clairement. À notre premier bébé, certaines d'entre nous avaient des idées préconçues sur la façon dont le bébé devait téter : à la perfection, évidemment, sans interruption et sans régurgitation. Puis, avec nos autres bébés, nous avons trouvé beaucoup plus révélateur et amusant d'oublier la perfection et d'observer chaque nouveau style. Peut-être reconnaîtrez-vous le style de votre bébé dans les descriptions qui suivent ? À moins qu'il ait un style qui lui soit tout à fait unique.

### Le style gourmet

Cette jeune personne apprécie beaucoup l'heure des repas, ce qui occupe la majeure partie de son temps, particulièrement dans les premières semaines. L'intervalle entre les tétées s'allongera à mesure que le bébé grandira et, même s'il continuera probablement d'apprécier les longs repas, il parviendra beaucoup plus efficacement à se rassasier. Lorsque vous êtes certaine qu'il prend du poids régulièrement, vous pouvez à l'occasion mettre fin à une tétée après environ 20 minutes, en sachant qu'il n'aura pas faim. Une prime accompagne ce genre de bébé, vous avez l'occasion de prendre les choses simplement et de le dorloter beaucoup.

On peut parfois encourager le gourmet à téter plus efficacement en « changeant de sein » fréquemment. Vous remarquerez que, après avoir bu durant environ dix minutes à un sein, il tète moins vigoureusement et avale moins souvent. C'est le moment de lui offrir l'autre sein. Le fait de lui fournir un nouvel apport de lait peut l'encourager à terminer son repas un peu plus efficacement. S'il ralentit le rythme à nouveau mais qu'il veut toujours téter, revenez au premier sein.

### Le style alternatif

Ce style ressemble beaucoup au précédent à cette différence près que le bébé a tendance à s'endormir après quelques minutes au sein, puis se remet à téter et s'endort à nouveau, ainsi de suite.

C'est un autre cas où changer de sein peut augmenter l'efficacité. Dès que le bébé commence à somnoler, offrez-lui l'autre sein. S'il dort profondément et que vous savez qu'il n'a pas bu à sa faim, essayez de lui faire faire un rot ou changez sa couche avant de lui offrir l'autre sein.

Un bébé qui dort au sein plus qu'il ne boit pourrait être porté à prendre du poids lentement. Encouragez-le à téter efficacement et surveillez le nombre de couches mouillées et souillées afin de savoir s'il boit suffisamment. (Consultez, dans le présent chapitre, la section intitulée « Boit-il suffisamment ? ».)

## Le style glouton

Ce genre de bébé considère les repas comme une affaire sérieuse. Lorsqu'il maîtrise bien la technique, la tétée peut être terminée en 10 ou 15 minutes, parfois moins. Il tétera peut-être même un seul sein. Les occasions de repas en tête-à-tête sont rares avec un glouton. Mais surveillez ce large sourire qu'il a à la fin de la tétée, avec parfois un filet de lait au coin de la bouche, juste avant de passer à autre chose.

Vous voudrez certainement vous assurer qu'un bébé qui boit dans de si courtes périodes reçoit suffisamment de lait. Vous remettrez en cause la quantité de lait qu'il prend durant ces tétées courtes et rapides. Une fois encore, vérifiez le nombre de couches mouillées et souillées afin de savoir s'il boit suffisamment.

## Le bébé qui régurgite

Est-ce une caractéristique physique ou un trait de la personnalité ? Peu importe, on ne peut pas ne pas reconnaître ce genre de bébé. Bien que la plupart régurgitent un peu de lait à l'occasion après une tétée, ce type de bébé régurgite régulièrement après et entre les tétées. Il est assez joyeux et prend du poids régulièrement, mais vous vous demandez s'il garde suffisamment de lait dans l'estomac pour continuer à se développer. Les renseignements qui suivent vous aideront à déterminer si votre bébé boit suffisamment.

Il peut téter rapidement ou non. Certains bébés régurgitent parce qu'ils boivent trop de lait, trop vite. Si votre bébé avale à pleine gorge et s'il cherche sa respiration juste après votre montée de lait, essayez de l'enlever du sein un court moment, le temps que le jet diminue. Gardez une serviette sous la main pour éponger le lait. Remettez le bébé au sein lorsque le débit du lait est réduit et que le bébé peut boire plus facilement. Certains bébés peuvent même laisser couler le surplus de lait de leur bouche, ce qui est une bonne façon de résoudre le problème. Il vous faudra, dans ce cas, manipuler le bébé tout doucement, sans mouvement brusque. Un rot trop violent peut faire remonter du lait qui serait autrement demeuré dans son estomac. Il peut aussi être utile de relever le matelas de deux à cinq centimètres à la tête car le bébé peut régurgiter s'il est couché à plat.

Parfois, le bébé finit de boire comme d'habitude et régurgite rapidement ce qui semble être tout son repas, peut-être même avec la force d'un vomissement. Si le bébé ne montre aucun signe de maladie, ni fièvre, ni pleurs inhabituels, il n'y a pas lieu de s'inquiéter. Après que les choses se sont calmées un peu et que vous avez nettoyé les dégâts, allaitez-le à nouveau. Bien sûr, si cela se produit fréquemment, consultez votre médecin.

Une provision de petites serviettes aide à protéger vos vêtements lorsqu'il y a un bébé qui régurgite dans la famille. Prévoyez des vêtements de rechange pour votre bébé lorsque vous sortez. Comme le faisait remarquer le docteur Gregory White : « Chez un bébé en santé, la régurgitation est un problème de lessive et non un problème médical. »

La croissance remédiera à ce problème. Même si c'est ennuyeux d'avoir un bébé qui régurgite, l'odeur et les taches seraient plus tenaces s'il était nourri au biberon. Tout compte fait, qu'est-ce qu'un peu de lait entre une mère et son cher petit ?

## À PROPOS DE LA TÉTINE[2]

La tétine peut occasionner plus de problèmes qu'elle n'en règle, souvent parce qu'elle est trop efficace. Introduisez-la dans la bouche d'un bébé en pleurs et la pièce retrouve son calme comme par enchantement. Qu'y a-t-il de plus pratique ? C'est justement là que réside le problème ; la tétine agit insidieusement sur vous en la rendant si facile à utiliser qu'on choisit la facilité. Bien qu'elle puisse parfois se substituer au sein de la mère, elle ne le remplace jamais. Certaines personnes l'appellent parfois le « silencieux ». N'est-ce pas là une excellente appellation ?

---

2. Synonyme de sucette et communément appelée « suce » au Québec.

Cependant, la tétine peut aider la mère qui allaite si elle est utilisée judicieusement durant une courte période et uniquement dans certaines situations. La succion peut apaiser considérablement un nouveau-né et la tétine peut être pratique lorsque les circonstances vous empêchent d'allaiter. La tétine pourra donc satisfaire votre bébé temporairement.

L'habitude de la tétine se développe lorsqu'on l'utilise de façon routinière, par exemple pour endormir le bébé. Normalement, si votre bébé aime s'endormir en tétant, vous pouvez le laisser s'endormir au sein. D'après les bébés, la meilleure tétine au monde est le sein de leur maman. Et plus le bébé tète au sein, plus il aura de lait. Si votre bébé tète quotidiennement une tétine, votre production lactée risque de diminuer et le bébé pourrait ne pas prendre suffisamment de poids.

## BOIT-IL SUFFISAMMENT ?

Comment savoir si votre bébé boit assez ? Il est probable qu'il boive suffisamment s'il tète toutes les deux à trois heures. Est-ce qu'il se développe et prend du poids ? Est-ce qu'il grandit ? Est-il actif et éveillé ? Si vous répondez oui à ces questions, c'est que votre bébé se développe bien.

Un moyen rapide, facile et rassurant de savoir si votre bébé boit en quantité suffisante consiste à calculer le nombre de couches mouillées. S'il mouille parfaitement bien six à huit couches par jour, il est probable qu'il boit amplement. Des selles fréquentes sont aussi un signe que le bébé reçoit suffisamment de lait. Dans les six premières semaines environ, un bébé allaité fera deux à cinq selles chaque jour.

De temps en temps, votre médecin pèsera le bébé afin de mesurer son développement physique. Certains bébés ne perdent pas un gramme après leur naissance et prennent du poids avec la plus grande facilité. Cependant, la plupart des bébés perdent un peu de poids pendant la première semaine mais retrouvent leur poids de naissance vers l'âge de 2 à 3 semaines. Passé cette période, un gain de 450 g par mois, ou 115 g à 200 g par semaine, constitue habituellement un gain acceptable quoique certains bébés prennent jusqu'à 450 g par semaine. Il faut aussi tenir compte de l'hérédité et du tempérament du bébé. Rappelez-vous que toutes les formes et toutes les grandeurs sont permises chez les bébés heureux et en santé. Le bébé grassouillet et celui qui est élancé peuvent tous deux être normaux et en santé. Ni la grosseur ni la petitesse ne doivent constituer une source d'inquiétude aussi longtemps que le bébé est allaité et qu'il peut téter selon ses besoins. Si vous nourrissez votre bébé de la façon prévue par la nature, son gain de poids sera le reflet de ce qui est naturel pour lui.

Concernant la grandeur et l'appétit du bébé, Malinda Sawyer, du Missouri, fait remarquer : « Les mères qui donnent naissance à de gros bébés et celles qui accouchent de petits bébés ont ceci en commun : elles peuvent avoir confiance en leur capacité d'allaiter totalement leur bébé. »

Marian Tompson, une des fondatrices de la Ligue La Leche, se souvient du moment où ses deux nièces pesaient chacune 7,7 kg ; l'une d'elle avait 6 mois et l'autre, 18 mois. Leur médecin respectif était satisfait car toutes deux étaient en santé.

Si votre production lactée vous pose quelque problème que ce soit ou si votre bébé prend moins de 115 g par semaine, référez-vous à la section « Si votre production de lait est insuffisante » (chapitre 7) et « Le gain de poids lent » (chapitre 17).

## L'ÉCOULEMENT DE LAIT

L'écoulement de lait à un sein se produit fréquemment lorsque vous mettez votre bébé à l'autre sein. Si vos seins sont très pleins ou engorgés, il existe une bonne raison pour laisser écouler ce lait : c'est une excellente façon de vous soulager. Pour éponger ce surplus de lait et rester au sec, mettez un tissu absorbant sous votre sein.

Un écoulement se produit parfois à un moment inopportun mais cela arrive surtout pendant les premières semaines d'allaitement. Tout à coup, avec stupéfaction, vous vous apercevez que du lait coule de vos seins, ce qui correspond souvent au moment de la tétée. La vue de votre bébé ou même le simple fait de penser à lui suffit parfois à déclencher le réflexe d'éjection.

Une pression exercée directement sur le mamelon empêche le lait de s'écouler. Si vous ressentez le picotement caractéristique du réflexe d'éjection ou si vous sentez que le lait se met à couler, croisez vos bras sur votre poitrine et exercez une pression sur vos mamelons avec la paume des mains. Une autre façon discrète d'empêcher l'écoulement consiste à soutenir votre menton de vos mains et à appuyer vos bras contre vos seins.

Des compresses d'allaitement, destinées à absorber le lait, sont disponibles dans les pharmacies, les boutiques de maternité et les groupes de la Ligue La Leche. Certaines sont jetables alors que d'autres sont lavables. Évitez cependant les modèles doublés de matière plastique car ils empêchent la circulation d'air. Des mères confectionnent leurs propres compresses en assemblant des cercles découpés dans un tissu absorbant. Vous pouvez les laver avec les vêtements du bébé et les réutiliser. Un mouchoir de coton ou de lin peut aussi être utilisé, mais évitez ceux ne nécessitant pas de repassage car ils sont moins absorbants.

L'écoulement de lait au moment où l'on s'y attend le moins est parfois gênant. Sue Ellen Jennings Austin, de la Californie, se rappelle un de ces moments.

*Je me souviens d'une première sortie avec mon premier bébé allaité. J'avais planifié ma sortie entre deux tétées et je m'étais même munie d'un biberon d'eau au cas où il voudrait boire en public. Nous étions à l'épicerie quand une femme s'est approchée de moi et m'a murmuré : « Excusez-moi, Madame, votre lait coule. »*

*En regardant le sol, je fus stupéfaite de voir du lait partout autour de moi et du chariot. Affolée, je croisai mes bras fermement contre ma poitrine. C'est alors que je me suis aperçue que le lait coulait d'un litre qui s'était renversé.*

## EST-CE QUE J'AI ENCORE DU LAIT ?

Lorsque le lait monte et que vos seins sont gonflés, vous êtes ravie et confiante. Votre bébé aura du lait en abondance. Puis vous ne ressentez plus cet engorgement et vous croyez alors que vous n'avez plus de lait, ce qui peut vous décourager. Vous vous demandez : « Est-ce que j'ai encore du lait ? »

Vous en avez, soyez certaine. L'absence de gonflement et d'écoulement n'indique nullement que votre production de lait maternel a diminué. La fabrication du lait est un processus presque continu. Lorsque le bébé boit, vous fabriquez du lait. Poursuivez l'allaitement et votre petit affamé sera récompensé de votre lait même si vous ne sentez pas « d'engorgement ».

Plus le bébé boit souvent, plus vous produirez du lait. Quand une mère a des jumeaux, ses seins sont doublement stimulés à produire du lait et elle peut ainsi satisfaire ses deux bébés. Donc, lorsque votre bébé tète moins fréquemment ou moins vigoureusement, votre production lactée diminue en proportion. Si elle ne correspond plus à ses besoins, il voudra téter plus souvent. Si vous ajoutez des tétées, vos seins réagiront en augmentant la production.

Comme vous le constatez, l'allaitement est un excellent exemple de la loi de l'offre et de la demande. Les problèmes surgissent lorsqu'un horaire rigide, des biberons d'eau ou de suppléments entravent l'équilibre naturel. Il faut un certain temps pour établir un équilibre entre l'appétit du bébé et votre production. Soyez patiente. Les six premières semaines sont souvent les plus exigeantes. Pendant cette période, il peut être bénéfique de rencontrer d'autres mères qui allaitent, en particulier les mères d'un groupe de la Ligue La Leche.

L'allaitement devient plus facile avec le temps. Le plaisir augmente à mesure que la personnalité de votre bébé se révèle. Viennent d'abord les sourires, puis les caresses. Le temps passé avec votre bébé au sein vous aide à vous connaître mutuellement d'une façon toute particulière. Les inquiétudes des premières semaines feront bientôt place au bonheur.

## LES SELLES DU BÉBÉ

Dans les premiers jours qui suivent la naissance, les selles du bébé ont souvent une couleur très foncée – vert noirâtre – et elles sont collantes. Il peut être laborieux de laver son petit derrière mais cela signifie que son système digestif fonctionne bien. On appelle « méconium » cette première selle du bébé. En allaitant le bébé tôt après sa naissance, il reçoit du colostrum qui favorise l'expulsion du méconium.

Lorsque le méconium est évacué, les selles d'un bébé allaité diffèrent totalement de celles d'un bébé nourri artificiellement. En effet, les selles d'un bébé allaité ont généralement la consistance d'une soupe aux pois, et leur couleur varie du jaune à l'ocre en passant par le vert olive. Contrairement aux selles du bébé nourri artificiellement, les selles du bébé allaité ne dégagent presque pas d'odeur.

La fréquence des selles varie d'un bébé à l'autre et parfois même d'une semaine à l'autre chez un même bébé. Certains feront des selles fréquentes qui souilleront à peine leurs couches. Au tout début, votre bébé pourra faire une selle par tétée, mais il ne s'agit aucunement de diarrhée. Cela signifie qu'il boit beaucoup de lait. En grandissant, il pourra faire deux ou trois bonnes selles par semaine ou parfois même une seule. À mesure que le nombre de selles diminue, leur volume augmente. Il y a tout un éventail de possibilités chez les bébés allaités normalement constitués. Même une selle liquide et verdâtre, à l'occasion, ne doit pas vous inquiéter si le bébé est habituellement en bonne santé. La couleur des selles peut aussi changer lorsqu'elles sont exposées à l'air.

Fort heureusement, le bébé allaité ne souffre jamais de constipation car le lait maternel contient suffisamment d'eau pour combler ses besoins. La constipation (des selles dures et sèches) n'a rien à voir avec l'intervalle de temps entre les selles.

Quelquefois les bébés deviennent agités en expulsant leurs selles, ou peu de temps avant, et le fait de les changer de position peut les aider. Pour certains bébés, ce sera plus facile s'ils sont en position demi-assise, que ce soit sur vos genoux ou dans un siège pour bébé. D'autres préfèrent appuyer leurs pieds sur quelque chose. Si vous tenez le bébé contre votre épaule, placez une main sous ses pieds. S'il fait partie de ceux qui éprouvent de la difficulté à faire une selle, vous pouvez l'aider en lui lavant doucement l'anus avec une éponge imbibée d'eau tiède. Vous pouvez aussi lui faire bouger lentement les jambes, comme pour pédaler à bicyclette, ou masser doucement son ventre dans le sens des aiguilles d'une montre.

## Prendre soin de votre bébé

Puisqu'il est un tout petit être, votre bébé requiert encore les mêmes conditions qui ont favorisé sa croissance dans l'utérus. Il a besoin d'être près de vous la plupart du temps, qu'il soit éveillé ou endormi. Votre présence physique rassure énormément votre nouveau-né. Le rythme de votre respiration et les battements de votre cœur lui sont familiers. De plus, il s'est habitué au son de votre voix six mois avant la naissance, alors si vous lui parlez d'un ton calme et affectueux, cela l'apaisera. Pour le moment, vous constituez son univers.

Comme l'affirme Herbert Ratner, médecin, philosophe, ami de longue date et conseiller de la Ligue La Leche : « La nature, dans sa sagesse et sa prudence, donne à chaque nouveau-né un soigneur et un instructeur privé, sa mère. »

Professeure de psychanalyse des enfants à l'University of Michigan Medical School et auteure de nombreux livres et articles sur le développement de l'enfant, Selma Fraiberg parle des besoins du bébé.

*La programmation biologique de la mère et celle
du bébé comportent des obligations essentielles
visant à satisfaire les besoins de ce dernier ; cela
assure la formation de liens affectifs au cours des
18 premiers mois de vie. La mère constitue la
principale « source de satisfaction des besoins ».
Cette satisfaction devrait faire passer le nourrisson
par une série d'étapes durant la première année,
époque où il aime sa mère plus que toute autre
personne présente dans son univers restreint.*

Viola Lennon, une des fondatrices de la Ligue La Leche, raconte l'histoire d'une jeune mère qui croyait avoir mille et un problèmes.

*Je l'avais invitée à venir chez moi. Aussitôt qu'elle
a été assise avec moi dans la salle de séjour, elle a
commencé à me poser des questions. J'ai bien vite
remarqué qu'elle n'écoutait pas ce que je lui disais
mais qu'elle m'observait pendant que je m'occupais
de mon bébé, Marty, qui était plutôt agité ce jour-là.
Je l'ai allaité, promené, fait sautiller, bercé et amené
avec moi à la cuisine le temps de préparer du thé.
Finalement elle m'a lancé : « Est-il souvent comme
ça ? » Quand je lui ai répondu oui, elle a souri et a
ajouté : « Je ne crois pas avoir de véritables problèmes. Je ne savais pas que les bébés avaient autant
besoin d'attention. »*

## Gardez votre bébé près de vous

Quelles que soient vos activités quotidiennes, vous voudrez sûrement avoir votre bébé près de vous. Il n'est pas nécessaire de l'avoir continuellement dans les bras, mais vous le prendrez souvent, soit pour l'allaiter, soit entre les tétées. Il a vraiment besoin de ce contact, de votre présence, plus que de toute autre chose au monde. Personne ne peut vous remplacer. Pour lui, rien ni personne ne peut égaler sa mère.

Dans de nombreuses cultures, la coutume veut que la mère ne soit presque jamais séparée de son bébé au cours des premières années. Le bébé est soit maintenu contre le corps de sa mère, soit blotti contre elle pour dormir. Dans ces cultures, il est exceptionnel d'entendre un bébé pleurer.

Il n'est donc pas surprenant d'apprendre qu'une étude récente a permis de découvrir que les nombreux contacts physiques rendent le bébé plus heureux. Les bébés pleurent moins s'ils sont dans les bras de leur mère ou dans un porte-bébé, qu'ils soient rassasiés ou endormis. Plus le bébé est jeune, plus les résultats sont probants : chez un nourrisson âgé de 4 semaines, les pleurs seront réduits de 45 p. 100 s'il est porté trois heures de plus chaque jour.

Ces découvertes confirment ce que notre instinct maternel nous dit, l'abondance de contacts affectueux ne « gâte » pas le bébé et ne le rend pas plus exigeant. Au contraire, cela l'aide à se sentir plus à l'aise et heureux dans son nouvel univers.

Pour de nombreuses mères, il est essentiel de posséder l'un ou l'autre type de porte-bébé. Sonia Potvin, de Saint-Valérien-de-Milton, au Québec, ne cesse de vanter « les bienfaits du porte-bébé ».

*Mon premier enfant, Benoît-Ludovick, était un bébé aux besoins intenses. Le porte-bébé m'a permis de vaquer à mes occupations journalières : cuisiner, faire la vaisselle, la lessive, le ménage, de la couture et travailler à l'ordinateur, tout en répondant aux besoins de Bébé. Ces occupations n'ont cessé de croître avec l'arrivée successive des trois autres enfants de la famille. J'ai pu aussi faire toutes les sorties que j'ai voulues, n'ayant qu'à apporter couches et porte-bébé. Nous sommes allés dans les centres commerciaux, les marchés aux puces[3], les parcs d'attractions, les expositions de toutes sortes... où il est parfois difficile de circuler avec une poussette. C'était et cela reste la solution la plus facile et celle qui comble les besoins de Jordan, 9 mois.*

Lorsque vous vous interrogez sur ce qui vous sera nécessaire pour votre nouveau-né, rappelez-vous qu'il n'a pas véritablement besoin d'articles spécialisés ; ce qui importe pour lui, c'est la douceur du lait maternel et l'étreinte des bras de sa mère. Lee Stewart, du Missouri, résume assez bien le sujet :

*Les enfants ont spontanément des valeurs simples et très humaines. Ils veulent être pris et aimés, se trouver près de ceux qui les aiment, se sentir bien.*

---

3. Expression québécoise équivalent à une braderie en France.

*Si on leur donne le choix entre les valeurs humaines
et les valeurs matérielles, les bébés opteront presque
toujours pour les valeurs humaines.*

Une mère de New York, Michele Acerra, a rendu hommage à la Ligue La Leche qui l'a aidée à comprendre les besoins de son bébé.

*Je tiens à remercier la Ligue La Leche non seulement pour l'information sur l'allaitement mais aussi pour sa vision des bébés et du maternage. De nos jours, il y a plein d'articles et d'accessoires pour bébé qui tentent de remplacer la présence de la mère. Je crois que notre société n'accepte pas vraiment bien les bébés et leurs modestes besoins : la sécurité de la présence maternelle et le meilleur aliment qui soit, le lait maternel.*

## PRENEZ SOIN DE VOUS

La nouvelle mère trouve parfois que le bébé demande tellement d'attention qu'elle en oublie de prendre soin d'elle. Voici donc une brève révision des soins de base pour la mère. Votre bien-être est chose simple et facile ; ce n'est qu'une question de bon sens, que vous allaitiez ou non.

Ce qui nous vient tout de suite à l'esprit, c'est une alimentation saine, une bonne hydratation et du repos. Cependant, il ne faut pas oublier les échanges fréquents de tendresse entre conjoints, une simple étreinte ou se prendre brièvement la main, par exemple. Ces instants d'intimité vous aideront à traverser cette période exigeante.

Choisissez vos collations avec soin. Une mère qui allaite a faim presque aussi souvent que son bébé et la tentation de grignoter une friandise est forte. Optez plutôt pour une collation nutritive comme un fruit frais, un légume cru ou du fromage. Assurez-vous de boire suffisamment en ayant toujours sous la main de l'eau ou des jus de fruits non sucrés.

Pour toute nouvelle mère, le repos vient en tête de liste des principales recommandations. Dans les jours qui suivent immédiatement la naissance de votre bébé, reposez-vous le plus possible. C'est le moment de vous laisser dorloter. « Materner la mère » fait partie intégrante des soins à la nouvelle mère et au bébé dans de nombreuses cultures.

La règle d'or pour la nouvelle mère consiste à dormir, ou tout au moins à se reposer, chaque fois que le bébé sommeille. Même le bébé qui « ne dort jamais » sommeille plus souvent que ses parents ne le croient. Il est vrai que le bébé ne dort probablement pas aux moments où, vous, vous en aviez l'habitude. Cependant, avec un peu de discipline, vous parviendrez à laisser une activité passionnante, à fermer les yeux et à « dormir ». Si votre bébé s'endort au sein, élevez les jambes, appuyez la tête contre le dossier du fauteuil, en gardant votre petit dans vos bras, et essayez de dormir. Même si vous ne dormez pas, le fait de fermer les yeux, d'oublier le travail à faire et de vous relaxer peut être bénéfique.

Quelquefois, des mères parviennent à se détendre en se couchant, en fermant les yeux et en écoutant de la musique douce durant une dizaine de minutes. Essayez ! Imaginez que votre tension s'en va comme l'eau s'écoule d'un lavabo. Ou encore, blottissez votre bébé contre vous et lisez. Il est important d'oublier toutes ces choses « à faire ». Rappelez-vous : « les personnes avant les choses » et vous êtes une personne !

Chaque fois que vous le pouvez, prenez un moment pour voir comment vous pourriez consacrer plus de temps à vos propres besoins. Votre bon sens vous permettra de distinguer l'essentiel du superflu. Votre bébé ainsi que les autres membres de la famille veulent et apprécient une mère détendue, bien dans sa peau.

## Un coin allaitement

De nombreuses mères trouvent pratique d'avoir un endroit confortable pour allaiter. Puisque vous y consacrerez beaucoup de temps dans les premières semaines, vous apprécierez avoir tout ce qu'il vous faut à la portée de la main afin de vous épargner temps et effort.

Il faut d'abord un fauteuil confortable ou un fauteuil à bascule. Nous pouvons même affirmer que le fauteuil à bascule est l'article le plus utile parmi ceux qui sont nécessaires au nouveau-né. Le tabouret est aussi pratique car il permet de relever les genoux et facilite la mise au sein. Quoi de mieux que d'allonger les jambes pour se relaxer !

Quelques coussins ou oreillers seront indispensables dans votre coin allaitement. Ils vous soutiendront convenablement, votre bébé et vous, et vous permettront d'allaiter à l'aise.

Un bon éclairage facilitant la lecture sera apprécié car vous aurez parfois envie de lire un livre ou une revue durant la tétée. Une petite table permet d'y déposer un grand verre d'eau ou de jus, un élément indispensable lorsque vous vous assoyez pour allaiter.

Il pourra être utile d'avoir à portée de la main quelques couches, une corbeille ou un seau à couches et d'autres objets pour le bébé (de petites serviettes, tricots de corps et quelques couvertures). Vous pourrez allaiter et changer votre bébé avec un minimum d'efforts si vous avez ces objets essentiels sous la main.

## Les visiteurs

Des amis ou des parents peuvent offrir leurs services pour vous aider à l'arrivée du bébé. Bien qu'une aide supplémentaire soit toujours appréciée, certaines personnes bien intentionnées peuvent donner de mauvais conseils et émettre des commentaires désobligeants. Précisez ce qui vous ferait plaisir, un repas copieux ou un dessert nutritif peut-être. Ne soyez pas gênée de demander à votre mère ou à votre belle-mère d'arrêter à l'épicerie si vous avez besoin de quelque chose ou bien de mettre du linge dans la machine à laver lorsqu'elles viennent voir le bébé.

Il peut vous sembler inhabituel de rester assise et de vous faire servir par vos invités, mais c'est exactement ce que devrait faire une nouvelle accouchée. Si vous aimez voir vos amis, alors invitez-les mais précisez que vous ne pourrez tenir le rôle de la « parfaite hôtesse » durant quelques semaines. Une façon de renforcer la portée de ce message consiste à jouer ce qu'une mère appelle « le jeu du peignoir ». Enfilez votre peignoir quand les visiteurs frappent à votre porte même si vous étiez déjà habillée. Nul besoin de parler, ils comprendront que vous ne pouvez pas encore les recevoir comme vous le faisiez habituellement.

Généralement, une nouvelle mère peut être aussi active qu'elle le veut à condition qu'elle s'arrête dès qu'elle se sent fatiguée. En prenant soin de vous au cours des premières semaines, vous retrouverez votre forme rapidement.

## Épuisée ?

Si votre bébé est actif, maussade, s'il réclame sans cesse votre attention et adore le changement, vous trouverez sans doute difficile de vous détendre et de prendre les choses avec un grain de sel comme nous vous le conseillons. Nous vous comprenons parfaitement car nous avons connu ce genre de bébé nous aussi et savons combien cela peut être exigeant. Le bébé éveillé et très actif sera plus heureux quand il sera plus grand puisqu'il pourra faire plus de choses de lui-même. Ce genre de bébé est impatient de conquérir le monde !

Si vous ne trouvez pas le temps de vous relaxer, peut-être en faites-vous trop dans une seule journée. Nous espérons que vous tiendrez compte du fait que le bébé est plus important que les travaux ménagers et les autres engagements. Si vous vous sentez tendue et nerveuse et que votre bébé doit boire bientôt, prenez une ou deux minutes de repos. Quelques exercices peuvent faire des merveilles. L'activité physique aidera à relâcher la tension musculaire et activera la circulation sanguine. De nouveaux livres et vidéocassettes enseignent des enchaînements d'exercices à faire en compagnie du bébé.

Si le temps le permet, une promenade quotidienne à l'extérieur vous fera du bien. Bien sûr, vous amènerez le bébé avec vous dans sa poussette ou un porte-bébé. L'air frais, le soleil et le changement de décor auront un effet bénéfique sur vous deux.

Lorsque l'impatience se fait sentir, c'est peut-être que vous avez faim. Quand avez-vous pris votre dernier repas ? Pourquoi ne pas manger un fruit frais ou savourer un morceau de fromage ? Un œuf à la coque, conservé au réfrigérateur, constitue une bonne source d'énergie. Une tranche de pain de céréales complètes tartinée de beurre d'arachides se prépare rapidement et constitue une bonne collation. Ou encore, préparez-vous une boisson chaude que vous boirez pendant que le bébé tète.

La fin de la journée représente souvent un moment pénible pour la mère et son bébé. Clare Vetter, du Kentucky, nous raconte une de ces soirées particulièrement difficile qui s'est bien terminée malgré tout.

*Après une journée bien remplie, mon fils, Isaac, était trop « survolté » pour téter. Évidemment, j'étais aussi fatiguée et peut-être que j'avais un peu moins de lait. Chaque fois qu'Isaac commençait à téter, il s'arrêtait subitement, s'assoyait et bougeait sans cesse.*

*Tom, mon mari, est arrivé à ce moment et il a mis son nouveau disque, une pièce agréable et reposante, le Canon de Pachelbel. Il semble que la musique était justement ce qu'il fallait à notre famille. Je me suis levée, Isaac dans les bras, et tous les trois nous avons commencé à valser gaiement mais calmement. Notre danse a été spontanée et improvisée, et nos muscles fatigués ont fini par se détendre. En regardant Tom dans les yeux, je me suis souvenue de notre première danse, il y a dix ans, à une fête au collège. Nos vies sont tellement plus comblées maintenant qu'à cette époque !*

*La musique s'est arrêtée trop vite. C'est l'heure du bain, de l'histoire, du coucher, d'éteindre les lumières. J'allaite Isaac couchée et j'entends encore la musique dans ma tête. Le lait est revenu. Parfois, un peu de romantisme peut nous aider.*

## La dépression post-partum

Après l'accouchement, la nouvelle mère peut parfois se sentir découragée ou déprimée sans aucune raison particulière. « J'étais là, ma magnifique petite fille dans les bras ; je savais que j'avais tout pour être heureuse, mais je pleurais à chaudes larmes », se rappelle une mère. Une autre décrit cet état comme « le repos du guerrier après l'accouchement ». Le docteur James Good, sage médecin de famille, a déjà fait ressortir la ressemblance entre la dépression qu'une mère peut ressentir après l'accouchement et celle qui suit souvent un événement spécial. La frénésie et l'organisation qui ont précédé l'événement durant des mois sont maintenant choses du passé. Le point culminant a été atteint et une période d'ajustement s'ensuit.

Ces émotions en dents de scie se font également sentir au moment de la modification du taux d'hormones dans l'organisme à la suite de l'accouchement. Habituellement cet état ne dure pas, mais s'il persiste n'hésitez pas à consulter votre médecin. L'allaitement et la présence de votre bébé près de vous pourront faciliter cette transition. En effet, le changement hormonal se fait plus graduellement lorsqu'on allaite. Les recommandations usuelles, une bonne alimentation et du repos, favoriseront votre bien-être physiologique et émotionnel.

Marlene Edelman, du New Jersey, souligne l'importance d'être en contact avec la Ligue La Leche.

*Lors de notre dernière réunion de la Ligue La Leche, notre monitrice a demandé à toutes les mères de dire ce qu'elles préféraient de l'allaitement. Une mère a alors dit qu'elle considérait les réunions de la Ligue comme un des avantages. Je me suis alors interrogée sur l'influence que la Ligue avait eue dans ma vie.*

*Je suis devenue enceinte peu après notre déménagement dans un nouvel État. Durant ma grossesse, je n'avais pas d'amies dans cette nouvelle ville et je me sentais très seule.*

*J'ai assisté à ma première réunion de la Ligue parce qu'après trois mois d'allaitement j'avais toujours des problèmes de mamelons douloureux et de mastites. Je voulais avoir des informations et me faire dire que tout rentrerait dans l'ordre. Je suis revenue à la maison, après cette première réunion, avec des renseignements utiles et j'ai assisté aux trois autres.*

*Il ne m'était pas venu à l'idée de continuer après ces premières réunions, mais la monitrice m'a téléphoné pour m'inviter, alors j'y suis allée. Seize mois plus tard, j'assiste toujours aux réunions de la Ligue. J'ai découvert que c'était plus qu'un endroit où apprendre à allaiter. J'y ai appris les besoins nutritifs, émotifs et physiques du bébé qui grandit et des façons de répondre aux personnes qui nous demandent : « Allaites-tu encore ? » J'ai découvert des gens qui comprennent que ma carrière, c'est ma famille. J'y ai aussi trouvé des amies. Des amies qui se sont regroupées pour jouer avec leurs enfants. Des amies qui comprennent la frustration de rester à la maison par une longue journée d'hiver.*

*La Ligue La Leche représente tellement pour moi.*
*J'espère pouvoir un jour donner à d'autres mères ce*
*que j'ai reçu : un climat chaleureux où j'ai été*
*acceptée et encouragée à aimer et à nourrir mon*
*enfant de la façon que je considère la meilleure, en*
*commençant par l'allaitement.*

## VOUS SORTEZ ?
## AMENEZ VOTRE BÉBÉ

Vous n'êtes pas enfermée à la maison avec un bébé allaité ; il peut très bien vous accompagner partout où vous allez. Cependant, il est sage de commencer par de brèves sorties dans les premières semaines. Par exemple, une course rapide au centre commercial ou une visite aux grands-parents si fiers de leur petit-enfant vous distraira de votre quotidien. Un sac pour les couches et vous voilà partis tous les deux !

Vous n'aurez aucune difficulté à nourrir et à rassurer votre bébé au sein puisqu'on peut allaiter discrètement à peu près n'importe où. Dans la plupart des pays du monde, personne ne prête attention à la mère qui allaite. Cependant, si vous préférez allaiter votre bébé sans attirer l'attention, vous pourrez le faire facilement. Les ensembles deux-pièces sont probablement l'idéal pour allaiter ailleurs que chez soi. En effet, un tricot ou un chemisier ample se relève facilement à partir de la taille. Vous n'avez pas à vous dévêtir et vous pouvez vous couvrir d'une couche en tissu ou d'une petite couverture si vous le désirez. Les boutiques de vêtements de maternité et certains catalogues spécialisés offrent des vêtements d'allaitement munis d'ouvertures pratiques.

Il est facile d'allaiter discrètement puisque cela ne prend qu'une minute d'intimité environ pour mettre le bébé au sein. Une fois qu'il a commencé à téter, tout le monde croira qu'il dort dans vos bras. De nombreux magasins, aéroports, gares ferroviaires et centres commerciaux mettent des salles à la disposition des mères et des bébés. Le rayon des vêtements pour dames des grandes surfaces ou dans les centres commerciaux constitue une autre possibilité. Si ce n'est pas trop achalandé, vous pourrez vous détendre dans un salon d'essayage tout en allaitant. Si vous faites de la couture ou si vous aimez regarder les nouveautés, vous pourriez allaiter au rayon des patrons et tissus où des sièges sont disponibles.

Vous trouverez rapidement une façon d'allaiter discrètement en toute occasion. À la plage, une longue serviette jetée négligemment sur vos épaules servira de pare-soleil à votre bébé durant qu'il boit.

Comme toute nouvelle mère qui allaite, vous serez sans doute plus à l'aise pour le faire dans différentes situations si vous pratiquez d'abord chez vous devant votre conjoint ou une amie. En effet, les mères affirment qu'elles maîtrisent la technique assez rapidement. Plusieurs ont fait leur « première » en public à une réunion de la Ligue La Leche. Une mère du Québec, Johanne Houle, se rappelle de la première fois.

*Je me souviendrai toujours de la première fois où j'ai allaité ma fille Sacha en public. J'étais allée faire des courses pour m'acheter quelques vêtements d'été. À ce moment-là, ma fille était âgée de 3 semaines. Comme j'étais gênée de la nourrir en public, je suis allée me réfugier dans les toilettes d'un restaurant. J'étais très mal à l'aise. Je suis ressortie et j'ai pris mon courage à deux mains. Après tout, je faisais ce qu'il y avait de plus naturel : nourrir mon enfant. Je suis allée m'installer dans un coin pas trop passant, avec tout plein de plantes autour et, là, j'ai allaité Sacha avec assurance. Quelques personnes me regardaient et me souriaient. J'étais très heureuse d'avoir surmonté ma timidité. Par la suite, je n'ai jamais été gênée d'allaiter où que je sois. J'ai allaité à l'église, dans l'autobus, dans le métro, au supermarché, dans la salle d'attente de mon médecin. Une fois, une dame est venue et m'a dit : « Oh ! elle dort. » Elle ne dormait pas ma petite Sacha, elle tétait. Je me suis toujours habillée de façon à pouvoir allaiter discrètement. Je crois que le secret est là.*

## Les bébés allaités s'emmènent partout

Un peu de planification ou d'imagination et le bébé et sa mère pourront demeurer ensemble en toute occasion. Au mariage de sa sœur, Mary White était dame d'honneur. Elle demanda une gardienne d'enfant uniquement pour qu'elle tienne son bébé de 3 mois durant la cérémonie. Après celle-ci, Mary s'est absentée le temps d'allaiter son bébé et se présenta à la réception juste à temps pour serrer la main d'une centaine de personnes.

Les femmes du groupe de la Ligue La Leche de Hull, en Angleterre, ont dressé une liste des endroits où elles s'étaient rendues avec leurs bébés allaités. Elles se rendirent compte que, dans plusieurs de ces situations, il aurait été difficile de rassurer ou de nourrir un bébé au biberon. Lynne Emerson a fait le compte rendu suivant.

*Bridget affirme avoir allaité dans des restaurants, dans la salle d'attente du médecin et du dentiste ainsi qu'à l'église. Christina a emporté moins de matériel lors d'un séjour sur une péniche comparativement à une autre mère qui se trouvait sur une autre péniche et qui nourrissait son bébé au biberon. Elle a aussi allaité sa fille Sarah dans le vestiaire de son centre sportif. Lynne a allaité à une réception de mariage, pendant une tempête de neige alors qu'elle était coincée dans sa voiture à la suite d'un bris mécanique qui a transformé son parcours de dix minutes en une excursion d'une journée, pendant un match de football et à la plage.*

*J'ai allaité Lucy, alors âgée de 3 mois, pendant une journée de formation en yoga. Le professeur était sceptique mais je lui ai affirmé que Lucy ne distrairait pas la classe. Notre plus récente sortie (à un spectacle de pantomime) a été vraiment agréable. Toute la famille y est allée. Notre arrivée a bien suscité quelques regards étonnés mais, par la suite, les gens ont remarqué que le bébé avait été très sage. Nous espérons que cela permettra de faire disparaître le mythe qui veut que l'allaitement nous empêche de sortir de la maison.*

## La planification des voyages

Au cours de longs voyages, les bébés sont d'agréable compagnie si l'on tient compte de leurs besoins. Les bébés allaités ont accumulé un nombre considérable d'heures de vol. Judy Sanders, de Washington, a survolé la moitié de la terre pour se rendre en Nouvelle-Zélande avec sa fille Maria. Judy raconte qu'il a été facile de voyager avec Maria parce qu'elle était allaitée. Vêtue d'une robe du genre caftan dissimulant des ouvertures, elle a pu allaiter discrètement et à son aise.

Consultez votre transporteur aérien avant de planifier un voyage en avion. La compagnie fournit peut-être un siège de sécurité pour bébé ou vous suggérera d'apporter le vôtre. Pensez à réserver un siège dans la première rangée, vous disposerez ainsi d'un peu plus d'espace. Dans un fourre-tout, mettez des couches, des jouets peu bruyants et des vêtements de rechange au cas où vos bagages n'arriveraient pas en même temps ou à la même place que vous. Si votre bébé n'est pas retenu dans un siège, allaitez-le au décollage et à l'atterrissage, afin de diminuer la pression dans ses oreilles. Voilà une occasion où une tétine pourrait être utile.

Monique Girard, d'Aylmer, au Québec, nous parle de ses vacances en famille.

*L'allaitement maternel nous a permis d'amener Audrey partout avec nous. À 9 mois, nous étions en Italie ; à 15 mois, nous l'amenions dans les Caraïbes ; à 22 mois, nous voilà à Paris ; à 23 mois, nous expérimentions avec bébé le camping semi-sauvage ; sans compter les nombreux voyages à Montréal chez les grands-parents, à Laval chez ses cousins et cousines et à Québec chez son parrain. Toujours, elle s'est adaptée et a su charmer tous ses compagnons d'aventure. Maman et papa sont sa sécurité, et le lait de maman est toujours prêt à nourrir, consoler, sécuriser, endormir.*

Lisa Gehring et son mari, de l'Ohio, ont fait du tandem avec leur fille. Ils attachaient le siège d'auto de leur bébé sur une remorque spécialement conçue et fixée à leur tandem et ils allaient se balader.

*Mon mari et moi, grands amateurs de cyclisme, ne voulions pas laisser tomber notre activité préférée parce que nous avions un bébé...
Nous l'amènerions avec nous !*

*Puisque Heidi était allaitée uniquement, il ne pouvait pas être plus facile de l'emmener à bicyclette avec nous. On l'installait dans la remorque avec un sac de couches et on partait. C'est formidable de ne pas avoir à empaqueter des biberons.*

*Quand Heidi était âgée de 4 mois, nous avons pris part à une excursion de deux jours sur la rive sud du lac Érié. Si Heidi avait faim, on s'arrêtait. Elle a pris une tétée dans un parc sur le bord du lac Érié. Nous attirions passablement l'attention et, dans les haltes, Rich répondait aux questions concernant notre tandem et sa remorque. Pendant ce temps, Heidi pouvait téter discrètement, inconsciente des gens qui entouraient notre tandem.*

*Nous croyons qu'une famille heureuse est celle qui aime sortir et faire des choses ensemble. Amener Heidi avec nous est tellement facile qu'on n'imagine même pas la laisser à une gardienne. Nous prévoyons de faire du ski de randonnée pendant nos vacances cet hiver. Devinez qui vient avec nous ?*

## VOUS DEVEZ LAISSER VOTRE BÉBÉ

Si vous devez laisser votre nouveau-né pour une courte période – il est préférable qu'elle soit la plus courte possible – laissez-le à quelqu'un avec qui il est heureux en votre présence. Assurez-vous de laisser votre bébé rassasié. Ne vous pressez pas ; les bébés sentent la précipitation du départ chez leur mère. Attendez qu'il soit de bonne humeur et calme pour partir. Au début, vous pourrez le laisser pour une heure ou deux à l'occasion.

Certaines mères se sentent plus rassurées lorsqu'elles laissent un biberon de lait maternel au congélateur en cas de besoin pendant leur absence. (Le chapitre 7 traite de l'extraction du lait maternel et de sa conservation.)

Les mères se demandent souvent si elles peuvent laisser un biberon de lait artificiel quand elles s'absentent. Il est préférable de laisser un biberon de lait maternel. Cela permet au bébé de continuer à recevoir son aliment préféré. Un biberon de lait artificiel fait-il une si grande différence ? Nous aimerions pouvoir répondre par la négative, mais c'est impossible. Un seul biberon peut occasionner des problèmes chez certains bébés sujets aux allergies. Des études effectuées sur des animaux ont démontré que l'introduction d'un lait artificiel peut modifier l'équilibre des enzymes et des éléments nutritifs présents dans le système digestif et, donc, réduire l'effet protecteur que procure votre lait.

## Seul, synonyme d'abandonné

Vous ne voudrez pas laisser votre bébé plus longtemps qu'il ne le faut parce qu'un bébé a besoin de sa mère. Ce besoin est aussi intense et essentiel que son besoin de nourriture. « C'est très bien, penserez-vous, mais moi ? J'ai aussi des besoins. »

Bien sûr une mère a des besoins et parfois d'autres responsabilités ou devoirs qui l'obligent à s'éloigner de son bébé plus qu'elle ne le souhaite. Cependant, vous pourriez être surprise de la force du lien qui se crée entre vous et votre bébé. Souvent la mère s'aperçoit que, lorsqu'elle laisse son bébé pour cette sortie tant attendue, elle s'inquiète tellement de lui qu'elle ne peut pas vraiment apprécier sa soirée ! Voici l'explication du docteur William Sears, pédiatre et père de six enfants, à ce sujet.

> *Lorsque la mère et le bébé sont séparés, ils ratent tous les deux tous les avantages de l'attachement continu mère-enfant. Lorsque la mère et le bébé passent la plupart de leur temps ensemble, qu'ils répondent positivement aux signes qu'ils se font mutuellement, qu'ils sont en symbiose... non seulement la mère aide le bébé à se développer, mais le bébé aide aussi la mère dans son développement.*

Les mères grandissent avec leurs enfants. Judy Kahrl, de l'Ohio, a appris à comprendre les besoins de son bébé. Cela a été très important pour elle.

> *Ce qui m'a aidé, quand je voulais laisser mon bébé, c'était de me rappeler qu'un bébé n'a pas la notion du temps. Quand on le laisse, il pense que c'est pour toujours. Il ne peut pas comprendre que sa mère sera de retour plus tard dans la soirée ou à un autre moment. De plus, ce qui semble court pour les parents, une fin de semaine par exemple, est, proportionnellement, très long dans la vie d'un bébé. J'ai essayé de voir cela du point de vue du bébé, de sa notion du temps, de sa compréhension du monde et cela m'a aidé. Évidemment, nous, les mères, nous avons aussi des besoins, mais puisque nous sommes matures, nous pouvons nous dominer plus facilement et attendre un peu pour les satisfaire. Les besoins d'un bébé, eux, doivent être satisfaits tout de suite.*

# CHAPITRE 6

# Une période d'apprentissage

*Les premières semaines* de vie de votre nouveau-né représentent une période d'ajustement pour vous deux. Prendre soin d'un bébé s'apprend, et votre bébé est le meilleur professeur qui soit. Vous vous habituez à répondre aux besoins de votre bébé et il développe sa confiance car ses besoins sont satisfaits. Le docteur Marshall Klaus et sa femme Phyllis parlent de cet apprentissage dans leur livre *L'étonnant nouveau-né*.

*D*urant les premières semaines de vie du nouveau-
né, la mère semble exceptionnellement ouverte et
réceptive : tous ses sens sont mis à contribution pour
comprendre et percevoir son enfant. Les talents du
nouveau-né, ses aptitudes et le large éventail de sens
dont il dispose trouvent un écho grâce à l'extrême
sensibilité et à la vigilance de sa mère. Tous deux se
cherchent du regard. La mère utilise une voix haut
perchée lorsqu'elle parle à son enfant, ton qui
coïncide avec les préférences de l'enfant. Le rythme
du discours stimule à la fois le parent et l'enfant à
bouger en harmonie. Les pleurs de l'enfant stimulent la production de lait chez la femme qui allaite.
Comme nous l'avons mentionné plus haut, pendant
le repas du bébé, qu'il soit nourri au sein ou au
biberon, le visage de la mère et celui de l'enfant sont
distants de 20 à 25 centimètres, distance optimale
pour que le nouveau-né voie nettement le visage de
sa mère [...] La relation mère-enfant forme une
boucle, basée sur la réciprocité.

Le présent chapitre traite de sujets utiles à connaître pour
ces premières semaines où vous apprenez l'art d'être parent.

## POURQUOI PLEURE-T-IL ?

On ne peut rester impassible devant les pleurs d'un bébé
et c'est tant mieux. Les pleurs de votre bébé vous bouleverse-
ront, naturellement, puisqu'ils constituent son seul et unique
moyen de communication. En effet, c'est par ses pleurs qu'il
vous fera savoir qu'il a besoin d'aide, qu'il vous appellera à son
secours. Il est inquiet ou il a peur. Il a peut-être faim ou besoin
de votre présence. Il sera apeuré tant qu'il ne pourra sentir votre
présence physique car, en ce qui le concerne, vous pouvez tout
aussi bien être sur la planète Mars qu'à l'autre bout de la maison. Viola Lennon, une des fondatrices de la LLL, se souvient
avoir déjà demandé à un de ses enfants plus âgés de prendre le
bébé qui pleurait pendant qu'elle finissait de faire frire le poulet.
Cet assistant lui a répondu : « Je l'ai déjà fait, mais ça ne sert à
rien. Il a besoin de sa mère. »

Dans son livre *Creative Parenting*, le docteur William Sears explique :

> *Les bébés ne pleurent pas pour impatienter, manipuler de façon préméditée ou dominer leurs parents de façon déloyale. Ils pleurent pour exprimer un besoin. Un bébé n'est pas « gâté » parce qu'on le prend dans nos bras. Il sera davantage sujet à être « gâté » s'il n'est pas pris.*

## Que faire ?

Lorsqu'un bébé pleure, la réaction instinctive et immédiate de la mère qui allaite est d'offrir le sein. Qu'il se soit écoulé dix minutes ou deux heures depuis la dernière tétée, le bébé n'a peut-être besoin que de quelques minutes supplémentaires au sein pour se calmer. L'appétit du bébé varie de jour en jour, il est donc possible qu'il pleure parce qu'il a faim. Ou bien il a simplement besoin de votre présence réconfortante. Quel que soit son besoin, une tétée peut le satisfaire.

Mais que faire s'il ne veut pas prendre le sein ? Il faut alors vérifier ses autres besoins. Il a peut-être trop chaud ou trop froid. Il se peut qu'un de ses vêtements soit mal ajusté. Déshabillez-le. Vérifiez si le malaise n'est pas causé par une épingle ou une étiquette trop rigide, si quelque chose est enroulé autour de son bras ou de sa jambe ; il arrive aussi parfois qu'un cheveu s'enroule autour d'un orteil du bébé. Examinez-le soigneusement de la tête aux pieds, simplement pour être certaine que rien ne le blesse ou n'irrite sa peau fragile.

S'il semble avoir chaud, ne lui laissez qu'un gilet et une couche. Si la pièce est fraîche, emmitouflez-le dans une couverture douce. Certains bébés se sentent plus en sécurité s'ils sont confortablement emmitouflés ou emmaillotés.

Lorsqu'il est bien au chaud, offrez-lui le sein à nouveau. Cette fois-ci, il glissera peut-être vers le sommeil. Parfois, le bébé ne veut pas téter ou il régurgite continuellement parce qu'il a bu beaucoup de lait et il continue à pleurer. Que faire alors ? Essayez de le tenir contre votre épaule et, avec un peu de musique douce ou en chantant votre propre berceuse, exécutez en douceur la « valse du bébé » en vous déplaçant dans la maison. Certaines mères placent le bébé dans un porte-bébé et passent l'aspirateur. Le ronronnement de l'aspirateur, accompagné des mouvements de la mère, endorment souvent le bébé. Que dire d'une balade en voiture ? Ou d'une promenade à l'extérieur ? Un bain tiède peut vous calmer et vous détendre tous les deux ; essayez de prendre le bébé avec vous dans la baignoire.

Une méthode éprouvée pour calmer un bébé en pleurs consiste à se bercer ensemble dans un bon vieux fauteuil à bascule. Un rythme régulier, de petits tapotements dans le dos et une berceuse peuvent avoir un effet magique sur le plus agité des bébés. Becky Conley, de l'Illinois, ne jure que par son « fauteuil magique ».

*Que la journée soit mouvementée ou que le monde soit agité, on peut se retirer dans notre fauteuil et oublier tout ça. Le calme nous envahit, la tension s'envole et l'amour flotte autour de nous. On peut aller partout dans notre fauteuil à bascule. Depuis le temps qu'Eli est né, nous sommes allés sur des îles désertes, des chaînes de montagnes, des plages infinies et, à quelques rares occasions, très particulières, nous sommes même allés au paradis.*

Certains bébés pleurent parce qu'ils sont exténués, mais ne veulent pas être tenus au moment de s'endormir. Essayez de coucher votre bébé dans son berceau ou sur une couverture posée sur le sol. Parlez-lui doucement ou chantez tout en frottant légèrement son dos. Il s'agitera probablement encore quelques minutes puis il fermera les yeux et s'endormira. Vous saurez vite reconnaître le moment où il est vraiment fatigué et prêt à dormir. Si sa nervosité ne cesse de croître (cinq minutes représentent un temps considérable pour un bébé qui pleure), reprenez-le.

Les bébés sont parfois grognons pour des raisons que personne, pas même leur mère, ne peut comprendre. Si vous ne parvenez pas à calmer votre bébé, essayez de garder votre sang-froid. « Ne considérez pas cela comme un rejet », recommande une mère ayant vécu cette expérience. Lorsque vous prenez un tout petit bébé, faites-le lentement et doucement. Des mouvements rapides, saccadés et des bruits forts peuvent le faire sursauter. S'il est déjà contrarié pour une raison quelconque, acceptez ce fait et travaillez à partir de là, lentement et calmement.

## Doit-on le laisser pleurer ?

Prendre et promener le bébé qui pleure quand on le couche, cela le console, bien sûr. Toutefois, en agissant de la sorte, vous risquez de vous attirer des commentaires désobligeants de la part de l'entourage. En effet, bien des gens croient encore qu'il faut coucher le bébé, avec douceur et fermeté, et le laisser pleurer dans son lit jusqu'à ce qu'il s'endorme.

Qu'il pleure dans mes bras ou dans son berceau, quelle différence cela fait-il ? se demandent parfois les mères. La différence est énorme. Jan Wojcik, de la Floride, nous présente la situation sous un jour nouveau en nous demandant comment nous nous sentirions si c'était nous qui étions contrariées.

> *Si vous étiez en train de pleurer, vous sentiriez-vous mieux si quelqu'un vous rassurait ? Si quelqu'un prenait en considération votre contrariété ?*
>
> *Nous, les femmes, ne nous sentirions-nous pas rejetées si notre conjoint nous disait : « Va dans ta chambre. Je ne veux pas être près de toi tant que tu ne te seras pas maîtrisée. » Ne désirons-nous pas être aimées dans la peine comme dans la joie ?*

Voici ce que nous suggérons aux mères dont le bébé est agité : ne laissez pas votre bébé pleurer seul. Le réconfort et la sécurité trouvés dans vos bras affectueux ne sont jamais perdus. L'amour engendre l'amour. De plus, votre prochaine tentative réussira peut-être à apaiser votre bébé et à ramener la paix et le calme dans votre maison.

## Dorloter le bébé

Il est impossible de gâter un bébé ; ses besoins et ses désirs sont une seule et même chose. Son besoin d'être pris affectueusement lorsqu'il est de mauvaise humeur est aussi pressant et essentiel que son besoin de manger, d'être au chaud et au sec. Donc, si votre bébé cesse de pleurer lorsque vous le prenez, continuez à le tenir dans vos bras et soyez heureuse d'être là pour combler cet important besoin émotif. N'hésitez pas à dorloter votre bébé.

Le docteur Lee Salk, psychologue pour enfants et directeur du Hospital-Cornell Medical Center de New York, a écrit ce qui suit :

> *Le bébé qui reçoit une réponse immédiate à ses pleurs deviendra un enfant suffisamment confiant pour démontrer de l'indépendance et de la curiosité.*
>
> *Par contre, le bébé qu'on laisse pleurer pourra développer un sentiment de solitude et de méfiance.*

*Il pourra manifester de l'introversion en se fermant
au monde qui ne répond pas à ses pleurs. Plus tard,
cet enfant risque de continuer à répondre au stress
en essayant de ne pas voir la réalité.*

## Les heures de pointe

Certains bébés vivent régulièrement une période difficile, souvent vers la fin de la journée, qui se reproduit inévitablement jour après jour. Le reste du temps le bébé est facile à vivre et ces crises d'agitation ne semblent pas avoir de causes particulières. Le bébé n'est pas incommodé, par des coliques par exemple, mais il n'est pas bien non plus. Traditionnellement, on nomme ce temps de la journée « l'heure de grand-maman », ce qui signifie qu'on a besoin d'une grand-mère aimante qui n'a rien de plus urgent à faire que de bercer et de câliner le bébé.

Votre conjoint ne sera pas toujours présent à l'heure de ces crises, mais cela vous soulagera s'il peut prendre la relève à certains moments. De nouveaux bras aimants et une voix nouvelle réussissent souvent à détendre un bébé contrarié. Pendant que votre conjoint et votre bébé contemplent les poissons dans l'aquarium ou regardent les automobiles passer, profitez-en pour prendre une douche qui pourra vous aider à éliminer la tension.

## LES COLIQUES

Quand un petit bébé pleure durant de longues périodes et qu'il semble incommodé physiquement sans aucune raison apparente pour vous ou votre médecin, on dira alors que c'est un bébé à coliques.

« Colique » est un mot passe-partout qui signifie essentiellement « douleur violente et persistante dont on ignore la cause ». Il y a autant de causes aux coliques que de médecins qui ont étudié ce sujet. Au début du siècle, un document très connu et traitant de pédiatrie définissait ainsi les coliques : « terme impropre et peu approprié au point de vue scientifique, servant à tellement de fins dans la pratique médicale et regroupant tellement bien une multitude de douleurs abdominales qu'on le trouve encore dans les livres de médecine ». La même définition vague pourrait s'appliquer de nos jours. Les véritables causes de ces pleurs sont toujours, semble-t-il, peu ou pas connues des médecins. Dans son livre *Le bébé difficile*[1], le docteur William Sears écrit ce qui suit au sujet des coliques.

---

1. Traduction de *The Fussy Baby*.

*Je crois soupçonner que les coliques ont plusieurs causes – qu'elles soient physiologiques, environnementales ou liées au tempérament – qui dépassent les capacités immatures du bébé de les surmonter [...] À la lumière des connaissances actuelles sur les coliques, le meilleur remède est le réconfort et la réduction au minimum des facteurs susceptibles de contribuer au tempérament maussade du bébé.*

Qu'est-ce que la mère peut faire alors pour soulager les coliques ? Il est essentiel de prendre le bébé avec douceur et calme. De nombreux médecins croient que des tétées plus fréquentes et plus courtes lui conviennent mieux. Puisqu'on arrive parfois à calmer un bébé qui a des coliques en le faisant téter beaucoup et en le caressant pendant son repas, alors que faire ? Allaitez-le à un seul sein durant une période de deux à trois heures. Il est possible qu'il veuille téter plusieurs fois pendant cette période mais continuez à offrir le sein « vide ». Après deux heures environ, offrez l'autre sein et, une fois encore, tenez-vous-en à un seul sein.

Si votre bébé montre des signes de coliques, assurez-vous qu'il ne reçoit rien d'autre que votre lait. Évitez les biberons de lait artificiel, de jus et d'eau. Les vitamines, particulièrement celles qui contiennent du fluor, provoquent parfois une réaction chez certains bébés.

Il peut aussi arriver qu'un aliment consommé par la mère cause des coliques au bébé. Parmi ces aliments on trouve certaines vitamines, des suppléments alimentaires, comme la levure de bière, et la forte consommation de caféine, de mets ou de boissons contenant des édulcorants artificiels. Dans certains cas, le lait (ou les aliments qui en contiennent) dans le régime alimentaire de la mère peut être source de malaises chez le bébé. (Cela risque de se produire plus particulièrement dans les familles où il y a des allergies. Voir la section intitulée « Prévention des allergies », chapitre 19.)

Les mères de bébés souffrant de coliques ont découvert une multitude de façons de rassurer leurs bébés et de les calmer. Sue Nobriga Buckley, de la Californie, parle d'une position « anti-colique » qui soulageait sa fille.

*M*ême si Lara prenait du poids rapidement et
qu'elle était active et en santé, il fallait la bercer et
la promener de long en large chaque soir durant
des heures jusqu'à ce qu'elle s'endorme après avoir
beaucoup pleuré. Après cinq semaines de pleurs,
chaque soir et parfois même le jour, nous hésitions à
rendre visite à ses grands-parents. Lorsqu'on s'est
finalement décidé, Lara a été tout à fait charmante
presque toute la journée, jusqu'à ce qu'elle se mette
à pleurer sans arrêt en début de soirée. Comme
d'habitude, personne ne pouvait la consoler. C'est
alors que son grand-père l'a prise. Il l'a couchée à
plat ventre à califourchon sur son avant-bras, la
tête un peu plus haute que les pieds, et il l'a bercée
pour l'endormir. Étonnés, nous avons pris Lara de
cette façon quand elle commençait à faire des
coliques et cette nouvelle position la calmait et la
soulageait presque chaque fois.

Judy Wesockes et sa fille, habitant la Floride, ont découvert le côté apaisant du bain pour soulager les coliques.

*Q*uand Amy avait des coliques, habituellement
entre 20 h et 22 h, on prenait un bon bain chaud et
on y restait le temps que duraient les coliques. La
chaleur humide, le fait d'être dans mes bras et la
détente, tout cela l'aidait. Elle était soulagée presque
tout de suite ; mais si on sortait de la baignoire, les
coliques revenaient. Alors on restait là et je faisais
couler un peu d'eau chaude au besoin.

Le lait maternel est le meilleur aliment possible pour
votre bébé. Cette certitude vous aidera à demeurer calme et
détendue. Vous serez moins inquiète et votre bébé évitera les
risques qu'entraînent les changements de lait. La proximité et
la chaleur de la relation d'allaitement, combinées à vos soins
bienveillants et affectueux, soulageront votre bébé au cours de
cette période d'ajustement.

## Le bébé aux besoins intenses

En lisant la partie précédente vous avez peut-être pensé :
« J'ai essayé tout cela mais mon bébé est toujours agité. » Alors
c'est qu'il fait partie du genre de bébés dont le docteur William
Sears parle dans son livre *Le bébé difficile*.

*Dès les premiers jours ou les premières semaines après la naissance, les parents commencent à rassembler des indices sur le tempérament de leur bébé. Certains parents ont le bonheur d'avoir un bébé qu'on appelle « facile ». D'autres ont la chance d'avoir un bébé qui n'est pas si facile [...] le terme « bébé maussade » est quelque peu injuste [...] je préfère l'appeler le « bébé aux besoins intenses ». Non seulement cette expression marque-t-elle davantage de considération, mais elle décrit également avec plus de précision les raisons pour lesquelles ces bébés agissent de la façon dont ils le font ainsi que la forme de soins parentaux dont ils ont besoin.*

Le docteur Sears soutient qu'un bébé aux besoins intenses a ses bons côtés. Il affirme que ce bébé fait découvrir des trésors insoupçonnés à ses parents. Il dit : « Ces mêmes qualités, qui au départ semblaient une responsabilité tellement exténuante, ont une bonne chance de devenir un atout pour l'enfant et la famille. » Myriam de Naeyer, de La Hulpe, en Belgique, partage son expérience.

*Peu de temps après mon retour à la maison, Nathalie s'est montrée un bébé bien exigeant : elle désirait être tout le temps dans mes bras et passait de très longs moments à téter, sans me semble-t-il, être vraiment satisfaite. Bien sûr, très rapidement les questions ont fusé dans ma tête : avais-je assez de lait ? Est-ce que je m'y prenais bien ? Pourquoi ces pleurs ? Pourquoi ce refus de téter aux moments de crises aiguës ? Pourquoi ce refus d'aller dans d'autres bras ? Était-ce ce que je mangeais qui lui donnait des coliques ou mon anxiété de bien faire et de ne pas réussir ?*

*J'ai connu des moments de grand désarroi et, sans doute, de déception. Je ne m'attendais pas à ce que le métier de maman soit si difficile. Et bien sûr, les conseils pleuvaient de toutes parts. Mes réactions par rapport à cette petite fille aux besoins intenses ont été de la mettre souvent au sein, de la promener*

dans les bras à l'extérieur car dans la maison cela
ne lui convenait pas, de lui donner des bains, plutôt
que d'en prendre ensemble, d'écouter de la musique, de chanter, mais pas n'importe quoi car
Nathalie n'acceptait pas les sons aigus, de partir
faire un tour en voiture...

*L*e meilleur conseil que j'ai reçu d'une amie
maman de cinq enfants et que j'ai suivi : « faire ce
que je sens de bon pour elle et pour moi ».
Pas toujours évident en étant fatiguée, stressée
et sans doute déçue de ne pas réussir « mieux »
mon nouveau métier.

*F*inalement, je me suis rendu compte que ma petite
fille était une véritable éponge et que certains lieux,
certaines personnes ne lui convenaient pas du tout.

*Q*uand elle a eu 6 semaines, j'ai reçu un livre
concernant l'allaitement maternel. Grand soulagement de découvrir que je n'étais pas la seule à
éprouver des difficultés et qu'il existait des bébés aux
besoins intenses. Après lecture et dans un moment
de découragement, j'ai contacté une animatrice de
La Leche League. Que cela m'a fait du bien ! Je me
sentais proche de la philosophie donc bien entendue
et respectée. Tous les petits trucs, je les avais essayés
intuitivement. Ce qui m'avait manqué, c'était
d'exprimer les difficultés rencontrées à une personne
informée ; les conseils quant à la position pour
allaiter m'ont été précieux. Une visite chez un
ostéopathe a démontré un torticolis qui pouvait
également la déranger dans la succion. Après
chaque coup de fil à l'animatrice de la LLL, j'étais
regonflée et, bien sûr, la tétée se passait mieux.

*C*e qui m'a manqué avec ce type d'enfant ce sont
d'autres bras et pas n'importe lesquels ! Ma fille
était très exigeante. Un entourage bien détendu
lui était profitable. Où le trouver ?

*Je l'ai rencontré à des réunions de la LLL où je pouvais entendre l'expérience d'autres mamans et vider mon sac. Je n'étais plus toute seule. Et le plus drôle, c'est que Nathalie passait aux yeux des autres pour une enfant calme, sereine, épanouie.*

Si vous voulez en savoir davantage, vous pouvez vous procurer un exemplaire du livre *Le bébé difficile* auprès de votre groupe de la Ligue La Leche.

## Réflexe d'éjection puissant

Le réflexe d'éjection est décrit comme le moment où le lait se met à couler plus rapidement après quelques instants de succion. Dans le cas d'un réflexe d'éjection puissant, le lait sort très rapidement, trop rapidement pour le bébé. Annick Murat a connu ce problème. Elle nous décrit les symptômes qu'a manifestés son bébé et les solutions apportées.

*Clémence est née à la maison dans le calme et la chaleur de son foyer ; elle n'a pas voulu téter tout de suite, mais je ne me suis pas trop affolée car cela s'était déjà produit avec sa sœur trois ans plus tôt. La première semaine d'allaitement s'est bien passée mis à part que Clémence ne savait pas téter couchée. Il lui a bien fallu trois semaines pour acquérir la technique de téter, la nuit, couchée dans l'obscurité. Le plus dur a été cette fameuse troisième semaine : Clémence pleurait sans cesse et pourtant je ne comptais ni le temps, ni les tétées, ma mère étant là pour s'occuper des deux plus grands. Clémence tétait puis lâchait le sein en pleurant. Elle dormait peu et jamais plus d'une demi-heure d'affilée. La nuit, elle restait éveillée parfois trois ou quatre heures. Alors je me levais et me promenais avec elle dans la maison espérant qu'elle ne réveillerait pas tout le monde. Je sentais qu'elle avait mal au ventre, mais qu'y faire ? Elle tétait mal, trop vite et s'étouffait souvent. Quand elle buvait, j'entendais son estomac « gargouiller ». J'étais assez désemparée. Alors, un*

*soir, je me décidai à appeler une animatrice. Nous*
*avons passé en revue tout ce que je savais déjà et*
*enfin elle me parla de mon réflexe d'éjection :*
*n'était-il pas trop fort ? Sur le moment je pensai*
*que non. Il me semblait tout à fait normal, sembla-*
*ble à mes deux premiers allaitements. Le lendemain,*
*une autre animatrice m'appela et nous parlâmes*
*beaucoup de ce fameux réflexe d'éjection. J'avais*
*mieux observé Clémence et j'avais remarqué qu'elle*
*s'étouffait souvent en tétant, qu'elle s'agitait au sein*
*et parfois même se cambrait en arrière. Comme*
*pour mes deux premiers enfants, mon lait giclait*
*très fort, mais peut-être était-ce trop pour*
*ce bébé-là. Alors j'ai essayé de faire diminuer ce*
*réflexe. Je n'offrais qu'un sein à la fois, toujours le*
*même sur une période de quatre heures. J'essayais*
*de faire téter Clémence avant qu'elle n'ait trop faim*
*(maximum deux heures entre les tétées). Au bout*
*d'une semaine tout était rentré dans l'ordre. Je me*
*suis alors souvenue que mon premier enfant, Colin,*
*avait eu lui aussi beaucoup de coliques et j'avais*
*pensé à une allergie aux protéines du lait de vache*
*car j'en consommais beaucoup à cette époque. Je*
*crois maintenant que mon réflexe d'éjection devait*
*aussi le gêner car je me souviens encore des jets de*
*lait qui éclaboussaient même les meubles (!) dans*
*notre appartement. Le bon côté de tout ça, c'est que*
*si je me suis culpabilisée en voyant que mes enfants*
*se tordaient de douleur après avoir bu mon lait, je*
*n'ai jamais eu de doute quant à la quantité*
*produite. Je suis sûre qu'à chaque fois j'aurais*
*pu allaiter des jumeaux !*

## LES POUSSÉES DE CROISSANCE

Une semaine ou deux après sa naissance, le bébé qui
avait l'habitude de boire paisiblement toutes les trois heures
peut soudainement augmenter considérablement le nombre de
tétées par jour. Il vient à peine de s'endormir qu'il s'éveille à
nouveau, suçant son poing ou sa couverture, à la recherche de
quelque chose à manger. On pourra alors vous faire remarquer
que vos efforts étaient louables mais que l'allaitement ne fonctionne pas.

N'écoutez pas ces commentaires, l'augmentation du nombre de tétées est naturelle. Dans les anciens documents médicaux, on parle de « jours d'allaitement continu » pour décrire ces phases. On y reconnaît que les tétées plus fréquentes font augmenter la production de lait pour satisfaire les besoins croissants du bébé. Donc, installez-vous avec votre bébé pour ces quelques « jours d'allaitement continu ». Même les sceptiques devront se creuser la cervelle pour trouver quelque chose de plus important à faire que de donner la meilleure nourriture possible à votre bébé.

Vingt minutes de succion assez vigoureuse, toutes les heures environ, sont plus efficaces pour faire augmenter votre production lactée que des tétées moins fréquentes et plus longues. La plupart des bébés finissent par établir un horaire d'allaitement relativement stable, celui qui leur convient. Ces augmentations de fréquence coïncident généralement avec des poussées de croissance. Tout comme nous, les bébés ont plus faim à certaines périodes qu'à d'autres. Ne pouvant ouvrir la porte du réfrigérateur, le bébé se tourne vers sa mère. L'appétit du bébé dépassera temporairement la production lactée de sa mère.

Les mères affirment que cette période difficile coïncide généralement avec une poussée de croissance entre la troisième et la sixième semaine. Si cela se produit, mettez le bébé au sein aussi souvent qu'il le demande. Avec ces tétées supplémentaires, votre production lactée augmentera rapidement et comblera à nouveau les besoins de votre bébé. L'intervalle entre les tétées s'allongera vite et tout rentrera dans l'ordre. Le repos supplémentaire qu'entraîne un allaitement plus fréquent est probablement ce qu'il vous faut. En effet, le rythme de toutes vos activités s'est peut-être accéléré un peu trop vite pour la nouvelle mère que vous êtes. La nature et le bébé conjuguent leurs efforts pour vous aider à prendre tout le repos nécessaire. Voici à ce sujet le témoignage d'Isabelle Pauzé, de Varennes, au Québec.

*Durant ma grossesse, une chose était claire dans mon esprit : je désirais allaiter ce petit être que j'allais mettre au monde. Donc, pour mettre toutes les chances de notre côté, je me suis documentée et j'ai assisté à des réunions de la Ligue La Leche. Ces dernières ont répondu à plusieurs de mes questions mais une crainte restait : comment allais-je traverser ces fameuses poussées de croissance ? Plusieurs jours à allaiter presque continuellement, étais-je capable de faire cela ? J'ai cependant décidé de me faire confiance.*

*Un beau jour de juillet, notre petit Charles est né. Les jours et les semaines passèrent et l'allaitement allait très bien. Puisqu'il faisait très chaud, Charles tétait assez souvent pour étancher sa soif.*

*Vers la cinquième semaine, j'ai enfin su ce qu'était une poussée de croissance. Notre petit garçon demanda à téter presque continuellement durant trois jours. Nous passions des journées complètes couchés ensemble, son petit corps blotti contre le mien. Je me levais presque exclusivement pour manger et boire (beaucoup !) et pour aller à la toilette. Durant ces trois jours, j'ai pu me reposer et profiter pleinement de mon petit bonhomme qui grossissait à vue d'œil. Le lait ne manquait pas et la joie m'inondait le cœur. Grâce à moi, Charles pouvait bénéficier du bon lait chaud, toujours prêt et servi avec beaucoup d'amour.*

Vers l'âge de 3 mois environ, votre bébé traversera peut-être une autre période difficile. Cela est probablement dû, en partie, à l'appétit grandissant du bébé, et, encore une fois, des tétées plus fréquentes solutionneront ce problème. Il est encore trop tôt pour introduire les aliments solides chez la majorité des bébés en santé. Ne risquez pas une allergie alimentaire en les introduisant trop tôt.

Pendant cette période difficile, que vous ne connaîtrez pas nécessairement, il faut aussi tenir compte d'un autre facteur. En effet, le bébé de 3 mois demeure éveillé plus longtemps et manifeste un vif intérêt au monde qui l'entoure. Son agitation peut aussi indiquer qu'il a besoin de compagnie et d'action. Gardez-le là où il y a de l'activité. Installez-le près de vous sur une couverture posée sur le sol dans un endroit sûr où il pourra vraiment bouger à son aise. Il appréciera la musique, les mouvements et les gens qui se déplacent. En grandissant, il bénéficiera du changement et de la variété. À mesure qu'il prend conscience du monde qui l'entoure, la vision et les bruits des membres de la famille constituent d'excellentes sources de stimulation pour ses sens. Les gens font souvent des remarques sur l'éveil et les réactions du tout jeune bébé qui fait partie de la famille, à qui l'on parle, qui entend chanter et à qui l'on sourit souvent.

## LES BESOINS DU BÉBÉ LA NUIT

Les premiers mois, il est préférable que le bébé tète au moins une fois pendant la nuit. Votre jeune bébé grandit à un rythme effarant et il éprouve un besoin physique de nourriture pendant la nuit. De plus, vos seins peuvent devenir engorgés et sensibles s'il s'écoule cinq heures ou plus entre deux tétées. Sans compter qu'au matin le bébé pourra avoir de la difficulté à saisir le mamelon à cause de l'engorgement des seins.

Selon l'étude menée par Jelliffe et Jelliffe auprès de mères qui allaitent dans l'ouest du Nigéria, le lait maternel pris pendant la nuit représente au moins 25 p. 100 de la consommation des bébés âgés de 10 mois. Donc, il n'est pas étonnant que votre bébé veuille téter la nuit.

Dans son livre *Être parents le jour... et la nuit aussi*[2], le docteur William Sears mentionne que le sommeil des bébés diffère de celui des adultes. Il déclare que les bébés ne sont pas « programmés » pour dormir toute la nuit.

Il ajoute : « Les problèmes de sommeil surgissent lorsque les périodes de réveil de votre enfant pendant la nuit dépassent votre capacité d'ajustement. » Le secret pour répondre aux besoins de votre bébé la nuit, c'est d'améliorer votre technique d'allaitement en position couchée. Si vous vous sentez maladroite la première fois, persévérez en variant la position et en utilisant plusieurs oreillers. Quand vous pourrez allaiter en étant confortablement allongée, vous aurez éliminé une bonne partie du maternage pour une période d'environ huit heures par jour. Les premières semaines, pour voir ce que vous faites sans avoir à allumer une lampe, gardez une petite lampe de poche sur la table de chevet ou sous votre oreiller. Vous pourriez aussi laisser la lumière du cabinet de toilette allumée et la porte entr'ouverte. Pour vous tourner sans trop d'efforts lorsque vous allaitez couchée, tenez simplement le bébé contre vous, de vos deux bras, et roulez sur l'autre côté.

Lorsque votre bébé s'éveille la nuit, couchez-le avec vous dans votre lit et allaitez-le ; vous pourrez ainsi vous rendormir tous les deux. Il n'y a aucun danger, nous avons toutes dormi avec nos bébés comme le font les mères du monde entier depuis des siècles. Les bébés aiment la chaleur et la proximité, cela les aide à s'endormir plus rapidement.

Les tétées nocturnes, au lit, favorisent le contact peau à peau et les contacts physiques. Les vêtements n'encombrent pas

---

2. Traduction de *Nighttime Parenting*.

la mère ni son bébé. Dans son livre traitant de l'importance du toucher dans le développement de l'être humain, l'anthropologue Ashley Montagu écrit : « Le besoin de contact corporel chez les enfants est irrépressible. »

Vous avez sûrement entendu de ces histoires où un parent se retourne sur le bébé en dormant. Ne vous inquiétez pas, un bébé sain et normalement constitué, même très petit, peut bouger la tête et vous faire savoir d'une quelconque façon qu'il a une couverture dans le visage ou qu'il se sent pris. Les mères affirment qu'elles développent rapidement un sixième sens pour détecter la présence du bébé.

Lorsque nous amenons le bébé dans notre lit, il serait important de s'assurer de l'aspect sécuritaire de notre installation : ne pas coucher un bébé sur un lit d'eau ; faire attention aux nombreux oreillers ; si on choisit de rassembler deux matelas, vérifier que le bébé ne puisse glisser entre les deux. Les très rares cas de mortalité rapportés étaient liés au fait que les précautions mentionnées ci-dessus n'avaient pas été prises ou à des parents sous l'effet de l'alcool ou de drogues.

Si vous craignez une chute du bébé, il existe de nombreuses façons de les éviter. Appuyez son berceau ou son lit contre votre lit. Ainsi à proximité, il est facile de le prendre avec vous lorsqu'il pleure, et si le côté de son lit est suffisamment haut, il servira de barrière de sécurité. Ou encore, vous pouvez acheter une barrière que vous placerez sur le côté de votre lit pour éviter les chutes.

Une mère ingénieuse de la Pennsylvanie, Pat Muschamp, utilise une couverture pour retenir son bébé près d'elle quand elle dort. Sur le lit, placez une couverture de bébé en diagonale, comme un cerf-volant. Couchez-vous sur l'un des coins et placez le bébé sur la couverture, face à vous. Tirez le coin opposé de la couverture et glissez-le sous votre corps. Votre bébé est alors enveloppé confortablement près de vous et il ne risque pas de tomber.

## Quand fera-t-il ses nuits ?

Si cette question a pris les proportions qu'elle a maintenant, c'est probablement à cause des inconvénients engendrés par les biberons donnés la nuit ; il faut se lever alors que la maison est un peu fraîche, prendre le bébé, faire chauffer le biberon, combattre le sommeil et faire attention de ne pas échapper le bébé ni le biberon. La mère qui allaite n'a pas à subir ces inconvénients, donc quand on vous dira que le bébé du voisin dort toute la nuit alors que ce n'est pas le cas du vôtre, demandez-vous « Est-ce vraiment si important ? ». Ce qui importe, c'est que votre bébé soit content et joyeux et que vous puissiez combler ses besoins la nuit comme le jour. Pour le bébé, qu'il fasse jour ou que le monde soit plongé dans l'obscurité ne fait aucune différence. Son besoin de maternage reste le même et il n'en est pas moins important la nuit.

Il est impossible de prédire quand votre bébé fera toutes ses nuits. Les bébés sont des êtres humains et chaque être humain, où qu'il habite, est unique. Certains dormiront très tôt la nuit et d'autres non. Cela s'applique aussi bien à ceux nourris au biberon qu'à ceux qui sont allaités. Il arrive fréquemment qu'un petit bébé qui a fait ses nuits une semaine se réveille à nouveau la semaine suivante.

Dans *Être parents le jour... et la nuit aussi*, le Docteur Sears traite des méthodes pour favoriser le sommeil des bébés et des troubles du sommeil chez les enfants plus âgés. Il explique comment la mère et le bébé peuvent développer des cycles de sommeil en harmonie, ce qui ennuie moins la mère qui se fait réveiller par les pleurs de son bébé.

Aucun parent n'aime se lever au milieu de la nuit. Cependant, il existe des moyens de s'en sortir, de faire face à la situation. Votre façon de réagir peut faire toute une différence dans votre vision des choses. Nous savons ce que c'est car la plupart d'entre nous sommes allées à cette rude école. Philippe Cogney, de Montreuil-sous-Bois, en France, en témoigne.

*Adrien, qui a maintenant 3 ans, est mon premier enfant, et je m'aperçois, depuis que Louise est née, combien j'ai été maladroit avec lui dans les premiers mois. Je donnerai l'exemple des nuits.*

*Quand Adrien est né, je tenais énormément à mon sommeil. Les premiers mois, quand il se réveillait, Béatrice le prenait pour l'allaiter mais le remettait ensuite dans son lit. Le résultat, c'est qu'il se réveillait de nombreuses fois, chaque fois en criant. Ce qui me réveillait et me rendait agressif.*

*Je dormais mal et je lui en voulais, pas seulement la nuit mais aussi le jour. Je me sentais parfois devenir carrément méchant et je me culpabilisais.*

*Louise au contraire reste dans notre lit toute la
nuit. Elle ne pleure pas du tout... et ne me réveille
pas ! Et les rares fois où elle s'est vraiment
réveillée parce qu'elle était un peu malade je n'ai
pas du tout ressenti d'agressivité envers elle.*

*Je crois vraiment qu'avec Adrien j'ai fait mon
adaptation à l'état de père, mais c'était beaucoup de
l'ordre du devoir. Alors que, avec Louise, j'ai
vraiment découvert le plaisir de paterner. Et bien
évidemment, cela a aussi modifié ma façon d'être
avec Adrien, qui s'est beaucoup tourné vers moi
depuis la naissance de sa sœur. Le soir, au lieu de
regarder la télé, je m'occupe beaucoup de lui,
je chante, je lui raconte des histoires.*

Le docteur Gregory White, médecin de famille expérimenté, a déjà abordé le sujet du sommeil à l'occasion d'une
conférence prononcée devant des parents.

*Beaucoup de gens croient qu'ils ont droit à une
nuit de sommeil. Personne n'a droit à une nuit
entière de sommeil et très peu de mères peuvent
profiter d'une seule nuit de sommeil ininterrompue.
J'admets que beaucoup de gens en profitent un jour
ou l'autre dans leur vie. Mais personne, mère ou
non, n'y a droit quand on a besoin de quelqu'un.
Si un vieil homme paresseux et douillet comme moi
peut se lever au milieu de la nuit pour aider une
personne inconnue, alors une mère peut
certainement le faire pour son enfant.*

## Et cela continue

Même si votre bébé commence à dormir presque toute
la nuit quand il atteint quelques mois, cela ne signifie pas pour
autant que votre rôle de parent la nuit est terminé. Les bambins
se réveillent souvent la nuit pour une multitude de raisons.
De nombreux enfants d'un an ont des habitudes alimentaires
irrégulières et la faim peut les réveiller pendant la nuit. Si vous
pensez que c'est là la raison pour laquelle votre enfant se
réveille la nuit, assurez-vous qu'il prend des aliments nutritifs
pendant la journée et offrez-lui une bonne collation avant le
coucher. Il peut avoir soif. Offrez-lui souvent de l'eau, particulièrement les journées chaudes.

Un bébé de quelques mois ou un bambin qui se réveille plusieurs fois la nuit peut être indisposé par une poussée de dents. Même si cela ne semble pas poser de problèmes le jour, il est possible que ses gencives le fassent souffrir davantage la nuit puisqu'il n'est plus distrait par l'activité journalière. Avez-vous déjà souffert d'un mal de dent qui devient lancinant juste au moment où vous alliez vous endormir ? Un jeune enfant ne peut exprimer ce qu'il ressent, mais puisque les réveils fréquents pendant la nuit sont habituels chez les enfants âgés d'un à 2 ans, il est possible que les maux de dents soient en cause.

La fatigue ou des muscles endoloris peuvent également réveiller un bambin actif. D'autres causes sont toujours possibles. Va-t-il dehors ? Fait-il assez d'exercice ? Sa journée a-t-elle été tendue en raison des heures passées dans les magasins ou en visite ? A-t-il été effrayé par quelque chose ? A-t-il été pris et embrassé ? Trop de restrictions ? Si les réponses à ces questions vous donnent satisfaction et que votre enfant se réveille toujours la nuit, blâmez ce que vous voudrez mais souvenez-vous que tout passe. Peu importe la cause, l'allaitement semble satisfaire ses besoins nocturnes et lui procurer un réconfort particulier.

## DORMIR EN FAMILLE

Plutôt que d'essayer de modifier les besoins nocturnes de leurs enfants, de nombreuses familles ont décidé de changer leurs habitudes de sommeil. Après tout, ce dont les bébés et les enfants ont besoin n'est pas si extravagant, ils veulent simplement être près de ceux qui les aiment.

La coutume voulant que la mère, le père et le bébé dorment ensemble la nuit est « un concept d'éducation vieux comme le monde, pratiqué depuis la nuit des temps, partout sur la terre », écrit Tine Thevenin dans son livre *The Family Bed*. Elle mentionne les craintes et les questions que les parents occidentaux soulèvent sur le sujet, et elle touche probablement le cœur du problème lorsqu'elle dit : « On m'a souvent demandé si ce n'était pas gênant que mes enfants dorment avec nous. Je réponds alors que cela ne nous gêne pas plus que leur présence dans notre famille. »

Le docteur Herbert Ratner, rédacteur du magazine *Child and Family* et conseiller médical depuis longtemps à la Ligue La Leche, a beaucoup encouragé le fait de dormir en famille. De plus, le docteur Hugh Jolly de London, aux États-Unis, affirme : « Les psychanalystes peuvent conseiller fortement aux parents de ne jamais laisser leurs enfants dormir avec eux dans leur lit, mais ceux qui le font n'ont pas eu à faire face à des conséquences désastreuses, bien au contraire. »

Le docteur William Sears utilise le terme « sommeil conjoint » parce qu'il met l'accent sur le fait que le contact physique a pour effet que la mère et son bébé ont les mêmes cycles de sommeil. Cependant, il n'oublie pas les pères. Il mentionne que des pères lui ont affirmé se sentir plus près de leurs bébés depuis qu'ils dorment ensemble.

Le docteur Penny Stanway, médecin réputée en Grande-Bretagne, et son mari, Andrew, médecin également, ont deux filles et un garçon. Elle parle ainsi du sommeil de ses enfants.

> *Ben et Amy ont dormi dans notre lit. Amy a dormi avec nous jusqu'à l'âge d'un an puis elle est allée dormir avec Susie dans un lit pour deux personnes. Cela s'est passé de la même façon pour Ben. Il a dormi avec nous jusque vers l'âge de 16 mois puis il est allé rejoindre ses sœurs dans le grand lit. Je pense que les nuits sont très difficiles lorsqu'on croit fermement que chacun devrait avoir son lit et que les parents devraient dormir ensemble. Cette façon de penser est vraiment enracinée dans notre culture et tout écart est accueilli par de nombreuses critiques de la part des amis et des parents. Mais je ne renoncerais pas à cette première année, à quelques mois près, avec un bébé dans mon lit. C'est tellement plus facile.*

La beauté du sommeil en famille réside dans le fait que chaque famille peut l'ajuster à ses besoins. Certaines mères retournent le bébé endormi dans son lit après la tétée. Ailleurs, le berceau et la chambre séparée ne sont plus utilisés et le sommeil en famille dure toute la nuit. Il y a autant de possibilités de sommeil que de familles et nous vous présentons seulement quelques unes des nombreuses possibilités expérimentées par des couples qui ont innové en matière de sommeil.

Andrée Chartrand, de Lanthier, au Québec, nous fait part de son expérience.

> *Lorsque j'ai eu mon premier enfant, je n'ai même pas pensé à le coucher dans notre chambre. Ça ne se faisait pas ; nous ne voulions pas le gâter [...] Quand je pense à cela, je me rappelle mes nuits entrecoupées par un bébé qui se réveillait et pleurait en s'apercevant qu'il était seul. Je devais me lever. La nuit, il fait noir et froid. C'était pénible de sortir du lit à plusieurs reprises.*

*Lorsque j'étais enceinte de mon deuxième enfant, j'ai rencontré, aux réunions de la Ligue La Leche, des mères qui dormaient avec leur petit. Elles avaient l'air de trouver cela naturel. Moi, je trouvais ça pas mal farfelu. Puis, je me suis dit que, dans le fond, ce serait bien plus simple d'avoir le bébé près de moi la nuit. Et puis, en réfléchissant bien, il n'y a que l'humain qui s'éloigne de son bébé pour dormir. Les autres bébés du règne animal paraissent si bien, blottis contre leur mère pour dormir !*

*Lorsque ma petite fille est née, mon conjoint et moi avions décidé d'installer le parc pour enfant près de notre lit. Vous pouvez imaginer la suite. Lorsque Marilou s'éveillait et demandait le sein, je la couchais près de moi pour l'allaiter et nous nous endormions toutes « collées » et heureuses. Quand mon conjoint arrivait de travailler (il travaille le soir) et nous voyait ainsi, il n'avait pas le courage de recoucher le bébé dans son parc.*

Il arrive très souvent qu'un des parents soit enthousiaste à l'idée de coucher le nouveau-né dans le lit conjugal alors que l'autre manifeste certaines réticences. Dans la famille Zavari, au Michigan, le père Hassan est né au Moyen-Orient où il est naturel que le bébé dorme avec ses parents. Joan Zavari nous fait part de ses réactions au sujet de certaines idées de son mari.

*Lorsque Hassan m'a suggéré l'allaitement, je n'ai pas hésité. Cependant, étant conservatrice de nature, j'ai été catégorique quand il m'a suggéré de mettre les deux lits ensemble et de dormir en famille. Comment arriver à faire les lits ? J'ai trouvé une foule d'excuses. Lorsque Stevie est né, je me suis rapidement aperçue que certains bébés se réveillent cinq ou six fois la nuit. Hassan n'a même pas répliqué « Je te l'avais dit » lorsque j'ai suggéré de mettre les deux lits côte à côte pour qu'il puisse dormir avec nous.*

Dans la famille de Madeleine Sauvé, de Chicoutimi, au Québec, l'idée de dormir avec le bébé ne plaisait pas vraiment à son conjoint, du moins au début.

*Alors qu'au début Jocelyn avait de sérieuses réticences face à mon désir de dormir avec notre bébé, il en est vite venu à comprendre que c'était la solution idéale pour le bébé. Il était beaucoup plus efficace de garder Geneviève avec nous toute la nuit. Elle se réveillait souvent mais se rendormait aussi vite et sa maman aussi. Son papa, après quelques nuits, ne se réveillait même plus. Il adore maintenant se faire réveiller par une petite fille gazouillante qui le bécote partout en riant aux éclats.*

Vers l'âge de 2 ans environ, de nombreux enfants choisiront fièrement un lit conventionnel, bien que ce soit plus accessible pour leurs petites jambes si le sommier et le matelas sont posés à même le sol. En optant pour un matelas de dimensions normales, vous pourrez vous coucher à côté de votre tout-petit s'il se réveille. Il vous sera plus facile de changer de place que de bouger l'enfant. Concernant l'enfant qui est prêt à dormir dans son lit mais qui, de temps en temps, veut dormir près de vous, vous pouvez ranger sous votre lit un sac de couchage ou un matelas pneumatique et une couverture que vous sortirez pour obtenir un coin confortable.

Une mère de sept enfants habitant l'Ohio, Marthe Pugacz, a dit avec sagesse il y a quelques années : « Les familles n'ont pas besoin de moquette mais de matelas qui couvrent toute la surface du sol ! »

Votre famille compte-t-elle d'autres enfants ? Si votre tout-petit est trop grand pour dormir avec vous et qu'il a une sœur ou un frère plus âgé, vous pourriez envisager de les faire dormir ensemble, les deux dans le même lit. Les jeunes enfants dorment probablement ensemble depuis le début de l'humanité et cela a été bénéfique. Avant d'installer le petit dans le lit du plus grand, discutez du projet avec chacun d'eux en mettant l'accent sur les aspects positifs d'un compagnon pour la nuit. Puis, faites les changements avec cérémonie. Plus souvent qu'autrement, vous trouverez vos deux jeunes profondément endormis, les bras et les jambes emmêlés, comme des chiots. Ils ne s'en formalisent pas du tout. Y a-t-il des raisons de s'inquiéter concernant la manière de les séparer lorsqu'ils auront grandi ? Pas vraiment. Ils s'arrangent entre eux lorsqu'ils n'ont plus besoin d'un compagnon la nuit ou qu'ils n'en veulent plus. Généralement, l'un d'eux chasse l'autre sans vergogne, mais d'ici là ils auront grandi et seront prêts à voler de leurs propres ailes. Vous aurez tout simplement besoin d'un autre lit.

## Organisation pratique

De nombreux couples peuvent accueillir un bébé et, parfois, un autre petit visiteur nocturne dans leur grand lit ou leur très grand lit. Ceux qui ne disposent pas d'un lit aussi spacieux peuvent s'en faire un en attachant ensemble deux lits simples ou un grand lit et un lit simple avec une corde très résistante ou un fil de fer. L'espace entre les deux matelas sera comblé par une couverture. Lorsque le bébé parvient à se déplacer seul, les risques de chute sont à craindre. Vous pourriez acheter une barrière de sécurité qui se glisse entre le matelas et le sommier.

Un couple de l'Indiana a innové un peu et a fabriqué, pour une bouchée de pain, une barrière de sécurité pour éviter les chutes à leur bébé actif. Letitia Hoffman et son mari, Rick, ont installé un autre lit dans leur chambre. Ils obtenaient ainsi un lit suffisamment large pour quatre personnes. Des pièces du lit de bébé ont été utilisées pour rendre ce grand lit sécuritaire.

> *Rick et moi avons défait la couchette. Nous avons placé les deux extrémités et un côté de la couchette au pied de notre lit. Ils tiennent en place entre le matelas et le pied de lit. Nous avons placé l'autre côté de la couchette sur le côté de notre lit et nous l'avons attaché à la base du lit et à l'extrémité de la couchette pour faire une barrière de lit. Comme notre lit est collé au mur, il reste un espace d'environ 60 cm pour se coucher et se lever. Ce passage peut facilement être barré par des oreillers ou par notre corps.*

Avec le temps, vous aurez peut-être à modifier les arrangements nocturnes pour satisfaire les besoins de toute la famille. Graciela Dancose, d'Aylmer, au Québec, nous propose sa solution.

*Au* début, nous avions décidé de garder Gabriel dans notre lit, parce que, étant nouveau-né, il se réveillait pour téter toutes les trois heures. Cet arrangement nous plaisait, personne ne se levait pour aller chercher Gabriel au milieu de la nuit et surtout, pas de bébé qui pleure pour sa tétée.

*Vers* l'âge de 6 mois, Gabriel tétait encore souvent la nuit mais il bougeait beaucoup pendant son sommeil. Nous avons donc décidé d'enlever un côté du lit de bébé, que nous avions eu en cadeau, et de placer son lit tout contre le nôtre. Comme ça, Gabriel avait sa place pour dormir tout en étant à côté de maman pour ses tétées.

Lorsque votre très grand lit semble plein à craquer (même s'il occupe presque toute votre chambre) parce que tous

occupent la même place (la vôtre), vous vous demanderez sans doute si cette vive familiarité prendra fin un jour. Cela arrivera et, ce jour-là, vous ne réagirez peut-être pas comme vous le pensez. Ann Backhurst, du Michigan, raconte son expérience.

*Amy*, 4 ans, dort volontiers toute seule la nuit. Quand Emily avait environ 18 mois, elle a manifesté le désir de dormir dans la couchette. Elle y dort maintenant toutes les nuits. Ken et moi, nous avons à nouveau notre très grand lit pour nous seuls. À ma grande surprise, ça me manque de ne plus dormir avec mes petites filles. Durant la période difficile où nous devions nous organiser pour dormir avec elles, je pensais que je ne verrais jamais la fin de ce « dodo familial », j'étais impatiente. Maintenant que cela est fini, nous gardons de merveilleux souvenirs d'un tout-petit qui se serre contre nous par une froide nuit d'hiver ou qui tend le bras pour nous entourer, rassuré.

Les parents trouveront de nombreuses suggestions pratiques pour satisfaire les besoins nocturnes de leurs enfants dans le livre du docteur William Sears *Être parents le jour... et la nuit aussi*. Vous pourrez vous le procurer auprès d'un groupe de la Ligue La Leche.

## ET NOTRE SEXUALITÉ ?

Vous vous demanderez probablement ce qu'il adviendra de votre vie de couple si le bébé dort dans votre lit. Existe-t-il un plan de survie pour les nouveaux parents ?

Nous pouvons faire quelques suggestions, mais finalement c'est à votre conjoint et à vous de déterminer quel genre de relation amoureuse et sexuelle est la plus satisfaisante pour vous deux. La sexualité, comme l'allaitement, repose sur une attitude mentale à 90 p. 100 et sur la technique à 10 p. 100. La sexualité et l'allaitement s'épanouissent par la force de la pensée positive. Vous devrez peut-être faire preuve d'un peu d'imagination. Des inquiétudes non fondées peuvent conduire à l'inefficacité. La joie que vous ressentez à l'arrivée de votre bébé se fera sentir partout dans votre vie.

### Mythes et questions fréquentes

**Avec un bébé qui tète souvent et qui dormira probablement dans notre lit, trouverons-nous du temps pour être seuls tous les deux ?** Certainement, nous avons toutes trouvé des occasions. Vous devrez tromper la vigilance du bébé mais vous êtes deux pour le faire. Avez-vous pensé à changer de place et d'heure ? Quand on veut, on peut.

Généralement les bébés dorment profondément pendant une assez longue période. Tirez profit de ce moment. Si votre bébé s'éveille au moindre bruit, quittez le lit (silencieusement) et rendez-vous dans la chambre d'amis ou dans le salon.

Peu de couples peuvent espérer une totale liberté, en tout temps et sans interruption, pour faire l'amour. Il y a les exigences quotidiennes du travail et les besoins des autres. Les restrictions ne disparaissent pas pour autant lorsque les enfants grandissent et quittent le lit des parents. Demandez à n'importe quel couple ayant des adolescents.

**Mes seins sont sensibles et j'éprouve une sensation désagréable lorsque mon conjoint les touche. De plus, je suis inquiète. Est-ce que les jeux sexuels peuvent altérer mon lait ?** Non. Cela ne changera rien à votre lait. Il ne faut pas non plus vous inquiéter de transmettre les microbes de votre conjoint à votre bébé par vos mamelons. Votre bébé est déjà exposé aux microbes de la famille et les mamelons sont pourvus de glandes spéciales qui les gardent exempts de germes lorsque le bébé tète. Les seins ne sont pas réservés uniquement au bébé durant la période d'allaitement. La sensation d'engorgement et de sensibilité survient principalement pendant les premiers jours d'allaitement et elle est temporaire. Cette sensation diminuera si vous allaitez votre bébé juste avant de faire l'amour. Vos seins seront alors moins pleins et le bébé plus enclin à dormir.

Au moment de l'orgasme, certaines femmes ont parfois un réflexe d'éjection. En effet, les hormones responsables de ce réflexe sont aussi présentes au moment de l'orgasme. La première fois que cela se produit, le conjoint est tout aussi surpris que sa femme car le lait peut littéralement jaillir. Ce réflexe n'arrive pas à toutes les femmes et il devient moins fréquent lorsque la production est mieux établie.

**Lorsqu'elle allaite, la femme manifeste un plus grand intérêt pour les relations sexuelles ; ou lorsqu'elle allaite, la femme manifeste moins d'intérêt pour les relations sexuelles.** Ces deux affirmations sont « vraies » dans certains cas et « fausses » dans d'autres. Il n'y a pas de réponse toute prête.

Après avoir donné naissance, la femme peut devenir débordante d'affection. Allaiter et faire l'amour constituent une partie très naturelle et excitante de sa vie de femme. Une autre femme éprouvera la sensation contraire. Son désir de relations sexuelles pourrait être qualifié de minimum bien qu'elle aime toujours autant son conjoint et qu'elle veut être près de lui. En fait, elle recherche la sécurité de son affection. De telles réactions aussi différentes ne sont pas inhabituelles ni anormales. Tous, hommes et femmes, vivent des hauts et des bas dans leurs désirs sexuels à différents moments au cours de leur vie.

Comme mère qui allaite, vous vous sentez probablement bien en tant que femme et réagissez bien à la façon dont fonctionne votre corps. L'allaitement fait partie intégrante du cycle sexuel chez la femme. Il existe des similitudes marquées dans la façon dont le corps de la femme réagit pendant l'allaitement et au cours des rapports sexuels. C'est une période d'accomplissement dans la vie d'une femme.

Il faut dire que la fatigue a probablement un très grand effet dissuasif chez toute nouvelle mère. Faites une sieste en après-midi si vous le pouvez. Parfois, même si vous vous sentez plus fatiguée qu'attirante, un effort supplémentaire de séduction au bon moment se traduira par un plaisir intense pour votre conjoint et vous.

**Que faire si je ne peux plus supporter d'être touchée ?**
Une mère nous a déjà écrit :

> « *Après avoir passé la majeure partie de la journée avec mon bébé ou mon bambin dans les bras, je sens que je ne pourrais pas supporter qu'une autre personne me touche. Cela m'ennuie quand mon mari s'approche de moi. Est-ce inhabituel ? Pouvez-vous m'aider ?* »

Nous avons répondu à cette mère qu'elle n'était pas la seule à se sentir ainsi. Plus d'une mère, après avoir passé une partie de la journée à tenir un bébé dont les petites mains s'accrochent à elle et la caressent, se mettent à penser que la dernière chose dont elles ont besoin c'est bien de contact physique. Elles ne supportent plus d'être touchées.

Notre héritage culturel a sans doute façonné cette réaction, du moins jusqu'à un certain point. Une personne qui grandit dans une société où les gens gardent une certaine distance entre eux et où les membres d'une même famille s'étreignent rarement peut trouver que le contact presque permanent avec un bébé est une toute nouvelle expérience, une de celles à laquelle il faut un certain temps pour s'habituer. Ajoutons à cela la fatigue qui se manifeste en fin de journée chez la majorité des mères et des jeunes enfants, et il reste peu d'énergie ou de désir pour le romantisme.

**Le faible taux d'œstrogènes durant la lactation est souvent la cause de la sécheresse vaginale.** Une partie de cette affirmation est véridique. Le taux d'œstrogènes est effectivement faible lorsqu'on allaite mais la solution à la sécheresse est assez simple : un peu plus de jeux amoureux accompagnés, si nécessaire, d'un gel lubrifiant. L'épisiotomie peut aussi être la cause de relations sexuelles douloureuses, et cela persiste parfois quelques mois.

**Vous étiez femme avant d'être mère, votre conjoint passe donc avant les enfants.** Cela est trompeur. Votre conjoint et vos enfants ne devraient pas avoir à se disputer ni votre temps ni votre affection. Celui qui a le plus grand besoin d'amour et d'attention doit être aimé au moment où il en a besoin. À l'âge adulte, la satisfaction des besoins peut attendre un peu. Les adultes qui ont faim peuvent attendre ou se préparer quelque chose d'eux-mêmes, les bébés ne le peuvent pas. Un peu de compréhension et il n'y aura pas de confrontation. Vous avez suffisamment d'amour pour tous.

Le docteur William Sears, pédiatre et père de six enfants, rappelle aux parents l'importance du soutien mutuel.

*Pour que le lien mère-enfant puisse se développer comme il se doit, il doit être vécu dans le cadre d'une union stable et satisfaisante... toute la famille travaille main dans la main : mère-bébé, père-bébé, homme et femme. Vous ne pouvez choisir parmi ces relations. Vous devez travailler à chacune d'elles car elles sont complémentaires.*

Cela nous ramène à la relation initiale. Des conjoints qui s'aiment veulent se plaire. Chacun essaie de répondre aux désirs de l'autre. Parfois c'est la femme qui fait un effort supplémentaire pour réagir à l'étreinte de son conjoint et parfois c'est l'homme qui fait passer les sentiments et les besoins de sa conjointe en premier. Chacun donne et reçoit. Tout est possible avec de la bonne volonté et de la bonne humeur de part et d'autre. Mais attention : ne comptez pas les tours, car si vous le faites vous perdrez à coup sûr.

# CHAPITRE 7

# Difficultés courantes

*Les premières semaines* d'allaitement constituent une période d'apprentissage pour votre bébé et vous. Généralement tout se passe bien, mais parfois certaines difficultés peuvent menacer l'allaitement. Le présent chapitre traite de ces difficultés et vous explique comment en venir à bout pour que votre allaitement soit des plus agréables.

Les derniers chapitres de ce livre vous renseigneront davantage sur certaines circonstances particulières entourant l'allaitement. Si vous n'y trouvez pas réponse à vos questions, nous vous invitons à communiquer avec une monitrice de la Ligue La Leche.

Il est fort probable qu'elle pourra vous encourager et vous faire des suggestions concernant votre situation personnelle. Cela vous permettra de trouver une solution, et votre bébé et vous pourrez continuer à profiter des avantages de l'allaitement. Nous pouvons affirmer qu'il est rarement nécessaire de sevrer un bébé à cause d'un problème d'allaitement.

## LES MAMELONS DOULOUREUX

Bien que la douleur aux mamelons puisse être désagréable, elle ne constitue pas une raison pour vous priver tous deux des avantages et des joies de l'allaitement. Souvent la douleur disparaît d'elle-même en quelques jours, sans que vous n'ayez rien fait pour la soulager. Cependant, il vaut mieux traiter la moindre douleur afin de la soulager et de prévenir les complications possibles.

### La position du bébé au sein

Kittie Frantz, infirmière autorisée et directrice de la Breastfeeding Infant Clinic au centre médical de l'Université de la Californie du Sud, a étudié les difficultés rencontrées par les

mères au tout début de l'allaitement. Elle a pu en conclure que la douleur aux mamelons était principalement causée par une mauvaise position du bébé au sein.

Une bonne position comporte deux aspects : la position du corps du bébé par rapport à celui de sa mère et la position du mamelon dans la bouche du bébé. Quand vous êtes assise, la tête de votre bébé repose au creux de votre coude et votre main soutient ses fesses. Le bébé est couché sur le côté, face à vous, sa bouche vis-à-vis votre mamelon. Il ne doit pas avoir à tourner la tête pour le saisir. De votre main libre, soutenez votre sein en plaçant votre pouce sur le dessus, derrière l'aréole (le cercle foncé qui entoure le mamelon), et vos doigts dessous, toujours en dégageant l'aréole. Avec votre mamelon, chatouillez légèrement les lèvres de votre bébé de haut en bas pour qu'il ouvre la bouche toute grande. Centrez alors le mamelon dans sa bouche et rapprochez rapidement votre bébé de vous. Sa bouche doit couvrir la plus grande partie possible de l'aréole avant qu'il ne commence à téter. Ses mâchoires comprimeront ainsi les sinus lactifères situés sous l'aréole. Lorsqu'il a commencé à téter, vérifiez s'il ne tète pas aussi sa lèvre inférieure. Si c'est le cas, dégagez-la doucement.

De nombreuses mères ressentent un soulagement immédiat dès qu'elles utilisent la bonne position avec leur bébé. Il vaut donc la peine de prendre le temps de remettre le bébé au sein correctement. Si vos mamelons sont très douloureux, le fait d'utiliser une position différente à chaque tétée peut aider à soulager la douleur. Allaitez en position assise pour une tétée puis couchée pour la suivante. En changeant de position la pression s'exerce sur une partie différente du mamelon. Vous pouvez même essayer la position « ballon de football » pour quelques tétées. Celle-ci est expliquée en détail au chapitre 4.

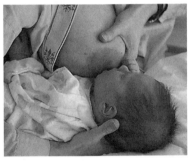

La façon dont votre bébé prend et laisse le mamelon est également très importante pour éviter les mamelons douloureux. Le bébé ne doit pas aspirer le mamelon. Il doit ouvrir bien grand la bouche et c'est vous qui introduisez le mamelon dans sa bouche. Lorsque vous retirez le bébé du sein, il faut d'abord briser la succion en exerçant une pression sur le sein avec un doigt.

Après avoir appris l'importance d'une bonne position au sein pour éviter la douleur aux mamelons, voici ce que Manon Brault, de Chicoutimi, au Québec, nous a écrit.

*Quand Antoine est né, je connaissais parfaitement l'importance d'une bonne position d'allaitement.*
*Je savais même comment bien placer le bébé : j'avais allaité ses deux aînés plusieurs mois. Pourtant, ce bébé-ci avait de la difficulté à saisir le mamelon. Aussi, lorsque nous avons trouvé une position qui le satisfaisait, j'ai continué à l'allaiter ainsi, tout en sachant que cette position s'éloignait un peu de l'idéal. Le stress d'un début d'allaitement y était pour beaucoup : j'avais tellement peur qu'Antoine ne réussisse pas à prendre le sein, qu'il ne boive pas suffisamment de lait. J'ai laissé faire, on verrait bien...*

*Et j'ai vu ! Une semaine plus tard, les tétées étaient devenues un véritable martyre, m'arrachant*

*des larmes de douleur et de désespoir chaque fois.*
*Il fallait trouver une solution. Je me souviendrai*
*toujours de ce dimanche soir où j'ai décidé que c'en*
*était assez. Tout le monde était assoupi, sauf*
*Antoine, qui réclamait une nouvelle fois son lait, et*
*moi. J'ai pris mon petit bonhomme, je me suis*
*installée confortablement, assise bien droite sur le*
*divan, tous les coussins de la maison calés derrière*
*mon dos, sous mes bras, sur mes genoux... Et j'ai dit*
*à Antoine : « Maintenant, tu vas ouvrir la bouche*
*très grand. On va y arriver ! » J'ai retiré doucement*
*le sein à Antoine chaque fois que je ressentais de la*
*douleur. « Ouvre, mon petit bonhomme, ouvre plus*
*grand encore ! » Trois, quatre essais puis, surprise !*
*je n'ai plus rien senti que l'agréable sensation sur*
*mon mamelon de sa bouche qui tétait avidement...*
*et correctement ! En quelques minutes, les tétées*
*étaient passées de l'enfer au paradis. Au fil des*
*tétées suivantes, Antoine et moi sommes devenus de*
*plus en plus habiles. Bientôt, il se mit à téter*
*correctement dès le premier essai. Ce fut le début*
*d'une douce relation qui dure encore !*

## Durée des tétées

Si votre bébé prend correctement le sein, il n'est pas nécessaire de minuter rigoureusement la durée des tétées. Il faut parfois quelques minutes avant que le réflexe d'éjection se produise et que le lait se mette à couler. Par conséquent, si vous enlevez votre bébé du sein après trois ou cinq minutes, comme on le recommande parfois, il aura terminé sa tétée avant même qu'elle n'ait réellement commencé.

Si vous permettez à votre bébé de téter fréquemment, aussi souvent qu'il semble avoir faim, vous réduirez sensiblement la douleur. En effet, il tétera moins vigoureusement s'il n'est pas affamé. Au cours des premières semaines, les bébés devraient boire au moins toutes les deux à trois heures dans la journée.

## Les mamelons plats

Il est très important de mettre le bébé au sein correctement si vous avez des mamelons plats, donc difficiles à saisir pour lui. Si la source du problème est l'engorgement (le gonflement des seins qui se produit parfois quand il y a montée laiteuse), extrayez un peu de lait manuellement juste avant la tétée pour permettre au mamelon de ressortir.

Une autre solution, que de nombreuses mères ont trouvée efficace, consiste à appliquer de la glace sur le mamelon. La glace procure un soulagement immédiat de la douleur et aide à faire ressortir les mamelons plats ou les mamelons invaginés par l'engorgement. L'application de glace juste avant la tétée rendra l'allaitement plus agréable pour vous deux. Broyez la glace, enveloppez-la dans un linge humide et appliquez-la sur la région douloureuse ou, encore, humectez des carrés de gaze, placez-les au congélateur et utilisez-les selon vos besoins.

## De l'air et du soleil

La sensibilité ressentie dans les premiers jours est souvent causée par l'humidité continuelle des mamelons. Des études effectuées par Niles Newton et publiées dans le *Journal of Pediatrics* démontrent que la peau guérit plus rapidement si elle est sèche, qu'on n'y applique aucun médicament et qu'on l'expose à l'air.

Profitez de l'action cicatrisante du lait maternel : extrayez une ou deux gouttes de lait après la tétée et faites pénétrer doucement. Laissez ensuite sécher vos mamelons à l'air. L'exposition des mamelons au soleil durant quelques minutes peut se révéler efficace.

Si vos mamelons sont sensibles, vous pouvez les exposer à l'air entre les tétées en portant des boucliers faits de plastique rigide et munis de larges ouvertures conçues pour laisser circuler l'air. Vous pouvez également laisser les rabats de votre soutien-gorge ouverts. Si vous êtes à l'aise sans soutien-gorge, n'en portez pas tant que vos mamelons sont douloureux. Un léger chemisier de coton ou un tee-shirt ample laisseront passer l'air.

Évitez toute doublure de plastique dans votre soutien-gorge ou vos compresses d'allaitement. En effet, le plastique garde l'humidité et empêche l'air de guérir vos mamelons. Le port d'un soutien-gorge trop ajusté peut aussi exercer une pression sur vos mamelons et être source de douleur. Évitez également d'utiliser une téterelle pendant la tétée. Elle ne prévient pas la douleur et son utilisation conduit presque inévitablement à d'autres problèmes.

Si la douleur persiste, il serait bon de consulter. Une monitrice de la Ligue La Leche ou une consultante en lactation aura peut-être besoin d'observer comment votre bébé tète. Si le bébé ne prend pas bien le mamelon dans sa bouche, on peut utiliser des techniques pour lui apprendre à téter correctement. Assurez-vous que votre bébé ouvre la bouche très grande, qu'il prend une bonne partie du sein et qu'il ne tient pas le bout du mamelon entre ses gencives. Si le bébé n'est pas bien positionné, enlevez-le du sein en brisant la succion avec votre petit doigt et recommencez. Relisez la partie de cet ouvrage sur la mise au sein au chapitre 4. Allaiter n'est pas supposé faire mal. Une fois le problème résolu, la douleur disparaîtra comme par enchantement.

## Les onguents

La plupart des onguents vendus pour traiter les mamelons douloureux ne sont pas utiles et peuvent parfois être nuisibles. Évitez tout produit qui doit être enlevé avant la tétée. Les onguents renfermant des substances antibiotiques, stéroïdiennes, astringentes ou anesthésiques ne sont pas recommandés. Ils peuvent éventuellement être nocifs pour la mère et le bébé. De plus, si les mamelons sont engourdis, le réflexe d'éjection peut être empêché.

Si le bébé ne peut saisir le mamelon et l'aréole correctement à cause de l'onguent, la douleur pourra s'accentuer. Les onguents ne laissent pas passer l'air ni la lumière, deux éléments essentiels à la guérison. Si vous utilisez un onguent quelconque, appliquez-le en toutes petites quantités.

Certaines mères utilisent de la lanoline anhydre ou de la vitamine E pure sous forme d'huile pour assouplir et hydrater leurs mamelons douloureux. Une certaine prudence est de mise si on utilise la vitamine E régulièrement.

Un nouveau type de lanoline hypoallergène a été mis au point expressément pour les mères qui allaitent. Il n'est pas nécessaire de l'enlever avant la tétée et son utilisation ne cause aucun problème, même chez les personnes allergiques à la laine. Une étude démontre que ce type de lanoline est particulièrement efficace lorsque la peau présente des crevasses.

## Les soins aux mamelons

De l'eau claire, voilà tout ce qu'il faut pour laver vos mamelons. N'utilisez pas de savon car il enlève les huiles naturelles et protectrices de la peau et prédispose aux crevasses. De plus, faites attention de ne pas mettre de l'eau de toilette, du désodorisant, de la laque en aérosol ou de la poudre près des mamelons pour éviter d'irriter cette peau fragile.

## Les mamelons douloureux se guérissent

L'allaitement fréquent et la proximité de votre bébé jour et nuit vous aideront à prévenir la douleur aux mamelons ou à la diminuer. Le manque de sommeil et une moins bonne alimentation peuvent aggraver le problème. Essayez de faire une sieste pendant la journée, de manger des aliments nutritifs et de boire beaucoup de liquide. Limitez les visites, particulièrement celles de personnes qui risquent de vous décourager ou de vous importuner. Acceptez l'aide offerte, vous pourrez vous reposer en même temps que votre bébé pendant que quelqu'un d'autre s'occupera de la maisonnée.

Il peut y avoir un lien entre les appréhensions de la mère et les mamelons douloureux. La sensibilité des mamelons peut provoquer suffisamment de tension pour retarder le réflexe d'éjection. Ce délai dans l'obtention du lait incite parfois le bébé à tirer plus fortement sur le mamelon, ce qui le rend encore plus sensible et augmente ainsi votre réticence. Que faire alors ? Vous pouvez extraire un peu de lait manuellement pour stimuler le réflexe et faire consciemment un effort pour vous détendre avant d'allaiter. Vous pourriez également demander à votre médecin de vous prescrire un analgésique pour soulager la douleur lorsque vos mamelons sont très douloureux.

Fort heureusement, la douleur aux mamelons dure rarement plus de quelques jours, surtout si vous suivez les recommandations suivantes. Soyez particulièrement attentive à la position du bébé au sein et continuez à allaiter toutes les deux heures. Si la douleur persiste, il est possible que votre bébé ne tète pas correctement et les conseils d'une personne formée pour enseigner aux bébés à téter pourraient vous être nécessaires. Contactez une monitrice de la Ligue La Leche pour connaître ses suggestions et ses recommandations.

Des mères ont cessé l'allaitement à cause de mamelons douloureux. C'est regrettable car ce n'est pas nécessaire. Dans de très rares cas où les mamelons sont extrêmement douloureux, ce qui peut se produire si le bébé ne tète pas correctement pendant un certain temps, il peut être approprié de cesser temporairement l'allaitement. Durant cette période, la mère pourra extraire son lait, manuellement ou avec un tire-lait, et le donner à son bébé au compte-gouttes ou à la cuillère. Dès que les mamelons réagissent au traitement, on peut remettre le bébé au sein.

## Le muguet

Si vous allaitez déjà depuis quelques semaines ou quelques mois et que vos mamelons deviennent soudainement douloureux, il est possible que vous, votre bébé, ou les deux, ayez du muguet. (Le muguet peut aussi apparaître pendant les semaines qui suivent l'accouchement.) Si vous ressentez des démangeaisons au mamelon, une sensation de brûlure, que votre peau est très sensible ou qu'elle devient rose et écaillée, vous avez probablement du muguet. Il s'agit d'une infection à champignons qui se développe dans le lait. Ce n'est pas alarmant, mais plutôt ennuyeux, et cela gêne rarement le bébé. Des points blancs pourront apparaître à l'intérieur de sa bouche ou sur ses gencives. Il pourrait aussi avoir un érythème fessier persistant lié au muguet et il est possible que vous ayez une vaginite. Par ailleurs, le muguet peut être associé à la prise de contraceptifs oraux ou d'antibiotiques. Cette infection est plus fréquente dans les climats chauds et humides. Vos mamelons peuvent être affectés même si la bouche de votre bébé ne présente pas de symptômes.

Le tableau qui suit à la page 137, préparé par Dany Gauthier, du Québec, consultante en lactation, résume bien les symptômes du muguet et les façons de le traiter.

Il faut parfois plusieurs semaines pour guérir le muguet mais il n'y a aucune raison de sevrer le bébé. Votre médecin prescrira probablement un médicament ou une autre forme de traitement. Il faut alors traiter la bouche du bébé et vos mamelons. Les autres membres de la famille pourraient aussi avoir besoin de suivre le traitement.

Lavez-vous soigneusement les mains après être allée aux toilettes afin d'éviter la propagation du muguet. Il faut de la ténacité pour vaincre le muguet mais, encore une fois, ce n'est pas une raison pour sevrer le bébé.

## Mamelons douloureux avec un bébé plus âgé

Lorsque le bébé est âgé de quelques mois, la poussée des dents peut être une autre cause possible de douleur aux mamelons. Certains bébés modifient leur façon de téter lorsqu'ils ont mal aux gencives, ce qui peut, durant un certain temps, causer de la douleur aux mamelons. Essayez alors de porter davantage attention à la position du bébé au sein et à la façon dont il saisit le mamelon. Il peut être utile de varier les positions d'allaitement.

Il arrive parfois que l'eczéma soit la cause de douleur aux mamelons chez certaines mères. Cela se produit le plus souvent lorsque le bébé, qui mange déjà des aliments solides, tète alors qu'il reste des particules de nourriture dans sa bouche. Ces particules irritent la peau délicate du mamelon et peuvent causer de l'eczéma. Pour éviter ce problème, assurez-vous que votre bébé ou bambin n'a plus de nourriture dans la bouche avant de l'allaiter.

## Le muguet en bref

### Quand peut-on soupçonner le muguet ?

- Il y a une douleur aux mamelons avant, pendant et après la tétée.
- Le bébé est maussade pendant la tétée.
- Le bébé a un érythème fessier.
- La mère a une vaginite.
- Le bébé a des taches blanches dans la bouche.

### Comment enrayer le muguet

- Rincer la bouche du bébé et les mamelons de la mère après chaque tétée, avec de l'eau bouillie ou distillée.
- Se laver les mains fréquemment.
- Faire bouillir les objets qui entrent en contact avec la bouche du bébé, 20 minutes par jour. Jeter après une semaine d'usage.
- Bien laver les objets manipulés par les frères et sœurs.
- Changer fréquemment les compresses d'allaitement jetables.
- Changer les compresses d'allaitement lavables après chaque tétée et les laver dans une eau chaude savonneuse.
- Ne pas conserver le lait maternel extrait durant cette période. Ne pas le congeler.
- Si nécessaire, utiliser la médication fongicide prescrite par le médecin.
- Il est nécessaire d'observer ces mesures durant tout le traitement, c'est-à-dire 14 jours.

Si le muguet réapparaît, vérifiez toutes les sources de contamination.

Parfois une mère remarque une petite ampoule douloureuse au bout du mamelon. C'est ce qu'on appelle une « ampoule de lait ». Celle-ci pourrait être causée par un canal lactifère obstrué. Faites tremper le mamelon dans de l'eau chaude plusieurs fois par jour et gardez cette zone très propre. Essayez de varier les positions d'allaitement, ainsi la bouche du bébé exercera moins de pression sur l'ampoule. Cependant, la guérison complète pourra prendre quelques jours. Pour éviter les risques d'infection, il faut résister à la tentation de percer l'ampoule.

Si vous allaitez un bébé plus âgé ou un bambin et que vos mamelons deviennent subitement douloureux mais qu'aucune des situations mentionnées précédemment ne semble être en cause, cherchez ailleurs. Votre bébé a-t-il tété plus souvent parce qu'il était malade ou à cause d'un changement important comme un déménagement ? Avez-vous essayé de nouvelles positions d'allaitement qui auraient pu causer une tension inhabituelle ou un frottement du mamelon ? Lorsqu'il prend le sein, votre bébé aspire-t-il le mamelon dans sa bouche ? Et quand il le laisse, brise-t-il d'abord la succion ? Est-il possible que vous soyez enceinte ? L'une ou l'autre de ces situations pourrait causer de la douleur aux mamelons même chez une mère qui a allaité plusieurs enfants.

Lorsque vos mamelons sont douloureux ou que vous vivez un problème, quel qu'il soit, il est bon d'en parler avec une autre mère qui allaite et plus spécialement avec une monitrice de la LLL. Celle-ci pourra voir la situation sous un autre angle. Parfois, tout ce dont vous avez besoin c'est de soutien et d'encouragement pour vous aider à venir à bout de cette difficulté et à voir les aspects positifs de l'allaitement.

## EXTRACTION ET CONSERVATION DU LAIT MATERNEL

La naissance prématurée du bébé ou une maladie qui l'empêche de téter, la mère qui retourne sur le marché du travail, le besoin de soulager un engorgement ou encore la nécessité d'une plus grande stimulation pour augmenter la sécrétion lactée de la mère sont quelques-unes des situations qui nécessitent l'extraction du lait.

La mère aura besoin de savoir comment extraire son lait manuellement ou avec un tire-lait. Elle doit aussi connaître les conditions dans lesquelles conserver son lait pour que son bébé puisse le boire par la suite.

### L'extraction manuelle

L'extraction manuelle est l'une des meilleures techniques à connaître. C'est la méthode la moins coûteuse et la plus pratique que vous puissiez utiliser. Cependant elle demande un peu d'entraînement afin de bien la maîtriser. Observer une autre mère extraire son lait est parfois la meilleure façon d'apprendre.

La pratique aidant, nombre de mères parviennent à extraire plusieurs millilitres très rapidement. Lavez-vous les mains avant de commencer. La technique est simple : placez vos doigts sous votre sein et le pouce sur le dessus. Votre main formera alors un « C ». Appuyez la main contre la cage thoracique et, d'un mouvement rythmique, serrez et relâchez votre main sans que vos doigts touchent à l'aréole (la partie foncée entourant le mamelon). Si votre aréole est très grande, placez vos doigts à deux ou trois centimètres environ du mamelon.

Ne laissez pas vos doigts glisser sur votre peau. Déplacez votre main pour faire le tour du sein et atteindre tous les canaux lactifères. Extrayez de trois à cinq minutes d'un côté puis changez de sein. Recommencez une autre fois. Cette façon de faire permettra d'augmenter votre sécrétion lactée.

Si vous êtes droitière, vous serez peut-être plus habile de votre main droite, mais il est préférable d'utiliser alternativement les deux mains pour chaque sein. Vous atteindrez ainsi un plus grand nombre de canaux lactifères.

Ayez à votre portée un contenant stérilisé pour recueillir le lait. Pour éviter de renverser ou d'éclabousser, vous pouvez utiliser une grande tasse à mesurer ou un entonnoir conçu pour l'extraction manuelle et qui s'ajuste au goulot des biberons.

### La technique Marmet[1]

Une autre technique d'extraction manuelle a été mise au point par Chele Marmet, monitrice de la Ligue La Leche, consultante en lactation et directrice du Lactation Institute à West Los Angeles, en Californie. De nombreuses mères qui, auparavant, n'avaient pu extraire manuellement leur lait ont trouvé cette méthode efficace.

---

1. Reproduction autorisée. ©Copyright 1978, 1979, 1981, 1988, Chele Marmet.

La clé du succès de cette technique réside dans l'association de la méthode d'extraction manuelle et de l'utilisation du massage pour stimuler le réflexe d'éjection. L'apprentissage de cette technique se fait facilement grâce aux instructions étape par étape. Comme dans toute chose, la pratique est importante.

### Drainage des réservoirs ou extraction du lait

1. Placez le pouce, l'index et le majeur à environ 3 cm à 5 cm du mamelon.

• Utilisez cette mesure comme guide seulement. Elle ne correspond pas nécessairement à la ligne qui borde l'aréole puisque celle-ci varie en taille d'une femme à l'autre.

• Placez le pouce au-dessus du mamelon et les deux autres doigts en dessous pour former un « C ».

• Remarquez que les doigts sont placés de manière que les réservoirs se trouvent juste en dessous.

• Évitez d'entourer le sein.

2. Appuyez fermement et directement les doigts contre la cage thoracique.

• Évitez d'écarter les doigts.

• Si vous avez de gros seins, soulevez le sein avant d'appuyer contre la cage thoracique.

3. Roulez simultanément le pouce et les deux doigts vers l'avant comme pour prendre vos empreintes digitales.

• Ce mouvement de rotation du pouce et des doigts comprime et vide les réservoirs de lait sans abîmer les tissus délicats du sein.

4. Répétez en cadence pour bien vider les réservoirs.

• Placez les doigts, appuyez, roulez ; placez les doigts, appuyez, roulez...

5. Déplacez le pouce et les doigts autour du mamelon, de manière à vider les autres réservoirs. Utilisez les deux mains sur chaque sein.

### À éviter

• Évitez de presser le sein, car cela risque de causer des bleus.

• Évitez de tirer sur le sein et le mamelon, ce qui risque de causer des blessures au mamelon.

• Évitez de faire glisser les doigts sur le sein, car cela peut provoquer des brûlures de friction.

### Stimulation du réflexe d'éjection

1. Massez les alvéoles et les canaux lactifères.

• Commencez par le haut du sein. Appuyez fermement contre la cage thoracique. Du bout des doigts, massez d'un mouvement circulaire un endroit précis du sein.

• Après quelques secondes, déplacez les doigts vers un autre endroit.

• Continuez à masser en décrivant une spirale jusqu'à ce que vous ayez atteint l'aréole.

• Le mouvement est semblable à celui utilisé pour l'examen du sein.

2. Effleurez la surface du sein de haut en bas jusqu'au mamelon en un mouvement semblable à un léger chatouillement.

• Continuez ce mouvement de haut en bas jusqu'au mamelon en faisant le tour du sein. Cela vous aidera à vous détendre et contribuera à stimuler le réflexe d'éjection.

3. Secouez votre poitrine tout en vous penchant vers l'avant de manière que la gravité aide à l'écoulement du lait.

### Marche à suivre

Les mères qui doivent extraire leur lait pour remplacer complètement une tétée et celles qui doivent établir, augmenter ou maintenir leur production de lait quand le bébé ne peut téter devraient procéder ainsi :

• Extraire le lait de chaque sein jusqu'à ce que l'écoulement diminue.

• Faciliter le réflexe d'éjection en massant les seins, les effleurant, les secouant. Cela peut se faire simultanément.

• Recommencer à nouveau une ou deux fois toute l'opération : extraire et stimuler le réflexe d'éjection. L'écoulement diminue généralement plus tôt la deuxième fois et la troisième fois, à mesure que les réservoirs se vident.

• Toute l'opération devrait durer de 20 à 30 minutes environ.

• Extraire le lait de chaque sein durant cinq à sept minutes.

• Masser, effleurer, secouer.

• Extraire le lait de chaque sein durant trois à cinq minutes.

• Masser, effleurer, secouer.

• Extraire le lait de chaque sein durant deux à trois minutes.

**N.B.** Si la production de lait est déjà bien établie, les durées indiquées vous serviront simplement de guide. Observez le jet et changez de sein lorsqu'il diminue. S'il n'y a pas encore de lait ou s'il n'y en a que très peu, respectez scrupuleusement les durées suggérées ci-dessus.

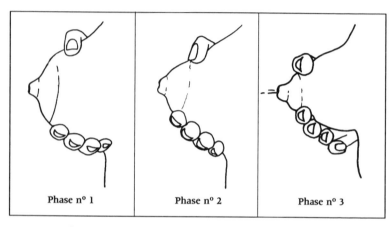

| Phase n° 1 | Phase n° 2 | Phase n° 3 |

Remarquez le mouvement de rotation du pouce et des doigts qui compriment les réservoirs de lait.

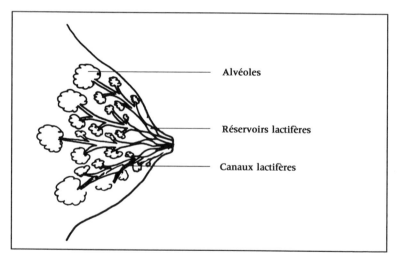

Le mécanisme de la lactation : les alvéoles produisent continuellement du lait. Ce lait coule petit à petit dans les canaux et s'accumule dans les réservoirs. Lorsque les alvéoles sont stimulées, elles éjectent du lait en abondance dans les canaux lactifères (réflexe d'éjection).

## Les tire-lait

Avant d'acheter un tire-lait, évaluez vos besoins. Bien des mères n'ont jamais eu à acheter ni même à utiliser un tire-lait. Quand la mère et son bébé passent presque tout leur temps ensemble, dès la naissance, et que le bébé peut téter souvent, la mère n'a pas de raison d'extraire son lait. Vous pouvez utiliser la technique d'extraction manuelle, à l'occasion, pour conserver du lait ou pour soulager l'engorgement.

De nombreuses circonstances inciteront la mère à utiliser un tire-lait. Celles qui prévoient de retourner sur le marché du travail alors que leur bébé est encore très jeune peuvent poursuivre l'allaitement en extrayant leur lait à midi ou à la pause du matin et à celle de l'après-midi. Elles peuvent le réfrigérer ou le congeler pour le donner à leur bébé un peu plus tard.

La mère qui travaille recherchera un tire-lait qui soit à la fois facile et pratique à utiliser. Elle devra le transporter à son lieu de travail et le rapporter à la maison et elle voudra un appareil efficace dont elle peut se servir rapidement. Le tire-lait devra également être facile à laver, de préférence au lave-vaisselle, afin de gagner du temps dans une journée passablement occupée.

La mère qui extrait son lait pour un bébé prématuré doit à la fois établir sa sécrétion lactée pour l'avenir et possiblement fournir un certain nombre de millilitres par jour pour nourrir son bébé. Cependant, elle n'aura peut-être pas l'occasion de nourrir son bébé au sein avant plusieurs semaines. Elle a donc besoin d'un tire-lait qui imite le plus possible la succion du bébé et qui stimule un bon réflexe d'éjection.

Certaines mères veulent avoir un tire-lait sous la main au cas où il y aurait une urgence dans la famille ou pour toute autre situation où elles devraient être séparées de leur bébé temporairement. Ces mères cherchent un tire-lait peu coûteux qui leur assurera une certaine sécurité, même si elles ne l'utilisent jamais. Des tire-lait et d'autres articles d'allaitement sont disponibles dans la plupart des groupes de la Ligue La Leche.

## Le choix d'un tire-lait

### Les tire-lait de type klaxon de bicyclette

À une certaine époque, c'était le seul type de tire-lait disponible ; il reste le moins cher. On crée la succion en pressant la poire de caoutchouc. Cependant, il faut prendre garde de ne pas abîmer les tissus du sein car on ne peut ajuster le degré de succion. De plus, la majorité de ces tire-lait ne peuvent être stérilisés adéquatement. Ils ne sont donc pas recommandés.

### Les tire-lait à poire

Ce type de tire-lait manuel est une version améliorée du tire-lait de type klaxon de bicyclette. Le principe demeure le même (presser une poire de caoutchouc pour créer la succion). Il a deux avantages : le lait est dirigé directement dans un contenant qui peut être stérilisé et le degré de succion s'ajuste.

### Les tire-lait à cylindre

De nombreux manufacturiers mettent sur le marché divers types de tire-lait à cylindre. Ils sont tous composés de deux cylindres de verre ou de plastique. Le cylindre externe sert à la fois de contenant collecteur et de biberon. Dans ce type de tire-lait, la succion est créée en tirant sur le cylindre externe. De nombreuses mères affirment que ce tire-lait s'utilise assez aisément et qu'il est très efficace. La majorité de ceux-ci sont légers et de dimensions réduites. Ils se placent donc facilement dans un sac à main et sont très appréciés des mères qui travaillent. La plupart vont au lave-vaisselle.

### Les tire-lait à piles

Les tire-lait à piles conjuguent commodité et facilité de transport. Ils sont petits, légers et d'un prix abordable. La succion est créée par une petite pompe fonctionnant avec des piles AA, la mère n'a donc pas d'efforts à faire comme avec les tire-lait manuels. On peut faire fonctionner le tire-lait à piles d'une seule main, ce qui constitue un avantage dans certaines circonstances.

### Les tire-lait électriques semi-automatiques

Ces petits tire-lait électriques sont munis d'un moteur qui crée la succion, mais il faut ajuster le degré de succion manuellement. Les nouveaux modèles sont assez petits pour être transportés et leur prix est raisonnable. Une mère qui travaille et qui prévoit d'extraire son lait plusieurs mois pourrait considérer l'achat de ce type de tire-lait comme un bon investissement.

### Les gros tire-lait électriques

Les tire-lait électriques offrent la plus efficace des succions. Ils sont conçus pour créer une succion alternative qui imite le rythme de succion du bébé. La majorité des mères trouve qu'ils sont efficaces et qu'ils ne causent aucune douleur. Ce type de tire-lait constitue le premier choix pour la mère d'un prématuré ou d'un bébé malade qui ne peut téter au sein. Grâce à leur rapidité et leur facilité d'extraction, les tire-lait électriques offrent la meilleure stimulation pour établir et maintenir une bonne sécrétion lactée. Cela est particulièrement important dans des situations stressantes.

Ces tire-lait sont chers mais on peut facilement les louer. En France, lorsque le bébé (ou la mère) est malade ou hospitalisé, la Sécurité sociale rembourse souvent les frais de location si le médecin prescrit l'utilisation d'un tire-lait.

## L'idéal c'est la succion du bébé

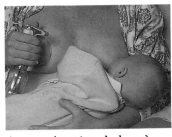

Aucun tire-lait ne peut reproduire l'efficacité de la succion du bébé pour stimuler la production et pour extraire le lait. Cela est dû en partie au fait que la mécanique ne peut imiter parfaitement le synchronisme des mouvements de succion effectués par la langue, les mâchoires et le palais du bébé. Mais c'est surtout dû au fait que la réponse émotive de la mère à la stimulation du bébé représente un facteur déterminant.

L'apprentissage d'une bonne technique d'extraction exige de la patience et de la pratique. Mais vos efforts seront récompensés si vous vous trouvez dans une situation où vous êtes séparée de votre bébé. Voici quelques trucs qui vous aideront à extraire votre lait si vous vivez l'une de ces situations.

1. Suivez les instructions du fabricant qui accompagnent le tire-lait.

2. Pour tout type de tire-lait, humectez votre sein avant d'appliquer le bouclier. Cela augmente l'adhérence.

3. Allez-y lentement et réglez le degré de succion au plus bas niveau pour débuter. Les tissus du sein pouvant s'abîmer, portez attention aux premiers signes d'inconfort. L'extraction ne doit jamais causer d'inconfort ni être douloureuse. Si vous ressentez de l'inconfort, vérifiez si vous vous servez du tire-lait comme il se doit. Si c'est nécessaire, utilisez une autre marque ou un autre type de tire-lait.

4. Extrayez dans un endroit calme et paisible, cela favorise habituellement l'écoulement du lait. Bien que ce ne soit pas facile à faire au bureau ou à la pouponnière de l'hôpital, essayez de trouver un endroit isolé où vous pourrez extraire sans être dérangée. Penser à votre bébé ou regarder sa photographie peut faire des merveilles et favoriser l'écoulement du lait.

5. Si vous prévoyez de conserver le lait extrait pour le donner au bébé par la suite, assurez-vous que le contenant servant à recueillir le lait, ainsi que vos mains, sont propres. Suivez les directives du fabricant pour le nettoyage du tire-lait. Les bactéries peuvent se multiplier s'il reste un peu de lait séché

dans le bouclier, les tuyaux flexibles ou le contenant. Si vous extrayez du lait pour un bébé hospitalisé, vous devrez sans doute prendre des précautions supplémentaires. Vérifiez auprès des infirmières qui s'occupent de votre bébé.

6. Des recherches ont démontré que le lait maternel peut être laissé à la température de la pièce, sans danger, de six à dix heures car il a la propriété de retarder la croissance des bactéries. Vous devrez cependant être plus prudente si vous extrayez du lait pour un bébé hospitalisé.

7. Le lait peut être conservé au réfrigérateur jusqu'à huit jours sans qu'il y ait multiplication de bactéries nuisibles.

8. Si vous devez conserver votre lait plus longtemps, congelez-le. Placé dans un congélateur situé à l'intérieur du réfrigérateur, il se conservera jusqu'à deux semaines. Dans un congélateur séparé, il se conservera jusqu'à quatre mois et dans un congélateur horizontal dont la température se maintient à – 18 °C, il se conservera durant six mois ou plus. N'oubliez pas d'étiqueter et d'inscrire la date d'extraction sur chacun des contenants et utilisez les plus anciens en premier.

9. Congelez votre lait en petites quantités (50 à 100 ml). Il est toujours possible de décongeler un peu plus de lait si votre bébé en a besoin. Lorsqu'il est décongelé, le lait maternel peut être gardé au réfrigérateur jusqu'à un maximum de neuf heures mais ne doit jamais être congelé à nouveau. Ne décongelez pas le lait à la température ambiante. Décongelez-le rapidement en plaçant le contenant sous le robinet ; commencez avec de l'eau froide et augmentez graduellement la chaleur jusqu'à ce que le lait soit assez chaud. Ne pas chauffer le lait sur la cuisinière ni au four à micro-ondes. Vous trouverez plus de renseignements sur la conservation du lait et la façon de le donner au bébé au chapitre 8.

## L'extraction pour une banque de lait maternel ou lactarium

Parce qu'on a découvert que le lait maternel est tellement important pour les bébés malades ou prématurés, il arrive parfois qu'on demande aux mères qui allaitent de donner leur surplus de lait pour ces bébés. Dans de nombreux hôpitaux, des banques de lait ont été spécialement mises sur pied. Si on vous demande de donner votre lait, vous prendrez d'abord en considération les besoins de votre bébé, ce qui est tout naturel. Puis, si vous décidez d'extraire pour la banque, vous le ferez seulement après les tétées. Si votre bébé est un petit peu plus âgé, vous devriez pouvoir extraire du lait d'un sein pendant qu'il tète l'autre. Cela prend beaucoup moins de temps, mais ne peut se faire que si vous utilisez un tire-lait à piles ou électrique. Les autres méthodes exigent habituellement les deux mains.

La banque de lait ou lactarium aura probablement ses propres directives et elle peut même parfois vous fournir un tire-lait électrique. Quand vous donnez du lait pour un bébé malade ou prématuré, votre technique d'extraction et de conservation du lait doit être absolument impeccable. Si vous, votre bébé ou un membre de votre famille est malade, vous devriez cesser de donner votre lait jusqu'à ce que tous soient rétablis depuis 24 heures.

Quand vous cesserez de donner du lait à la banque ou au lactarium, diminuez graduellement l'extraction. Si vous produisez plus de lait qu'il n'en faut à votre bébé, une baisse soudaine de la demande peut causer un engorgement, tout comme un sevrage brusque. Diminuez graduellement en extrayant un peu de lait lorsque vos seins sont trop pleins ou que vous ressentez de l'inconfort. Ou bien offrez une tétée supplémentaire à votre bébé. Il acceptera probablement avec joie.

## Seins douloureux

La mère sent parfois une zone très sensible ou une masse douloureuse dans son sein. Il peut s'agir d'un canal obstrué ou d'une mastite. Les choses se régleront rapidement et vous éviterez d'éventuelles difficultés si vous savez comment vous y prendre.

Quelle que soit la source de la douleur, le traitement comporte trois étapes :

Appliquez de la chaleur, reposez-vous et gardez le sein aussi vide que possible en allaitant souvent. Ce traitement peut sembler étonnamment simple, mais agir immédiatement fait toute la différence entre quelques heures d'inconfort et plusieurs jours au lit.

### Canal obstrué

Si vous remarquez une zone très sensible, une rougeur ou une masse douloureuse dans le sein, il s'agit vraisemblablement d'un canal obstrué. Cela signifie qu'il y a inflammation d'un canal lactifère[2] due au fait que le lait ne peut y couler librement.

---

2. En France, on emploie couramment le terme « lymphangite » pour désigner ce problème.

Un canal peut être obstrué pour l'une ou l'autre des raisons suivantes : une mauvaise position du bébé au sein, des intervalles prolongés entre les tétées, des suppléments donnés au bébé ou une utilisation excessive de la tétine, un soutien-gorge trop serré ou tout autre vêtement qui comprime les seins. Si un bébé plus âgé se met tout à coup à dormir toute la nuit ou s'il tète très souvent un jour et revient à son horaire normal le lendemain, il peut en résulter un canal obstrué. Il arrive que le problème soit causé par un peu de lait séché qui couvre un des orifices du mamelon.

Le repos est essentiel dès qu'un symptôme apparaît. Si c'est possible, couchez-vous avec votre bébé pour le reste de la journée. À tout le moins, vous devriez mettre toute autre activité de côté et prendre une heure ou deux pour vous détendre avec votre bébé et vous allonger les jambes. Un canal obstrué ou une zone douloureuse dans votre sein sont les premiers signes qui vous indiquent que vous essayez d'en faire trop. Vous feriez bien de tenir compte de cet avertissement et de vous reposer quelques jours si vous avez eu ce genre de problème.

En plus du repos, voici ce que vous pouvez faire pour traiter un canal obstrué :

**Appliquez de la chaleur, humide ou sèche, sur la zone affectée et enlevez toute trace de lait séché sur le mamelon en le trempant dans l'eau chaude.** Penchez-vous au-dessus d'un grand bol d'eau chaude et faites tremper vos seins dix minutes environ, trois fois par jour ; prenez une douche chaude ; utilisez des compresses humides et chaudes, un coussin chauffant ou une bouillotte. Massez doucement la zone affectée pendant qu'elle est chaude et allaitez votre bébé ou extrayez un peu de lait à la main immédiatement après le traitement à la chaleur. Si vous parvenez à faire couler du lait quand le sein est chaud, vous contribuerez à déboucher le canal obstrué.

**Allaitez fréquemment du côté affecté.** Allaitez toutes les deux heures au moins, même pendant la nuit, aussi longtemps que le sein est sensible et chaud au toucher. À chaque tétée, commencez par le sein affecté. Des tétées fréquentes garderont le sein plutôt vide, ce qui favorisera l'écoulement du lait.

**Desserrez vos vêtements et particulièrement votre soutien-gorge.** Si possible, ne le portez pas durant quelques jours. Si vous vous sentez plus à l'aise avec un soutien-gorge, essayez d'en porter un d'une taille plus grande ou tout au moins changez de coupe ou de style. Cela devrait soulager la pression que votre soutien-gorge habituel exerçait sur les canaux lactifères. Certaines mères tentent de se passer de soutien-gorge d'allaitement en portant un soutien-gorge extensible et relèvent ou abaissent le bonnet pour allaiter. Cela peut exercer une pression sur les canaux lactifères et, par conséquent, ils ne seront pas bien vidés.

Vérifiez la position du bébé au sein. Il devrait être sur le côté, tout son corps tourné vers vous, et être capable de prendre le mamelon sans tourner la tête. Il devrait prendre toute l'aréole ou une partie de celle-ci dans sa bouche. C'est important que le bébé soit dans la bonne position car elle permet de vider les canaux lactifères à chaque tétée.

**Changez de position d'allaitement de temps en temps.** Allaitez couchée, assise ; passez de la chaise au divan sans oublier le fauteuil. Essayez d'allaiter en position « ballon de football ». Le changement de position donnera au bébé la chance d'atteindre tous les canaux lactifères et de les vider. (Consultez le chapitre 4 pour connaître les diverses positions d'allaitement.) Voici une position particulièrement efficace pour déboucher un canal. Placez le bébé au centre du lit, sur une couverture, ou sur vos genoux si vous êtes assise en tailleur, et prenez appui sur vos mains et vos genoux. Penchez-vous au-dessus de votre bébé pour l'allaiter, les seins pendants. Vous ne serez pas très à l'aise dans cette position mais elle permet au canal de se débloquer plus facilement.

## La mastite

Le traitement rapide et adéquat d'un canal obstrué ne dégénérera généralement pas en mastite. Cependant, si vous avez mal, que vous sentez une bosse, comme dans le cas d'un canal obstrué, et que vous faites de la fièvre ou avez des symptômes de la grippe (sensation de fatigue, douleurs ou surmenage), vous avez probablement une mastite. La mère qui allaite sera plus sujette aux mastites lorsque des membres de sa famille ont un rhume ou la grippe.

Il est important de traiter la mastite immédiatement. Le traitement est semblable à celui du canal obstrué : chaleur, repos et allaitement fréquent. Si vous appliquez ce traitement dans les plus brefs délais, vous n'aurez sans doute pas besoin d'un traitement plus poussé. Par contre, si vous êtes toujours fiévreuse après 24 heures et si d'autres symptômes persistent, consultez votre médecin. Dans ce cas, il prescrira des médicaments. Continuez à vous reposer et allaitez souvent pendant la période où vous prenez les médicaments.

Lorsque vous avez une mastite, l'allaitement n'est pas nuisible pour votre bébé. À une certaine époque, on recommandait systématiquement de sevrer le bébé si la mère souffrait d'une mastite. Cependant, des études ont démontré que l'infection disparaît plus rapidement lorsque le sein est vidé souvent. De plus, la mère se sent beaucoup plus à l'aise qu'après un sevrage brusque. Les anticorps présents dans le lait maternel protègent le bébé contre la bactérie qui pourrait être la cause de l'infection. Même temporaire, le sevrage est inutile, d'autant plus que votre état de santé n'est pas à son meilleur.

Si votre médecin vous prescrit un antibiotique, prenez-le au complet. Parfois les gens cessent le traitement dès qu'ils se sentent un peu mieux et l'infection réapparaît quelques jours plus tard. Les mastites sont pénibles pour vous et votre bébé, il est donc important de respecter la durée du traitement. En général, les antibiotiques sont compatibles avec l'allaitement et ne causent aucun problème au bébé. Si le médecin se montre réticent face à certains antibiotiques, il peut en choisir un qui a été déclaré sans danger pour la mère qui allaite.

Si une deuxième mastite se manifeste quelques jours ou quelques semaines après la première, il est fort probable que la première mastite n'a pas été guérie complètement. Les mastites se produisent parfois à répétition, mais il s'agit plus souvent d'un retour de l'infection primaire que d'une nouvelle.

Vérifiez votre état de santé si vous êtes particulièrement sujette aux mastites ou aux canaux obstrués. Faites en sorte d'avoir un régime alimentaire équilibré et limitez vos activités, vous aurez ainsi plus de temps pour vous reposer et pour profiter de votre bébé.

Géraldine Vaudroz, de la Suisse romande, nous raconte son expérience avec les seins douloureux.

*J'ai quatre enfants que j'ai tous allaités. J'ai eu plusieurs engorgements du sein que j'ai résolus sans conséquences désagréables. Chaque fois que j'ai remarqué un point rouge et douloureux sur un sein, je l'ai douché avec de l'eau chaude et, surtout, j'ai mis le bébé plus souvent du côté de l'engorgement et je l'ai encouragé à téter plus. À une occasion, je crois avoir eu un début de mastite. Les symptômes étaient : fatigue, fièvre, mal aux muscles comme pour une grippe, douleurs au sein. Je suis alors restée couchée un jour et j'ai encouragé mon enfant à téter souvent du côté atteint. Je me suis rapidement sentie mieux.*

Blanaïd Rensch, de la Suisse romande, a trouvé que les conseils de *L'Art de l'allaitement* maternel l'avaient aidée quand elle a fait une mastite.

*Un jour, j'ai remarqué une trace rouge sur le sein et quelques heures plus tard, je présentais tous les symptômes d'une bonne grippe : je grelottais, j'avais de la fièvre et j'avais mal partout.*

*Grâce à* L'Art de l'allaitement maternel, *j'ai tout de suite associé la trace rouge sur le sein aux symptômes et j'ai pensé à une mastite. Le médecin m'a prescrit des compresses froides mais a aussi été d'accord que certaines personnes réagissaient mieux aux compresses chaudes. J'ai suivi les conseils de la LLL et malgré les douleurs initiales, j'ai persisté à allaiter mon fils aussi souvent que possible. Bouillote chaude avant de le mettre au sein, allaitement et repos total ont guéri cette mastite, et les conseils de la LLL ont permis d'éviter un sevrage précoce à mon fils.*

## L'abcès du sein

Il arrive très rarement qu'une infection du sein (lymphangite) dégénère en abcès. Cela ne se produira pas si, dès les premiers symptômes du problème, on traite rapidement. Un abcès est une infection localisée qui peut nécessiter une petite intervention chirurgicale et un drainage. Le médecin peut généralement le faire à son cabinet mais il arrive qu'il préfère le faire à l'hôpital, en consultation externe. Si cela s'avérait nécessaire, vous pourrez continuer à allaiter sans problème au sein qui n'est pas affecté. Cependant, il se peut que vous ayez à extraire le lait du sein affecté au cours d'une journée environ, soit manuellement, soit avec un tire-lait. Le fait de garder ce sein vide favorisera la guérison. Cependant, si l'incision est très près de l'aréole, il sera difficile d'allaiter votre bébé sans ressentir un malaise.

Rappelez-vous que tout problème du sein peut signifier que vous devriez évaluer attentivement ce qui se passe dans votre vie. Chez la mère qui allaite, ces symptômes constituent souvent un premier indice et signifient qu'elle doit davantage prendre soin d'elle. Ménagez vos forces en restreignant vos activités le plus possible et passez davantage de temps à vous relaxer et à profiter de la présence de votre bébé sans vous préoccuper des horaires et des échéances.

## LES MASSES DU SEIN

Chez la mère qui allaite, la plupart des masses du sein sont inflammatoires ; elles sont causées par un canal obstrué ou une mastite. Certaines sont dues à des tumeurs bénignes (fibromes), à une tumeur kystique du sein contenant un mélange de lait et de pus (galactocèle) et, dans de très rares exceptions, à un cancer.

Si vous avez une masse qui ne disparaît pas en une semaine de traitement minutieux, nous vous suggérons de consulter un médecin. Il n'est pas nécessaire de sevrer pour poser un diagnostic ou pour traiter une masse du sein. En effet, des mères ont subi l'ablation de kystes, des biopsies et des aspirations sans avoir recours au sevrage. Si votre médecin ne connaît pas bien le sein en lactation, il vous faudra sans doute attirer son attention sur le sujet. De plus, il serait sage de vider le sein en allaitant votre bébé immédiatement avant l'examen ou toute autre procédure que le médecin voudrait entreprendre. Vous pourrez reprendre l'allaitement immédiatement après les examens sauf si vous avez eu une scintigraphie du sein au gallium.

Barbara Ann Pater, une mère du New Hampshire, a travaillé de concert avec son chirurgien pour être certaine de pouvoir continuer à allaiter après l'intervention chirurgicale.

*Peu après la naissance de notre deuxième enfant, Sara, j'ai remarqué une bosse dans mon sein, juste à gauche du mamelon. J'ai alors pris des dispositions pour la faire enlever. Avant la date prévue pour l'intervention, j'ai rencontré mon médecin pour discuter de mon cas et de la façon dont il pourrait m'aider à reprendre l'allaitement en douceur aussitôt que possible après l'opération. Même s'il savait que j'allaitais, il n'avait jamais pensé au problème posé par l'opération d'un sein qui produit du lait. Après notre discussion, il a accepté de faire particulièrement attention et de couper le moins possible de canaux lactifères.*

*Parce que ma bosse était profondément enfouie dans le sein, mon médecin a jugé qu'une anesthésie générale était nécessaire car cette région est trop sensible pour procéder autrement. Pour réduire l'engorgement au minimum, nous nous sommes entendus pour que je puisse allaiter Sara juste avant l'intervention. Nous avons également opté pour des points de suture qui se résorbent après la guérison.*

*Dès que j'ai repris conscience, Sara a été mise au sein du côté qui n'était pas souffrant. L'incision était recouverte du plus petit pansement possible pour ne pas l'effrayer. J'ai pu allaiter du côté souffrant moins de 12 heures après l'intervention chirurgicale.*

*Je ne peux pas dire que c'était agréable. J'avais l'impression que la plaie ou le sein allait s'ouvrir mais, en appuyant un peu sur le pansement, cette impression devenait moins forte. À la deuxième ou troisième journée, cela se tolérait mieux. Il était plus agréable de mettre mon bébé au sein que d'essayer d'extraire du lait à la main ou avec un tire-lait. Mon chirurgien a été étonné de voir comme mon sein guérissait bien.*

*L'incision suit la courbe extérieure de l'aréole. Par cette ouverture, le chirurgien est parvenu à enlever la bosse qui était située presque sous mon mamelon. Heureusement, c'était des tissus de nature fibrokystique, ce qui signifie que ma vie n'était pas en danger.*

Une autre mère, Beverly Scott, de l'État de Washington, jugeait qu'une intervention chirurgicale n'était pas nécessaire pour enlever la masse de son sein. Elle a appris que la masse qui s'était formée alors que son fils avait 10 jours était un galacto-cèle, tumeur kystique du sein. Heureusement, son médecin connaissait bien ce problème peu fréquent et lui a conseillé de continuer à allaiter et d'oublier cette masse. Cependant, quand son fils a été âgé de 21 mois, la masse avait doublé de volume, ce qui a inquiété son médecin qui lui a suggéré de sevrer. Beverly raconte ce qui est arrivé.

*J'étais déterminée à laisser mon bébé se sevrer de lui-même. J'ai donc décidé d'apprendre tout ce que je pouvais sur les choix possibles. Puis j'ai demandé à mon médecin de commencer le traitement sans attendre que Jesse soit sevré.*

*J'ai consulté la Ligue internationale La Leche. On m'a donné des informations utiles concernant les interventions chirurgicales et l'allaitement. J'ai écrit à mon obstétricien pour lui faire part, brièvement, de mes déductions, puis je lui ai téléphoné. Nous avons convenu qu'il procéderait immédiatement à une ponction du liquide contenu dans le kyste pour établir un diagnostic. S'il devenait nécessaire d'enlever le kyste, je prendrais des dispositions avec un chirurgien généraliste pour avoir une chirurgie d'un jour, sous anesthésie locale, et afin d'interrompre l'allaitement le moins longtemps possible. Cela n'a pas été nécessaire, toutefois, car l'analyse du liquide en laboratoire a confirmé le premier diagnostic : le kyste ne contenait que du lait.*

*Une femme qui, peu après l'accouchement, découvre tout à coup une grosse bosse dans son sein devrait demander à son médecin s'il est possible que ce soit un galactocèle avant de se soumettre à un traitement invasif comme la chirurgie. Les ultrasons ou une ponction peuvent confirmer le diagnostic s'il y a des doutes.*

On a démontré que l'allaitement réduit les risques de cancer du sein. Cependant il arrive, dans de très rares cas, qu'une mère développe un cancer du sein pendant la période d'allaitement. Il est bon d'apprendre à faire un auto-examen mensuel des seins et de le faire régulièrement. Toute mère qui découvre une masse qui ne se résorbe pas devrait consulter son médecin pour un examen.

## Les chirurgies du sein

Une chirurgie antérieure du sein ne devrait généralement pas empêcher une mère d'allaiter son bébé même si elle a subi l'ablation d'un sein à cause du cancer. L'allaitement n'exposera pas la mère à un plus grand risque de malignité et ne fera pas de tort au bébé. De plus, comme l'allaitement répond à la loi de l'offre et de la demande, un seul sein produira assez de lait pour satisfaire les besoins du bébé.

Les mères qui ont subi une intervention chirurgicale pour augmenter le volume de leurs seins peuvent généralement allaiter leur bébé. Dans certains cas de réduction mammaire (selon le type et l'étendue de la chirurgie) l'allaitement ne sera pas possible.

## Boit-il assez de lait ?

Rien n'égale la satisfaction de voir votre bébé grandir et se développer grâce à votre lait. À mesure que ses bras et ses jambes s'allongent et que ses joues s'arrondissent et deviennent rosées, vous ne pouvez que vous sentir fière... et émerveillée que votre corps continue à subvenir parfaitement aux besoins nutritionnels de votre enfant.

La nature nous donne un exemple parfait de la loi de l'offre et de la demande : la mère fournit au bébé la quantité exacte de lait dont il a besoin. Avant qu'on puisse produire en usine du lait artificiel, la survie de la race humaine dépendait largement de la capacité des mères à produire assez de lait pour nourrir convenablement leur bébé.

Il n'y a rien de mystérieux ni de magique dans le fait de produire assez de lait pour satisfaire les besoins de votre bébé. L'établissement et le maintien de la sécrétion lactée sont des choses simples. Il suffit de comprendre comment est réglée la production et ce qui risque de perturber l'équilibre entre la quantité de lait dont le bébé a besoin et celle qui est produite par la mère.

Plus le bébé tète, plus vous aurez de lait. Cette règle d'or de l'allaitement est la clé d'une sécrétion lactée abondante et d'un bébé satisfait. Il y a quelques années, on disait souvent aux mères d'allaiter toutes les quatre heures pour permettre aux seins de « se remplir ». De nombreuses mères et leurs bébés ont connu une expérience d'allaitement écourtée à cause de ce conseil partant d'une bonne intention mais inexact.

On sait maintenant que le lait est produit presque continuellement et que plus le bébé tète souvent, plus il y aura de lait. La mère d'un bébé qui tète toutes les deux heures aura du lait en abondance. Par contre, celle qui essaie de « faire patienter » son bébé et qui allaite seulement toutes les quatre heures en aura beaucoup moins. L'allaitement fréquent signale au corps de la mère d'augmenter la quantité de lait en fonction des tétées. Vous pouvez être certaine que votre bébé boit assez quand :

• il mouille six à huit couches, qu'il fait deux à cinq selles par jour et qu'il ne boit que du lait maternel, aucun biberon d'eau ni de lait artificiel. (Un bébé de plus de 6 semaines environ peut avoir des selles moins fréquentes et prendre quand même assez de lait.)

• il prend du poids, soit une moyenne de 100 g à 200 g par semaine ou environ 450 g par mois.

Au premier examen du bébé, son gain de poids devrait être calculé à partir de son poids le plus bas plutôt qu'à partir de son poids à la naissance. La plupart des bébés perdent du poids après la naissance et certains mettront deux à trois semaines pour atteindre à nouveau leur poids à la naissance.

- il tète fréquemment les deux seins à chaque tétée. La majorité des nouveau-nés tète toutes les 2 à 3 heures ou 8 à 12 fois par 24 heures. Il s'agit là d'une moyenne, certains bébés pourront téter moins souvent et d'autres plus souvent.

- il semble en santé, son teint est bon et sa peau est souple, il prend du poids et grandit, il est éveillé, actif et il a un bon tonus musculaire.

## Les fausses alertes

Certaines mères croient qu'elles n'ont pas assez de lait quand, en réalité, il n'y a aucun problème. Elles s'inquiètent de symptômes ayant des causes autres que l'allaitement ou elles ne connaissent pas bien tous les comportements possibles et acceptables chez les bébés allaités. Votre bébé prend du poids et il mouille et souille de nombreuses couches, il n'y a alors aucune raison de s'inquiéter si :

**Votre bébé tète très souvent.** Vouloir téter souvent ne signifie pas que votre bébé a faim. De nombreux bébés ont un intense besoin de succion ou de contact physique permanent avec leur mère. Des tétées fréquentes confirment que votre bébé boit assez de lait.

Le lait maternel se digère plus rapidement que le lait artificiel et occasionne moins de tensions au système digestif encore immature du bébé. Par conséquent, il a besoin de téter plus souvent.

**La manière de téter de votre bébé, son gain de poids ou son sommeil ne ressemblent pas à ceux des autres bébés que vous connaissez.** Chaque bébé a sa personnalité et, dans l'échelle de la normalité, les écarts sont grands.

**Votre bébé augmente soudainement la fréquence ou la durée des tétées, ou les deux.** Il est fréquent que des nouveau-nés plutôt endormis « se réveillent » subitement et commencent à téter plus souvent. Les bébés ont aussi des poussées de croissance (habituellement vers l'âge de 2 semaines, 6 semaines et 3 mois). Pendant ces périodes, ils tètent plus souvent que d'habitude afin de faire augmenter la sécrétion de lait pour combler leurs besoins grandissants.

Votre bébé réduit soudainement la durée des tétées, ne tétant plus que cinq ou dix minutes par sein. C'est sans doute qu'il parvient à extraire le lait plus rapidement maintenant qu'il a acquis de l'expérience au sein.

**Votre bébé est agité.** De nombreux bébés ont une période d'agitation quotidienne, habituellement vers la même heure de la journée. Certains bébés sont agités presque continuellement. Cette agitation peut être causée par une foule d'autres choses que la faim, mais souvent il n'y a pas de raison particulière.

**Vos seins coulent un peu ou pas du tout.** L'écoulement de lait n'a aucun lien avec la quantité de lait que vous produisez. L'écoulement s'arrête souvent lorsque votre production est bien établie et qu'elle correspond aux besoins de votre bébé.

**Vos seins vous semblent soudainement plus mous.** Cela arrive quand votre production lactée s'ajuste à la demande de votre bébé et que l'engorgement du début disparaît.

**Vous n'éprouvez pas la sensation caractéristique du réflexe d'éjection ; ou elle vous semble plus faible qu'avant.** Cela arrive avec le temps. (Certaines mères ne la sentent pas du tout, ce qui ne signifie pas qu'elles n'ont pas ce réflexe.)

## Si votre production de lait est insuffisante

Si votre production ne semble pas satisfaire les besoins de votre bébé, alors il est important d'en déterminer la cause. Les facteurs qui peuvent causer la diminution de la sécrétion lactée ou y contribuer sont multiples.

### Les suppléments

Offrir un supplément occasionnel de lait artificiel, de jus ou d'eau peut entraver la production de lait maternel. Les suppléments rassasient le bébé, ce qui retarde la prochaine tétée et, par conséquent, diminue le temps de succion au sein. La quantité de lait artificiel donnée au bébé dans une journée se traduira par une baisse proportionnelle de la quantité de lait produite par la mère le lendemain. L'effet des suppléments est que les seins produiront moins et non pas davantage de lait.

### Confusion entre tétine et mamelon

Un bébé peut être déconcerté par la tétine car elle nécessite une succion différente. Si votre bébé ne tète pas convenablement au sein, il ne pourra pas les stimuler à produire assez de lait.

### Les tétines ou sucettes

Certains bébés acceptent de combler leur besoin de succion avec une tétine, ce qui peut diminuer considérablement le temps de succion passé au sein. Les tétines peuvent également être source de confusion entre tétine et mamelon.

### La téterelle

L'emploi de la téterelle pour la tétée nuit à la stimulation du cerveau de la mère qui se fait naturellement par la succion directe du bébé au sein. La sécrétion lactée et l'écoulement du lait sont ralentis, ce qui agit directement sur la quantité de lait que le bébé reçoit.

### L'horaire des tétées

Retarder la tétée du bébé jusqu'à ce que l'horloge nous indique qu'il s'est écoulé un certain laps de temps peut nuire au système d'offre et de demande de production lactée. L'allaitement à la demande est habituellement le gage d'une bonne production.

### Un bébé dormeur, placide

Certains bébés dorment beaucoup et tètent peu souvent et peu longtemps. Si cette description s'applique à votre bébé, s'il mouille peu de couches et prend peu de poids, il est important de le réveiller régulièrement, de le stimuler en le bougeant doucement et de l'encourager à téter au moins toutes les deux heures. Il faudra décider combien de tétées il devra prendre jusqu'à ce qu'il apprenne de lui-même la façon d'obtenir suffisamment de nourriture.

### La durée des tétées

De longues tétées peuvent garantir une production lactée suffisante. En diminuer la durée peut empêcher votre production de s'accroître selon les besoins grandissants de votre bébé. Par contre, un bébé qui tète presque continuellement et qui ne semble jamais satisfait peut avoir une mauvaise succion.

### Un seul sein à chaque tétée

Lorsque la lactation est bien établie, certaines mères préfèrent allaiter d'un seul sein si le bébé prend du poids régulièrement. Cependant, si vous voulez augmenter votre sécrétion lactée, allaitez des deux seins. Le bébé qui tète à un seul sein prendra moins de lait à chaque tétée et la stimulation par succion diminuera pour chaque sein.

## Prenez soin de vous

La mère qui allaite doit prendre bien soin d'elle afin d'avoir une bonne production lactée pour son bébé. La fatigue et les tensions peuvent ralentir l'éjection du lait et contribuer à une production lactée insuffisante. Prenez le temps de vraiment vous détendre au cours de la journée.

Une mauvaise alimentation peut occasionner des tensions et de la fatigue, réduire votre bien-être général et votre production lactée. De nombreuses mères se sentent mieux si elles mangent six petits repas par jour plutôt que trois repas copieux. Un bon apport alimentaire, plus fréquent, peut constituer une solution pour vous. Mangez des fruits frais, salades, viandes, noix, du fromage et du poisson. Évitez les aliments de piètre qualité comme les biscuits, les craquelins, les bonbons, etc.

L'allaitement accroît vos besoins en liquides car votre corps en a besoin de plus pour produire du lait. Prenez un verre d'eau ou de jus chaque fois que vous vous assoyez pour allaiter votre bébé. Si vos urines sont jaune foncé et peu abondantes, c'est que vous ne buvez pas assez. Ce que vous buvez a aussi son importance. L'eau et les jus de fruits non sucrés constituent les meilleurs choix.

Il arrive parfois que des problèmes de santé chez la mère limitent la production de lait et le gain de poids du bébé. Si vous avez un problème de santé, vérifiez auprès de votre médecin. La plupart des médicaments ne posent aucun danger pour la mère qui allaite mais certains peuvent nuire considérablement à votre production lactée. Si un médecin vous prescrit un médicament, dites-lui que vous allaitez.

L'usage de contraceptifs oraux combinés peut réduire la production et modifier la qualité nutritive de votre lait. Il faut également s'inquiéter des effets à long terme des hormones transmises au bébé par le lait maternel. Rappelez-vous que l'allaitement à la demande peut retarder le retour de la fécondité de plusieurs mois.

Le tabagisme peut aussi avoir un effet déterminant sur votre production lactée et sur le bien-être de votre bébé. Les mères qui fument s'apercevront que leur bébé prend davantage de poids et est en meilleure santé lorsqu'elles diminuent ou cessent de fumer.

## Comment augmenter votre sécrétion lactée

Si vous croyez qu'un ou que plusieurs des facteurs mentionnés précédemment sont la cause de la baisse de votre sécrétion lactée, vous pouvez l'augmenter. Si vous vous inquiétez de votre production lactée, il serait très utile de contacter une monitrice de la LLL. Nous vous donnons ici l'information de base, mais la monitrice pourra vous fournir des renseignements plus précis convenant mieux à votre situation.

Si votre bébé ne prend pas de poids ou s'il en perd, consultez régulièrement votre médecin. Il est toujours possible qu'un problème de santé soit en cause. Prenez connaissance des points suivants pour augmenter votre sécrétion lactée et lisez la section du chapitre 17 intitulée « Le gain de poids lent ».

**Allaitez souvent et aussi longtemps que votre bébé tétera.** Prévoyez une période de 24 à 48 heures (ou davantage si votre sécrétion lactée est faible) où vous ne ferez à peu près rien sauf allaiter et vous reposer. Un bébé endormi devra être réveillé et encouragé à téter plus souvent.

**Offrez les deux seins à chaque tétée.** Vous vous assurez ainsi que votre bébé reçoit tout le lait disponible. De plus, cela stimule fréquemment les seins.

**Alternez.** Changez de sein deux ou trois fois durant la tétée. Vous conserverez ainsi l'intérêt de votre bébé pour l'allaitement et vous serez certaine qu'il reçoit la partie la plus riche de votre lait. Pendant que votre bébé est au sein, surveillez sa succion et la fréquence à laquelle il avale, et changez de sein dès qu'il tète moins vigoureusement ou avale moins souvent. Chez certains bébés cela équivaut à environ dix minutes à chaque sein alors que chez d'autres cela représente deux ou trois minutes. Faites-le téter chaque sein au moins deux fois à toutes les tétées.

**Votre bébé devrait combler son besoin de succion au sein.** Évitez les biberons et les tétines car ils peuvent occasionner une confusion entre tétine et mamelon. En effet, la succion du biberon diffère de la succion du sein maternel. S'il est nécessaire de donner des suppléments, temporairement, vous pouvez les donner avec un dispositif d'aide à l'allaitement pendant que le bébé tète ou bien avec une cuillère. La tétine vient remplacer la succion du sein dont vous avez besoin pour augmenter votre production de lait.

**Ne donnez que du lait maternel à votre bébé.** Évitez les aliments solides, l'eau et le jus. Si votre bébé prend déjà des suppléments, il ne faut pas arrêter brusquement de lui en donner. Vous pouvez diminuer graduellement la quantité de suppléments à mesure que votre production augmente, mais il vous faudra vérifier le nombre de couches mouillées et souillées afin d'être certaine qu'il boit assez. Consultez votre médecin pour qu'il surveille le gain de poids de votre bébé lorsque vous réduisez les suppléments de lait artificiel.

**Buvez beaucoup de liquide et ayez un régime alimentaire équilibré.** Mangez une grande variété d'aliments, le moins possible transformés. Pensez à prendre un verre d'eau ou de jus chaque fois que vous allaitez.

**Prenez beaucoup de repos et détendez-vous.** Votre production lactée augmentera plus rapidement si vous êtes détendue et reposée. Ne faites que le strict nécessaire durant un certain temps. Laissez de côté toutes les tâches qui ne sont pas essentielles. Faites une sieste avec votre bébé aussi souvent que possible. Pour vous détendre, prenez un bain chaud, écoutez de la musique douce, faites de l'exercice ou ce qui vous convient le mieux. Réservez-vous au moins quelques minutes chaque jour pour vous dorloter.

Si, après la lecture de cette section, vous avez d'autres questions ou des inquiétudes, lisez au chapitre 17 la section intitulée « Le gain de poids lent » et contactez une monitrice de la Ligue La Leche. Le fait de rencontrer d'autres mères aux réunions de la Ligue La Leche vous apportera le soutien et l'encouragement nécessaires pour augmenter votre production lactée. Votre bébé allaité, heureux et en santé, vous récompensera bientôt de vos efforts.

## LE BÉBÉ AGRÉABLEMENT POTELÉ

Si votre bébé est un peu grassouillet, certaines personnes vous diront qu'il prend trop de poids. Bien qu'il puisse peser plus que la moyenne indiquée sur les graphiques du médecin, le bébé allaité exclusivement ne fera pas d'embonpoint. Selon le docteur Derrick Jelliffe, un bébé allaité exclusivement dont le poids est au-dessus de la moyenne n'est pas nécessairement gras ou obèse. Dans un monde préoccupé par le poids, même la graisse d'un bébé est suspecte et la mère d'un bébé potelé, allaité exclusivement, peut se faire dire de mettre son bébé à la diète.

L'hérédité joue un rôle déterminant dans la courbe de croissance d'un bébé, comme l'a constaté la famille Nixon, de la Floride. Alena, leur bébé, pesait presque 8,17 kg à 3,5 mois, et Janice, la mère d'Alena, s'est fait dire que la prolifération de cellules adipeuses durant l'enfance lui occasionnerait des problèmes plus tard. Janice en était à son premier bébé et son anxiété est bien compréhensible. « Mais je me suis souvenue de tout ce que j'avais lu ou entendu aux réunions de la LLL auxquelles j'avais assisté depuis mon huitième mois de grossesse », dit Janice. « Alena était-elle joyeuse et éveillée la plupart du temps ? Oui. Est-ce qu'elle se développait bien en général ? Oui. »

Janice s'est également souvenue que sa mère lui avait dit qu'elle-même avait été un très gros bébé. Ensemble, elles se sont mises à chercher des photos de bébés dans leurs albums de famille. « Une photo de ma mère, bébé, nous la montrait très joufflue et elle était allaitée exclusivement. » Leurs trouvailles ont été très éloquentes car comme le fait remarquer Janice : « Aucune de nous n'a eu de problème de poids à l'âge adulte. »

Lors de son examen à 4 mois, Alena pesait presque 8,6 kg et mesurait 62,5 cm, ce qui est bien au-dessus des normes. Janice a montré les photos de famille à son médecin.

*Quand le médecin a vu les photos, il a été tellement impressionné qu'il a appelé son confrère. Ils ont parlé des lacunes dans la théorie des « cellules adipeuses » et du fait évident que les gros bébés ne deviennent pas toujours des adultes obèses. Tous les deux étaient d'accord : il n'y avait pas de raison de changer quoi que ce soit aux soins que je donnais à Alena. Pas de diète !*

En faisant suivre une diète à un bébé, on risque de limiter sa croissance. Le jeune enfant se développe rapidement et toutes les cellules de son organisme se multiplient, autant celles qui constituent le cerveau et le système nerveux que les cellules adipeuses. Des chercheurs ont remarqué que la chair des bébés allaités était plus ferme que celle des bébés nourris au biberon. Le lait maternel ne contient aucune calorie « vide ».

Il faut se rappeler que les graisses accumulées dans la phase relativement inactive qui précède la marche seront utilisées lorsque le jeune marcheur sera tellement actif et préoccupé qu'il en oubliera de manger. C'est un peu comme le surplus de poids qu'une femme prend au cours de la grossesse en prévision des exigences de la maternité. Nous avons constaté que, vers l'âge de 2 ou 3 ans, les bébés plutôt grassouillets s'amincissent merveilleusement. Voici à ce sujet le témoignage de Sylvie Lacroix, du Québec.

*Notre fille, Mariane, était très dodue durant sa première année et son poids dépassait largement le centième percentile de la courbe de croissance. Elle tétait souvent (toutes les deux heures, le jour comme la nuit) et l'introduction des solides, à l'âge de 6 mois, ne changea en rien la fréquence des tétées.*

*Bien entendu, les gens de notre entourage la trouvaient trop ronde et certains d'entre eux nous mettaient en garde : les cellules adipeuses du corps, une fois développées, demeurent en permanence et prédisposent à l'embonpoint, voire à l'obésité. Ce n'était guère rassurant et j'avoue qu'à certains moments nous étions inquiets : notre Mariane serait-elle condamnée à être rondelette toute sa vie ? L'allaitement prolongé et surtout le grand nombre de tétées ont vite été accusés de cet excès de poids. Fallait-il alors mettre notre fille au « régime » tel qu'on nous le recommandait ? Non, bien sûr... Nous savions que le lait maternel est l'aliment par excellence durant la première année de l'enfant et qu'il ne faut pas l'en priver. Nous avions donc décidé de faire la sourde oreille aux trop nombreux conseils et de répondre tout simplement aux besoins de notre fille.*

*Au fil des mois, celle-ci délaissa peu à peu le sein afin de s'adonner pleinement à ses activités de bambin. Mariane est aujourd'hui âgée de 3 ans. Toutes ses rondeurs ont littéralement fondu, à la grande surprise de notre entourage !*

Certains bébés, petits et délicats à la naissance, prennent tout le monde par surprise en prenant du poids rapidement. Ann Tutor, du Japon, nous dit comment elle répond aux critiques en affirmant : « Chez nous on les fait gros ! »

*Même si Mélanie pesait 3 kilos à la naissance, elle n'en pesait plus que 2,7 à notre sortie de l'hôpital. C'était la plus petite et la plus jolie fillette que j'avais jamais vue.*

*Nous avons assisté à notre première réunion de la Ligue La Leche quand Mélanie avait un mois. À 2 mois, lors de son examen médical, elle pesait 4 kg. À notre deuxième réunion de la Ligue j'ai remarqué que Mélanie qui au début était plus petite que certains autres bébés, les avait rattrapés. Elle dépassait même quelques-uns d'entre eux. Quand elle avait environ 3 mois, les gens se sont mis à dire que ma délicate petite fille grossissait beaucoup. Lors de son examen médical à 4 mois, j'ai été étonnée de voir qu'elle pesait 8,2 kg.*

*À 6 mois et presque 11 kg, Mélanie était un véritable sujet de conversation. Même si j'étais fière d'avoir un bébé heureux et en santé, certains commentaires sur le poids de mon bébé ont commencé à m'inquiéter et à me blesser aussi. Dieu merci ! mes amies de la Ligue et mon merveilleux médecin m'ont assurée que tant que Mélanie était uniquement allaitée on faisait ce qu'il y avait de mieux. Mon médecin a même présenté Mélanie à ses collègues, lors d'une visite, pour leur montrer cet adorable bébé potelé, uniquement allaité.*

*Mélanie a maintenant 17 mois et pèse 14 kg. Bien qu'elle ait aminci considérablement, elle n'a pas à s'inquiéter de passer pour maigrichonne. Elle suscite encore commentaires et questions à l'occasion, ce qui m'agace parfois, mais le poids de Mélanie ne me tracasse plus du tout. Nous ne sommes pas pressées de mettre fin à l'allaitement. Même si j'espère que Mélanie ne gardera pas son petit ventre rond et ses cuisses potelées toute sa vie, je sais qu'elle l'a bien commencée en étant allaitée.*

## Les futurs problèmes de poids

Bien que des gens s'inquiètent du fait qu'une trop grande prise de poids dans l'enfance mène à l'obésité à l'âge adulte, la vérité est que plusieurs facteurs contribuent aux problèmes de poids. Certains aspects liés aux habitudes alimentaires dans l'enfance sont systématiquement évités lorsque vous allaitez votre bébé et que vous suivez les grandes lignes mentionnées dans cet ouvrage.

En tant que mère qui allaite, vous ne serez pas anxieuse au point de surveiller le nombre de millilitres que boit votre bébé. Vous ne le forcerez pas, non plus, à boire les quelques millilitres qui restent au fond du biberon. De plus, lorsque vous introduirez les aliments solides, votre bébé aura environ 6 mois. À cet âge, il ne repoussera pas automatiquement et naturellement la nourriture que vous lui donnerez avec une cuillère, comme le font les jeunes bébés. Avec un bébé plus jeune, la mère peut difficilement savoir si cette réaction signifie qu'il n'a pas faim.

L'allaitement constitue la première mesure préventive dans la lutte contre l'obésité à l'âge adulte. En fait, une étude récente a démontré que l'allaitement prévient l'obésité potentielle. On a découvert que les enfants allaités étaient moins sujets à un surplus de poids à l'adolescence. Les bonnes habitudes alimentaires se prennent tôt et vous pouvez être certaine que votre bébé dispose de la meilleure alimentation possible s'il est allaité.

## LA GRÈVE DE LA TÉTÉE, VOUS CONNAISSEZ ?

Parfois un jeune bébé refuse soudainement de téter sans raison apparente. Cela peut devenir un véritable casse-tête, surtout s'il a moins d'un an et qu'il n'est probablement pas prêt au sevrage.

Cette situation s'appelle la « grève de la tétée ». C'est de cette façon que le bébé dit que quelque chose ne va pas. Cela dure de deux à quatre jours et demande à la mère une certaine ingéniosité pour découvrir exactement quel est le problème.

Comment savoir si votre bébé fait la grève de la tétée ou s'il a décidé de se sevrer ? Un bébé vraiment prêt au sevrage aura habituellement plus d'un an, il mangera une variété d'aliments, boira à la tasse et réduira graduellement le nombre de tétées. Un bébé qui fait la grève de la tétée pourra ne manger que très peu ou ne pas boire du tout à la tasse. Règle générale, il boit bien au sein puis, du jour au lendemain, il refuse de téter. Il démontre aussi des signes évidents de mécontentement à propos de la situation. Il veut que vous découvriez ce qui ne va pas et que vous régliez le problème à sa place.

Vérifiez les possibilités suivantes. Votre bébé perce-t-il des dents ? A-t-il un rhume ou est-il congestionné, ce qui l'empêche de téter facilement ? A-t-il une otite, rendant l'allaitement douloureux ? Êtes-vous anxieuse ou préoccupée par quelque chose ? Les bébés ressentent les émotions de leur mère.

L'allaitement est-il devenu un moment stressant pendant lequel vous êtes trop souvent interrompue ou distraite ? Avez-vous décidé du moment où le bébé devrait commencer à téter et de celui où il devrait s'arrêter plutôt que de le laisser vous guider ? Votre bébé est-il devenu dépendant d'une tétine ou de son pouce qu'il suce sans cesse ?

Avez-vous changé quelque chose dans votre façon d'allaiter qui perturbe votre bébé ? A-t-il eu trop de biberons ? L'avez-vous fait garder ? A-t-il été repoussé à plusieurs reprises quand il pleurait pour téter ? Êtes-vous retournée au travail ou bien êtes-vous préoccupée par ce qui pourrait arriver si vous deviez laisser votre bébé ?

Une grève de la tétée survient parfois après que le bébé a mordu le sein une ou deux fois et qu'il a été effrayé par la réaction inattendue de sa mère. Il vous mord, vous sursautez ou vous criez de douleur. Il est effrayé, il pleure et il refusera de reprendre le sein de peur de subir un autre sursaut ou d'entendre un autre cri.

Barbara Marti, de la Suisse romande, raconte son expérience.

*Nous partions au Tessin dans notre maison de vacances, perdue au fond des bois, sans pèse-bébé ni puéricultrice pour un mois. Diane allait sur ses 3 mois. Tout allait très bien, mais Diane pleurait beaucoup et nous attribuions ces pleurs au changement de maison, d'entourage, etc. Nous la portions tout le temps. Puis, des phénomènes bizarres se passent. Elle commence à passer ses nuits (13 heures d'affilée) et en même temps, elle est capable d'amener son pouce à sa bouche. Moi, je suis fière que ma fille passe ses nuits. Le lendemain, j'ai trop de lait. Diane ne tète presque plus, hurle de plus belle et je dois tirer et jeter le surplus de lait, car elle ne l'accepte pas non plus au biberon. Sur le moment, je ne me pose pas trop de questions.*

*On m'a dit qu'un bébé allaité à la demande se nourrit toujours assez. Alors, je laisse aller. Mais plus tard, me voilà prise de panique. Je ne vois qu'une solution : le biberon. Chris, lui, observe et me dit : « Téléphone à l'animatrice de la LLL et on verra après. » Mais je suis au bord de la crise de nerfs et incapable de téléphoner. Chris le fait pour moi. L'animatrice de la LLL s'assure que Diane ne s'est pas déshydratée (état des fontanelles et de la peau). Diane a confondu son pouce avec le sein, elle a fait une grève de la tétée et s'est contentée de son pouce.*

*Selon les conseils de l'animatrice, Chris m'encouragea à mettre Diane au sein toutes les deux heures. J'essaie, mais sans beaucoup de succès. La première fois qu'elle tète « normalement », c'était vers minuit. Là, elle a essayé de sucer son pouce, mais avant que le doigt ne soit vraiment dans sa bouche, je lui ai éloigné la main et j'ai réussi, oh miracle ! à lui faire prendre le sein. J'ai réussi dans la nuit à répéter deux fois le même scénario. Mais le lendemain, au lieu de téter, elle hurlait, se cambrait et jetait sa tête en arrière. La nuit suivante, elle a tété à nouveau en dormant. Puis les choses ont commencé à se normaliser. Diane est à nouveau bien, allaitée toutes les deux heures et mon lait est encore là, abondant.*

Même si vous ne savez pas exactement pourquoi votre bébé fait la grève, vous voudrez l'aider à reprendre l'allaitement de façon régulière le plus tôt et le plus doucement possible. Essayez de l'allaiter lorsqu'il est somnolent ou qu'il dort déjà. De nombreux bébés qui refusent le sein lorsqu'ils sont éveillés téteront lorsqu'ils sont assoupis ou endormis. Certains accepteront de téter si leur mère se promène plutôt que si elle reste assise. Dans chaque cas, consacrez-vous presque entièrement au bébé pour quelques jours. Beaucoup de caresses, de contact physique et peut-être aussi de temps passé à se relaxer en tête-à-tête avec maman, loin du brouhaha du reste de la famille, permettront au bébé de se calmer et l'encourageront à téter à nouveau. Revoyez vos priorités. Vous serez tous les deux beaucoup mieux et plus heureux lorsque tout sera rentré dans l'ordre.

Une mère de Guam, Becki Hallowell, s'est rendu compte qu'un appel à sa monitrice de la Ligue La Leche l'avait aidée à trouver la source de son problème.

*Cela faisait trois jours que Todd, âgé de 6 mois, refusait de téter quand j'ai décidé qu'il fallait que ça change. Nous ne savions plus que faire et mes seins étaient douloureusement engorgés. Mon mari*

*m'a beaucoup encouragé mais il trouvait la situa-
tion de plus en plus difficile puisque j'étais de plus
en plus bouleversée. Il m'a suppliée d'appeler
Linda, notre monitrice de la Ligue La Leche.
« Elle pourra t'aider », m'a-t-il dit.*

*Nous en avons discuté, Linda et moi, et elle a
pensé qu'il s'agissait d'une grève de la tétée. J'étais
trop près du problème pour le voir mais je me suis
vite aperçu que toutes les causes habituelles
étaient réunies. Nous avions tous un mauvais
rhume. J'avais essayé d'introduire les solides et cela
avait semblé le perturber. Nous étions tous très
fatigués et une situation nouvelle engendrait
beaucoup de stress. Les grands-parents de Todd,
que nous n'avions pas vu depuis un an, étaient à
la maison pour un mois. Pendant leur séjour,
Grand-papa a dû être hospitalisé. Il y avait aussi eu
deux décès récents dans notre famille. Todd m'avait
mordue parce qu'il perçait des dents et j'avais
réagi fortement.*

*La solution consistait à se détendre et à essayer de
l'allaiter aussi souvent que possible, surtout quand
il était endormi. Nous avons aussi augmenté le
contact physique ; je le tenais dans mes bras en
position d'allaitement et je l'amenais partout dans
la maison avec moi.*

*Après que j'ai commencé à appliquer ces solutions,
la grève s'est poursuivie une journée (ce qui fait
quatre au total) et puis l'allaitement est devenu plus
facile. Mais la situation a pris du temps avant de
revenir à la normale. Pendant cette période de
transition, nous avons découvert que la piscine était
l'endroit parfait pour allaiter calmement. Todd est
un nageur et adore l'eau. Cela a pris une semaine
de plus mais, grâce à la Ligue La Leche
et à Linda, nous sommes à nouveau une famille
heureuse où l'on allaite.*

Carol Strait, une mère de l'Iowa, met en lumière une
autre raison pour laquelle certains bébés refusent de téter.

*Quand ma fille de 2,5 mois a commencé à refuser le sein, des centaines de pensées m'ont envahie : je ne dois pas manger les bons aliments, elle perce peut-être des dents, je suis sûrement trop nerveuse (quelle mère qui allaite ne serait pas nerveuse quand son dernier-né refuse tout à coup de téter ?), peut-être qu'elle se sèvre toute seule. J'ai même pensé qu'elle ne m'aimait pas ! C'est presque par hasard que j'ai découvert la source du problème.*

*J'ai d'abord remarqué que Christie semblait toujours plus difficile et refusait de téter juste après que j'avais pris ma douche et appliqué un désodorisant en vaporisateur. Je ne sais pas quels ingrédients du vaporisateur étaient en cause, mais j'ai facilement résolu le problème en utilisant un bâtonnet désodorisant.*

## Le sevrage des vacances

Une autre interruption dans le cours normal de l'allaitement qui prend parfois les mères par surprise est le « syndrome du sevrage des vacances ». Cela se produit pendant les vacances ou une toute autre période particulièrement trépidante, comme un déménagement, où l'on est tellement occupé qu'on en arrive à négliger les besoins de notre bébé. C'est facile de mettre de côté ce moment de calme qu'est l'allaitement quand il y a tant d'autres choses à faire. Dans le tourbillon des repas, des réceptions, des courses, etc., l'intimité calme de la relation d'allaitement est perdue de façon temporaire ou même permanente. Les aliments solides ou les biberons peuvent être introduits pour se dépanner ou encore il s'agit d'un « bon » bébé qui accepte d'attendre et d'attendre jusqu'à ce que l'heure de téter arrive. Puis, tout à coup, sans savoir comment, le bébé est sevré. Toni Pepe, du Connecticut, trace un portrait du sevrage des vacances.

*Une saison unique dans la vie du bébé a été écourtée et, plus tard, pendant les grandes journées passées à la maison, les regrets surgissent. Méfiez-vous du sevrage des vacances. Dans les saisons de la vie, ces jours de divertissement reviennent encore et toujours mais l'extraordinaire saison de l'allaitement n'arrive qu'une fois dans la vie d'un enfant.*

# LE RETOUR AU TRAVAIL

# CHAPITRE 8

# Travail
# et
# allaitement

*i vous prévoyez* de reprendre votre travail après la naissance de votre bébé, vous vous demandez peut-être : est-ce que cela vaut la peine de l'allaiter ? Bien sûr que si. Non seulement c'est réalisable, mais bien des mères qui travaillent trouvent l'allaitement plus facile que l'alimentation au biberon. L'allaitement est une joie autant pour la mère que pour son bébé. Généralement, le dernier geste fait par la mère avant son départ et le premier à son retour à la maison, c'est d'allaiter tranquillement son bébé.

Votre bébé pourra même boire tout le lait maternel dont il a besoin pendant votre absence. Vous pensez sûrement : d'accord, mais l'allaitement n'est-il pas exigeant quand la mère ne peut donner toutes les tétées ? C'est vrai, il faut faire un peu plus d'efforts et il faut planifier davantage, mais n'en est-il pas ainsi pour la plupart des choses essentielles dans la vie ?

L'allaitement simplifie la vie avec un bébé de bien des façons. Lorsque vous êtes à la maison, vous n'avez pas de biberons à préparer, les interruptions de sommeil peuvent être réduites au minimum et l'attention particulière dont chaque bébé a besoin est presque assurée malgré les autres besoins de la famille. De plus, la protection contre les maladies procurée par le lait maternel constitue un avantage non négligeable pour la mère qui travaille.

En fait, la relation d'allaitement peut être particulièrement importante pour la mère séparée de façon régulière de son bébé. Le contact physique et émotif contribue à créer un lien unique entre la mère et son bébé, et ce lien contrebalance la séparation. Comme le disait une mère : « J'aime pouvoir faire la transition entre mon milieu de travail et ma famille en allaitant. » Une autre mère ajoutait :

> « *J'aimerais pouvoir dire à toutes les mères qui travaillent combien l'allaitement est plus facile, plus spécial et plus agréable. Je suis surprise de voir que des gens semblent me plaindre et que d'autres me croient courageuse de faire une chose qui est pourtant parfaitement naturelle.* »

Charlotte Lee Carrihill, de New York, travaille à temps plein comme courtier en valeurs mobilières et elle a allaité son fils Colin. Elle allaite maintenant sa fille Laura. Elle déclare :

> *Le lien que nous avons tissé durant l'allaitement sera toujours présent. Grâce à l'allaitement, j'en ai appris beaucoup au sujet du maternage. J'ai appris à faire passer « les personnes avant les choses ». L'allaitement n'est pas seulement un mode d'alimentation du bébé, c'est aussi une façon de le rassurer et de l'aimer.*

Une mère du Québec, Martine Langlois, nous raconte son expérience de mère qui allaite tout en étant sur le marché du travail.

*J'ai toujours désiré allaiter jusqu'au sevrage naturel comme beaucoup de mères ; mais ne pouvant pas laisser mon travail pour des raisons financières, j'ai allaité mon premier enfant le temps de mon congé de maternité (trois mois) et ensuite j'ai fait l'allaitement mixte (biberon et sein). Je travaillais cinq jours par semaine. Trois mois plus tard, contre mon gré, mon fils a choisi définitivement le biberon.*

*Puis est née ma fille Julie. Toujours décidée à allaiter longtemps, j'ai pu ajouter un mois de vacances et quelques semaines de congé sans solde à mon congé de maternité. Lorsque j'ai repris mon travail, j'ai demandé et obtenu du temps partiel à raison d'une semaine de sept jours par mois, pendant quatre mois. Donc quand Julie a été âgée de 5 mois, je l'ai habituée à boire de mon lait dans un verre. Ce fut relativement facile... lait au verre le jour et sein chaud à la fin de l'après-midi, le soir et la nuit si désiré ! À 6 mois, elle a commencé à manger un peu d'aliments solides. Je lui en donnais selon son « petit » appétit.*

*L'allaitement se poursuit d'une façon harmonieuse et satisfaisante pour ma fille et moi. Quand je suis à la maison, je l'allaite quand elle le veut et lorsque je suis au travail elle boit du lait au verre « comme si c'était tout naturel ».*

*La « recette » est de croire en ce que vous voulez faire ; de ne pas laisser le biberon s'interposer entre votre bébé et vous ; d'être capable de prolonger votre congé de maternité au maximum ; d'avoir un peu le sens de l'organisation ; d'attendre que le bébé soit suffisamment vieux pour boire au verre ou au gobelet sans nuire à la production lactée et à son goût de téter ; d'avoir les conseils et l'appui d'une monitrice ; de trouver une excellente gardienne.*

## Ce que disent les mères

Pour avoir des données plus précises sur les conséquences du travail sur l'allaitement, Kathleen Auerbach, titulaire d'un doctorat, monitrice de la Ligue La Leche et rédactrice de *La Leche League's Lactation Consultant Series*, a fait une étude portant sur 567 mères qui allaitaient et travaillaient.

Lors de la compilation des réponses données par les mères, certains aspects ont été mis en lumière. Parmi les facteurs analysés, le moment du retour au travail après la naissance du bébé semblait déterminant dans le déroulement de l'allaitement. Ce facteur avait bien plus de répercussions sur l'allaitement que le nombre d'heures travaillées par semaine. Les mères qui retournaient sur le marché du travail quand leur bébé était âgé d'au moins 16 semaines allaitaient beaucoup plus longtemps que celles qui y étaient retournées plus tôt. Cela peut être dû au fait que leur production lactée se trouvait bien établie et qu'elles avaient vécu une plus longue période d'allaitement.

Le travail à temps plein ou à temps partiel influençait également la durée de l'allaitement. Un pourcentage plus élevé de mères travaillant à temps partiel ont allaité leur bébé au moins un an. Plus la mère retarde son retour au travail et moins elle travaille d'heures par jour, plus elle a des chances d'allaiter longtemps.

Un autre facteur ayant une influence sur le déroulement de l'allaitement est l'extraction ou non du lait maternel lorsque la mère ne peut allaiter son bébé. Des mères participant à l'étude, 86 p. 100 extrayaient leur lait manuellement ou avec un tire-lait lorsqu'elles étaient séparées de leur bébé ; 49 p. 100 ont nourri leur bébé exclusivement au lait maternel jusqu'à ce qu'il soit prêt pour les aliments solides, soit vers l'âge de 6 mois. Les mères qui avaient choisi d'extraire leur lait avaient tendance à allaiter plus longtemps que celles qui n'avaient pas fait ce choix.

L'extraction du lait a cinq avantages principaux :

1. maintenir la production lactée de la mère ;

2. fournir du lait maternel au bébé, réduisant ainsi le risque de le sensibiliser aux allergies par du lait artificiel ;

3. prévenir ou soulager l'engorgement ;

4. réduire l'écoulement de lait ; et

5. prévenir l'obstruction d'un canal ou la mastite, qui peut se développer si les seins demeurent trop pleins.

L'extraction semble plus bénéfique si elle est faite toutes les trois heures environ, tout en tenant compte de l'âge du bébé.

Ainsi la mère qui était absente durant six heures devait habituellement extraire son lait deux fois. Si la séparation mère-enfant durait de huit à dix heures, il lui fallait trois séances d'extraction.

Les problèmes d'allaitement (comme l'écoulement de lait, l'engorgement et la mastite) étaient très souvent réduits lorsque les mères commençaient à extraire leur lait au travail ou qu'elles l'extrayaient plus fréquemment. Certaines mères ont résolu leur problème en revoyant leurs priorités ; elles ont passé plus de temps en compagnie de leur famille et elles ont appris à laisser leurs problèmes de travail au bureau.

Lorsqu'on leur a demandé si elles allaiteraient un autre bébé tout en travaillant, les réponses ont été catégoriquement en faveur de l'allaitement. En effet, 82 p. 100 des mères ont affirmé qu'elles choisiraient à nouveau de concilier travail et allaitement ; 18 p. 100 ont dit qu'elles allaiteraient sans aucun doute leurs futurs bébés mais qu'elles choisiraient d'autres solutions concernant le travail comme quitter définitivement leur emploi, retarder le retour au travail jusqu'à ce que leur enfant soit plus âgé ou réduire les heures de travail.

La motivation de la mère à poursuivre l'allaitement constitue un élément extrêmement important. Comme le dit si bien une mère de New York :

*Il n'y a eu aucun problème, seulement des situations à régler. Pour moi, l'allaitement était ma priorité et je n'ai même pas songé à sevrer quand je suis retournée travailler. Rien ni personne ne pouvait m'arrêter. Avec une telle attitude, on ne peut que réussir.*

## PRENEZ VOTRE TEMPS

La période de temps dont dispose la mère pour demeurer à la maison avec son bébé avant de retourner au travail constitue un facteur important pour réussir son allaitement. De plus, la mère et son bébé ressentent un véritable besoin d'être ensemble dans les premiers mois. Lorsque vous tiendrez votre bébé dans vos bras, vous aurez probablement envie de retarder le plus possible la date de votre retour au travail. Vous pourrez ainsi apprécier tous les deux ces précieux moments passés ensemble.

Essayez d'obtenir le plus long congé de maternité possible. Si vous le pouvez, organisez-vous pour être à la maison au moins six à huit semaines après la naissance de votre bébé. Un congé de trois mois serait encore mieux. Si vous pouvez allonger cette période jusqu'à six mois, vous aurez probablement commencé à introduire les aliments solides. Plus vous pourrez rester longtemps auprès de votre bébé, plus vous profiterez, tous les deux, des avantages d'être ensemble.

Au Québec, la travailleuse a droit à un congé de maternité de 18 semaines consécutives avec rémunération. Ce congé peut être prolongé par un congé parental d'une durée maximale de 34 semaines. Votre employeur conservera votre emploi et vous réintégrera au même poste ou à un poste similaire avec les mêmes conditions. Informez-vous auprès de la Commission des normes du travail pour plus de détails. Certaines entreprises offrent aussi la possibilité de prendre un congé sans solde. Vérifiez auprès de votre employeur ou de votre syndicat. Pour celles qui sont exposées à des risques de contamination, il est possible d'obtenir un retrait préventif pour allaiter. Il suffit d'en faire la demande à votre médecin ou bien de contacter la Commission de la santé et de la sécurité du travail. De plus en plus de gens demandent des congés pour une multitude de raisons. Donnez-vous la peine de vérifier ce qui se fait dans votre milieu de travail.

La mère et son bébé ont besoin d'être ensemble durant les premiers jours et les premières semaines. C'est une période particulière dans la vie d'un enfant, période pendant laquelle la mère et le bébé établissent une relation qui durera toute la vie. Quels que soient vos plans pour les mois à venir, prenez le temps, maintenant, d'alimenter cette vie nouvelle. Dans son livre *Creative Parenting*, le docteur William Sears écrit ceci :

> *Votre engagement en tant que parent et votre investissement durant l'enfance créent un attachement parent-enfant indissoluble qui aide à prévenir les problèmes futurs. L'enfance constitue une période critique au cours de laquelle des liens d'amour et de sécurité se créent et la confiance en son milieu se développe.*

## AJUSTEZ VOTRE TRAVAIL
## À VOTRE RÔLE DE MÈRE

Lorsque arrive le moment où vous devez vous décider à retourner au travail, si cela est possible, commencez par un horaire à temps partiel. Ce sera plus facile pour vous et pour votre bébé si vous travaillez trois jours par semaine plutôt que cinq. Une séparation de six heures par jour, plutôt qu'une séparation de huit à neuf heures, facilitera la poursuite de l'allaitement. Ayez l'esprit ouvert concernant ces solutions. Si vous avez des compétences particulières ou de nombreuses années d'expérience, votre employeur consentira peut-être à faire certains ajustements plutôt que de vous perdre définitivement.

## QUELQUES TRUCS UTILES

Si vous prévoyez de concilier travail et allaitement, vous voudrez savoir comment extraire votre lait manuellement ou à l'aide d'un tire-lait. Le lait ainsi extrait pourra être donné au bébé le lendemain. De plus, l'extraction continuera à stimuler votre production lactée et vous évitera des problèmes d'engorgement.

### Conservation du lait

Nul lait, qu'il soit artificiel ou autre, n'est aussi bon pour votre bébé que le vôtre. Nombre de mères peuvent fournir suffisamment de lait pour satisfaire les besoins de leur bébé en leur absence. Il faut donc savoir comment conserver adéquatement le lait maternel et de quelle façon le donner au bébé. Assurez-vous que la personne qui prendra soin de votre bébé pendant votre absence connaît les quelques précautions à prendre lorsqu'elle manipule le lait que vous laissez pour lui.

Des recherches récentes ont démontré que le lait maternel peut, sans danger, être laissé à la température de la pièce de six à dix heures car il a la propriété remarquable de retarder la croissance des bactéries. On peut le garder au réfrigérateur durant cinq à huit jours. Pour le conserver plus longtemps, il faut le congeler. Le lait congelé se conserve jusqu'à deux semaines dans un congélateur à l'intérieur du réfrigérateur. Dans un réfrigérateur-congélateur à portes distinctes, si la porte est ouverte souvent, la durée de conservation sera de quatre mois environ. Elle sera de six mois ou plus dans un congélateur horizontal dont la température demeure constante à −18 °C. Lorsque le lait est décongelé, on ne doit pas le recongeler. Si, pour quelque raison que ce soit, votre congélateur cesse de fonctionner, jetez le lait.

Après avoir extrait votre lait recueilli dans un contenant propre, transvasez-le dans un contenant pour la conservation, un biberon ou un sac en plastique pour biberon. Utilisez un contenant différent pour réfrigérer le lait chaque fois que vous en extrayez. Les quantités ainsi refroidies pourront être combinées par la suite pour un repas ou pour la congélation. Vous pouvez ajouter du lait refroidi à du lait congelé. Cependant, assurez-vous d'ajouter une plus petite quantité que celle qui est déjà congelée, afin d'éviter que le lait dégèle. Laisser un espace pour l'expansion lorsque vous remplissez vos contenants pour la congélation. Ne les fermez pas complètement tant que le lait n'est pas entièrement congelé.

Congelez le lait en petites quantités de 50 ml à 100 ml. Cela évite le gaspillage et la gardienne pourra choisir la quantité nécessaire selon l'appétit ou les habitudes de votre bébé. Étiquetez toujours le contenant en inscrivant le jour, le mois, l'année et le nom du bébé.

Si vous utilisez des sacs pour biberon, doublez-les afin d'éviter qu'ils ne se déchirent. Expulsez l'air du sac, roulez le haut en laissant un espace de 2 cm, attachez-le et placez-le dans un contenant qui le maintiendra à la verticale jusqu'à ce que le lait soit congelé. Ce type de sac n'est cependant pas recommandé pour une longue période de conservation.

## L'extraction du lait

De nos jours, il existe un certain nombre de tire-lait à prix abordable, mais plusieurs mères jugent l'extraction manuelle pratique et facile. (Consultez le chapitre 7 pour plus de détails concernant l'extraction manuelle ou avec un tire-lait.)

Ne vous découragez pas si vous n'obtenez qu'une petite quantité de lait au début. Avec de la pratique, de nombreuses mères parviennent à extraire plusieurs dizaines de millilitres en 15 à 20 minutes. Il est normal que la quantité obtenue varie d'une fois à l'autre.

Suivez les directives du fabricant concernant l'entretien du tire-lait. Il faut généralement nettoyer soigneusement toutes les pièces après chaque usage et stériliser le tire-lait régulièrement. Demandez à d'autres mères quel type de tire-lait elles jugent le plus efficace. La Ligue La Leche déconseille l'utilisation du type de tire-lait qui fonctionne en pressant une poire de caoutchouc pour extraire le lait car la mère n'a que peu d'emprise sur le degré de succion. De plus, ces tire-lait ne sont habituellement pas très efficaces.

## L'extraction : quand et où

Certaines mères commencent à extraire leur lait bien avant de retourner au travail afin d'en avoir en réserve. D'autres l'extraient seulement lorsqu'elles s'absentent et elles en obtiennent assez pour que leur bébé puisse boire le lendemain. D'autres encore le font une ou deux fois le matin ou le soir afin d'être sûres que leur bébé en aura suffisamment pendant leur absence. Pour certaines mères, il est facile d'extraire 25 ml à 50 ml après la tétée.

Le nombre de périodes d'extraction nécessaire pendant votre absence dépend de la durée de celle-ci et de l'âge de votre bébé. Cependant, il est préférable de ne pas passer plus de trois à quatre heures sans extraire votre lait. Si vous avez un très jeune bébé qui tète fréquemment, il vous faudra extraire votre lait plus souvent au début, ainsi vos seins seront moins engorgés et les possibilités d'écoulement de lait seront réduites.

Si vos seins se mettent à couler à un moment inopportun, exercez une pression ferme et directe sur le mamelon durant une ou deux minutes. Vous pouvez le faire discrètement en croisant vos bras sur votre poitrine. Toutefois, il faut éviter de le faire régulièrement ; il est préférable de soulager cet engorgement en extrayant un peu de lait. Vous pouvez acheter des compresses d'allaitement qui se glissent à l'intérieur du soutien-gorge et qui absorbent le lait qui s'écoule. Après un certain temps, vos seins s'ajusteront à votre nouvel horaire et l'écoulement disparaîtra graduellement.

Trouver un endroit approprié pour l'extraction dépend de la situation de chacune. Vous pourrez utiliser un bureau isolé, une pièce réservée à l'entreposage ou les toilettes des dames. Recherchez un endroit où vous pourrez vous relaxer et avoir un peu d'intimité. Certaines mères se penchent au-dessus d'un lavabo, ce qui évite que du lait coule sur leurs vêtements, et tirent ainsi profit de la gravité pour extraire leur lait. Portez des ensembles deux-pièces, cela facilitera l'extraction.

Si vous préférez garder votre lait au frais et qu'il n'y a pas de réfrigérateur à votre travail, vous pouvez utiliser un thermos ou une petite glacière. Le matin, mettez de la glace dans le thermos puis videz-le au moment d'extraire et mettez-y votre lait. Vous pouvez garder des contenants réfrigérants dans la glacière et ajouter les contenants de lait au fur et à mesure pendant la journée. L'une ou l'autre de ces méthodes peut également servir pour conserver le lait au frais lors du retour à la maison.

Karine Delande, de la Belgique, nous explique comment elle a réussi à mener de front travail et allaitement lorsque sa fille avait 3 mois.

À la naissance de ma fille, Magali, j'ai goûté à la joie de tenir un petit être tout contre soi, qui s'abandonne au confort et à la chaleur du sein nourricier, à la pointe de l'aube, dans la pénombre rassurante de notre petit cocon familial. J'y ai goûté tellement pleinement, tellement intensément, que cela a commencé à faire partie de moi comme respirer ou manger. Et bien sûr, les fatidiques trois mois de congé étant passés, j'ai ressenti de la répugnance à l'idée de devoir sevrer mon bébé qui s'en trouverait privé de tous les précieux éléments immunitaires de mon lait, et de la plus belle façon que j'aie de lui dire que je l'aime. Je me suis dit que je pourrais peut-être mener de front travail et allaitement.

J'ai acheté un tire-lait et appris à m'en servir. Mes appréhensions face à ce petit appareil se sont rapidement dissipées quand j'ai constaté, dans le calme et la solitude, que cela fonctionnait très bien et ne faisait pas mal, pour peu que l'on s'applique, et que l'habitude ferait le reste. Je me suis même aperçue qu'on pouvait très facilement extraire le lait manuellement, sans aucun artifice.

Par bonheur, je travaille dans une grande entreprise, équipée d'un service médical et de locaux suffisamment spacieux. L'infirmière du service médical a accepté de mettre à ma disposition la clef de l'infirmerie, et j'ai commencé, au tout début, par aller deux fois par jour tirer le lait, en plus des deux tétées du matin et du soir. Les biberons ainsi obtenus étaient servis à ma fille le lendemain à la crèche.

Ensuite, Magali a commencé à consommer des panades de fruits et de légumes, et je n'ai plus fréquenté l'infirmerie qu'une fois par jour. Cela faisait donc trois « tétées » quotidiennes. Au-delà de toute attente, non seulement le lait ne s'est pas tari, *mais la lactation s'est établie d'une manière régulière et durable, et la quantité de lait s'est merveilleusement adaptée à l'augmentation de l'appétit du bébé.*

*Actuellement, Magali a 14 mois et n'a plus que deux tétées par jour, matin et soir, et quelques « collations » lactées de temps en temps pendant le week-end.*

## Comment donner votre lait au bébé

Votre bébé pourra boire votre lait au biberon, à la cuillère, à la tasse ou encore au compte-gouttes. Il n'est pas nécessaire d'introduire le biberon pendant les premières semaines de vie de votre bébé parce que vous retournerez au travail un peu plus tard. En effet, certains bébés refusent de prendre le biberon offert par la mère car ils sentent la proximité du sein, mais ils s'y habituent rapidement lorsqu'il est offert par la gardienne. Expliquez-lui qu'il faudra peut-être un peu de persuasion pour que votre bébé accepte le biberon. Puisque vous voudrez qu'elle fasse la connaissance de votre bébé avant que vous ne retourniez au travail, profitez de ces occasions pour lui faire donner un biberon.

La gardienne doit savoir que vous prévoyez de laisser votre lait pour votre bébé et elle doit connaître les précautions à prendre dans la manipulation du lait. Insistez sur le fait que vous ne voulez pas qu'elle donne du lait artificiel ni d'autres aliments à votre bébé sans votre consentement et qu'elle devra prendre votre bébé pour le faire boire. Précisez que vous ne voulez pas qu'elle le laisse pleurer.

## Conseils pour la gardienne

Puisque le lait maternel n'est pas homogénéisé, il se séparera ; il faut donc l'agiter doucement avant de le donner au bébé. Si le lait a été réfrigéré en plusieurs petites quantités, vous pouvez les mélanger pour obtenir la quantité nécessaire pour le repas du bébé. Pour réchauffer le lait, tenez-le sous l'eau tiède durant quelques minutes jusqu'à ce qu'il atteigne la température de la pièce. On peut aussi placer le contenant de lait dans une casserole d'eau préalablement chauffée sur la cuisinière. Ne pas réchauffer le lait directement sur la cuisinière ni au four à micro-ondes car des éléments nutritifs du lait peuvent être détruits.

Pour décongeler le lait, tenez le contenant sous l'eau froide et augmentez graduellement la température de l'eau jusqu'à ce que le lait soit décongelé et qu'il atteigne la température de la pièce. Si, pour une raison ou une autre, vous n'avez pas d'eau chaude courante, il est quand même possible de décongeler le lait. Faites chauffer de l'eau sur la cuisinière et placez le contenant de lait congelé dans l'eau tiède. Si l'eau refroidit trop, enlevez le contenant de lait et faites chauffer l'eau à nouveau. Si vous décongelez plus d'un contenant de lait, vous pouvez les mélanger pour le repas du bébé.

Le lait maternel décongelé peut, sans danger, être réfrigéré durant neuf heures et peut-être même plus. On a longtemps cru que le lait laissé par le bébé devait être jeté mais des études récentes ont démontré que le lait maternel retarde effectivement la prolifération de bactéries. On pense que la portion de lait maternel non utilisée peut être réfrigérée pour un usage ultérieur. Le lait décongelé peut être réfrigéré mais pas recongelé.

Si le bébé semble avoir faim peu de temps avant le retour de sa mère, essayez de le satisfaire en lui donnant seulement une petite quantité de lait maternel puisqu'elle voudra l'allaiter dès son retour.

Assurez-vous que les biberons, tétines ou cuillères utilisés pour nourrir le bébé sont propres. Il est important de vous laver les mains avant de nourrir le bébé et après avoir changé sa couche.

## Retardez l'introduction du biberon

De nombreuses mères qui prévoient de retourner au travail peuvent être tentées de donner un biberon assez tôt « pour que le bébé s'y habitue ». Cependant, cela peut mener à un sevrage rapide pour de nombreuses raisons. On sait que le lait artificiel donné pendant les premières semaines gênent la production de lait maternel. La quantité de lait produite par la mère est déterminée par le nombre de tétées et par la quantité de lait prise au sein par le bébé. Les biberons donnés pendant cette période d'ajustement court-circuitent parfois cette « loi de l'offre et la demande » en réduisant la quantité de lait produite. Lorsque le bébé a environ 6 semaines, la production de lait est généralement bien établie.

Une autre raison pour retarder l'introduction du biberon, c'est d'éviter de rendre le nouveau-né confus par l'utilisation d'une tétine. L'allaitement au sein requiert une participation plus active du bébé comparativement au biberon. Si on donne à la fois le sein et le biberon au cours de ces premières semaines décisives, le bébé pourra téter le sein comme il tète une tétine en caoutchouc. Les bébés qui deviennent confus tètent moins efficacement au sein et ne prennent pas suffisamment de poids ou peuvent refuser de téter au sein. Une tétine d'amusement produit parfois le même effet. Lorsque le bébé a atteint 4 à 6 semaines et qu'il a l'expérience de l'allaitement au sein, la possibilité de confusion tétine-mamelon est réduite.

Souvenez-vous aussi que si le bébé refuse le biberon, vous pouvez donner les suppléments à la cuillère ou à la tasse jusqu'à ce que le bébé accepte le changement.

## Établissez un horaire

Le temps sera une denrée rare dans votre vie. Quand une femme cumule les rôles de mère et de travailleuse, elle doit être avare de son temps. Ne négligez pas le recours au fidèle porte-bébé qui vous permettra de venir à bout des travaux domestiques tout en ayant votre bébé près de vous. Il fut parfois une bénédiction pour plusieurs d'entre nous. De plus, ne soyez pas surprise si votre bébé devient une espèce d'« oiseau de nuit », bien éveillé, les yeux brillants et qu'il s'active au milieu du brouhaha familial pendant la soirée. Certaines mères qui travaillent nous ont dit qu'elles encourageaient leur bébé à dormir le jour. En effet, si le bébé dort durant de longues périodes en l'absence de la mère, il prendra moins de biberons le jour et aura plus envie de téter en soirée.

Essayez de régler votre réveil-matin 20 minutes plus tôt que votre heure habituelle. Allaitez votre bébé durant ce temps (même s'il est à moitié éveillé), il sera ainsi plus coopératif pendant que vous vous habillerez et que vous vous préparerez pour la journée. Puis allaitez-le à nouveau avant votre départ. Cela vous calmera tous les deux et rendra la séparation moins difficile.

Si vous êtes séparée de votre bébé pour une assez longue période, attachez une importance particulière à votre retour à la maison. Réservez les 30 premières minutes pour vous asseoir (ou vous allonger) et allaiter votre bébé ou pour jouer avec lui. Tout le monde sera plus détendu et la préparation du repas sera moins chaotique. Ayez sous la main des collations nutritives pour toute la famille.

Buvez beaucoup de liquide et mangez des aliments sains et nutritifs. L'eau, les jus ou le lait composeront la majeure partie des liquides pris pendant la journée. La fatigue est le plus gros problème rencontré par les mères. Cela est particulièrement vrai pour celles qui travaillent. Reposez-vous suffisamment, la vie sera plus facile et les problèmes sembleront plus petits.

Commencer un nouvel emploi, ou même reprendre l'ancien, fatigue beaucoup la nouvelle mère. Nous vous suggérons de reprendre le travail un jeudi plutôt qu'un lundi, vous aurez ainsi une fin de semaine pour récupérer avant d'entreprendre une semaine entière de travail.

De nombreuses mères qui travaillent et allaitent parviennent à allaiter leur bébé à plein temps lorsqu'elles sont en congé ou pendant les fins de semaine sans aucun problème. Si vous avez extrait votre lait régulièrement au travail, votre production sera à peu près la même. (Vous pouvez congeler le lait extrait le vendredi pour que la gardienne le donne au bébé le lundi.) Même si votre bébé a besoin d'un supplément en votre absence, un allaitement fréquent au cours de la fin de semaine lui fournira tout le lait dont il a besoin et probablement plus que ce que vous pourriez extraire. Dans ce cas, il se peut que vous ayez une sensation d'engorgement le lundi due à l'augmentation de la stimulation pendant la fin de semaine. Cela facilitera l'extraction de votre lait.

## L'allaitement de nuit

Soyez prête à allaiter plus souvent le soir, la nuit et tôt le matin. Coucher le bébé avec vous constitue un avantage certain. Elisabeth Rosselot, de France, nous a écrit pour nous faire part de son expérience de mère qui allaite tout en étant sur le marché du travail. Sa famille et elle ont su apprécier les tétées de nuit.

*Amélie avait 4 mois tout juste quand j'ai repris le travail, et nous avons très vite trouvé un nouveau rythme. Au petit matin, avant de partir, je lui donnais sa dernière tétée, la laissant se rassasier. Le soir, dès mon retour, avant de me précipiter à la cuisine, je prenais le temps de m'installer confortablement pour nos retrouvailles. Céline, la grande sœur, était finalement ravie de cette halte puisque j'avais la possibilité, pendant la tétée d'Amélie, de lui lire une histoire et de l'écouter attentivement me donner des détails sur sa journée d'écolière. Si mon mari rentrait assez tôt, il s'occupait de la préparation du repas et tout allait bien ainsi.*

*Je n'ai jamais tiré mon lait, mais mon corps s'est vite habitué, comme Amélie et moi, à cette nouvelle situation. Il m'arrivait parfois, au début, d'avoir quelques « fuites » au bureau, surtout lorsque je pensais à mon bébé ou que j'en parlais, mais cela n'a jamais été gênant.*

**J**'*étais très heureuse et fière de pouvoir continuer à allaiter ma petite fille, et quand je la regardais téter, se régaler, je n'avais plus aucun doute. Je me félicitais de n'avoir pas écouté autre chose que mon cœur ! Même loin l'une de l'autre nous étions toutes proches par ce lait qui était prêt pour elle en permanence. C'était notre merveilleux secret de famille [...]*

**A**mélie *tétait aussi beaucoup la nuit ! Ces tétées l'aidaient sans doute à mieux vivre notre séparation quotidienne. Je pense que cela a aussi beaucoup « participé » à la stabilisation de la lactation. Elle était tout près de nous et il m'était facile de la prendre contre moi dès que je l'entendais. Mon mari, souvent, n'entendait rien et trouvait l'allaitement encore plus idéal pour cette raison. Je n'étais pas du tout fatiguée par l'allaitement (même avec les tétées de nuit pendant lesquelles je ne me réveillais jamais tout à fait), et je crois même que les longues tétées qu'elle prenait parfois m'ont bien souvent aidée à me reposer ! (Me serais-je allongée pour donner un biberon ?)*

**Q**uant *aux week-ends ou aux vacances, nous adoptions le rythme d'avant le travail : Amélie tétait quand elle le voulait.*

**J**'*ai vécu si pleinement cette période que j'en suis sortie beaucoup plus sûre de moi, beaucoup plus mûre aussi, et je suis à présent bien plus à l'aise dans diverses situations. (Est-ce pour avoir fait ce à quoi personne ne croyait ?)*

## Qui prendra soin du bébé ?

La tâche la plus importante que vous devrez assumer avant de retourner au travail est de trouver la meilleure personne qui soit pour prendre soin de votre bébé en votre absence. Un membre de votre famille accepterait-il cette responsabilité ? Le père du bébé constitue évidemment le premier choix, s'il est disponible. Pour le bébé, le changement sera minimisé. Une grand-mère aimante ou une tante qui connaît déjà bien le bébé viennent également en tête de liste. Une voisine, mère aussi, désirera peut-être prendre soin de votre bébé durant le jour.

La plupart des gens, cependant, n'ont pas la chance d'avoir un membre de leur famille ou une voisine proche qui accepte le rôle de gardienne et il leur faut chercher ailleurs. Ils doivent alors demander des références et faire des entrevues. Si la gardienne est étrangère au bébé, invitez-la chez vous à quelques reprises pour que les deux puissent faire connaissance avant que vous ne retourniez au travail. Dites-lui que vous allaitez. Expliquez-lui en détail comment vous voulez que le bébé soit nourri, ce qu'il aime ou déteste, quelles sont ses heures de sommeil et, le plus important, que vous ne voulez pas qu'elle le laisse pleurer. Laissez-la vous observer pendant que vous prenez soin de votre bébé, elle pourra ainsi voir la façon dont le bébé est soigné habituellement. De plus, vous pourrez constater quelle relation se tisse entre la gardienne et votre bébé, ce qui vous permettra de savoir si elle est bien la personne qu'il faut pour en prendre soin.

Avez-vous songé à trouver une gardienne qui habite près de votre lieu de travail plutôt que près de chez vous ? Cela vous permettrait de voir votre bébé à l'heure du midi ou bien la gardienne pourrait vous l'amener.

Lorsque vous choisissez une gardienne, autant que possible, cherchez quelqu'un qui se dévouera constamment et qui donnera à votre bébé les mêmes bons soins que vous, quelqu'un qui connaît les bébés et comprend leurs besoins. Est-ce qu'elle va chanter pour lui ? Lui parler ? Le bercer pour l'endormir ? Le changer de couche ? Se soucier de son bien-être ? Rester toujours près de lui ?

Un enfant apprend à faire confiance aux autres grâce à leurs soins constants. Un bébé a besoin d'une personne aimante qui l'éduquera, et cette personne devrait être la même et non une série de nouveaux visages et de nouvelles personnalités. Bien que la mère qui travaille espère de tout cœur trouver une personne aimante et fiable, elle doit aussi être consciente qu'avec le temps son bébé apprendra inévitablement à aimer cette « autre mère ».

Il est aussi possible que la gardienne patiente et atten-tionnée que vous aviez le matin vous annonce en fin de journée qu'elle déménage ou qu'elle a trouvé un autre emploi. Une telle perturbation peut constituer une grave perte pour un jeune bébé.

Puisqu'on ne peut savoir si on trouvera une gardienne à domicile et combien de temps elle sera disponible, certaines travailleuses envisagent la garderie[1] comme solution. Bien que les employés de garderies soient permanents, il y a, là aussi, une rotation du personnel. De plus, même dans un décor charmant, les enfants de moins de 3 ans peuvent ne pas apprécier les situations de groupe. Un jeune enfant devrait pouvoir obtenir l'attention qu'il lui faut sans avoir à disputer cette attention avec de nombreux enfants du même âge. Souvent l'enfant appréciera une courte période de jeu dans un établissement préscolaire mais une journée entière peut devenir une situation menaçante. Dans une garderie, les soins donnés au groupe ne peuvent combler le besoin que ressent le bébé ou le bambin d'avoir une relation avec une seule personne, de pouvoir compter sur une seule personne qui lui donnera des soins affectueux en tout temps. Les possibilités de maladies et d'infections sont également plus grandes lorsque les enfants vivent en groupe.

Dans le *New York Times Magazine*, le docteur Sally E. Shaywitz écrit au sujet des mères substituts.

> *Nous n'en connaissons pas assez en matière d'éducation pour pouvoir dire aux mères que, si elles trouvent une personne ou un établissement qui répond à telle ou telle norme, ce sera un bon substitut. Nous pouvons dresser une liste des références d'une personne, définir les normes d'une garderie, mais tout comme il n'existe aucun substitut au lait maternel, on ne peut trouver de véritable substitut à la mère. Le maternage ne peut être mis en bouteille et personne ne peut éprouver le profond sentiment que vous avez envers votre bébé [...] Personne ne peut allaiter un bébé à part sa mère et personne d'autre qu'elle ne peut éprouver cet intense sentiment de satisfaction et de complicité avec l'enfant.*

Pour nombre de mères, être séparées de leur bébé est l'élément le plus éprouvant de leur retour au travail. Lisa Bicknell Casey, de l'Oklahoma, raconte son expérience.

> *Je n'ai eu droit qu'à un court congé de maternité, deux mois, après la naissance de Jason. J'ai passé tout ce temps, ou presque, à me remettre de mon*

---

1. Équivalent de la crèche en France.

*accouchement par césarienne. Il me semble que, dès que j'ai été assez bien pour être la mère que je voulais être, c'était le moment de retourner au travail.*

*Après avoir parlé à une monitrice de la Ligue La Leche, j'ai acheté un tire-lait et, une semaine avant mon retour au travail, j'ai commencé à extraire mon lait bien sagement. Je pensais ne pas pouvoir extraire assez de lait pour nourrir mon beau petit garçon. Dieu merci, c'est devenu plus facile.*

*Dans ma première semaine de travail, j'ai pleuré tous les jours en laissant Jason à sa gardienne, mais elle était formidable et elle lui a plu immédiatement. Cela m'a troublée encore plus. Après tout, j'étais chaque jour remplacée par une gardienne et un biberon. A-t-il besoin de moi ?*

*Les choses se sont bien passées malgré mes craintes. Un jour, la gardienne a dû donner presque 500 ml de lait maternel à Jason. J'étais prête à abandonner. Comment est-ce que je pourrais produire assez de lait pour le satisfaire ? Heureusement, ça n'est arrivé qu'une fois. Jason a vite ajusté ses repas. Il buvait de 200 ml à 300 ml au biberon le jour et tétait fréquemment la nuit. Je n'ai pas hésité à coucher Jason avec nous dès le début. Je dormais bien souvent durant qu'il tétait et je n'étais jamais vraiment certaine du nombre de tétées qu'il avait prises pendant la nuit.*

*Jason refuse le biberon s'il sait que je suis là et cela me donne vraiment confiance en moi, en mes capacités de mères. Je sais maintenant que mon bébé a véritablement besoin de moi. Jason et moi parvenons à partager la proximité physique que le travail nous a refusée. Pour une mère qui est retournée au travail à contrecœur, l'allaitement a été un cadeau du ciel.*

La mère qui prévoit d'allaiter tout en travaillant devrait trouver un peu de temps pour assister aux réunions de la Ligue La Leche. En effet, les mères qui sont séparées régulièrement de leur bébé ont besoin du soutien essentiel que leur apporte le contact d'autres mères qui allaitent. Et vous pouvez amener votre bébé avec vous aux réunions de la LLL.

Est-ce que cela en vaut la peine ? Serait-il préférable de sevrer si vous prévoyez de retourner au travail ? Une mère qui travaille, qui a nourri son premier bébé au biberon et qui allaite maintenant, nous dit ce qu'elle en pense : « L'allaitement me simplifie beaucoup les choses, en plus je suis assurée de passer du temps avec mes enfants quand je suis à la maison. » Une autre mère affirme : « Mon enfant profite à la fois de contacts physiques et émotifs lorsque nous sommes ensemble et que je l'allaite ! » Et bien d'autres le confirment : « Je ne voulais pas que mon bébé ne puisse plus profiter des avantages de l'allaitement juste parce que je retournais au travail. »

# CHAPITRE 9

# *Faire un choix*

*C*hoisir de travailler ou non à l'extérieur de la maison, après la naissance de votre bébé, représente une décision complexe. Prenez votre temps et évaluez les possibilités avant d'arrêter votre choix. Kaye Lowman, auteure de *Of Cradles and Careers*, parle de la prise de décision.

> *De nos jours, une femme peut choisir le célibat ou le mariage, faire carrière ou demeurer à la maison, avoir des enfants ou ne pas en avoir, être mère et poursuivre une carrière ou s'engager à plein temps dans l'éducation de ses enfants. Mais ne vous y méprenez pas : l'éventail de possibilités a aussi son mauvais côté [...] La liberté de choix implique l'obligation de choisir judicieusement.*

## LA RELATION MÈRE-ENFANT

Il faut tenir compte de nombreux facteurs importants lorsque vous choisissez de retourner au travail après la naissance de votre bébé. Considérons la relation mère-enfant. Ce sujet fascine la communauté scientifique depuis de nombreuses années. Les premières années d'un enfant constituent la clé de son futur comportement d'adulte. La société risque de gagner ou de perdre, selon la solidité du lien mère-enfant.

Nous de la Ligue La Leche croyons fermement que le bébé et sa mère ont besoin d'être ensemble durant les premières années. Nous sommes convaincues que le bébé a autant besoin de la présence aimante de sa mère que de nourriture. Mary Ann Cahill, une des fondatrices de la Ligue, écrit dans son livre *The Heart Has Its Own Reasons* :

> *Personne ne peut remplacer la mère. De toute évidence, en se basant sur tout ce qu'on sait de la façon dont les enfants grandissent, apprennent à vivre et à devenir des adultes responsables, on peut dire de la mère qu'elle est la personne la mieux placée pour nourrir l'enfant, physiquement et mentalement, durant les premières années.*

Les chercheurs affirment que le premier tête-à-tête entre l'enfant et sa mère constitue la base de son développement émotif. Le bébé apprend, à partir du lien rassurant avec sa mère, à entrer en relation avec les autres. Selon le docteur W. Winnicott, pédiatre en Grande-Bretagne, « la seule véritable assise de la relation entre un enfant et sa mère, son père, les autres enfants et finalement la société, c'est la réussite de la première relation entre la mère et le bébé ». Le docteur John Bowlby, pionnier en matière d'attachement mère-enfant, écrit dans son livre *Maternal Care and Mental Health* :

> *Le maternage d'un enfant ne peut être organisé suivant un horaire ; c'est une relation humaine, vivante, qui modifie le tempérament des deux partenaires [...] Le maternage ne peut être calculé en heures par jour, mais seulement d'après le plaisir mutuel que la mère et l'enfant ressentent en présence l'un de l'autre. Un tel plaisir et une réciprocité de sentiments sont possibles uniquement si les deux partenaires vivent une relation continue.*

## La séparation, source d'anxiété

Dans son livre *Symbiose et séparation*[1], Louise Kaplan, psychologue et directrice du *Mother-Infant Research Nursery* de l'Université de New York, explique qu'un enfant n'a pas d'identité propre à sa naissance ; le bébé ne fait qu'un avec sa mère. En se basant sur ses travaux de recherche portant sur le lien mère-enfant, elle affirme : « Selon le point de vue du bébé, il n'y a aucune distinction entre lui et sa mère. Ils ne font qu'un. » L'enfant doit passer de l'unité avec sa mère à la séparation et à l'individualité. Il s'agit d'une seconde naissance qui se déroule graduellement dans les trois premières années de vie. Il est très important de maintenir la première relation mère-enfant pour que cette étape se déroule avec succès.

Selma Fraiberg, professeure de psychanalyse infantile et auteure de *Every Child's Birthright : In Defense of Mothering*, expose très catégoriquement sa vision des choses.

> *On a établi qu'un enfant, qui n'a pu profiter d'un contact privilégié et prolongé avec une mère aimante ni avec une mère substitut dans au moins les trois premières années de sa vie, manifestera, selon le degré de privation, une capacité moindre à aimer les autres, une diminution de ses capacités intellectuelles et une incapacité à maîtriser ses réactions, l'agressivité en particulier.*

Une Canadienne, Donna K. Kontos, titulaire d'un doctorat et consultante en psychologie, fait observer :

> *On ne connaît actuellement aucun substitut au milieu familial pour l'éducation des enfants [...] Une longue séparation est source de détresse chez l'enfant. Toutes les recherches et toute la documentation affirment que ce qu'il y a de mieux pour l'enfant c'est la présence presque constante d'une mère dévouée.*

Une autre psychologue, Joyce Brothers, reconnaît qu'on exerce une pression sur les jeunes mères pour qu'elles retournent au travail. Elle fait cependant remarquer :

> *Je suis consciente que l'aspect économique de la vie nous force souvent à agir à l'encontre de nos désirs. Mais lorsqu'il s'agit d'éducation des enfants, je suis*

---

1. Traduction de *Oneness and Separateness*.

*convaincue qu'une femme devrait faire tous les
efforts possibles pour demeurer avec son enfant
durant les trois premières années. Cela fait
toute la différence.*

Le jeune enfant, séparé de sa mère, démontre tous les
symptômes classiques de désolation. Il peut pleurer, inconsolable, ou se renfermer dans une tranquillité anormale. Concernant cette anxiété due à la séparation, Humberto Nagera, professeur de psychiatrie à l'Université du Montana, souligne que :

*Lorsqu'un enfant fait face à l'absence de sa mère,
il réagit automatiquement par un état d'anxiété
qui, très souvent, atteint des proportions alarmantes.
La répétition de traumatismes de ce genre chez des
enfants particulièrement sensibles aura nécessairement de graves conséquences sur leur développement
ultérieur [...] Aucune autre espèce animale ne fera
vivre à ses petits des expériences qu'ils ne sont pas
prêts à vivre, sauf l'homme.*

## Demeurer à la maison, pour l'instant

Comment une mère parvient-elle à concilier ses propres besoins de respect de soi-même, d'accomplissement, de confiance en soi et les besoins de son bébé ? De nos jours, de nombreuses jeunes femmes choisissent de mettre leur carrière « en attente » à la naissance de leur bébé. Elles considèrent la maternité comme une étape particulière dans leur vie, étape qu'elles tiennent à vivre. Le monde du travail existera toujours dans deux, cinq ou dix ans. Les mères qui demeurent à la maison avec leurs jeunes enfants prévoient souvent de reprendre leur carrière lorsque leurs enfants seront plus âgés. Elles considèrent le temps passé à la maison comme une étape, « un intermède », lorsqu'elles le comparent aux nombreuses années où elles peuvent travailler à l'extérieur de la maison et où elles le feront probablement.

Mary Ann Kerwin, une des fondatrices de la LLL, est un bon exemple. Après avoir passé plus de 20 ans à la maison, à s'occuper intensément de sa nombreuse famille, elle a découvert qu'il lui restait encore « beaucoup de temps pour une autre carrière ». Mary Ann a commencé à suivre des cours de droit lorsque son dernier enfant a fait son entrée à l'école secondaire. Elle ajoute :

*Nos enfants nous apprennent plus de choses qu'on ne le croit. J'ai appris la patience, la persévérance, l'autodiscipline et le travail difficile. Après avoir travaillé 24 heures par jour avec des enfants, aucun travail ne semble trop difficile.*

Judy Kahrl, de l'Ohio, admire le courage qu'il faut à une femme pour résister à la pression de la société et dire : « À ce moment de ma vie, et avec la responsabilité de ce nouvel être, je vais consacrer mon temps et toute mon énergie à nourrir et éduquer cette nouvelle vie de mon mieux. »

## Est-ce payant de travailler ?

Vous avez peut-être envie de rester à la maison avec votre bébé mais vous n'arrivez pas à voir comment vous allez vous en tirer sans votre salaire. Le cœur est à la maison mais l'argent est au travail. Vraiment ?

La plupart des femmes qui fréquentent la Ligue font remarquer qu'il est facile de croire que leur salaire constitue un « profit net ». On oublie trop souvent les coûts liés au travail et un rapide calcul des revenus et des dépenses donne des résultats étonnants. Calculez le coût de la garde-robe et du transport quotidien, aller retour, au travail. Lorsque vous travaillez toute la journée, vous prévoyez sans doute des repas composés de mets déjà cuisinés, ou plus chers, ou bien vous mangez plus souvent à l'extérieur. Essayez de calculer le coût du service de gardiennage pour un enfant. Puis, assoyez-vous et faites le total approximatif de tous ces coûts. Soustrayez ensuite ce montant de votre salaire. Vous constaterez peut-être que le gain net sera minime si vous continuez à travailler après la naissance de votre bébé.

Lorsque vous calculez le montant d'argent disponible si vous restez à la maison, songez que votre fourchette d'imposition baissera probablement quand vous ne travaillerez plus. L'économie d'impôt ainsi réalisée peut, à elle seule, être considérable. Bien des mères jugent que le travail à l'extérieur n'est pas payant.

## Gagner un peu d'argent

Que faire si votre situation financière vous laisse croire qu'il vous faut un revenu à tout prix ? Heureusement, de plus en plus de femmes ont pu continuer à travailler tout en ayant leur bébé auprès d'elles. Beaucoup d'autobus scolaires sont conduits par des mères accompagnées de leur bébé confortablement installé dans un siège d'auto derrière elles. Garder des enfants constitue également un moyen de faire un peu d'argent.

Beaucoup de travail de bureau peut se faire à la maison. Vous pourriez donc vendre l'idée à votre employeur d'un travail à temps partiel, à la maison, tout en vous rendant au bureau assez longtemps pour prendre le travail à faire et remettre ce que vous avez fait. Ce genre de souplesse au travail pourrait profiter à bien des familles, si elle pouvait s'appliquer aux femmes d'expérience qui sont aussi mères.

Si vous êtes une bonne secrétaire, contactez plusieurs compagnies ou des services de secrétariat et offrez-leur de travailler à la pige à la maison ou bien faites passer une annonce dans le journal. Vous êtes peut-être spécialisée dans un domaine comme l'art, l'écriture, la photographie ou les relations publiques, vous pouvez travailler à la pige, à partir de chez vous. Les leçons de musique constituent aussi une autre possibilité. Si vous êtes professeure, contactez les écoles de votre quartier et offrez de donner des cours particuliers chez vous. Vous pouvez également considérer la possibilité d'emmener votre bébé avec vous à votre travail. Un nombre croissant de mères jugent que le maternage de leur enfant est compatible avec leur travail. Anne Simon, de France, nous dit comment elle a pu reprendre son travail tout en gardant sa fille auprès d'elle.

*Je vis seule avec Marie, ma petite fille. Pas d'autres ressources financières pour moi : il faut reprendre très vite le travail. Je suis médecin et je viens d'ouvrir un cabinet. On me décourage de toutes parts : « Tu vas couler ta clientèle... On ne travaille pas avec un bébé à côté de soi... Tu ne tiendras pas le coup... De toute façon, dès que tu retravailleras, tu n'auras plus de lait ! »*

*Marie a juste 2 mois lorsque je reprends mon travail. Les premiers jours, je reconnais que c'était un peu la panique et j'ai bien failli me décourager. Le stress de mon travail, le retard accumulé dans les rendez-vous, le bébé qui pleure et le téléphone qui sonne ! Puis les choses se sont bien rodées. Je ménage des zones « tampons » entre mes rendez-vous pour lui donner le sein. Mes malades sont en général très compréhensifs. Au début, j'essayais de ne pas la garder dans mon bureau pour ne pas perturber mes consultations mais ils me demandaient de ses nouvelles, dès leur arrivée, et m'affirmaient, souvent, ne pas être gênés par sa présence, au contraire. Il faut avouer que Marie est devenue très sociable et généreuse en sourires !*

*Aujourd'hui, elle a 6 mois. Je l'allaite encore complètement et nous nous préparons tranquillement à l'introduction des solides. Depuis une semaine, je la mets à la garderie, de temps en temps, et je vais la chercher pour la tétée de midi.*

*Pour reprendre le travail et poursuivre l'allaitement, il suffit souvent d'un peu d'audace, de confiance et d'organisation... et on s'étonne de trouver les choses beaucoup plus faciles et possibles qu'on ne le croyait !*

Jo Montgomery, de l'État de Washington, explique de quelle façon elle est parvenue à demeurer à la maison après la naissance de son bébé.

*Elizabeth est née un 29 février. J'avais prévu de retourner au travail à plein temps quand elle aurait 3 mois. À l'âge de 6 semaines, nous avions établi une bonne relation d'allaitement. Quand j'ai examiné les possibilités de garde durant le jour, cela m'a déprimée. Je me sentais frustrée à l'idée de laisser mon bébé que j'adore.*

*J'en ai parlé à mon mari. Il m'a beaucoup aidée et nous avons tous deux décidé que je ne reprendrais pas le travail en juin. J'ai dit à mon employeur qu'il était possible que je retourne en septembre mais que je ne pouvais rien promettre.*

*Je travaille en graphisme depuis six ans. J'ai donc eu l'idée de mettre mes talents à profit à la maison. Le 1er juillet, j'ai démarré mon entreprise. Je vends des faire-part de mariage et des avis de naissance. Grâce à des références, mon entreprise est devenue florissante au point de compter quelques commerces parmi mes clients.*

*Travailler à la maison ne convient pas nécessairement à toutes, mais cela vaut la peine d'y penser. Je suis tellement heureuse d'avoir pu connaître ma fille Elizabeth à « plein temps ».*

Nous avons interrogé des mères au sujet du maternage quotidien d'un jeune enfant, c'est-à-dire le changer, le nourrir, lui sourire, se réjouir de ses efforts pour atteindre un jouet, le distraire parfois ou le consoler lorsqu'il pleure. Toutes les mères ont dit ne faire aucune distinction entre la quantité et la qualité du temps passé avec leur bébé. Mary Ann Kerwin, une des fondatrices de la Ligue La Leche, fait remarquer que « les bébés ont besoin de temps de qualité, en grandes quantités ».

## Une étape à la fois

Si vous êtes enceinte, vous vous demandez sans doute ce que vous devriez dire à votre employeur concernant vos projets. Avec l'expérience, beaucoup de mères déclarent : « Ne promettez rien avant la naissance de votre bébé. Demeurez ferme sur ce point. »

Vous ne voulez pas avoir une épée de Damoclès au-dessus de la tête qui vous force à retourner au travail à une date précise parce que vous l'aviez promis lorsque vous étiez enceinte. Profitez de votre congé de maternité et prenez le temps d'évaluer à quel point vous avez besoin l'un de l'autre. Vous demander de prendre une décision avant même que vous ayez fait connaissance avec votre bébé équivaut à vous demander de signer un chèque en blanc. Non, c'est pire encore. Shirley Callanan, une mère de l'Utah, prévoyait de retourner travailler à temps partiel. Cependant, après la naissance de son bébé elle nous a écrit :

> *Je ne savais pas vraiment à quoi m'attendre en tant que mère, ni ce que je ressentirais, et il est difficile de décrire le flot de sentiments qui m'ont envahie pendant ces tous premiers jours de la vie de ma fille, ces premières semaines et ces premiers mois. Ce petit être avait besoin de moi ; je savais que je ne pourrais la confier à quelqu'un d'autre, aussi aimante que soit cette personne.*

### Tour d'horizon

Dans son livre *Of Cradles and Careers*, Kaye Lowman fait un tour d'horizon des nombreuses possibilités pour les femmes qui refusent de faire le choix du « tout ou rien » entre leur carrière et leur famille. Son livre relate des histoires de femmes qui ont « réorganisé leur milieu de travail pour qu'il réponde à leur besoin de travail et à leur désir d'avoir une famille ».

*Que le besoin de travailler de la femme soit d'ordre financier, social ou émotif, le désir d'être parent peut être aussi fort [...] La femme de carrière des années 80 comprend le besoin de la présence maternelle ressenti par son bébé et l'importance de faire partie intégrante de sa vie. De plus, elle est consciente qu'elle y perdra beaucoup si elle laisse filer l'occasion de materner ses propres enfants [...] La carrière peut être mise de côté ; les bébés, eux, grandissent et s'en vont. C'est une mère Nature sage et avisée qui fait que les bébés viennent au monde pour être allaités et soignés, nous rappelant que la mère et l'enfant sont unis durant plusieurs mois après la naissance et qu'ils ont besoin d'être ensemble. Essayer d'oublier ou de contourner ce besoin physique et psychologique équivaut à renier un des éléments de base les plus fondamentaux de la nature humaine.*

Certaines femmes prennent leur décision avant la naissance de leur bébé et changent d'attitude une fois devenues mères. Johanne Lacasse, du Québec, est l'une de ces mères.

*Quelquefois, je remets en question la décision que j'ai prise il y a trois ans. Pour moi ce fut la décision la plus difficile à prendre de toute ma vie : j'avais le choix de poursuivre mon travail avec l'employeur de mes huit dernières années ou de rester à la maison avec mon fils. Dans la société actuelle, le choix n'est pas facile et il est certainement peu respecté. Pour être une femme libérée et à la mode, la société veut que nous soyons sur le marché du travail. La femme qui reste à la maison est souvent oubliée et mise à l'écart, surtout avec un seul enfant. Quand nous en avons deux ou plus, là ça devient socialement plus acceptable de rester à la maison. Il était convenu que je retournerais au travail après mon congé de maternité.*

*Après la naissance de mon fils, j'ai donné ma démission avec un peu de regret. Quand Stéphane avait 5 mois, mon ex-employeur m'a offert de travailler pour une période de deux mois. J'ai*

*accepté mais j'ai tout abandonné après trois semai-*
*nes. J'avais un bébé et je voulais m'en occuper à*
*temps plein. Un jour, je retournerai sur le marché*
*du travail, mais pour le moment, je n'ai pas de date*
*fixe. Je suis très heureuse de mon choix.*

Chez certaines mères, même le travail à temps partiel
entrave leurs capacités de materner leur enfant. C'est le cas de
Pierrette Tremblay, du Québec.

*Aux 4 mois de mon fils, je me disais : comme je*
*suis contente d'avoir un congé de maternité d'un*
*an, je n'aurais pas le cœur de laisser ce petit bébé,*
*il a tant besoin de moi et vice versa. À ses 6 mois,*
*8 mois, même sentiment. Comme le temps de mon*
*retour au travail approche, je me sens tiraillée entre*
*mon cœur et ma raison. Bien sûr, un emploi si*
*rémunérateur, avec une telle sécurité d'emploi, de*
*telles conditions de travail, ça ne se laisse pas*
*facilement. Mais mon cœur, lui, parle autrement. Et*
*même ma raison voit bien des complications aussi.*
*Je décide qu'avant de prendre une décision je dois*
*au moins essayer le retour au travail. Alors com-*
*mence la recherche d'une gardienne. Je pense qu'un*
*milieu familial est préférable à une garderie. Je*
*trouve une maman de trois enfants dont deux vont*
*en classe et le troisième a 3 ans. En parlant avec*
*elle, je découvre qu'elle a allaité son bébé durant*
*huit mois. Je me dis qu'on doit être sensiblement*
*sur la même longueur d'ondes. Quelques semaines*
*avant le retour prévu, je lui amène David quelques*
*fois. Puis, le 8 décembre arrive et me voilà au*
*travail. Pour « habituer » David, j'ai décidé de ne*
*travailler que les avant-midi jusqu'à Noël (en*
*utilisant mes vacances accumulées). Ça me fend le*
*cœur de le laisser là tous les matins. Je suis malheu-*
*reuse. J'ai l'impression de vivre en fou. Je deviens*
*agressive envers mon conjoint. Durant les vacances*
*des fêtes, je décide de quitter mon travail. Je ne dis*
*pas nécessairement adieu à la géologie, mais je ne*
*peux concilier l'horaire rigide de 9 h à 17 h avec les*
*besoins d'une jeune famille. Une fois la décision*
*prise, comme je me sens mieux, comme j'apprécie*

*cette vie plus calme où j'ai le loisir de cuisiner des petits plats, de m'occuper de mon petit garçon, de faire un peu de couture.*

# CHOISIR DE DEMEURER À LA MAISON

Devenir mère est une expérience unique et il est impossible, pour une femme, de prévoir l'intensité de sa réaction. Tant que votre bébé n'est pas né, qu'il n'est pas dans vos bras, vous ne pouvez pas savoir ce que c'est que d'avoir un enfant et d'avoir à le laisser. Ces mots reflètent la pensée et les émotions des mères qui ont décidé de demeurer à la maison à temps plein tant que leurs enfants sont petits.

Pat Smith, une mère de la Pennsylvanie, a dû faire un choix difficile pendant sa grossesse.

*Évidemment que je retournerai au travail après la naissance de notre bébé ! C'était tout décidé pendant les nombreuses années où mon mari Skip et moi essayions d'avoir un enfant. Nous avions rarement, sinon jamais, envisagé les choses autrement parce que j'avais d'excellentes raisons de continuer à travailler : situation financière, style de vie, carrière.*

*À bien des points de vue, nous avions le même style de vie que les jeunes couples banlieusards. En tant que grands consommateurs, nous n'étions pas prêts à renoncer à certains biens matériels, comme un four à micro-ondes. Je n'en ai toujours pas. Parmi nos pairs, le droit au travail de la mère après la naissance n'était aucunement remis en question.*

*Puis il y a eu la question de la carrière. J'avais un avenir prometteur au sein d'une excellente société, détenue par les principaux marchés financiers. En fait, je m'attendais à être promue à un poste de cadre intermédiaire et à déménager à New York aux frais de la société.*

*À cinq mois de grossesse, on m'a offert cette promotion à New York qui s'est avérée une perte autant pécuniaire que pour ma carrière et mon style de vie. Cette offre me conduisait à une croisée des chemins parce qu'elle mettait en évidence l'engagement que ce nouvel emploi exigeait. Même si les avantages étaient tentants, j'ai vite compris que je n'aurais du temps et de l'énergie que pour un maternage à temps partiel si je devais poursuivre ma carrière dans cette voie.*

*Est-ce que je voulais être une future vice-présidente de cette société ou être une mère à plein temps ? Je devais répondre à cette question après avoir accepté le fait que je ne pouvais pas être les deux. Comme je réfléchissais à la question, des images du bébé ont commencé à envahir mes pensées. Au début, ces images étaient imprécises, morcelées mais quand elles ont formé le scénario suivant, j'ai figé : je me voyais en train d'envelopper le bébé de couvertures, de l'amener chez la gardienne, de le tenir dans mes bras puis de le laisser à quelqu'un d'autre pour la journée. J'ai su immédiatement que je ne retournerais pas travailler après sa naissance.*

*Pour moi, cette façon de décider était irrationnelle. J'avais une liste de raisons rationnelles de travailler et une simple pensée – être séparée de mon bébé – m'a fait jeter cette liste par-dessus bord. J'ai pris la résolution de faire tout ce qui serait nécessaire pour rester à la maison avec le bébé.*

*Colin est né il y a trois ans et nous avons été presque inséparables depuis ce temps. Quand j'y repense, mes soucis d'alors me semblent sans importance maintenant. Après tout, nous avons une maison dans une ville sympathique, axée sur la famille, une voiture et tout le confort dont nous avons vraiment besoin. Ce que je considère comme un véritable souci, maintenant, c'est comment j'aurais pu faire ma journée de travail loin de mon bébé.*

*Mon ancien patron m'a téléphoné il y a un an environ pour m'offrir mon ancien emploi. J'étais heureuse de refuser. Je lui ai dit que je ne prendrais même pas le temps d'y penser. Et puis je n'ai pas besoin d'un four à micro-ondes après tout.*

## Le sens des valeurs

On ne dénigre jamais la valeur d'un bon parentage mais on oublie trop souvent d'en faire l'éloge. Les emplois sur le marché du travail ont un système de cotation très visible : généralement plus le salaire est élevé, plus le prestige est grand. La mère à la maison n'a qu'un titre et il n'y a aucun encouragement qui vient confirmer régulièrement qu'elle fait un bon travail. Mais les récompenses existent, bien qu'elles soient plutôt subtiles. Une mère de la Californie, Emily Holt, a découvert des joies inattendues dans son rôle de mère. Elle a réfléchi aux changements qui sont survenus dans sa vie avec la naissance de son bébé.

*J'étais assise avec ma fille de 5 mois qui tétait si bien à mon sein. Et je voyais le visage de mon mari s'illuminer de joie comme elle agrippait sa barbe et riait aux éclats. Oh ! oui, mon travail était merveilleux, comme tout travail, mais pendant ces cinq petits mois, j'ai grandi de diverses façons, recherchant ce qu'il y avait de meilleur en moi pour accueillir cette vie nouvelle et merveilleuse. En partageant chaque moment délicieux de Sarah qui découvrait notre monde, j'ai compris que j'étais heureuse d'être mère.*

Carolyn Keiler Paul, de New York, ne croit pas qu'elle perd son temps en restant à la maison avec ses enfants. Elle dit :

*Je pense qu'il est temps qu'on arrête de s'excuser d'être « seulement une mère ». L'éducation des enfants n'est pas un travail de moindre importance. Il fait appel à tous nos talents et à toutes nos ressources. Je ne perdrai pas mon instruction, ça m'a tellement enrichi que je peux à mon tour enrichir la vie de mes enfants.*

D'autres mères ont partagé avec nous leurs petits bonheurs quotidiens et leurs convictions.

*J'aime être si près de ma fille. Comme je passe toutes mes journées avec elle, je peux toujours décoder ses messages. Maintenant qu'elle commence à parler, j'arrive à comprendre les nouveaux mots qu'elle essaie de dire. Mon conjoint, qui s'engage pourtant beaucoup auprès d'elle, ne comprend pas*

*parfois ses messages. Et je me dis que si j'étais partie*
*toute la journée, moi non plus je ne les compren-*
*drais pas. Je suis fière de connaître mon enfant*
*mieux que quiconque. Intuitivement, je sais quand*
*elle n'est pas bien, quand elle est insécure,*
*quand elle est heureuse.*

Je *pense que le niveau de stress dans notre famille*
*est moindre que si j'étais retournée au travail. Le*
*soir, quand mon conjoint rentre, le souper est prêt,*
*ça sent bon. J'ai eu le temps d'aller faire l'épicerie,*
*de passer à la banque. Ce sont de petites courses que*
*nous n'avons pas à faire la fin de semaine. Et il ne*
*faut pas se leurrer, travailler à l'extérieur pour la*
*femme veut souvent dire avoir un double emploi.*
*Connaissant bien ma nature entière, j'aurais*
*vraiment été déchirée et stressée à l'idée de ne pas*
*pouvoir donner 100 p. 100 à mon travail*
*et 100 p. 100 auprès de mes enfants. Oui, on peut*
*tout avoir : carrière, famille, mais pas nécessaire-*
*ment en même temps.*

Harold M. Voth, psychiatre principal de *The Menninger
Foundation*, admet que le rôle de la mère est de la plus grande
importance dans la société.

*La fonction de mère est l'une des plus importantes*
*parmi tous les aspects humains mais, malheureu-*
*sement, l'une des moins appréciées par la société.*
*Le courage, la confiance, l'aptitude à établir des*
*relations interpersonnelles, la générosité, la capacité*
*de faire son chemin dans la vie et bien d'autres*
*encore constituent autant de contributions apportées*
*par un bon maternage.*

## Un investissement important

L'expérience des autres mères peut s'avérer utile et
intéressante mais personne ne peut vous dire ce qui convient à
votre famille et à vous. Nous pouvons vous parler des besoins du
bébé, vous indiquer ce qui fonctionne le mieux pour assurer la
réussite de votre allaitement, vous dire comment des mères sont
parvenues à concilier travail et allaitement. Nous pouvons aussi
vous affirmer que des mères ont vécu une croissance personnelle qu'elles ne soupçonnaient pas, qu'elles ont connu beau-

coup de satisfaction à demeurer à la maison, mais vous seule pouvez décider de ce qui convient le mieux aux besoins de votre famille.

Nous vous encourageons à vous informer le plus possible, à explorer toutes les options qui s'offrent à vous et à en discuter avec d'autres personnes qui ont dû prendre des décisions semblables.

Les réunions de la Ligue La Leche peuvent être une source d'information et d'encouragement. Le fait de parler à d'autres mères qui vivent une situation semblable à la vôtre renforcera vos choix. Que vous soyez une mère au travail ou à la maison, la Ligue La Leche peut vous soutenir dans l'allaitement de votre bébé. Nous répondrons à vos questions sans hésitation, nous nous réjouirons de vos progrès et nous vous soutiendrons dans votre décision d'allaiter.

Lorsque vous prendrez votre décision, soyez aussi prudente que vous le seriez si vous faisiez un investissement important ; ici l'investissement constitue une période critique dans votre vie et dans celle de votre bébé. Les premiers mois et les premières années définissent le cours de la vie future de votre enfant, et on ne peut jamais revenir en arrière. Comme nous le rappelle la psychiatre Marilyn Bonham, auteur de *The Laughter and Tears of Children* : « Le débordement d'amour et d'affection [d'une mère] pour le très jeune enfant, c'est de l'or en banque. »

# LA VIE DE FAMILLE

# CHAPITRE 10

# Devenir père

*L*a *relation unique* entre un père et son bébé est un élément important du développement de l'enfant, dès son plus jeune âge. D'après notre expérience, nous savons pertinemment que l'appui affectueux, l'aide et la présence du père du bébé soutiennent la mère et l'enfant dans l'allaitement et donnent à ce dernier toute son importance.

De nos jours, le cliché du père arpentant la salle d'attente de l'hôpital pendant que sa femme est en train d'accoucher entourée d'étrangers n'existe plus. En effet, l'homme accompagne de plus en plus souvent la femme au moment de l'accouchement, lui apportant son soutien, vivant avec elle ces moments inoubliables. Dès la naissance, le père et le bébé apprennent à se connaître. Plus un homme prend part à la naissance de son enfant, plus le lien sera puissant et important. Parlez-en à un père qui a participé à la naissance de son enfant et ouvrez toutes grandes vos oreilles !

Un homme ne se métamorphose pas en père en une seule nuit. En fait, il porte le titre de « père » beaucoup plus rapidement qu'il n'en saisit l'essence. En fait, il ne peut compter sur les hormones, l'aide naturelle dont bénéficie la mère. On dit que la mère naît en même temps que son bébé alors que le père émerge beaucoup plus graduellement, comme le fait remarquer le docteur William Sears, pédiatre et père de six enfants.

*Bien que les mères profitent, grâce aux hormones, d'une réelle avance sur le plan du développement de leur intuition, je crois que les pères ont aussi des talents naturels de nourriciers et, si on leur donne l'occasion de renforcer ces talents, ils peuvent vraiment prendre soin de leurs bébés et les réconforter.*

Pierre Rodrigue, de Forestville, au Québec, a découvert ses talents de père grâce à l'allaitement.

*Je ne sais trop comment nous en sommes venus à l'allaitement maternel mais je sais que les conséquences de cet acte ne peuvent être que profitables à nous trois. Je dis « nous » car je crois que c'est au cours de ses tétées que j'ai découvert mon rôle de père. Je n'ai jamais souffert de ne pouvoir alimenter ma fille avec une « belle » bouteille : au contraire, c'est dans ces moments que je pouvais le plus être utile à Nicole et à Marie-Pierre.*

*Je me souviens toutefois d'une fois où je me suis senti fort dépourvu. Marie-Pierre démontrait qu'elle avait faim et Nicole était absente pour quelques heures. L'absence de Nicole m'a permis de découvrir qu'en prenant ma fille dans mes bras et en lui parlant doucement, j'obtenais un comportement d'attente de sa part et surtout que j'établissais une véritable relation avec elle, certainement beaucoup plus profonde que si je lui avais fait chauffer du lait. J'étais quand même heureux du retour de Nicole.*

*Je comprends difficilement que l'on puisse qualifier
l'allaitement maternel de problématique. J'aurais
trouvé beaucoup plus problématique la panoplie de
bouteilles à emporter avec nous dans nos sorties.
Désirions-nous nous rendre à la piscine, chez des
amis, à la montagne ou au centre commercial ? Une
seule chose à apporter : les couches, et nous n'avions
même pas à penser à l'heure des tétées. Marie-
Pierre nous le rappelait et tout était prêt.
C'est formidable, non ?*

## LA PARTICIPATION DES PÈRES

De plus en plus d'hommes reconnaissent que l'allaitement constitue le moyen idéal et naturel de nourrir un bébé, mais ceux qui sont pères pour la première fois ne savent pas toujours très bien comment participer pendant la période de l'allaitement.

La relation intime entre la mère et le bébé se poursuit après la naissance. Ils continuent à ne faire qu'un. Durant un certain temps, la mère sera la seule source de nourriture pour son bébé. La nature le fait sentir clairement et de façon irréfutable : le lien mère-enfant est primordial et il ne devrait pas être laissé de côté. Ce lien unique constitue le premier modèle qui sera reproduit dans toutes les autres relations qui se créeront dans la vie de l'enfant. La contribution du père est tout aussi importante quoique différente. Les bébés se développent grâce à ces deux relations.

Richard Poitras, de La Baie, au Québec, a appris son rôle de nouveau père. Il en témoigne.

*Plusieurs mois avant la naissance de notre fille,
nous avions opté pour l'allaitement maternel. Après
avoir fait des lectures, écouté des témoignages, nous
connaissions les bienfaits de l'allaitement pour la
mère et pour l'enfant. Mais, le « nouveau père », le
« père moderne », que peut-il en tirer ? Doit-il
l'encourager ? Peut-il tout de même remplir son rôle
de façon complète, satisfaisante, valorisante ?*

*Afin de bien profiter et d'apprécier la venue de
notre fille dans notre vie, j'avais décidé de mettre en
pratique les enseignements des pères modernes
« nouveaux et améliorés ». Je dois reconnaître
qu'au préalable un certain apprentissage est*

*nécessaire : apprentissage des soins à donner au bébé et du soutien à apporter à la conjointe, mais aussi du rôle de partenaire à part égale, d'associé. Ce n'est pas chose facile. Malgré que France voulait que je l'aide et même que je prenne l'initiative pour les soins de Sylviane, les repas, l'entretien de la maison, etc., elle était aussi tiraillée par le rôle « traditionnel » de la mère. Elle avait tendance à vouloir se charger de tout et même à régenter. Nous avons discuté, parfois un peu fort, mais... nous nous sommes ajustés. J'ai davantage participé à l'ensemble des tâches quotidiennes à la maison et même hors du foyer (courses, visites chez le médecin, sorties avec le bébé, etc.). Mon épouse, de son côté, m'a de plus en plus encouragé et fait confiance. Elle essaie surtout de ne pas comparer sa façon de faire les choses avec la mienne. Je vois bien que cela lui demande parfois une bonne dose de patience mais nous essayons d'améliorer notre travail en équipe et non de perdre du temps en rivalité futile.*

*À la naissance de Sylviane, j'ai pris congé de mon emploi pour 15 jours. Dans les semaines qui ont suivi, j'ai même délaissé ma profession et presque toutes mes activités extérieures pour me consacrer à ma famille. Par exemple, sur l'heure du dîner, je faisais une brassée de lessive ; pour le souper, je faisais un repas en plus grande quantité pour n'avoir qu'à réchauffer au besoin les jours suivants. Enfin, le plus souvent possible, nous retournons aux réunions de la Ligue La Leche pour parler d'allaitement mais aussi de « parentage ».*

Dans son livre *Becoming a Father*, écrit expressément pour les pères, le docteur Sears encouragent ceux-ci à trouver leur place auprès de leurs enfants.

*Je vais vous faire une confidence de père à père : les bébés sont amusants, les enfants sont un délice et la paternité est la seule profession où votre satisfaction n'a d'égal que les efforts que vous y mettez.*

Certains pères mettent un peu de temps avant de développer une relation de complicité avec leur bébé. Sally Thomas, du Wisconsin, raconte ce qui s'est passé quand son mari a commencé à s'intéresser à leur fils.

*P*endant ma grossesse, j'ai été surprise par l'intérêt et le plaisir que mon mari Eric avait pour mon régime alimentaire, mes exercices et notre bébé qui grandissait. Il s'est tellement engagé et intéressé à faire de la naissance le genre d'expérience que nous voulions avoir.

*P*ar contre, après notre retour à la maison, Eric ne semblait plus aussi engagé. Il ne prenait Joseph qu'à ma demande et seulement pour une courte période. Il répétait toujours : « Il ne fait rien. »

*Q*uand Joseph avait quelques semaines, j'ai parlé de mes soucis à une amie et elle m'a dit que son mari avait aussi eu de la difficulté à entrer en relation avec leur petit bébé. Elle m'a suggéré de laisser Eric s'épanouir, comme père, en le laissant faire des choses dans lesquelles il se sentait à l'aise.

*A*u fil des mois, Joseph est devenu plus éveillé et Eric a commencé à s'intéresser de plus en plus à son fils. Quand Joseph s'est mis à marcher et à aimer jouer, il n'y avait pas moyen de retenir Eric. Bientôt Joseph a semblé préférer son père et son visage s'illuminait dès qu'il voyait Eric.

*J*e suis bien contente d'avoir un bambin de 14 mois maintenant et un père merveilleux qui m'appuie. J'aime regarder les deux gars que je préfère quand ils jouent et qu'Eric, le dur à cuire, se penche au-dessus de Joseph et lui murmure à l'oreille : « Je t'aime tellement. Qu'est-ce qu'on aurait fait sans toi ? »

## Les pères et l'allaitement

De tous les encouragements qu'une femme peut recevoir pendant l'allaitement, ceux du père sont les plus importants à ses yeux. Toutefois, pour certaines femmes, le soutien du père n'est pas facile à obtenir. La mère vit peut-être seule avec son bébé. Elle pourra alors trouver du soutien auprès de ses amis ou de sa famille. Ou la femme peut avoir un conjoint qui est gêné à l'idée qu'elle allaite. La mère qui vit une de ces situations peut malgré tout avoir un allaitement satisfaisant.

Il arrive parfois qu'un père, qui avait des réticences avant la naissance du bébé, finisse par accepter l'allaitement en voyant son bébé grandir grâce au lait maternel. L'enthousiasme de la mère pour l'allaitement suscite souvent l'intérêt du père. S'il est indécis, il devra d'abord comprendre l'importance que vous accordez à l'allaitement avant de pouvoir appuyer votre choix. Le docteur Sears encourage les pères à appuyer leurs femmes dans leur décision d'allaiter. Il a écrit :

*Je suis entièrement convaincu de la supériorité du lait maternel pour les bébés humains. Du fond de mon cœur, je dis aux nouveaux pères : Faites tout ce qui est en votre pouvoir pour favoriser et encourager cette saine relation d'allaitement qui existe entre votre femme et votre bébé. L'allaitement est un mode de vie, pas seulement un mode d'alimentation. Être compréhensif et encourager l'allaitement est l'un des investissements les plus rentables que vous puissiez faire pour la santé future et le bien-être de votre famille.*

Les hommes sont parfois surpris de l'intensité de leur réaction à la vue de leur femme qui allaite leur bébé. Archi Smith, un père du Texas, se rappelle de sa première impression.

*Avant d'être un futur père, je n'avais pas vraiment pensé à l'allaitement. Quand ma femme, Sheri, m'a demandé ce que j'en pensais, j'ai répondu sans hésitation que c'était une excellente idée. Cela semblait naturel. Nous en avons parlé davantage et Sheri était impatiente d'essayer l'allaitement.*

*Après la naissance d'Angie, l'infirmière l'a remise à Sheri et elle a commencé à téter. J'étais debout un peu plus loin et je pouvais sentir les émotions qui passaient de l'une à l'autre. Puis, en voyant le sourire de satisfaction de ma femme, j'ai su que*

*nous formions une famille. Je vais me souvenir*
*longtemps de ces moments.*

Un autre père, Dean Cook, aussi du Texas, ajoute ceci :

*Avant la naissance de notre bébé, ma femme,*
*Kathy, et moi avions discuté de l'allaitement. Nous*
*étions d'accord pour que notre bébé soit allaité*
*durant six mois au moins et de préférence aussi*
*longtemps qu'il en aurait besoin. Je sais depuis*
*longtemps qu'il n'y a pas de meilleure façon de*
*nourrir un enfant. Par contre, j'ai vite découvert, en*
*lisant la documentation que Kathy rapportait de ses*
*réunions de la LLL, que je connaissais très peu les*
*avantages de l'allaitement. Après que j'ai acquis*
*une certaine expérience de père engagé auprès d'un*
*bébé allaité, l'intensité de mes propres sentiments*
*pour l'allaitement m'a étonné.*

## Que peuvent faire les pères ?

Bien que la mère soit la
seule à pouvoir nourrir le bébé,
une foule de choses peuvent
être faites par un père
aimant. Avez-vous déjà vu
une mère essayer de
calmer un bébé maussade
en l'allaitant, en le berçant, en le tapotant gentiment, bref en essayant
tout ce qui lui vient à
l'idée ? Avez-vous constaté son
étonnement quand le père prend
le bébé, le place contre son épaule
et l'endort ? C'est là un secret bien gardé, connu uniquement
des pères. On ne sait pas si c'est leurs larges épaules, leurs
grandes mains puissantes ou leur voix de baryton qui produit cet
effet. Mais peu importe, c'est efficace et les mères expérimentées
sont les premières à en profiter.

À la fin de la journée, les bébés sont souvent maussades,
la mère est fatiguée d'avoir pris soin du bébé, et parfois s'ajoute
la pression exercée par des enfants affamés qui réclament le
repas. Lorsque le père arrive, même si sa journée de travail a été
ardue, il s'y prend souvent d'une façon plus détendue avec le

bébé, chose que la mère ne parvient plus à faire à ce moment-là. De nombreux pères établissent ainsi une relation extraordinaire avec leur bébé.

Tarramo Broennimann, de la Suisse romande, nous raconte ce qu'il a fait pour prendre contact avec sa fille.

> *Avec l'arrivée de Levana, je suis devenu un père qui a trouvé une foule de choses à faire pour entrer en contact avec notre bébé. En effet, j'ai multiplié les occasions pour communiquer avec ma fille par le toucher : se promener avec la petite enroulée dans une toile sur mon ventre, lui donner le bain, changer ses couches, la bercer et, surtout, partager son sommeil et celui de sa mère, car le contact avec le nouveau-né ne s'interrompt pas avec la tombée de la nuit. De façon instinctive, j'ai développé une relation affective intense avec ma fille en accumulant ces moments privilégiés de temps partagé : un dialogue des corps, fait de gestes et de rythmes.*

Dans son livre *Becoming a Father*, le docteur Sears décrit une méthode spéciale pour apaiser les bébés, qui ne fonctionne qu'avec les pères. Il l'appelle le « neck nestle », ce qui signifie littéralement « se nicher dans le cou ». Le père place le bébé dans un porte-bébé sur sa poitrine et le lève légèrement pour que la tête du bébé s'appuie sous son menton. Il explique :

> *Dans cette position, le père a un léger avantage sur la mère. En effet, les bébés n'entendent pas seulement avec leurs oreilles mais aussi grâce aux vibrations des os de leur crâne. En plaçant la tête du bébé contre votre gorge et en fredonnant ou en chantant lentement pour votre bébé, les vibrations graves de votre voix, plus faciles à sentir, endormiront souvent votre bébé. Cette position offre un autre avantage, le bébé sent la chaleur de votre respiration sur sa tête. Les mères expérimentées savent depuis longtemps qu'on parvient parfois à calmer un bébé en expirant sur sa tête ou près de son visage. C'est ce qu'elles appellent le « souffle magique ». Mes enfants ont apprécié la position du « neck nestle » plus que toute autre.*

Qu'est-ce que les pères aiment le plus faire avec leurs bébés ? Il y a probablement autant de réponses que de pères, mais avec le temps nous nous sommes aperçues que les pères semblent particulièrement apprécier le jeu, même avec de très jeunes bébés. Alors que la mère s'occupe plus particulièrement de cajoler et de nourrir, le père, lui, aime chatouiller le bébé sous le menton, le soulever dans les airs ou le faire sauter sur ses genoux. Il faut être prudent lorsqu'on secoue un bébé car cela peut lui être nuisible, mais le mouvement et l'exercice constituent une partie importante de son développement global. Des soins bienveillants et des activités légères ne pourront qu'être bénéfiques au bébé. Comme Louise Kaplan, titulaire d'un doctorat, l'explique dans son livre *Symbiose et séparation* : « Les pères sont particulièrement émus par leurs bébés, et ceux-ci en sont intrigués [...] Les pères incarnent un délicieux mélange de familiarité et de nouveauté. »

Les pères ont besoin de passer du temps avec leur bébé pour apprendre à mieux le connaître et pour « être à l'écoute » de ses besoins. Surveillez votre bébé, vous saurez quand il est prêt à interagir avec son père. Le jeu n'intéresse pas du tout un bébé affamé, mais lorsqu'il a bu à satiété, papa peut alors s'occuper de lui faire faire un rot, changer sa couche, chanter, le bercer et le cajoler. Certains pères aiment donner le bain au bébé ou se prélasser avec lui dans un bain tiède. Un léger massage constitue une autre forme de contact entre le père et le bébé.

N'oubliez pas le porte-bébé. Il n'est pas à l'usage exclusif des mères. Le docteur Sears déclare avoir commencé à se promener sur la plage, tôt le matin, avec son fils Matthew dans le porte-bébé alors que celui-ci n'avait que quelques semaines.

Connaître les principaux stades de développement du bébé pendant la première année peut aider le père à apprécier davantage son enfant. Il est important qu'il sache à quel moment son fils, ou sa fille, sera prêt à faire coucou, à quel moment il pourra saisir un objet et quand l'encourager à ramper et à grimper. Le père peut jouer un rôle déterminant à ces divers stades de développement et surveiller avec fierté les progrès de son enfant.

## PÈRE ET MÈRE : UNE ÉQUIPE

Le père et la mère forment une équipe, chacun apportant une contribution unique et importante au développement de l'enfant. Ils doivent se faire confiance, respecter le rôle de l'autre et s'aider dans les moments de stress. La chose la plus importante que vous et votre conjoint puissiez faire pour votre bébé est de vous aimer.

En réalité, les bébés à la fois ouvrent de nouveaux horizons et jouent les trouble-fête. Votre vie de couple ne sera plus jamais la même. En effet, l'amour s'y épanouira et vous ne vous ennuierez jamais.

Il est nécessaire d'exprimer ses sentiments lorsqu'on arrive à toute étape importante de sa vie. Nous avons parlé des émotions que la nouvelle mère ressent et il est raisonnable de penser que le père réagira avec émotion à ses nouvelles responsabilités. Jerald Davitz, père et pédiatre en Californie, explique aux pères :

> *L'un des sentiments pénibles qu'éprouvent la plupart des pères peu après l'arrivée du bébé à la maison est cette inquiétude : « Est-ce vraiment ce que je voulais ? » ou « C'était mieux avant. » Sachez que cette jalousie et cette menace initiale sont naturelles et que ces sentiments disparaîtront rapidement.*

## Exprimez vos sentiments

En discutant avec d'autres jeunes mères, Martha Hartzell, de la Géorgie, a découvert que la discussion entre conjoints au sujet des priorités de chacun peut contribuer à améliorer leur relation.

Souvent les mères se trouvent submergées par l'allaitement et les soins au nouveau-né. « C'est comme tomber amoureuse à nouveau » diront certaines. Une mère en témoigne :

> *J'étais follement amoureuse de mon bébé. Tout ce qui le concernait me fascinait et me passionnait, continuellement. Je ne pouvais penser à rien d'autre. L'intensité de mes sentiments était telle que, durant plusieurs semaines, il n'y avait que très peu de place pour autre chose dans ma vie.*

La puissance de cette nouvelle émotion peut facilement perturber l'équilibre d'une vie de couple. L'homme peut se sentir comme un amoureux qu'on rejette et, comble de malheur, sa femme est trop occupée avec le bébé pour s'en apercevoir !

Rappelez-vous que cet engagement intense d'aujourd'hui deviendra demain une relation facile et réconfortante. Le bébé a besoin d'amour et de soins pour survivre, et cette première relation intense entre la mère et l'enfant permet de combler les besoins du bébé. Avec le temps, et en exprimant régulièrement ses besoins et ses sentiments, la mère, le père, avec le bébé, parviendront à établir une relation agréable et satisfaisante pour chacun.

Les parents d'un premier bébé sont souvent préoccupés par leurs nouvelles responsabilités. L'homme et la femme font des efforts considérables. Ils doivent toutefois faire attention de ne pas laisser leurs nouvelles responsabilités les séparer l'un de l'autre.

Lucy Waletzky, psychiatre à l'Université de Georgetown à Washington, D.C., a découvert que la jalousie des pères est parfois due à l'intimité qui existe entre la mère qui allaite et son bébé. Voici son conseil : « On doit favoriser une communication fructueuse entre les conjoints avant, pendant et après l'accouchement. » La maternité et la paternité sont des nouveaux rôles dont il faut parler et qui s'apprennent à deux. Le temps passé ensemble pendant les premières semaines après la naissance peut ajouter une nouvelle dimension à l'amour réciproque des conjoints.

## De merveilleuses récompenses

Il n'est pas facile d'être parent mais cela comporte de merveilleuses récompenses. François Langlois, de Buckingham, au Québec, écrit ce qui suit.

> *Au cours des années, je considère avoir été privilégié. Au lieu de vivre passivement une parternité standard, un peu déconnectée, ponctuée par les gestes ordinaires des couches et des biberons, j'ai eu la chance d'être entraîné dans les expériences d'allaitement répétées de ma compagne Édith. Cela m'a appris beaucoup sur ma compagne et m'a forcé à évoluer vers des valeurs que je n'aurais pas nécessairement jugées prioritaires aussi tôt dans ma vie. Avoir été témoin et partenaire d'allaitement m'a permis de découvrir un sens aux gestes « ordinaires » de la vie, un enseignement de ce que je pourrais être d'autre, de meilleur.*

Les hommes ont rarement l'occasion de discuter et de partager leurs idées sur la paternité. Pourtant, cela est tout aussi important pour eux que pour les mères. Les groupes de la Ligue La Leche ne sont pas réservés uniquement aux mères. On y organise souvent des activités auxquelles les pères peuvent prendre part et discuter de leur rôle. Par exemple, les congrès annuels leur offrent cette occasion. De plus, au Québec comme en France, les pères qui le désirent peuvent assister aux réunions mensuelles et parfois à d'autres activités organisées par le groupe. Informez-vous auprès de votre groupe de la LLL.

Comme le dit David Stewart : « Jamais certaine, jamais stable, jamais prévisible, la vie dans presque tout ce qu'elle nous offre est éphémère, mais la paternité, elle, est éternelle. »

# CHAPITRE 11

# Satisfaire les besoins de toute la famille

**T**out au long du présent ouvrage nous disons que la mère doit répondre aux besoins de son bébé comme s'ils étaient seuls dans une île déserte. Mais en réalité, la famille compte probablement d'autres membres, ayant eux aussi des besoins. Et que dire des tâches ménagères à accomplir ! Devant ces responsabilités, vous vous demandez peut-être comment concilier tout cela à la fois en allaitant et en prenant soin d'un nouveau-né.

Avec les années, les mères de la Ligue La Leche ont mis au point des techniques et découvert des trucs qui pourraient vous aider. Une première recommandation : faire passer les personnes avant les choses. La satisfaction des besoins de la famille devrait passer avant le ménage dans la maison et l'entretien des biens matériels. Ensuite, souvenez-vous que vos priorités concernant la famille ne sont pas nécessairement les mêmes que celles de la voisine ou de votre cousine (qui n'a pas d'enfant). Les normes et les valeurs des autres ne conviennent sans doute pas parfaitement à votre famille. Les bébés ne restent pas petits longtemps. Ce serait dommage de perdre ces précieux mois à essayer de plaire aux autres plutôt que d'apprécier la présence de votre bébé et de combler ses besoins.

## LE TENUE D'UNE MAISON ET LE NOUVEAU-NÉ

Il est aussi difficile d'associer maison impeccable et nouveau-né que de mélanger de l'eau à de l'huile. Puisqu'il faut satisfaire les besoins du bébé à tout moment, il devient presque impossible de s'en tenir à un horaire fixe pour l'entretien ménager. Cela ne signifie pas qu'une vie bien ordonnée devient automatiquement chaotique dès la naissance mais, honnêtement, vous aurez sans doute besoin de repenser votre planification des travaux ménagers.

Simplifier, voilà le secret pour survivre. Prenez un après-midi pour faire le tour de votre maison et examiner soigneusement chaque pièce. Quels objets devraient être enlevés, déplacés ou rangés ? Détestez-vous voir les bibelots se couvrir de poussière sur les tablettes ? Alors rangez-les et remplacez-les par une nouvelle plante qui égayera la pièce et réjouira l'œil. Et ce placard plein à craquer où tout s'entasse, de l'équipement de ski aux abat-jour abîmés ? Si vous prenez le temps de le nettoyer pendant que vous êtes enceinte, ce placard ne vous tapera pas sur les nerfs plus tard. Jetez les choses qui sont irréparables ou dont vous ne vous servez plus. Si vous les rangez ailleurs, elles finiront par vous nuire tôt ou tard. Mettez dans des boîtes de carton les objets que vous voulez garder et rangez-les au grenier ou au sous-sol.

Quelle que soit la saison, faites votre « grand ménage du printemps » avant la naissance du bébé. Les travaux ménagers légers constituent un bon exercice et vous vous féliciterez de les avoir faits quand votre temps et votre énergie seront consacrés à votre bébé. Ce zèle soudain pour le ménage et le nettoyage, que les mères ressentent souvent en fin de grossesse, est généralement appelé l'« instinct de nidification ».

Pensez à ranger vos produits de nettoyage dans un endroit facilement accessible mais hors de la portée des enfants (le haut d'un placard, par exemple). En ayant ces produits sous la main, vous pourrez nettoyer rapidement le miroir de la salle de bain ou récurer l'évier si vous disposez de quelques minutes avant de prendre votre douche ou en surveillant votre enfant de 3 ans dans la baignoire. Après le bain, il ne vous faudra que peu de temps pour nettoyer si vous essuyez rapidement le miroir (déjà embué), le lavabo et le comptoir, et que vous épongez le sol avec une grande serviette sortie du panier à linge sale.

Dans les maisons où vit un bébé, le ménage se fait presque toujours en plusieurs étapes. Cinq à dix minutes de nettoyage à toute vapeur dans la cuisine, consacrées à ce qui vous contrarie le plus – la vaisselle du déjeuner encore sur la table ou le revêtement de sol collant devant l'évier ou le réfrigérateur –, rehausseront l'apparence de la maison et vous donneront le sentiment du devoir accompli. Pendant la journée, concentrez-vous sur ce que vous avez fait, en commençant par la très importante tâche d'allaiter, plutôt que sur ce qu'il reste à faire.

Vous pouvez faire ou non votre lit, comme il vous plaira. C'est une vieille coutume que de simplement secouer les oreillers et replier les couvertures pour les aérer. Si vous ne mettez pas de couvre-lit, vous vous étendrez probablement plus souvent pour allaiter pendant la journée.

Si votre bébé ne vous laisse pas le temps de laver la vaisselle après le repas, emplissez l'évier d'eau chaude savonneuse et laissez-la tremper jusqu'à ce que vous puissiez vous en occuper un peu plus tard. Si vous disposez d'un lave-vaisselle, chargez-le pendant que le bébé est éveillé et qu'il a envie d'être dans vos bras ou blotti dans le porte-bébé. Généralement, les bébés adorent les mouvements de flexion et de rotation que nécessite le chargement. Faites-le lentement. Par ailleurs, plus d'un bébé maussade s'est endormi dans son porte-bébé pendant que sa mère passait l'aspirateur.

Les bébés et le désordre semblent aller de pair. Cependant, le désordre peut disparaître rapidement si vous disposez d'un « range-tout », une boîte en carton ou tout autre contenant semblable qui vous suivra dans chaque pièce et où vous déposerez toutes les petites choses éparses. Cela vous permet de ranger toute la maison en 15 minutes environ. Son contenu pourra être trié plus tard mais pour l'instant votre maison a l'air en ordre et un visiteur éventuel pourra entrer sans crainte de mettre le pied sur un camion mal garé. Pensez à ranger tout de suite les objets particulièrement importants, comme les clés de la voiture. Cette précaution vous évitera de vous mettre dans tous vos états s'ils ne sont pas à leur place. Par exemple, prenez l'habitude de toujours mettre vos clés sur un crochet derrière la porte. Pour ranger les autres petits articles de valeur que vous trouverez pendant la journée, des poches à vos pantalons ou un tablier sont indispensables.

Le matin, peut-être pendant que vous vous relaxez avec votre bébé au sein, dressez une liste des choses qu'il faudra absolument faire dans la journée. Par la suite, déterminez une ou deux choses parmi les plus essentielles. Entourez ces deux priorités et prévoyez d'accomplir ces tâches à la première occasion avant d'être prise par autre chose ou par les tâches quotidiennes. S'il s'agit d'une chose que vous ne pouvez faire que plus tard dans la journée, réglez votre réveille-matin ou la sonnerie du four à l'heure désirée. En rayant ne serait-ce qu'une tâche chaque jour sur votre liste, vous aurez l'impression d'avoir atteint un objectif, quel que soit le nombre de choses qui restent sur cette liste. Prenez garde de ne pas faire tout le ménage, toute la cuisine ou tout le récurage pendant la sieste de votre bébé. Occupez-vous de vos autres enfants, faites une sieste vous aussi ou détendez-vous en faisant quelque chose qui vous plaît.

## La planification des repas

Après la naissance du bébé, le mot d'ordre de la planification des repas, c'est la simplicité. Dressez une liste de vos repas préférés qui s'apprêtent en un rien de temps et assurez-vous d'avoir tous les ingrédients nécessaires à la maison. Une collation ou un dessert de fruits frais se prépare toujours rapidement et est nutritif.

De nombreuses femmes doublent leurs recettes de ragoûts, de mets en cocotte, de sauce à spaghetti, de chili, etc., dans les dernières semaines de leur grossesse et congèlent l'excédent. Nous avons aussi entendu parler d'amies bienveillantes qui organisaient une soirée de plats cuisinés qu'elles offrent à la future maman. Ces mets étaient congelés et accompagnés d'instruction pour les cuire ou les réchauffer. De plus, la bonne idée d'apporter un plat à la famille d'un nouveau-né est toujours bienvenue.

Si vous ne possédez pas de marmite à cuisson lente, mettez cet article en tête de liste des cadeaux que vous aimeriez recevoir. Cette merveilleuse marmite permet de mettre à cuire la viande, les pommes de terre et les légumes au moment qui vous convient pendant la journée. Le souper sera prêt à temps sans que vous ayez à vous dépêcher à une période de la journée où vous êtes fatiguée et que votre bébé réclame toute votre attention. Si vous disposez d'un four à micro-ondes, les aliments pourront être préparés rapidement ou cuits à l'avance et être réchauffés lorsque tout le monde est prêt à manger. La mère qui est souvent dérangée pendant qu'elle cuisine tirera profit d'un article utile et peu coûteux : la plaque de métal, qui se place entre le feu et la casserole pour empêcher les aliments de brûler.

Vous trouverez plusieurs idées qui vous aideront à planifier vos repas dans *MiLLLe et une recettes santé*, livre publié par la Ligue La Leche. Il contient une compilation de recettes appréciées par de nombreuses familles et met l'accent sur une alimentation saine et une préparation simple.

Les mères qui allaitent devraient manger à des heures régulières. Les enfants actifs ont, eux aussi, besoin de manger souvent. Afin de garder la bonne humeur et les petits ventres rassasiés jusqu'au prochain repas, essayez les collations-salades. Il suffit d'assortir des fruits frais et des légumes crus. (Évitez cependant de donner des carottes crues et des noix aux jeunes enfants.) Les enfants d'âge préscolaire seront heureux de laver les légumes verts feuillus et de les déchirer, d'enlever les fils du céleri, de détacher les fleurs du brocoli ou du chou-fleur, de frotter les pommes et de disposer le tout sur un plateau. Faites cela dans la matinée et gardez le plateau au réfrigérateur jusqu'à ce que vous soyez prêts à déguster. Du fromage, des tranches d'œufs à la coque ou des viandes froides ajouteront des protéines et redonneront de l'énergie.

Une façon agréable de distraire les jeunes enfants fatigués, affamés, et peut-être irritables, consiste à les faire asseoir quelques minutes pour la collation. Un peu de musique égayera l'ambiance. Ils peuvent écouter leur disque préféré ou, mieux encore, chanter avec maman. Les enfants apprécient les chants de votre enfance et, qui sait, ces chants feront peut-être partie de leur patrimoine.

Quand vient l'heure de préparer vos enfants pour l'école, un peu de planification fait toute la différence. Betty Wagner, une des fondatrices de la LLL, avait pris l'habitude de régler son réveil-matin 20 minutes plus tôt. Tout en demeurant couchée, elle réglait à nouveau son réveil-matin à l'heure où elle se levait normalement puis elle allaitait son bébé. Ainsi elle savait qu'il n'aurait pas faim pendant qu'elle était affairée à préparer le déjeuner et les enfants.

Un dernier mot concernant la préparation des repas : les règles de sécurité doivent être encore plus strictes. Lorsque vous utilisez la cuisinière, tournez la poignée des casseroles vers le centre pour que les enfants ne puissent les atteindre. Même un bébé dans les bras de sa mère a une portée surprenante. Gardez les couteaux et autres objets tranchants hors de la portée des enfants.

## La lessive

La quantité de lessive qu'un bébé occasionne étonne toujours, de même que la vitesse à laquelle le linge sale s'empile. Avant la naissance, assurez-vous que chacun a autant de vêtements de rechange que votre budget vous le permet, plus particulièrement des sous-vêtements et des chaussettes. Cela vous évitera de faire la lessive chaque jour ou tous les deux jours. Les mères aiment aussi avoir en réserve une douzaine ou plus de débarbouillettes[1] bon marché qu'on achète en lot. Elles sont pratiques pour tout genre de nettoyage. Comme elles sont plus minces que les gants de toilettes ordinaires, elles sont utiles pour laver derrière les petites oreilles délicates et dans les plis des jambes et des bras grassouillets.

Bien sûr, il faut la faire cette lessive et votre façon de procéder dépendra inévitablement des appareils dont vous disposez. Que ce soit à la laverie automatique ou chez vous, assurez-vous d'obtenir l'aide de votre conjoint. S'il ne connaît pas les subtilités des machines à laver et à sécher, c'est le moment idéal pour lui apprendre. Quand vous faites la lessive, vous pouvez tirer profit du porte-bébé. Que ce soit pour vous rendre à la laverie ou pour faire votre lessive à la maison, votre bébé sera porté et à son aise et vous aurez des vêtements propres !

Songez à la possibilité d'utiliser deux ou trois seaux en plastique bon marché pour faire tremper les vêtements qui pourraient rester tachés. Vous n'aurez plus qu'à les mettre dans la machine au moment qui vous convient. Le système de prétriage est également très utile. À mesure qu'une section se remplit, vous pouvez savoir en un clin d'œil qu'elle contient assez de blanc ou de couleur et mettre ces vêtements dans la machine quand vous en avez le temps.

Votre bambin adorera transférer le linge de la machine à sécher au panier pour le trier ensuite. Depuis longtemps, plusieurs d'entre nous ont remarqué qu'une bonne partie des vêtements peuvent être tout aussi présentables s'ils ne sont pas pliés. C'est le cas des sous-vêtements qui peuvent être triés et rangés dans un tiroir, un casier de plastique ou sur une tablette. Les chaussettes propres peuvent être placées dans deux paniers – un pour les blanches et un pour celles de couleur – et les membres de la famille peuvent eux-mêmes assortir leurs paires.

Si vous avez l'habitude de repasser certains vêtements, il serait temps de reconsidérer cette pratique. Faites le test suivant : portez un vêtement repassé durant dix minutes. Vous

---

1. Petites serviettes de toilette carrée, en tissu-éponge.

remarquerez qu'en peu de temps il a l'air froissé. Le même vêtement, sorti de la sécheuse ou enlevé de la corde à linge, secoué à quelques reprises ou lissé légèrement, n'aura pas l'air plus froissé quand on l'aura porté dix minutes. Vous vous demanderez alors si cela vaut la peine de consacrer temps et énergie (électrique et la vôtre) à repasser des vêtements.

Si vous cherchez comment venir à bout de la lessive, visez essentiellement des moyens de la réduire. Pour commencer, les grandes serviettes de bain utilisées au sortir de la baignoire pourront être réutilisées si elles sont étendues et mises à sécher au lieu d'être entassées sur un porte-serviette. Ensuite, il est possible d'attacher une serviette au porte-serviette à l'aide d'une grosse épingle de sûreté ou d'un bouton-pression. Les enfants pourront l'utiliser sans qu'elle ne se retrouve sur le sol et, inévitablement, avec le linge sale.

## Sécuritrucs

Lorsque vous êtes occupée aux travaux ménagers ou que vous prenez soin de vos autres enfants, vous aurez parfois besoin d'un endroit sûr où déposer votre bébé. L'endroit le plus sécuritaire est une petite couverture ou un tapis sur le sol. Il pourra ainsi s'étirer, se déplacer et observer à cœur joie ce qui l'entoure.

Ne laissez jamais votre bébé sans surveillance quand il est dans un siège pour bébé posé sur la table ou le comptoir. Un bébé actif peut facilement faire glisser son siège sur une surface lisse et tomber. La table à langer peut aussi constituer un danger. Utilisez les courroies pour maintenir votre bébé ou amenez-le avec vous si vous devez aller chercher quelque chose ou répondre à la porte ou au téléphone. En quelques secondes seulement, un bébé qui n'est pas censé se retourner peut tomber et se blesser gravement.

Un mot d'avertissement est également de mise concernant les trotte-bébé[2]. Trop de bébés sont tombés dans les escaliers avec ces articles. De plus, le trotte-bébé limite les gestes du bébé et l'empêche de développer naturellement la coordination des bras, des jambes et des yeux qui accompagnent les déplacements au sol.

De nombreuses mères considèrent inutiles les parcs pour enfants ou n'en voient pas la nécessité. Lorsque le bébé peut ramper, il veut explorer et il a besoin de liberté pour le faire. Une chaise haute est pratique quand le bébé est plus âgé et prêt

---

2. Communément appelé « marchette » au Québec, son équivalent serait « youpala » en France.

à manger des aliments solides, mais elle peut aussi constituer un danger. Assurez-vous que celle que vous choisissez est assez large à la base pour éviter qu'elle ne bascule. Elle doit être munie d'une courroie de sécurité qui empêche le bébé de se mettre debout et de tomber. Attachez soigneusement cette courroie, cela ne prend que quelques secondes.

## VOS AUTRES TOUT-PETITS

Vous découvrirez que beaucoup d'amour et de réconfort aideront l'enfant plus âgé, l'ex-bébé, à accepter le fait que le nouveau-né prend beaucoup de votre temps. Lorsque votre bébé est maussade vous pouvez lui dire : « Marie, quand tu étais petite et que tu avais faim, je demandais toujours à Élisabeth d'être patiente et d'attendre parce que tu avais besoin d'être nourrie (bercée, prise, etc.). » Les enfants aiment savoir qu'ils ont déjà été la « vedette » et un câlin vient toujours confirmer cette idée. L'allaitement nous laisse toujours une main libre pour une caresse rapide ou toute autre tâche importante.

En gardant votre tout-petit près de vous au lieu de le laisser s'occuper seul, vous aurez l'esprit tranquille. On suggère souvent d'aménager un coin allaitement pouvant accueillir au moins trois personnes, c'est-à-dire la mère, le bébé et un petit frère ou une petite sœur. Placez une chaise ou un tabouret près de votre fauteuil à bascule et gardez quelques jouets intéressants tout près. Changez régulièrement ces jouets ; les surprises font toujours plaisir. Une mère imaginative, Élaine Favreau, de Mercier, au Québec, a su rendre agréable l'heure des tétées pour son fils.

*Au moment d'allaiter Amélie, je demandais à Guillaume (3 ans) s'il voulait qu'on joue ensemble et nous choisissions une activité selon ses goûts du moment ; cela pouvait être de faire des casse-tête, dessiner, jouer avec de la pâte à modeler, avec des blocs Lego, avec de petites voitures ou simplement lire une histoire. J'aimais alors m'asseoir par terre, dans le salon, adossée au canapé. J'utilisais quelques coussins pour m'installer confortablement. Puis, tout au long de la tétée, nous jouions par terre ou sur la table à café. Cette façon de faire comportait le double avantage de me permettre de garder mon bambin à l'œil tout en facilitant son adaptation à la présence du bébé en évitant qu'il ne perçoive l'allaitement comme du temps lui étant enlevé, à lui, pour le donner au bébé. Avec le temps, il en est même venu à anticiper avec plaisir l'heure de repas de sa sœur !*

La mère enceinte d'un deuxième enfant éprouve parfois de la difficulté à s'imaginer qu'elle aimera autant le prochain bébé que celui qu'elle a déjà dans les bras. Est-ce que je vais aimer mon deuxième bébé aussi fort ? L'amour maternel a cela de merveilleux qu'il grandit avec chaque nouvelle naissance. Il n'est pas limité et ne se divise pas. Il ne s'agit pas d'une tarte que l'on doit diviser en parts plus petites parce qu'il y a plus d'invités à table. Avec l'arrivée du nouveau bébé, l'amour maternel se multiplie pour tous les membres de la famille.

## Les petits assistants

Les bambins adorent se rendre utiles et les mères ingénieuses trouvent une foule de petites choses que leurs tout-petits peuvent accomplir pour les aider. Si vous utilisez de la vaisselle incassable, votre enfant se fera une joie de mettre la table en transportant une assiette à la fois. Les petits ne se lassent jamais des allées et venues répétitives, surtout lorsqu'un sourire et un « merci » accompagnent chaque assiette placée sur la table. Frotter un carreau au bas d'une fenêtre préalablement enduite d'un produit nettoyant (ou avec de l'eau claire) constitue un autre passe-temps agréable pour un artiste en herbe (une tâche souvent signée du petit nez du jeune artiste !).

De nombreux bambins semblent fascinés par une pelle à poussière et un petit balai, alors mettez les vôtres à l'œuvre sous la table ou ailleurs. De vieilles moufles[3] ou de vieilles chaussettes font d'excellents gants d'époussetage pour les petites mains. Avec l'aide de leur mère, même les enfants qui marchent à peine apprendront à ranger les jouets dans le coffre à jouets le moment venu.

Les enfants d'âge préscolaire ont besoin d'une multitude d'activités d'apprentissage stimulantes pour les tenir occupés et éviter qu'ils ne fassent des bêtises. *Playful Learning*, de Anne Engelhardt et Cheryl Syllivan, est un merveilleux livre de référence. Écrit pour les parents qui veulent organiser des activités à

---

3. Communément appelé « mitaines » au Québec.

la maison pour leurs tout-petits, il peut aussi être utile pour un seul enfant. Bricolage, recettes faciles, activités musicales et mathématiques, histoires et préparation à la lecture composent cet ouvrage. Les explications concernant le développement de l'enfant d'âge préscolaire pourront vous aider à comprendre les besoins de votre enfant. En français, le livre *Comment préparer votre enfant à l'école* pourra vous donner des idées pour amuser vos tout-petits.

## L'aide du père

Un conjoint compréhensif constitue l'un des meilleurs atouts de la mère qui allaite. Les pères maîtrisent souvent l'art de tenir les mains et l'esprit des bambins occupés quand la mère a besoin d'un peu de temps seule avec son bébé ou lorsqu'elle décide de profiter de la sieste du bébé pour se relaxer dans la baignoire ou dormir un peu. Le père et son bambin s'amuseront à lutter ensemble, et qui mieux que papa peut enjoliver les histoires en y ajoutant tous ces bruits et grondements sourds ?

Le père et le tout-petit développent souvent une nouvelle relation toute particulière quand un nouveau bébé se joint à la famille. Montrez à votre conjoint combien il est nécessaire et apprécié. Encouragez-le à passer plus de temps en compagnie de votre bambin et soyez prête à voir s'épanouir les deux meilleurs amis au monde.

## Les enfants plus âgés

Si vous avez des enfants plus âgés, vous vous demandez probablement : où trouverai-je le temps de m'occuper d'eux après la naissance du bébé ? Vous voulez savoir s'il y a de ces moments où un enfant plus âgé réclamera votre attention en même temps que le bébé. Bien sûr que cela se produira et c'est dans ces moments-là, et de cette façon, que se consolident l'amour mutuel et la compréhension, la base des bonnes relations humaines. Apprendre à faire passer les besoins d'un être plus vulnérable avant les siens est une très bonne leçon pour les enfants plus âgés. Vous ferez sans doute tous les efforts pour les aider à comprendre.

Lorsque vous discuterez de la venue d'un nouveau membre dans la famille, demandez à vos enfants plus âgés de penser à des façons de s'entendre et de s'entraider. Rappelez-leur que le nouveau-né sera le seul membre de la famille entièrement dépendant de vous, tout comme eux à leur naissance. Un jeune enfant acceptera ou du moins reconnaîtra plus facilement que les besoins du bébé doivent avoir la priorité, si on les lui présente de cette façon.

La période précédant la naissance constitue un excellent moment pour enseigner aux enfants plus âgés quelques petites tâches ménagères. Choisissez celles qui conviennent aux capacités de votre enfant et continuez à travailler avec lui lorsque c'est possible. L'enfant apprendra en vous regardant et les tâches routinières, comme laver la vaisselle, peuvent devenir des occasions précieuses de vous faire part de ses joies et peines. Les enfants ne prennent pas de rendez-vous avec leurs parents pour discuter de ce qui les préoccupe profondément. Un tel partage est possible au cours d'activités normales, lorsque les mains sont occupées mais que le cœur et l'esprit des parents et des enfants se rejoignent.

Ne soyez pas étonnée si votre jeune assistant manifeste peu d'enthousiasme à l'occasion. C'est normal. Ne ménagez pas les compliments et soyez patiente envers votre apprenti. Nous avons tous besoin de nous sentir utiles et les enfants, de savoir que leur famille compte sur eux pour accomplir la tâche qui leur a été assignée. Nous, parents, avons une occasion en or d'aider nos enfants à prendre des responsabilités et à se sentir fiers d'avoir fait le travail attendu et de l'avoir bien fait. Ne la laissons pas passer.

Les enfants d'âge scolaire acceptent habituellement très bien un nouveau-né. Ils aiment les bébés et ceux-ci le leur rendent bien. Les diverses activités extérieures auxquelles les enfants de cet âge prennent souvent part, et qui requièrent la participation d'un parent, peuvent parfois poser des problèmes. Il s'agit souvent de conduire l'enfant aux sports ou à un cours, d'assister à une activité récréative ou de travailler ensemble à un projet spécial. Ce genre de vie peut être mouvementé pour la mère d'un nouveau-né.

Vous devrez faire preuve de réalisme et de fermeté pour restreindre vos activités à ce moment. Ne faites que ce que votre bébé et vous pouvez vraiment accomplir. Votre conjoint peut vous donner un bon coup de main en partageant davantage les activités des enfants plus âgés lorsque cela lui est possible. Si une activité récréative particulière compte beaucoup pour un enfant plus âgé et que ni vous ni votre conjoint ne pouvez y participer, ne soyez pas gênée de demander l'aide d'un autre parent. Un ami ou un voisin pourrait conduire l'enfant pour quelques semaines, vous lui rendrez ce même service un peu plus tard.

Si vous choisissez d'emmener le bébé en auto avec vous, un siège d'auto pour enfant est obligatoire. Si vous l'utilisez rigoureusement dès la première sortie du bébé (probablement au moment du retour de l'hôpital), vous et votre bébé trouverez rapidement cette façon de faire normale. Pensez à allaiter votre bébé avant le départ en voiture, vous serez tous deux beaucoup plus détendus.

Vous serez fière que vos aînés en viennent à comprendre que le bébé est totalement dépendant et que cela exige parfois des sacrifices de leur part. Nous avons découvert que les pleurs du bébé bouleversent presque toujours les enfants plus âgés. Ils sentent que quelque chose ne va pas et ils ne retrouvent leur sourire que lorsque le bébé sourit aussi. Vous découvrirez qu'en donnant tout naturellement la priorité aux besoins du bébé vous faites preuve de bonté, exemple dont tous profiteront. C'est un bon moyen d'apprendre à vos enfants à devenir des parents affectueux.

## CRÉER SON PROPRE STYLE D'ÉDUCATION

Les parents doivent prendre de nombreuses décisions lorsque leurs enfants grandissent et que les besoins de la famille changent. Nous avons tous grandi avec une idée précise de ce que signifie être parent et élever des enfants. Nous avons peut-être grandi dans une famille aimante, affectueuse, et nous choisissons nos parents comme modèle lorsque nous avons des enfants à notre tour. Ou au contraire notre enfance n'a pas été heureuse et nous voulons que nos enfants profitent d'un meilleur climat familial.

D'une manière ou d'une autre, vous vous efforcerez d'apprendre tout ce que vous pouvez sur l'art d'être parents, le soin des enfants, leurs besoins et leur développement. De plus, les discussions entre parents partageant les mêmes valeurs et les mêmes préoccupations que vous peuvent se révéler inestimables. Les groupes de la Ligue La Leche vous donnent cette occasion. Quoique les thèmes des réunions mensuelles visent l'allaitement et les jeunes bébés, d'autres sujets sont souvent traités au cours des réunions qui sont planifiées selon les demandes.

Le congrès annuel de la Ligue La Leche vous donne également la chance d'approfondir votre compréhension de l'art d'être parent. Informez-vous auprès d'une monitrice pour connaître la date de cet événement.

# CHAPITRE 12

# L'alimentation

*L*e *développement* de votre bébé durant la grossesse dépend en grande partie d'une bonne alimentation, votre santé et votre bien-être aussi. De plus, le bien-être de votre bébé devrait vous fournir une bonne source de motivation qui facilitera les changements dans vos habitudes alimentaires.

Le lait maternel donnera un bon départ à votre bébé. Vous continuerez en lui offrant des aliments sains quand viendra le temps d'introduire des solides et en lui donnant de bonnes habitudes alimentaires qui le suivront tout au long de sa vie. Le meilleur moyen d'y parvenir, c'est en vivant dans une famille où tous se nourrissent bien.

Dans le présent chapitre, nous traitons de certains grands principes de nutrition afin de vous aider à choisir les aliments dont vous et votre famille avez besoin pour être en bonne santé. Nous vous encourageons à approfondir le sujet en lisant des livres sur une bonne alimentation et en vous tenant au courant des dernières recommandations diététiques provenant de sources fiables.

À la Ligue La Leche, nous considérons qu'une bonne alimentation consiste en un régime varié et équilibré, composé d'aliments servis dans un état aussi proche que possible de leur état naturel. À quelques exceptions près, plus un aliment est transformé, plus il perd ses éléments nutritifs. Pour vous aider à préparer des mets délicieux et nutritifs pour toute la famille, la Ligue La Leche a publié un livre de recettes accompagnées de trucs pour une saine alimentation. *MiLLLe et une recettes santé* présente des recettes rapides, faites à partir de denrées de base, et une sélection de plats principaux avec ou sans viande qui sauront ravir toute la famille. Ce livre est disponible auprès des groupes de la LLL.

## LES PRINCIPES DE BASE

Parmi les suggestions qui suivent, certaines proviennent du docteur Herbert Ratner dont la sagesse de la démarche vers une saine alimentation repose sur un choix équilibré d'aliments qui comblent tous nos besoins alimentaires. Voici ce qu'il suggère :

- Variez votre alimentation ;
- Mangez une variété de viandes et de végétaux ;
- Choisissez des parties différentes de viande et de végétaux.

Les gens cherchent instinctivement une variété de styles et de couleurs pour décorer leur maison et s'habiller. Le corps aussi profite d'un grand nombre d'aliments aux multiples saveurs, couleurs et, même, textures (élastique, moelleuse, ferme, juteuse et croustillante). D'ailleurs les différentes textures, couleurs et saveurs des aliments sont le reflet des divers éléments et des nombreuses valeurs nutritives nécessaires à notre corps.

Lorsque vous choisissez vos aliments, ne vous limitez pas aux animaux à quatre pattes, comme le bœuf, ou encore aux animaux terrestres. Ne recherchez pas seulement les muscles (souvent les parties les plus chères) comme les steaks, les côtelettes et les rôtis. Pensez aussi au foie, à la langue, aux ris, au cœur, aux rognons, au gésier, aux os pour le bouillon de soupe et à la bonne vieille saucisse préparée par vous ou votre boucher, sans produits chimiques, agents de conservation, colorants et sans trop de gras. N'oubliez pas non plus le lait, le fromage et les œufs.

Du côté végétal, n'arrêtez pas votre choix sur quelques végétaux seulement sans tenir compte des fruits, des noix, des légumineuses, des grains et des céréales. Il ne faut pas non plus se limiter aux légumes verts en excluant les légumes orangés ou jaunes. On peut également consommer différentes parties des végétaux. Il y a les feuillus, ceux qui se mangent en salade, la bette à carde, le chou vert, les feuilles de betterave, le chou frisé et tous les autres choux. Il y a aussi les légumes racines comme les carottes, les betteraves, les patates douces, les navets et les oignons. Il y a également les tiges et les tubercules telles l'asperge et la pomme de terre, sans oublier les fruits des plantes comme le maïs, les haricots et les tomates de même que les pommes, les oranges, les raisins, les bananes et les melons.

Le gras, nécessaire à la cuisson et à la préparation de certains aliments, fournit également de l'énergie. On distingue les gras d'origine animale ou végétale et le gras sous forme solide ou liquide. Le beurre, la crème, le saindoux et le gras de poulet font partie des gras de source animale. L'huile provenant de poissons, comme celle utilisée dans les capsules d'huile de foie de morue et de vitamine A, constitue aussi une bonne source de gras. Par contre, les diététiciens recommandent généralement une consommation modérée de toute source de gras, surtout d'origine animale, car bien des gens en mangent beaucoup trop.

## Variez vos menus

Quand vous planifiez les repas familiaux, pensez à offrir une variété d'aliments. Vous pourrez respecter vos préférences dans la mesure où elles ne sont pas trop restrictives et où vous ne les imposez pas à toute la famille. Après tout, vous ne voulez pas que vos enfants grandissent avec des habitudes alimentaires limitées.

Si vous, ou un autre membre de la famille, détestez un aliment en particulier, il existe toujours un substitut. Ainsi le fromage et le yogourt sont de bons substituts au lait. Les œufs remplacent bien la viande et le poisson, tout comme une combinaison de grains entiers, de noix, de pois, de fèves et de lentilles. C'est l'illustration d'une des lois de la nature : il existe une si grande variété d'aliments que chaque culture a toujours et partout disposé d'un vaste choix d'aliments comestibles. La grande diversité de plats nationaux nous le prouve. De plus, grâce aux moyens de transport modernes et à la mécanisation, nous disposons en tout temps et en abondance d'une grande variété d'aliments provenant de tous les pays du monde.

## Mangez au naturel

D'une manière générale, plus on s'éloigne de l'état naturel des aliments, plus on y perd en valeur nutritive. Les aliments frais sont préférables à ceux en conserve ou qui sont surgelés. Puisque la cuisson est un pas vers la transformation, il est préférable de consommer certains aliments crus. Cela est particulièrement vrai pour les fruits et les légumes, à quelques exceptions près. Par exemple, la vitamine A est mieux assimilée dans les carottes cuites. Toutefois, la plupart des aliments riches en protéines doivent être cuits. Tout en tenant compte de leur digestibilité, les aliments un peu moins cuits sont meilleurs que ceux qui le sont trop. Le mode de cuisson utilisé par les Chinois, c'est-à-dire faire sauter les aliments à feu vif en les remuant, permet de cuire rapidement les aliments tout en conservant plusieurs des éléments nutritifs et la saveur des aliments crus.

Choisissez des aliments variés et le plus près possible de leur état naturel, plutôt que d'avoir recours aux concentrés artificiels. Vous obtiendrez ainsi, en quantité suffisante, tous les éléments nutritifs essentiels connus de la communauté scientifique, sans compter ceux qui n'ont pas encore été découverts. Cette vision de l'alimentation est aussi plus économique et ne requiert pas de formation scientifique. Vous vous maintiendrez en bonne santé et vous aurez de plus un vaste choix pour satisfaire tous les goûts de votre famille.

## Les produits à éviter

### Les additifs chimiques

Moins il y en a, mieux c'est. Bien qu'elle ait apporté de nombreuses améliorations, la civilisation a aussi causé certains problèmes de nutrition. De nos jours, l'industrie de l'alimentation fait largement usage de produits chimiques visant à améliorer la couleur ou à prolonger la durée de conservation. Il faudrait faire davantage d'études afin de déterminer jusqu'à quel point ces produits sont sans danger pour la santé. Entre-temps, il semble plus sage de les éviter puisque certains de ces produits chimiques n'ont pas subi de tests rigoureux et que, par conséquent, on ne peut être sûr qu'ils sont sans danger. Lisez les étiquettes sur les emballages et choisissez des articles contenant le moins de produits chimiques ou de colorants. Mieux encore, chaque fois que vous le pouvez, préparez vous-même votre nourriture à partir des meilleurs produits disponibles.

### Le sucre

Un des grands coupables des désordres de l'appétit est le sucre. En effet, rien ne trompe autant la faim. Lorsqu'il est utilisé en grande quantité, il peut émousser notre goût pour les saveurs délicates des aliments frais et naturels. On peut facilement abuser du sucre, ce qui est particulièrement néfaste pour les bébés et les jeunes enfants, surtout parce qu'il satisfait l'appétit et remplace les aliments naturels et bons pour la santé. Le sucre est présent dans de nombreux desserts, bonbons et boissons gazeuses. Mais il y a aussi une quantité énorme de sucre « caché » dans d'autres aliments d'usage courant. Pour votre santé, il est essentiel que vous appreniez à lire les étiquettes sur chaque emballage de produit que vous achetez.

Plusieurs membres de la Ligue La Leche qui ont la réputation d'être de bonnes cuisinières ont appris à supprimer le sucre ou à en réduire grandement la quantité dans plusieurs recettes. Elles ont découvert qu'il est possible de réduire considérablement la quantité de sucre dans les desserts sans en changer la saveur. Par exemple, si votre famille raffole des desserts à la gélatine, préparez-les avec de la gélatine sans saveur et sucrez seulement avec des fruits mûrs. Si vous servez ce genre de dessert à vos tout-petits dès le début, ils en raffoleront. Au fur et à mesure que votre conjoint et vous réduirez votre quantité de sucre, vos papilles gustatives découvriront le goût du sucre naturel.

### Le sel

L'usage du sel (chlorure de sodium) dans l'alimentation est aussi discutable. Tout comme le sucre, on en abuse souvent pour améliorer la saveur de nos aliments. Cela peut mener à une surconsommation de sel qui risque d'être nocive. Chez certaines personnes, l'hypertension est liée à la surconsommation de sel. (L'hypertension peut causer un infarctus, l'une des principales causes de décès aux États-Unis.)

À l'origine, le sel servait d'agent de conservation ou à camoufler le goût désagréable des aliments qui commençaient à se détériorer par manque de réfrigération. Notre santé sera meilleure si nous réduisons notre consommation de sel. D'excellents cuisiniers ont découvert d'autres façons de rehausser les saveurs : ils utilisent du citron auquel ils ajoutent parfois des fines herbes, des épices ou d'autres condiments.

### Les céréales et les grains raffinés

Ces produits trompent également notre sensation de faim. Le traitement de plusieurs céréales et grains transforment ces aliments naturels en aliments non naturels. Ce procédé enlève aux céréales et aux grains une quantité importante de minéraux et de vitamines. Pour compenser, on les enrichit. Du point de vue de la santé publique, cette pratique constituait le meilleur moyen de corriger les carences nutritives car la préférence des gens allait de plus en plus vers les produits raffinés (blancs plutôt que jaunes ou bruns, mouture fine plutôt que grossière, etc.). Mais on ne fait qu'enrichir un produit de qualité inférieure ; ce procédé n'en fait pas pour autant un produit de qualité supérieure. En fait, le produit traité ressemble très peu à l'original.

Les céréales, avec lesquelles nous commençons souvent la journée, ont également perdu beaucoup de leurs éléments nutritifs. L'enrichissement tente tant bien que mal de les remplacer. Les céréales sucrées ne sont pas particulièrement bonnes pour la santé car elles ont une très faible valeur nutritive et contiennent beaucoup de sucre, source de carie dentaire et de réduction de l'appétit. Les céréales à grain entier, servies chaudes ou froides au petit déjeuner, sont excellentes et vous avez l'embarras du choix.

## BIEN SE NOURRIR

En suivant le cheminement que nous vous avons proposé et en développant l'art de présenter des mets succulents, vous rendrez la table familiale agréable et toute la famille en profitera du point de vue alimentaire. Voici quelques trucs pratiques qui vous aideront à bien vous nourrir.

### Lisez les étiquettes

Prendre l'habitude de lire la liste des ingrédients sur les emballages, les conserves et les bouteilles est très important. Cela vous aidera à choisir les aliments ayant une bonne valeur nutritive et à éviter ceux qui contiennent trop de sucre, de sel, de produits chimiques ou des ingrédients auxquels un membre de la famille peut être allergique.

Une autre raison pour laquelle il est important de lire la liste des ingrédients : les étiquettes sont souvent trompeuses. Une boîte portant la mention « boisson aux fruits » ne contient qu'une boisson à saveur artificielle de fruits. Ce n'est pas un jus de fruits pur. Le fabricant, en indiquant « boisson », respecte les normes d'étiquetage. La « boisson lactée » peut également porter à confusion. Les fabricants y donnent parfois la liste des vitamines ajoutées mais ces « boissons enrichies » ont une moins grande valeur nutritive que le lait.

Sachez faire la différence entre préparation de fromage, fromage fondu et fromage. Seul ce dernier ne contient rien de plus et rien de moins que le produit original.

Si, parmi les ingrédients énumérés, vous lisez « farine de blé », il s'agit de farine blanche. Pour avoir de la véritable farine de blé, il devra être écrit « farine à 100 % de blé entier ». De plus, il est bon de savoir que les ingrédients sont inscrits par ordre décroissant selon la quantité qu'on retrouve dans le produit. Par exemple, si le premier ingrédient est farine, cela signifie que le produit contient plus de farine que tout autre ingrédient. Si le deuxième ingrédient est sucre, dextrose ou sirop de maïs, c'est que le produit contient, après la farine, un sucre en plus grande quantité que n'importe quel autre ingrédient, et ainsi de suite. Les produits chimiques viennent habituellement en dernier mais certains produits ayant subi plusieurs traitements peuvent contenir plus d'ingrédients chimiques que d'aliments. Par exemple les succédanés de crème, certaines crème-desserts et certaines crèmes glacées contiennent plus de produits chimiques que tout autre ingrédient.

## Changez vos habitudes

Les habitudes alimentaires ne se changent pas du jour au lendemain. Il faut du tact, de la patience et de l'imagination pour introduire un nouvel aliment. Commencez en choisissant un aliment qui ressemble à l'aliment habituel. Quand vous faites les courses et que vous lisez les étiquettes, n'achetez pas les aliments que vous ne voulez pas que votre famille consomme. Si les adultes de la famille continuent à manger des biscuits et des croustilles, il est certain que les enfants en voudront aussi.

Une présentation différente peut rendre le nouvel aliment plus intéressant. Une tranche de pain de blé entier garnie de fromage fondu au four sera plus attirante pour un bambin si elle lui est coupée en forme de triangle ou de papillon. Une tranche de melon sur des feuilles de laitue devient un bateau voguant sur l'eau. Stimulez l'imagination de votre bambin en appelant « biscuit » une tranche croquante de pomme. Des bâtonnets de légumes, de diverses couleurs, accompagnés d'une trempette[1] attirent le regard. Même un contenant inhabituel peut piquer la curiosité des enfants ! Servez la collation dans de la vaisselle jouet, dans une tasse spéciale ou dans la boîte-repas de votre enfant. Essayez une boisson faite d'une banane, de lait, de quelques glaçons et d'un peu de vanille que vous passez au mélangeur. Servi dans un grand verre avec une paille, quel enfant pourra y résister ?

---

1. Sauce dans laquelle on peut tremper les légumes.

## Utilisez les grains entiers

L'introduction des grains entiers dans le régime alimentaire de votre famille peut s'avérer fort agréable puisqu'il existe des centaines de façons de les apprêter. Si votre famille n'aime pas l'avoine au déjeuner, essayez la semoule de maïs, soit comme céréale soit en polenta, ou lorsque vous en avez le temps le délicieux pain de maïs chaud. Certaines recettes combinent la semoule de maïs et la farine de blé entier alors que d'autres n'utilisent que la semoule de maïs. Le kasha fait partie des mets traditionnels de la population du Moyen-Orient et de l'Europe de l'Est. Il est nourrissant et facile à cuire. On peut le servir chaud ou froid, un peu comme le riz. L'arôme épicé des muffins au son et aux raisins attirera les membres de votre famille dans la cuisine. Il est en effet difficile de résister à un muffin frais sorti du four. Quelle agréable façon de bien commencer la journée ! Essayez aussi le müesli. Les recettes qui en contiennent sont abondantes et vous prendrez plaisir à le faire vous-même, surtout que le müesli vendu en magasin contient beaucoup de sucre et de gras.

Si votre conjoint et vos enfants plus âgés regimbent devant l'introduction du pain de blé entier, offrez-leur alors des sandwiches « moitié-moitié » faits d'une tranche de pain blanc et d'une tranche de pain de blé pour un certain temps. Les très jeunes enfants qui n'ont pas encore eu le temps de s'habituer à un goût différent apprécient d'emblée le pain de blé entier.

Vous pouvez introduire la farine de blé entier graduellement dans vos pains et pâtisseries. Remplacez une petite quantité de farine blanche par de la farine de blé entier dans vos recettes. Cela se fait très bien avec le pain cuit à la maison. Bien des mères ont découvert les plaisirs de faire du pain et elles ont trouvé cela plus facile qu'elles ne le pensaient. En augmentant graduellement la quantité de farine de blé entier, vous en viendrez à faire un pain de blé à 100 p. 100 dont le goût ne semblera plus « bizarre » à votre famille. Celle-ci en viendra peut-être à le préférer au pain blanc, surtout s'il sort tout chaud du four !

Si vous utilisez de la farine blanche dans vos recettes, préférez la farine non blanchie ; vous éviterez ainsi les produits chimiques servant au blanchiment. Pour obtenir une plus grande valeur nutritive, ajoutez une cuillerée à table de farine de soja par tasse de farine blanche. Ayant une grande teneur en protéines, le soja donnera plus de valeur nutritive à vos préparations et personne ne s'en apercevra. Le lait écrémé en poudre constitue aussi un excellent supplément si votre famille ne souffre pas d'allergie. Vous pouvez en ajouter une à deux cuillerées à table à une multitude de gâteaux, de pains, de muffins ou de crêpes sans en changer le goût ni la texture.

## Ajoutez des noix et des graines à vos recettes

Les noix et les graines naturelles, non traitées, contiennent tellement de bonnes choses qu'on ne doit pas les dédaigner. Rôties, elles sont aussi nourrissantes mais un peu moins que lorsqu'elles sont consommées fraîches. Vous augmenterez la valeur nutritive de vos salades de pommes de terre, de poulet ou de thon en y ajoutant une ou deux cuillerées à table de graines de sésame à l'état naturel et décortiquées. Elles sont si petites et leur saveur est si douce que personne ne les remarquera, même les plus difficiles. En saupoudrant les céréales du petit-déjeuner, ou le yogourt, de graines de tournesol fraîches ou de graines de sésame fraîches et décortiquées, vous en augmenterez la valeur nutritive et la saveur tout en les rendant croquantes. Vous pouvez ajouter des graines de sésame ou des noix hachées finement dans presque toutes vos pâtes à frire sans que personne ne s'en aperçoive. Ajoutons que les noix et les graines sont délicieuses dans les gaufres, les crêpes, les muffins et les pains.

Les petits emballages de noix et de graines vendus à l'épicerie sont relativement chers et leur contenu est bien souvent défraîchi. De nos jours, des magasins d'aliments en vrac ou d'alimentation naturelle offrent une variété de noix, de graines et de fruits séchés que vous pouvez acheter au kilo. Non seulement vous faites des économies appréciables, mais vous aurez aussi des aliments frais et plus savoureux. Conservez-les au congélateur pour en garder toute la fraîcheur.

Attention, cependant, de ne pas donner de noix aux enfants de moins de 3 ans. Ils ne peuvent les mastiquer suffisamment et risquent d'en inhaler des fragments.

## Diminuez votre consommation de viande

Si votre famille ne mange que du bœuf et du poulet, essayez cette façon rapide de préparer le poisson. Commencez par des filets frais ou congelés, sans arêtes, d'environ deux centimètres d'épaisseur. La façon la plus simple et la plus rapide de les cuire consiste à les griller. Plus le temps de cuisson est court, plus la valeur nutritive est élevée. Badigeonnez les filets de beurre fondu ou d'huile et faites-les griller environ cinq minutes de chaque côté, un peu plus longtemps s'ils sont congelés ou plus épais. Au moment de servir, saupoudrez de graines d'aneth, de paprika, de poudre de curry ou de toute autre épice que vous aimez. Arrosez ensuite de jus de citron frais ou garnir le plat de service de tranches de citron.

## Les collations

Offrez des collations nutritives, pas seulement quelque chose qui emplit l'estomac. Si vous, ou un de vos enfants, êtes affamée et que le repas n'est pas prêt, essayez les légumes crus ou un fruit frais. Si vous offrez à votre petit affamé une pomme ou une orange, pelée et coupée en bouchées, même le plus difficile ne pourra y résister. Même si cette collation réduit l'appétit déjà frugal de l'enfant, cela ne fait rien puisqu'il bénéficie d'un aliment nutritif. Considérez ce fruit comme une partie de son repas. Très souvent, un aliment nourrissant sera vite avalé s'il est offert avant le repas alors que le même aliment servi cuit dans une assiette aurait été dédaigné. Cela nous rappelle une mère qui avait pris l'habitude de faire cuire seulement la moitié des légumes qu'elle avait préparés. Elle servait l'autre moitié crue et ainsi chaque enfant avait le choix. Cependant, soyez vigilante si vous servez des carottes crues à un enfant de moins de 3 ans. Si elles ne sont pas bien mastiquées, elles peuvent être inhalées plutôt qu'avalées. Par contre, les jeunes enfants peuvent très bien manger d'autres légumes et fruits crus.

Les collations glacées présentent un attrait particulier lorsqu'il fait chaud, et elles peuvent également soulager les gencives douloureuses des enfants qui percent des dents. Parmi les collations nutritives, notons : les glaces au jus de fruit et au yogourt, les bleuets[2] congelés, les fraises, des tranches de pêche ou de poire et même les pois verts surgelés. De plus, les bananes congelées sur un bâtonnet sont bien meilleures pour vos enfants que les barres à la crème glacée.

Les fruits secs, y compris les raisins, sont nutritifs mais il faut éviter d'en faire une collation quotidienne. En effet, à cause de leur haute teneur en sucre ils peuvent altérer l'émail des dents. De plus, leur texture collante les fait adhérer aux fissures dentaires, échappant au brossage ; ils deviennent ainsi la source de caries. En outre, nombre de fruits secs ont été traités au soufre et enduits inutilement de miel ou bien roulés dans du sucre, ingrédients dont nous n'avons pas besoin. Par contre, si vous pouvez obtenir des fruits séchés au soleil, sans addition de sucre ou de miel, vous pourrez sucrer sainement vos gâteaux, biscuits ou muffins de blé entier. Cuits avec les pâtisseries, ils sont moins dommageables pour les dents.

---

2. Baie bleue ressemblant à la myrtille en France.

## Étanchez votre soif

Les jus de légumes et de fruits non sucrés ont une bonne valeur nutritive tout en étanchant votre soif. Il existe toute une variété de jus de pomme, de raisin, de tomate, de pamplemousse et d'ananas qui sont non sucrés et exempts de produits chimiques. Cependant il vous faut lire les étiquettes et éviter les « boissons aux fruits ». Des concentrés surgelés de jus d'orange, de pomme, de raisin ou autres, non sucrés, sont aussi disponibles. Le jus d'orange ou de pamplemousse fraîchement pressé est également délicieux. Ajoutez de l'eau minérale gazéifiée à du jus de fruit pour obtenir une boisson pétillante. Si vous avez toujours de ces jus prêts au réfrigérateur, votre famille apprendra à apprécier leur goût naturel.

N'oubliez pas l'eau ! Pour vraiment étancher la soif, il n'y a rien de mieux. Fraîchement sortie du réfrigérateur, elle a parfois plus d'attrait pour les jeunes. Versée d'un pichet aux couleurs vives, elle sera plus intéressante que la bonne vieille eau du robinet. Un verre d'eau glacée garni d'une tranche de lime est rafraîchissant par une chaude journée d'été. À cause de la popularité des boissons gazeuses, les parents doivent être patients, résister avec persistance et imaginer des substituts.

## Ayez votre propre potager

La meilleure suggestion que nous puissions vous faire est d'avoir votre propre potager. Tant mieux si vous disposez d'un peu d'espace sur votre terrain. Sinon, informez-vous s'il existe un potager communautaire dans votre quartier. Ou encore demandez à un ami ou un voisin de vous louer un espace en retour de quelques légumes et fruits frais.

L'odeur qui se dégage d'un jardin a quelque chose de particulier, l'odeur piquante des plants de tomates, le parfum suave des feuilles de carottes et l'odeur forte et âcre de la terre.

Si vous cultivez vos propres légumes, ils seront exempts des produits chimiques dont les agriculteurs arrosent le sol et des pesticides vaporisés sur les plants à différentes étapes de leur croissance. Malheureusement, certains de ces produits demeurent sur la pelure des fruits et des légumes et l'eau ne peut les enlever. En les épluchant pour enlever les produits chimiques, vous perdez aussi certains éléments nutritifs. Vous n'aurez pas à le faire avec le fruit de votre récolte.

# CONSEILS AUX MÈRES QUI ALLAITENT

Nous l'avons déjà dit : si vous avez de bonnes habitudes alimentaires, il n'y a pas de raison de les changer parce que vous allaitez. Rappelez-vous cependant qu'il vous faut manger suffisamment pour rester en bonne santé.

## Quelques rappels

Quand vous allaitez, vous ressentez naturellement le besoin de boire davantage et vous devriez boire suffisamment pour étancher votre soif. Vous pouvez prendre de l'eau, des jus de fruits ou de légumes, du lait, du bouillon ou d'autres liquides. Au début, l'excitation et les soins constants du bébé masqueront parfois votre soif. Des mères prennent un verre d'eau chaque fois qu'elles s'assoient pour allaiter leur bébé. Si vous urinez souvent et que votre urine est jaune pâle, c'est que vous buvez suffisamment.

La constipation (des selles dures et sèches) peut parfois être le signe secondaire d'un manque de liquides. Si vous souffrez de constipation, buvez davantage et mangez plus de fruits frais et de légumes crus. Assurez-vous aussi de manger suffisamment de grains entiers (pains et céréales). Évitez le recours aux produits pharmaceutiques. Il est préférable de prévenir ce problème en prenant l'habitude, pendant la grossesse, d'avoir une alimentation saine ; votre corps sera ainsi muni des éléments nécessaires pour faire face à ce problème après la naissance du bébé. De nombreuses mères se sont aperçues que la consommation de poires crues est très efficace pour garder les selles molles. Les prunes, crues ou cuites, ainsi que leur jus sont également efficaces.

## Les produits laitiers et les autres sources de calcium

Il n'est pas nécessaire de boire beaucoup de lait pour faire du lait. Si vous êtes allergique au lait, vous n'avez aucunement besoin d'en boire. En effet, le lait de vache est une bonne source de calcium mais c'est aussi un allergène courant. S'il y a des antécédents dans votre famille, réduisez votre consommation de lait pendant la grossesse car bien des bébés développent alors une sensibilité au lait. Par contre, les réactions allergènes apparaissent seulement après la naissance.

Il est aussi possible que vous n'aimiez pas le lait même si vous n'y êtes pas allergique. Il existe toutefois d'autres produits qui vous fourniront l'apport en calcium dont votre bébé et vous avez besoin. Le yogourt, les fromages à pâte ferme (cheddar, suisse et parmesan) et le fromage blanc[3] sont de bonnes sources de calcium. Bien des gens allergiques au lait peuvent tout au moins tolérer de petites quantités du produit allergène. La mélasse verte et le tofu, un dérivé des fèves de soja de plus en plus commercialisé, constituent également de bonnes sources de calcium tout comme le chou vert et le chou frisé cuits. Les graines de sésame moulues sont particulièrement riches en calcium. Vous pouvez les ajouter à vos pâtisseries, muffins ou pâtes à crêpe ou encore en saupoudrer les salades et les céréales.

En règle générale, la viande et les noix contiennent peu de calcium sauf ces trois aliments qu'il vaut la peine de mentionner, soit le foie, les amandes et les noix du Brésil. Pour ce qui est des poissons, on trouve beaucoup de calcium dans les sardines et le saumon en conserve dont on consomme normalement les arêtes. Contrairement aux arêtes pointues des autres poissons, celles-là sont rondes et suffisamment souples pour être mangées. De plus, elles ajoutent un côté croustillant à la texture plutôt molle des poissons.

## La caféine et les boissons gazeuses

Si vous êtes une grande consommatrice de café, de thé ou de cola, vous vous demandez peut-être si la caféine est nuisible à votre bébé.

Une quantité excessive de caféine, consommée par la mère, pourrait provoquer une réaction chez le bébé. Si vous prenez plus de deux ou trois tasses de café ou de thé par jour, que vous buvez des boissons gazeuses comme le Coca-Cola et que vous mangez du chocolat fréquemment, on peut dire que vous consommez une quantité importante de caféine. Si vous croyez que cela peut être la cause de l'agitation de votre bébé ou de son faible gain de poids, consommez moins de caféine durant une semaine et observez ses réactions. Comme bien des gens développent une accoutumance, il est possible que vous souffriez de maux de tête un jour ou deux si vous cessez brusquement de prendre de la caféine. En général, il est préférable de prendre les liquides sous forme d'eau, de jus ou de lait et de limiter votre consommation de café ou de thé.

Souvenez-vous que les boissons gazeuses contiennent, en plus de la caféine, beaucoup de sucre et n'ont aucune valeur nutritive. Celles sans sucre ne sont pas meilleures. Les édulcorants sont peut-être moins nocifs pour la dentition mais ils peuvent représenter un danger pour la santé. Rappelez-vous que

---

3. Au Québec, correspond au fromage « cottage ».

lorsqu'un enfant voit ses parents boire des boissons gazeuses, il voudra en faire autant.

## Les suppléments et vitamines

De nos jours, bien des gens vantent les vertus préventives ou curatives des vitamines ou des suppléments de minéraux. Bien sûr, il ne s'agit que de suppléments, ils ne remplacent pas une saine alimentation.

Votre médecin pourra prescrire des suppléments de vitamines et de minéraux pendant votre grossesse, plus particulièrement du fer, que vous emmagasinerez et qui remplacera celui utilisé par votre bébé. En effet, votre bébé se constitue une réserve de fer qu'il utilisera dans ses six premiers mois de vie. Votre médecin vous suggérera peut-être aussi de continuer à les prendre tout au long de la période où vous allaitez.

Bien des mères affirment avoir obtenu de bons résultats en prenant de la levure de bière qui est un concentré naturel de vitamines du complexe B. Certaines croient qu'elle les aide vraiment à augmenter leur production lactée. D'autres affirment qu'elle les permet de combattre la fatigue, le manque d'entrain et l'irritabilité. Évidemment la meilleure façon d'éviter tous ces problèmes, c'est d'améliorer son alimentation quotidienne et de prendre suffisamment de repos. Par contre, si vous pensez avoir besoin d'un coup de pouce, la levure de bière devrait faire l'affaire. En plus des vitamines du complexe B, elle contient beaucoup de fer et de protéines.

Par contre, certaines mères soulignent que leurs bébés sont sensibles à la levure de bière et manifestent de l'agitation.

## Un mot au sujet des régimes amaigrissants

Les mères se demandent s'il est possible de perdre du poids tout en allaitant. Eh bien oui ! En fait, l'allaitement facilite la perte du poids accumulé durant la grossesse. Après tout, ces kilos sont là pour emmagasiner l'énergie nécessaire à la production de lait maternel. Les nouvelles mamans qui n'allaitent pas doivent recourir aux régimes amaigrissants et à l'exercice pour perdre ce poids. Les mères qui allaitent ont une longueur d'avance car pour produire du lait elles devront puiser à même les réserves de graisses accumulées.

Selon Judith Roepke, diététicienne à l'Université Ball State, dans l'Indiana, et membre du Comité consultatif de la Ligue internationale La Leche, la période de lactation est idéale pour perdre du poids. En effet, la lactation semble même utiliser les graisses accumulées avant la grossesse. Mais il importe d'y aller doucement. Elle suggère que les mères qui allaitent ne fassent rien pour provoquer la perte de poids pendant les deux premiers mois postnatals. Le corps a besoin de cette période pour se remettre de l'accouchement et pour établir une bonne sécrétion lactée ; la plupart des mères perdront quelques kilos de toute façon avec un régime normal. Si après deux mois vous n'avez pas perdu de poids, il vous faudra alors augmenter votre niveau d'activité tout en réduisant votre apport calorique, en consommant moins de féculents et de sucre. Mettez le bébé dans sa poussette ou un porte-bébé et allez faire une promenade de trois kilomètres cinq fois par semaine. En même temps, réduisez votre régime quotidien de 100 calories et vous pourriez en arriver à perdre un kilo ou plus en un mois. Ce n'est pas une grande perte de poids, mais cela vous assure que votre bébé et vous serez bien nourris. De plus, l'exercice procure des bienfaits qui vont bien au-delà de la perte de poids et de centimètres au tour de taille.

Les diètes intensives, les diètes à la mode et les pertes de poids rapides causent des problèmes aux mères qui allaitent. Les graisses emmagasinent les contaminants environnementaux comme les BPC et les pesticides. En perdant du poids rapidement, les contaminants seront libérés et passeront dans votre sang ; votre lait risque donc d'en contenir davantage. Malheureusement, les contaminants font partie de la vie moderne, mais quand c'est possible, il est judicieux de ne pas trop exposer votre bébé. Les régimes à haute teneur en protéines et faibles en hydrates de carbone sont potentiellement dangereux car les substances libérées dans le lait maternel modifient le métabolisme de la mère. Qui plus est, toute perte de poids rapide risque d'entraîner une baisse de la production lactée.

De nombreuses mères ont constaté qu'elles perdaient du poids en allaitant. Éviter les sucreries et les aliments vides (riches en calories mais faibles en valeur nutritive) et s'en tenir à une alimentation saine, voilà souvent tout ce qu'il faut pour perdre du poids. De plus, une alimentation saine vous aidera à combattre la fatigue et à mieux vivre les bouleversements émotifs qui accompagnent inévitablement la nouvelle maternité.

## Précautions particulières

### Le tabagisme

Vous connaissez sans doute déjà les statistiques alarmantes concernant les effets du tabagisme. Les dangers éventuels de la cigarette pendant la grossesse vous ont peut-être encouragée à cesser de fumer ou à diminuer considérablement. Cependant, malgré toutes vos bonnes intentions, vous fumez encore à la naissance de votre bébé et vous vous demandez si cela aura un effet sur l'allaitement.

Moins vous fumerez, moins il y aura de possibilités de voir surgir des problèmes. La mère, en fumant le moins possible, diminue les risques. Certaines mères fument et allaitent sans aucune difficulté. En règle générale, si la mère fume moins de 20 cigarettes par jour, le taux de nicotine dans le lait maternel n'est habituellement pas suffisant pour occasionner des problèmes au bébé. En effet, la nicotine est difficilement absorbée par le tube digestif du bébé et elle est métabolisée plutôt rapidement.

Lorsqu'une mère fume plus de 20 cigarettes par jour, les risques s'accroissent. Cela peut réduire la production lactée. Dans de rares cas, on a observé des symptômes chez le bébé allaité tels que des nausées, des vomissements, des douleurs abdominales et de la diarrhée.

Une étude a démontré que le tabagisme réduit le taux de prolactine chez la mère qui allaite. D'autres études ont prouvé qu'il entravait le réflexe d'éjection. Si vous fumez, abstenez-vous de le faire pendant que vous allaitez votre bébé.

La fumée des autres est potentiellement nocive pour les bébés et les jeunes enfants. Une étude parue dans le journal médical *Lancet*, publié en Angleterre, fait état d'une corrélation entre l'habitude de la cigarette chez les parents et l'incidence de pneumonie, de bronchite et de syndrome de mort subite du nourrisson chez le bébé pendant sa première année.

Les inquiétudes concernant les effets du tabagisme sur la mère et son bébé sont légitimes. L'idéal c'est de s'abstenir de fumer. Cependant, pour celles qui ne peuvent cesser, une autre possibilité plus réaliste consiste à diminuer considérablement. Lorsqu'il y a des enfants dans la maison, il est préférable de fumer dans une pièce séparée, loin d'eux. Ouvrez une fenêtre ou utilisez un ventilateur. Mieux encore, ne fumez qu'à l'extérieur.

### Les boissons alcoolisées

La mère inquiète et surmenée peut parfois croire qu'un verre de vin ou de bière l'aidera à se détendre à l'occasion. Évidemment, à mesure que la mère se détend, le bébé se détend aussi.

Chez le bébé allaité, les effets de l'alcool sont directement liés à la quantité ingérée par la mère. Lorsque la mère boit modérément (deux verres ou moins par jour), la quantité d'alcool absorbée par le bébé ne semble pas lui être nuisible. Par contre, on recommande généralement de ne prendre aucune boisson alcoolisée pendant la grossesse.

Autrefois on suggérait de prendre une boisson alcoolisée pour favoriser le réflexe d'éjection chez la mère. Dans certains cas, à cause des différents effets sur le système nerveux central, de grandes quantités d'alcool peuvent inhiber ce réflexe.

L'allaitement est en lui-même un excellent tranquillisant, mais il faut vous relaxer. Nombre de mères qui ont choisi de ne pas prendre de boissons alcoolisées ont découvert que la tension disparaît avec une tasse de thé chaud, ou glacé, ou avec leur boisson préférée. S'allonger peut faire des merveilles, et écouter de la musique est apaisant. Mais ce qu'il y a de plus agréable, c'est de sentir le réconfort des bras de votre conjoint autour de vous lorsque vos nouvelles responsabilités vous rendent anxieuse.

### Les stupéfiants et les médicaments

Vous devriez prendre l'habitude de ne pas absorber quelque médicament que ce soit, sauf si c'est absolument nécessaire et que le médecin l'a prescrit ou recommandé.

Généralement, il existe très peu de médicaments que la mère qui allaite ne doit pas prendre. Nous en discutons davantage dans un autre chapitre.

Quant aux stupéfiants, il est préférable de les éviter. Les recherches sur les effets chez le bébé allaité ne sont pas concluantes, mais les drogues peuvent réduire les capacités de la mère à prendre soin de son bébé. On a découvert que l'usage de la marijuana, par exemple, peut réduire considérablement le taux de prolactine, l'hormone « maternelle » si importante pour une production suffisante de lait et pour la relation mère-enfant. De petites quantités de THC, l'élément chimique actif de la marijuana, ont été décelées dans le lait maternel de femmes qui en font usage. Pourquoi courir le risque d'exposer votre bébé à un élément potentiellement nocif ?

Bien prendre soin de vous et du bébé, cela va ensemble. L'apprentissage d'une alimentation saine peut améliorer la santé des membres de votre famille et multiplier les plaisirs de la vie en général. Vous verrez qu'il en vaut la peine de bien nourrir votre famille.

# VOTRE BÉBÉ GRANDIT

# CHAPITRE 13

# Introduction des solides

*La tendance* à introduire les aliments solides de plus en plus tôt est apparue avec l'avènement du biberon. Une rivalité s'est alors installée entre les mères (et parfois entre les médecins). C'était à qui aurait le plus gros bébé, mangeant le plus de toutes sortes d'aliments, le plus tôt possible. Même l'industrie de l'alimentation pour nourrissons a favorisé et encouragé cette tendance. On a fait croire aux mères qu'il y avait un avantage à donner des aliments solides très tôt.

Les scientifiques savent maintenant, pour l'avoir vérifié, que le lait maternel constitue la nourriture par excellence pour les bébés. Il est l'aliment complet que la nature a prévu pour eux. Les nourrissons se développent mieux sans l'introduction hâtive d'aliments solides à leur régime. Pour le bébé né à terme et en bonne santé, le lait maternel est l'aliment par excellence durant les six premiers mois au moins. Il n'y a habituellement aucune raison d'introduire quelque nourriture que ce soit avant ce temps dans l'alimentation du bébé allaité. En 1990, les participants à la réunion de l'Organisation mondiale de la santé et de l'UNICEF, dont le thème était « L'allaitement maternel dans les années 90 : une initiative mondiale », ont déclaré ce qui suit :

*Dans le but d'assurer une santé et une nutrition optimales aux mères et aux enfants dans le monde entier, il faudrait que chaque femme ait la possibilité de nourrir son enfant au sein exclusivement et que chaque nourrisson soit nourri exclusivement au lait maternel jusqu'à l'âge de 4 à 6 mois. C'est-à-dire qu'aucun aliment ni boisson autre que le lait maternel n'est donné au nourrisson.*

Deux bonnes raisons au moins justifient cette attente avant d'introduire les solides. Premièrement, vous voulez maintenir votre sécrétion lactée et plus le bébé prend de solides moins il prendra de lait. Par conséquent, moins il prend de lait, moins vous en produisez. La mère qui introduit tôt les solides se rendra très vite compte que sa sécrétion de lait diminue. En introduisant les aliments solides dans le régime du bébé avant qu'il n'en ait besoin, la mère remplace un aliment d'excellente qualité par d'autres de qualité inférieure. Deuxièmement, plus le bébé est jeune, plus il y a de risque de développer des allergies à tout autre aliment que le lait maternel. En effet, le lait de vache, présent dans la plupart des laits artificiels, constitue l'allergène le plus fréquent. La majorité des aliments solides sont mal absorbés par le système digestif et peuvent causer une réaction désagréable chez le bébé âgé de 2 mois. Par contre, ils seront bien assimilés par le même bébé lorsqu'il aura 6 mois ou plus.

Durant les quelques mois où le système digestif du bébé se développe au point de pouvoir digérer les autres aliments sans problème, il est sage et préférable de lui donner la meilleure nourriture qui soit, celle que la nature a mis des millions d'années à perfectionner.

Certains bébés sujets aux allergies refuseront les aliments solides même à 6 ou 8 mois. C'est peut-être le moyen choisi par la nature de les protéger des aliments qui pourraient leur occasionner des problèmes. Ces bébés peuvent très bien se développer uniquement grâce au lait maternel jusqu'à ce que leur système puisse tolérer d'autres aliments.

Vers l'âge de 6 ou 7 mois, la plupart des bébés commencent à percer des dents et leur besoin naturel de mâcher et de mordre se fait plus pressant. La bouche et la langue du bébé sont maintenant plus habiles et son système digestif est probablement prêt à absorber de nouveaux aliments.

Votre bébé vous montrera par des signes qu'il est prêt à manger. Observez-le et oubliez le calendrier. Vers l'âge de 6 mois, il pourra subitement demander à téter plus souvent. Si malgré les tétées plus fréquentes, il en veut toujours plus durant 4 à 5 jours consécutifs, vous pouvez supposer que le moment est venu d'introduire les aliments solides. Cependant, s'il a moins de 6 mois, ne vous emballez pas dès ces premiers signes et n'introduisez pas les solides trop tôt car la raison de son comportement peut être tout autre. Il a peut-être pris froid et il a plus souvent besoin du réconfort du sein. S'il est malade, ce n'est pas le moment d'introduire un nouvel aliment. Peut-être que l'augmentation de vos activités vous rend plus pressée et plus tendue, il vous demande alors un peu plus d'attention. Si la faim n'est pas la source de sa mauvaise humeur, n'allez pas introduire un nouvel aliment, il est déjà assez perturbé. Ne prenez pas de risque et allaitez plus souvent quelques jours d'affilée avant de conclure que la faim est réellement responsable de son changement de comportement.

## SES PREMIERS ALIMENTS

Lorsque les bébés sont prêts à manger des aliments solides, ils sont également capables de s'asseoir dans une chaise haute et ils veulent tout mettre dans leur bouche, naturellement. Pour introduire les solides, il suffit d'installer le bébé dans sa chaise ou, si vous préférez, sur vos genoux et de le laisser goûter quelques morceaux de son premier aliment.

Généralement, les premiers repas solides se passent plus facilement si vous allaitez d'abord votre bébé, ce qui calmera son appétit. Sinon il ne sera pas d'humeur à essayer quelque chose de nouveau. Avec un peu de pratique et de patience de votre part, il comprendra assez rapidement. Ces premières tentatives visent principalement à lui faire accepter l'idée de la nourriture, pas à lui remplir l'estomac. Pour commencer, utilisez une petite cuillère à peine remplie, soit environ un quart de cuillerée à thé. Si votre bébé est indépendant et refuse la cuillère, présentez-lui des aliments qu'il pourra prendre avec ses doigts et porter lui-même à sa bouche. En saisissant de petits morceaux comme des pois ou des haricots cuits, il développera sa motricité fine et il apprendra à coordonner ses mouvements. Vers l'âge d'un an il pourra probablement s'alimenter seul, presque sans votre aide.

À ce moment-ci, un mot d'avertissement semble nécessaire. La plupart des bébés ont un excellent réflexe qui leur permet de ramener dans leur bouche ce qu'ils ont avalé de travers. De toute façon, pendant que votre bébé apprend à manger vous ne voudrez pas le laisser seul ni quitter la pièce. De plus, ne lui donnez pas d'aliments à mâchouiller lorsqu'il est couché car il pourrait s'étouffer s'il poussait l'aliment trop loin dans sa gorge.

## Oubliez les bonnes manières

Ce n'est pas le moment de vous préoccuper des bonnes manières. Un bébé affamé devient vite frustré s'il est soudainement « attaqué » par une serviette humide quand ce qui l'intéresse est une bouchée savoureuse. Freinez vos élans de propreté pour l'instant. Votre bébé commence à apprendre les rudiments de l'alimentation et n'est pas encore prêt pour les leçons de bienséance. Couvrez-le d'un grand bavoir et recouvrez le plancher sous sa chaise haute d'un carré de plastique (un vieux rideau de douche, par exemple) ou placez simplement cette dernière sur une surface facile à nettoyer.

Vous éviterez également les dégâts et favoriserez son apprentissage si vous mettez une seule chose à la fois sur la tablette, une bouchée de nourriture, par exemple. Un peu plus tard vous y mettrez une assiette incassable contenant une petite portion d'un seul aliment et (après l'assiette) une petite tasse incassable à moitié remplie. Servez de petites portions.

Il faut introduire les nouveaux aliments un à la fois. Cela veut dire un aliment seul et non des plats comme une soupe ou un ragoût ni même des céréales mélangées. Cette précaution a pour objet de protéger le bébé de 6 ou 7 mois d'une éventuelle réaction allergique bien que les possibilités soient beaucoup moins grandes que pour un jeune bébé. S'il présente des éruptions ou de l'érythème fessier, signes potentiels d'allergie, et que vous avez introduit les aliments un à la fois, vous saurez lequel est responsable. Vous pourrez alors l'éliminer temporairement de son alimentation. Attendez l'âge d'un an au moins avant d'introduire des aliments causant déjà des réactions allergiques chez d'autres membres de la famille.

C'est une bonne idée d'attendre une semaine avant d'introduire un nouvel aliment. Il n'y a aucun avantage à essayer d'introduire une très grande variété d'aliments dans le moins de temps possible. Au contraire, il est préférable de laisser le bébé explorer à fond chaque nouvel aliment avant de lui en offrir un autre. La première journée, donnez un quart de cuillerée à thé du nouvel aliment à un repas. Augmentez graduellement la quantité pour qu'à la fin de la semaine il en mange autant qu'il en veut deux ou trois fois par jour. Il vous fera savoir qu'il n'en veut plus en tournant la tête à l'approche de la cuillère, en pinçant fermement les lèvres, en crachant les aliments ou par tout autre geste. Respectez son appétit. Ne le cajolez pas, ne le poussez pas et ne le forcez pas pour qu'il mange. Cela risque d'entraîner des problèmes d'alimentation. Donnez-lui seulement la quantité qu'il veut bien prendre et non celle que vous croyez qu'il devrait prendre.

Les bébés aiment ou n'aiment pas certains aliments, tout comme nous. Ainsi, si votre bébé refuse un aliment précis, ne vous affolez pas. Oubliez cela et essayez autre chose. Même si durant une semaine il a mangé avec appétit une banane par jour et que tout à coup il n'en veut plus, respectez son choix. Il n'est pas malade, il ne peut tout simplement plus voir une banane !

Lorsque le bébé a bien accepté un aliment, continuez à lui en donner une petite quantité au moins une fois par semaine environ. Cela évitera la possibilité de développer une réaction allergique si on doit le réintroduire après un certain temps. Par mesure de prudence, continuez ainsi jusqu'à ce que votre bébé ait un an.

## Les vitamines

Si votre régime alimentaire contient assez de vitamines, votre lait aussi en contiendra suffisamment et en quantité idéale pour votre bébé. Les recherches le confirment. Votre médecin vous suggérera sans doute de continuer à prendre les vitamines que vous preniez pendant la grossesse si vous allaitez. Les suppléments de vitamines pour bébés ont connu leur essor avec les laits artificiels, qui ne sont pas encore l'idéal. Aussi longtemps que votre bébé se développe uniquement grâce à votre lait, il n'a pas besoin de suppléments de vitamines, de fer, de fluor ou autres les premiers mois.

# LE CHOIX DES ALIMENTS

Les aliments commerciaux pour bébés ne sont pas nécessaires selon nous. En effet, ils coûtent plutôt chers et certains contiennent des additifs et des agents de conservation. Si vous utilisez ces produits, lisez les étiquettes pour en connaître la composition exacte. Malgré les nombreuses améliorations effectuées au cours des dernières années, il est préférable et plus simple pour les bébés de commencer à manger les mêmes aliments que nous. Si vous êtes consciente de l'importance d'une alimentation saine et que les habitudes alimentaires de votre famille sont bonnes, alors ce que vous mangez sera tout aussi bon pour votre bébé. De plus, cela facilite la transition vers les repas familiaux. (Consultez le chapitre 12, « L'alimentation ».)

Pour rendre certains aliments plus faciles à manger pour le bébé, vous pouvez utiliser un mélangeur ou un robot de cuisine. Cependant une fourchette fera l'affaire pour la plupart des aliments que vous lui donnerez. Si votre bébé est âgé de 6 mois ou plus quand vous introduisez les aliments solides, il n'est pas nécessaire de lui donner des purées.

Voici quelques indications pour l'introduction des aliments solides.

## La banane écrasée

C'est excellent comme premier aliment car elle est rafraîchissante et saine. Sa valeur nutritive est plus grande que celle des céréales. En général les bébés adorent la texture molle de la banane mûre. La première fois, offrez une petite portion à votre bébé, puis augmentez graduellement les quantités. Par la suite, vous pourrez lui en donner un morceau entier qu'il pourra prendre dans ses mains et écraser lui-même... entre ses doigts ! Cela éliminera du coup un aliment en purée tout en contentant votre enfant qui veut se nourrir seul.

S'il n'aime pas la banane, la patate douce constitue un autre bon choix. Il est préférable de la faire cuire entière afin d'en conserver tous les éléments nutritifs. La patate douce a une saveur délicate et sa valeur nutritive est excellente. De plus, la plupart des bébés l'aiment.

## La viande

On introduit la viande tôt à cause de sa grande teneur en fer et en protéines. Il est facile de modifier la consistance de la viande pour le bébé. Le bœuf haché, à bouillir, ou de tendres morceaux de poulet se coupent facilement en menus morceaux ou s'écrasent bien à la fourchette. Mieux encore, grattez une pièce de viande crue à l'aide d'un couteau. La viande tendre se détachera tandis que les parties filandreuses, plus coriaces, resteront ensemble. Vous pourrez alors cuire cette viande pour votre bébé.

Quand le bébé mange une sorte de viande depuis une semaine, offrez-lui un os de grosseur moyenne, lisse et à bouts ronds, auquel adhère encore un peu de viande. Un pilon de poulet conviendra parfaitement et il est juste de la bonne grosseur. (Enlevez d'abord le petit os long et étroit.) Il est plus que probable qu'il le mordillera avec un plaisir évident, surtout s'il a un urgent besoin de mâcher et de mordre. De plus, c'est excellent pour sa coordination musculaire.

Afin d'avoir toujours sous la main de la viande pour votre bébé, gardez au congélateur des portions de bœuf ou de poulet cuit, préalablement coupé ou haché, enveloppées individuellement. Si vous servez à votre famille de la viande que votre bébé ne peut manger sans difficulté, réchauffez doucement une portion de viande congelée dans une casserole couverte ou même dans son emballage d'aluminium. L'humidité de la viande congelée se transformera en vapeur qui aura tôt fait de réchauffer la portion.

### Le poisson

C'est un autre aliment riche en protéines. Il convient parfaitement au bébé et contient beaucoup d'éléments nutritifs. Si votre menu comporte régulièrement du poisson, vous pouvez donc en offrir aussi au bébé. Attention aux arêtes. Vérifiez chaque morceau entre vos doigts avant de le donner au bébé. Attendez qu'il soit plus âgé avant de lui offrir du poisson fumé ou mariné et des crustacés.

### Les pains complets et les céréales complètes

Servies entre les repas ou pendant que vous préparez le dîner, des bouchées de pain complet séché ou grillé sont pratiques et faciles à mastiquer pour votre bébé. Le pain à 100 p. 100 de blé entier est le plus répandu mais les autres pains complets constituent également un bon choix. Si vous servez régulièrement une céréale complète cuite, vous aurez peut-être envie d'en servir aussi à votre bébé. Assurez-vous d'abord qu'elle ne contient ni sucre ni édulcorant, puis faites-la cuire avec de l'eau et non du lait. Évitez les céréales mélangées tant que votre bébé n'a pas goûté chacune d'elles individuellement. Les céréales prêtes à servir pour bébé, qui sont traitées, n'ont pas la même valeur nutritive que celles que vous préparez à la maison. Sans compter qu'il s'agit d'une dépense supplémentaire.

Le pain complet grillé (ou un croûton de pain séché) a un autre avantage : on peut facilement le tartiner. Par exemple, une tartine de beurre d'arachides est toujours appréciée et elle est très nourrissante. Optez pour une marque naturelle, sans édulcorant ni agent de conservation. Les bébés l'aiment. Un peu plus tard, les pâtes à tartiner nutritives faites à la maison et les pâtes à tartiner au fromage pourront s'ajouter au menu.

### Les fruits frais

On peut râper ou gratter à la cuillère une pomme ou une poire crue, pelée, et déposer ces râpures sur la tablette de la chaise haute. Dans peu de temps vous pourrez offrir à votre bébé un morceau de pomme pelée, une poire mûre ou une pêche à grignoter. Les abricots, les prunes et le melon sont aussi bons. Si votre bébé a plus de 8 mois, offrez-lui les autres fruits frais de l'été mais avec prudence. En effet, les bébés éprouvent parfois des difficultés avec les minuscules noyaux de certains petits fruits.

Les bleuets congelés se mangent très bien avec les doigts et votre bébé appréciera leur goût froid et croquant, surtout s'il perce des dents. Par contre, les agrumes peuvent parfois être source d'allergies ; c'est pourquoi il est préférable d'attendre que le bébé ait environ un an avant de lui en donner. On peut alors commencer par des quartiers de mandarine en ayant soin de les épépiner auparavant.

Évitez de servir des fruits en conserve car ils contiennent du sucre. Ils ont une valeur nutritive moindre que les fruits frais, mais il vaut mieux servir des fruits en conserve non sucrés plutôt que pas de fruit du tout. Les fruits séchés comme les raisins, les dattes ou les figues ne devraient pas être offerts au bébé avant qu'il ait un an. Par la suite, offrez-les à l'occasion seulement. Bien qu'ils soient nourrissants, ils sont très sucrés et ils ont tendance à coller entre les dents, ce qui cause des caries.

### Les légumes

La patate douce, comme nous l'avons déjà suggérée, et la pomme de terre constituent deux bons choix pour le bébé. N'ajoutez ni beurre ni margarine si vous n'avez pas préalablement introduit les produits laitiers.

Vous pouvez aussi mélanger un peu de carotte crue, finement râpée, à une pomme râpée ou à un autre aliment que votre bébé mange déjà. Les carottes cuites sont bonnes également. Les autres légumes cuits, servis aux repas familiaux, seront offerts un à la fois comme pour tout nouvel aliment. Certains tout-petits raffolent des légumes congelés tout juste sortis de leur emballage. C'est le cas des petits pois qu'ils peuvent prendre un à la fois entre leurs doigts et porter à leur bouche.

Ne vous inquiétez pas si, au début, vous trouvez des petits morceaux de légumes non digérés dans les selles de votre bébé. Les légumes, même cuits, sont plus difficiles à digérer que la plupart des autres aliments.

Les légumes crus ont une plus grande valeur nutritive que les légumes cuits mais la plupart sont trop difficiles à mâcher et à digérer pour un bébé. Certains légumes crus, particulièrement les carottes et le céleri, peuvent être dangereux pour l'enfant car il peut en inhaler des morceaux au lieu de les avaler.

### Les œufs

Les œufs, particulièrement le blanc d'œuf, semblent l'une des causes les plus fréquentes d'allergies. Il est donc préférable d'attendre que votre bébé ait au moins un an avant de les introduire dans son alimentation. Commencez par offrir des œufs durs. Au début, servez le jaune d'œuf écrasé et humecté selon son goût. Commencez par un quart de cuillerée à thé et augmentez graduellement d'un quart de cuillerée à thé à la fois. Quand votre bébé mange des œufs depuis un mois environ, vous pouvez lui offrir des œufs brouillés. Généralement les bébés aiment les manger avec les doigts. Vous pouvez aussi faire cuire un œuf avec ses céréales pour en augmenter la valeur nutritive.

### Le lait de vache et les produits laitiers

Évitez le lait de vache si des membres de la famille y sont allergiques ou si votre bébé a déjà montré des signes d'allergie. Le seul lait dont il a besoin est le lait maternel. Dans certains pays les adultes ne boivent pas de lait du tout, pourtant ils s'alimentent bien et sont en bonne santé.

Lorsque le bébé a 9 ou 10 mois, on peut introduire le fromage blanc, le yogourt et les fromages. Ces produits fournissent du calcium et d'autres éléments nutritifs, et ils risquent moins de provoquer des allergies que le lait de vache. À cet âge, vous pouvez également ajouter du beurre et de la margarine, mais en quantité modérée.

## BOIRE À LA TASSE

Vers l'âge de 10 à 12 mois, vous pouvez offrir à votre bébé de l'eau ou du jus, dans une tasse, une fois par jour soit à un repas ou au goûter selon ce qui vous convient le mieux. Il n'y a aucune raison de vous presser. Pendant un certain temps il en renversera plus qu'il n'en boira. Voici ce que conseille Betty Wagner, une mère fondatrice de la LLL, pour apprendre à boire au bébé : laissez-le boire à une petite paille. (Celles qui se plient sont efficaces.) Il sait très bien aspirer et cela fait moins de dégât, rien ne dégoutte. Ou encore, essayez la tasse en plastique munie d'un couvercle bien ajusté, d'un bec verseur et qu'il est impossible de renverser.

Du lait maternel, de l'eau, des soupes faites à la maison (celles en conserve contiennent beaucoup de sel et des agents de conservation), des jus de fruits et de légumes non sucrés, voilà les liquides que votre bébé devrait boire. Ne lui donnez pas de boissons gazeuses, elles contiennent beaucoup de sucre ou d'édulcorants et parfois de la caféine. De plus, elles n'ont aucune valeur nutritive. Rien ne vaut un bon verre d'eau pour étancher la soif.

## LES ALIMENTS À ÉVITER

Vous remarquerez sans doute que depuis le début nous vous suggérons de donner à votre bébé des aliments complets et nutritifs. Nous vous conseillons vivement d'éviter les aliments traités qui renferment souvent beaucoup de sucre, de sel, d'agents de conservation et de produits chimiques.

Lorsque vous aurez donné un bon départ à votre bébé en l'allaitant, nous sommes convaincues que vous voudrez continuer sur la même voie quand il commencera à manger. Votre bébé sera tout aussi satisfait sans biscuit, ni bretzel, ni biscuit de dentition, ni crème-dessert, ni crème glacée. Faites-lui d'abord découvrir le goût naturellement sucré des fruits frais et la bonne saveur des grains entiers. C'est à cet âge qu'il faut lui faire prendre les bonnes habitudes alimentaires qu'il conservera toute sa vie.

L'introduction des solides peut prendre en tout de trois à six mois. Lorsqu'il mangera une grande variété d'aliments sans signe d'allergie ni problème digestif, vous pourrez lui offrir des mets cuisinés ou introduire un nouvel aliment sans crainte. Aussi longtemps que vous lui offrirez des aliments sains et nutritifs, fiez-vous à son appétit et donnez-lui ce qu'il veut quand il a faim.

À mesure que vous faites connaître divers aliments à votre tout-petit, vous aurez certainement envie d'en savoir plus sur une alimentation saine pour toute la famille. Le livre *MiLLLe et une recette santé*, publié par la Ligue La Leche, vous donnera de bonnes suggestions pour bien nourrir toute votre famille.

# CHAPITRE 14

# Sevrer graduellement, avec amour

**Q**uand est-ce que je vais sevrer mon bébé ? Comment faire ? Combien de temps faudra-t-il ? Certaines mères s'inquiètent déjà du sevrage alors que leur bébé n'a que quelques semaines.

Pourquoi les mères se tracassent-elles au sujet du sevrage quand elles commencent tout juste à allaiter ? Il y a sûrement de nombreuses raisons à cela mais nous croyons que la raison principale est liée au fait que, dans notre société, on s'attend à ce que les bébés soient sevrés tôt. Les mères sont mal à l'aise à l'idée que leur bébé tète encore après avoir atteint l'âge où, selon la société, il devrait être sevré. Nous croyons que, idéalement, la relation d'allaitement devrait se poursuivre jusqu'à ce que le bébé n'en ait plus besoin.

Une mère ayant sevré à cause des critiques des autres nous a fait cette réflexion concernant sa décision : « J'ai laissé les pressions sociales mettre fin à l'une des expériences les plus importantes que j'ai eues avec mon fils... J'aimerais pouvoir tout recommencer maintenant que je suis plus sûre de moi. »

## Plus que du lait

Votre bébé continue à profiter des bienfaits du lait maternel aussi longtemps que vous l'allaitez. Le lait maternel ne perd rien de ses propriétés avec le temps. Des recherches ont démontré que les avantages immunologiques du lait, qui protègent votre bébé contre les maladies, se prolongent bien au-delà des premiers mois.

Si on considère l'allaitement seulement comme un mode d'alimentation, on peut comprendre la raison qui pousse à sevrer le bébé dès qu'il peut manger une variété d'aliments solides et boire du lait à la tasse. Ce sevrage peut même se produire avant l'âge d'un an.

Par contre, lorsqu'on considère l'allaitement dans son ensemble, on reconnaît que le bébé a des besoins émotifs qui sont facilement comblés par l'allaitement. Il est alors difficile de comprendre pourquoi il faut mettre un terme à cette relation si importante, à un moment précis.

Le docteur William Sears, pédiatre et auteur de nombreux livres sur la famille, fait cette remarque :

*Le sevrage précoce est une coutume regrettable dans les sociétés occidentales. Nous pensons à l'allaitement en fonction de mois et non d'années. Dans mon bureau, j'ai une petite affiche qui dit : « Le sevrage précoce n'est pas recommandé pour les bébés. »*

### Les besoins émotifs

La mère qui allaite et son bébé développent une relation basée sur leurs besoins réciproques ; cette relation évolue lentement au fur et à mesure que leurs besoins changent. L'un des besoins les plus pressants du petit bébé, c'est la nourriture. Pendant cette période de la petite enfance, la mère ressent le besoin physique d'être soulagée du lait qui gonfle ses seins. Toutefois, la mère et son bébé ont mutuellement besoin l'un de l'autre pour bien d'autres choses. Le bébé a besoin d'affection et la mère prend plaisir à satisfaire son besoin d'amour. Mais à un moment donné, tout doucement, la dépendance du bébé envers sa mère diminue. Il commence à élargir son horizon, à voler de ses propres ailes. Cependant, l'allaitement demeure important, c'est son havre de paix dans un monde parfois difficile.

Lorsque le bébé n'est pas sevré vers l'âge d'un an, la mère se demande parfois s'il ne dépend pas trop d'elle. Elle craint qu'en poursuivant l'allaitement, elle l'empêche de cheminer vers l'indépendance. Mais le sevrage est une étape du développement et, tout comme pour la marche et la parole, l'enfant franchit cette étape selon son propre rythme. Tous les enfants se sèvrent tôt ou tard. Certains ont besoin de poursuivre la relation d'allaitement plus longtemps que d'autres mais, finalement, ils n'en ont plus besoin. Et ils ne sont pas plus dépendants pour autant. Nous avons pu nous en assurer maintes et maintes fois puisque nous avons observé à loisir des centaines de bébés qui étaient considérés comme des « téteurs invétérés ». En grandissant, ils semblaient avoir en commun le goût de l'indépendance et non de la dépendance. Le docteur Sears le confirme : « Certains des enfants les plus sains physiquement et émotivement que je reçois en consultation sont ceux qui ont été allaités des années. »

Souvenez-vous que vers l'âge d'un an votre bébé ne tétera pas aussi fréquemment que lorsqu'il avait 2 semaines ou 6 mois. Quand il aura environ 9 mois, le nombre de tétées sera réduit considérablement. Le bambin qui « tète encore » appréciera peut-être seulement une tétée-collation avant de dormir ou une tétée-réconfort s'il s'est frappé la tête ou s'il a pris froid. L'allaitement est tellement rassurant quand il est malade. Cela adoucit beaucoup sa guérison s'il peut téter pour faire passer ses peines.

### Vous allaitez toujours ?

Gardez en mémoire que tous les enfants se sèvrent un jour. Cela vous aidera. Les jeunes enfants ont un ardent désir de passer au prochain stade de leur développement. Ils veulent tellement ressembler aux autres membres de la famille qu'ils arrêteront de téter dès qu'ils le pourront, soyez-en certaine. Vous ne cherchez sûrement pas à battre le record de durée d'allaitement. L'allaitement prolongé n'est pas un but à atteindre, il s'agit plutôt d'une relation unique entre une mère et son enfant. Gabrielle Vena, de Val-David, au Québec, nous parle de cette relation avec sa fille Élisabeth.

*Je ne me voyais vraiment pas allaiter un an ou davantage. Je ne pouvais m'empêcher de trouver cela un peu exagéré, du moins pour moi. Je fis part à une monitrice de mes doutes et elle s'empressa de me rassurer : « Ne t'en fais pas, Gabrielle, cela viendra en son temps. Allaite au jour le jour, tu verras toi-même ce qu'il conviendra de faire en temps opportun. »*

*J'allaitai donc et le temps passa. Vite. Beaucoup trop vite. Un changement s'opérait en moi. J'avais allaité les aînés pour leur donner une nourriture, la meilleure. J'allaitais ma petite Élisabeth, mon quatrième bébé, pour la nourrir aussi, bien sûr, mais pour lui donner bien davantage. Plus qu'un simple repas, la tétée devenait une façon unique et intense de l'aimer, de la cajoler.*

*Elle a maintenant 20 mois et, croyez-le ou non, je l'allaite encore et les quelques tétées qui lui restent sont aussi importantes pour elle que pour moi. C'est une ravissante petite fille, très épanouie, avec de belles joues rouges et une santé à toute épreuve.*

## Le sevrage naturel

Vous vous demandez quand va-t-il se sevrer, alors que votre enfant de 2 ans vous tend les bras pour se faire prendre et téter à nouveau ? En réalité, il a commencé à se sevrer dès qu'il a pris sa première bouchée d'aliments solides. D'après *Le petit Robert*, sevrer signifie : « cesser progressivement d'allaiter, d'alimenter en lait (un enfant), pour donner une nourriture plus solide ». Bien que la plupart des gens considèrent le sevrage comme la fin de quelque chose, une séparation ou une privation, il représente en fait un événement positif, un début, une grande expérience. C'est l'élargissement de l'horizon de l'enfant, une ouverture sur un univers rempli de nouvelles expériences excitantes mais parfois menaçantes. C'est une lente progression, une étape à la fois, un autre stade de son développement.

Dans son merveilleux livre empreint de sagesse, *Le bambin et l'allaitement*, Norma Jane Bumgarner parle du « caractère imprévisible du sevrage naturel ». Elle affirme :

> *Un jour viendra où votre enfant ne trouvera plus la tétée aussi absolument essentielle à son bien-être. Il ne demandera plus aussi souvent le sein, ou il sera distrait de la tétée par mille et un petits détails [...] Vous répondrez, tout naturellement et sans même y penser, un peu moins rapidement à ses demandes [...] En son temps (personne ne peut prévoir quand), votre enfant abandonnera toutes les tétées sauf celles auxquelles il tient le plus.*

Norma Jane poursuit en décrivant comment certains enfants continuent d'apprécier ces quelques tétées pour un temps, les éliminant d'eux-mêmes lentement jusqu'à ce qu'ils soient sevrés. Elle termine en disant : « Chaque cas de sevrage naturel est unique de sorte qu'il est impossible de garantir quoi que ce soit à ce sujet, excepté qu'il surviendra un jour. »

## Que faire si je veux sevrer mon bébé ?

Chacune de nous doit prendre des décisions concernant l'allaitement et le sevrage en tenant compte de sa situation familiale et personnelle. Vous n'êtes peut-être pas en faveur du sevrage naturel ou vous croyez que cela ne vous convient pas. Si vous pensez qu'il est nécessaire de sevrer votre bébé, envisagez toutes les possibilités avant de prendre votre décision. Peut-être que certains compromis permettraient au bébé de téter au moins une ou deux fois par jour. Arrêtez-vous quelques instants et prenez le temps de vous demander si les choses iront mieux après le sevrage de votre bébé. Selon Norma Jane Bumgarner, « l'allaitement rend la tâche de la mère plus facile, pas plus difficile ». Souvenez-vous que la maladie, la prise de médicaments, une intervention chirurgicale ou le retour au travail ne signifient pas qu'il faut nécessairement sevrer avant que votre bébé et vous ne soyez prêts.

Si c'est possible, prenez votre temps pour sevrer et allez-y lentement. Nous considérons le sevrage comme quelque chose qui doit se faire « progressivement et avec amour ». Lorsque vous réduirez le nombre de tétées, il vous faudra augmenter vos marques d'affection envers votre bébé et les exprimer de façon différente. Le docteur William Sears favorise aussi cette façon de faire quand on doit sevrer son bébé. Il souligne que :

> *Un bébé sensé qui bénéficie d'une saine relation d'allaitement n'y mettra pas fin de plein gré à moins qu'une autre source de nourriture émotive aussi attrayante, ou à tout le moins différente mais intéressante, ne la remplace.*

Fondamentalement le sevrage se fait en remplaçant l'allaitement par d'autres formes d'attention. Éliminez une seule tétée à la fois et distrayez votre tout-petit en lui offrant un verre de jus, en lisant une histoire ou en faisant une promenade dans le quartier au moment où il demande habituellement à téter. Laissez passer quelques jours pour lui permettre de s'habituer à ce changement et pour éviter un engorgement, puis éliminez une autre tétée. Selon le nombre de tétées que prend votre bébé chaque jour, le sevrage peut prendre jusqu'à deux semaines environ. Ce n'est pas une bonne idée de précipiter les choses. Le sevrage constitue un gros changement pour vous deux, il vous faut donc du temps pour vous y habituer.

Il vous faudra aussi être souple. Si votre tout-petit réagit fortement à l'idée de ne plus téter à l'heure de la sieste ou du coucher ou à tout autre moment, vous pouvez décider de conserver cette tétée encore un certain temps. Le sevrage ne doit pas être une question de « tout ou rien ».

Si vous optez pour le sevrage avant l'âge d'un an et que votre bébé ne boit pas très bien à la tasse, demandez l'avis de votre médecin concernant le biberon. Si vous faites la transition du sein au biberon, offrez alors un biberon en remplacement d'une tétée. Souvenez-vous que le bébé tète parfois pour se consoler et que, par conséquent, il n'aura probablement pas besoin d'autant de biberons dans une journée que de tétées. Il vous faudra alors multiplier les caresses, les baisers, les mots doux pour remplacer ces tétées. Plutôt que de prendre votre bébé comme vous le faisiez pour l'allaiter, tenez-le près de votre visage et bercez-le ou consolez-le joue contre joue.

Pour un bébé plus âgé ou un bambin qui mange bien et qui boit à la tasse, la façon de sevrer implique de multiples substitutions et distractions. Gardez toujours à portée de la main des aliments savoureux à grignoter. En lui offrant régulièrement à boire pendant la journée, de l'eau et parfois du jus non sucré, vous étancherez sa soif avant même qu'il ne la sente et demande à téter. De gros morceaux de fruits frais, orange, melon ou pêche, sont aussi excellents.

Lorsque vous éliminez une tétée, essayez de rendre ce moment agréable et amusant pour votre bébé. L'aide de votre conjoint sera alors précieuse. Il pourra l'emmener faire une petite promenade ou s'occuper de le coucher pour la nuit et peut-être même se lever la nuit avec l'enfant si celui-ci se réveille.

Votre bambin sera sans doute captivé par votre intérêt soudain pour la marche, les visites au parc ou les casse-tête. Il vous faudra peut-être aussi éviter les situations où il avait l'habitude de téter, comme de vous asseoir dans le fauteuil à bascule ou de le laisser venir dans votre lit le matin.

Cette méthode de sevrage « progressif et avec amour » peut se révéler laborieuse. Par contre, un sevrage brusque peut causer un traumatisme physique et émotif. De plus, ce type de sevrage n'est jamais une bonne idée, ni pour vous ni pour votre bébé. En remplaçant les tétées par beaucoup de « maternage différent », vous aiderez votre tout-petit à traverser l'étape du sevrage tout en gardant intacte sa confiance en vous. Il aura sans doute de la difficulté à comprendre pourquoi il ne peut plus téter mais, au moins, il sera rassuré par le fait que sa mère ne l'a pas abandonné, qu'elle est toujours présente, qu'elle l'aime et le comprend. Voici, à ce sujet, le témoignage de Céline Dubois, de Jonquière, au Québec.

*J'ai souhaité que Rachel se sèvre quand j'ai voulu devenir enceinte pour une deuxième fois. J'ai essayé d'entamer le sevrage quand elle avait 20 mois, en l'incitant à ne pas téter en dehors de notre maison. Naturellement, mes premières sorties furent courtes. Dès notre retour à la maison, je respectais toujours ma promesse de l'allaiter et, si elle avait oublié, je le lui proposais.*

*Quand elle fut bien adaptée à cette limite, je suis sortie plus souvent avec elle pour espacer les tétées. Les après-midi étaient donc consacrés aux activités extérieures : promenade, courses, visite chez des amies. Pour lui permettre de sauter les tétées de l'avant-midi, je lui ai fait découvrir de nouveaux jeux : pâte à modeler et peinture aux doigts ont été très populaires. De mon côté, j'ai dû renoncer aux appels téléphoniques trop longs car Rachel aimait bien téter durant ces moments où elle n'avait pas mon attention.*

*Rachel a commencé à s'endormir le soir en écoutant des histoires lues par son père. Une balade en poussette ou une promenade en auto étaient aussi très efficaces. Pour lui faire oublier les tétées du matin, je me levais avant elle et lui offrais à déjeuner dès son réveil.*

*Il ne restait plus que les tétées de nuit car elle se réveillait encore. J'ai laissé passer quelques semaines avant d'essayer de lui faire espacer les tétées nocturnes. Comme elle réagissait très bien à tous ces changements, une nuit, je lui ai dit que j'étais trop fatiguée quand elle m'a demandé du lait. Je me suis retournée et j'ai attendu sa réaction.*
*À ma grande surprise, elle s'est rendormie aussitôt. Au bout d'une semaine, elle s'est mise à faire ses nuits et c'est ainsi qu'elle s'est sevrée car elle ne m'a plus jamais demandé de téter.*

*Tout ce processus a pris environ cinq mois. J'y ai mis beaucoup d'énergie mais cela en valait la peine. Son sevrage s'est fait graduellement et avec beaucoup d'amour de la part de ses parents.*

## L'ALLAITEMENT D'UN BAMBIN

Dans notre culture, on s'attend à ce que tous les bébés soient sevrés tôt. Cela n'a pourtant pas été la coutume durant des siècles. Dans la Bible, il est souvent fait mention du sevrage vers l'âge de 3 ans. Aujourd'hui encore, dans bien des pays du monde, les enfants se sèvrent d'eux-mêmes à l'âge de 3 ou 4 ans, et même plus tard. Niles Newton souligne qu'au cours de l'histoire et dans la plupart des pays du monde les bébés ont été allaités de deux à quatre ans. Elle fait également remarquer que les changements dans les habitudes d'allaitement ne sont pas un fait isolé mais qu'ils sont liés à un ensemble de mœurs. « L'histoire donne raison à la Ligue La Leche qui affirme haut et fort que l'allaitement fait partie d'une philosophie globale du maternage », dit-elle.

Combler les besoins de votre enfant, voilà le secret. Dès la naissance, la mère cherche à satisfaire ceux de son enfant. S'il exprime toujours le besoin de téter lorsqu'il est plus grand, il est tout à fait naturel que la mère continue à combler ce besoin.

Vous découvrirez de nombreux avantages liés à l'allaitement d'un bambin. C'est si facile de calmer un enfant épuisé ou maussade et de l'endormir au sein. S'il se fait mal, il n'y a pas de meilleur moyen de le réconforter. Pour de nombreuses familles, l'allaitement, en réduisant les frustrations, aide à transformer l'« enfant terrible » de 2 ans en un « enfant formidable » puisqu'il réduit l'esprit de compétition caractéristique de cet âge. On accuse parfois l'allaitement d'être responsable d'un comportement pourtant normal chez un bambin. Le fait de s'accrocher et de réclamer de l'attention est tout à fait normal à cet âge, que l'enfant soit allaité ou non.

Il est beaucoup plus facile de voyager avec un enfant si on l'allaite toujours. Même loin de la maison, le réconfort du sein lui gardera sa bonne humeur.

Votre lait contient des agents immunitaires, des vitamines et des enzymes aussi longtemps que votre enfant continue à téter. Une étude effectuée auprès de bambins âgés de 16 à 30 mois a révélé qu'il y avait eu moins de cas de maladies nécessitant des soins médicaux parmi les bambins allaités. Si votre enfant est malade, l'allaitement le réconfortera. S'il a l'estomac dérangé, il se peut qu'il ne puisse digérer rien d'autre que du lait maternel.

Vous trouverez sans doute plus pratique d'apprendre à votre enfant un mot particulier pour désigner la tétée. En le choisissant soigneusement, il peut contribuer à un allaitement discret. Dans certaines familles, on dit « nana » alors que d'autres utilisent « noum noum ». Alors quand un enfant hurle « Je veux nana » dans un restaurant, cela ne surprend personne.

Dans certaines circonstances, il serait très gênant d'allaiter un bambin. Si votre bébé de 2 mois se met à pleurer pendant que vous faites la queue au supermarché, vous mettrez sans aucun doute votre panier de côté et vous prendrez quelques minutes pour l'allaiter dans la voiture. Par contre, lorsqu'il sera un peu plus âgé, qu'il sera capable d'attendre et qu'il aura une certaine notion du temps, vous pourrez lui offrir une collation nutritive et lui demander d'attendre que vous soyez revenus dans la voiture pour l'allaiter. Si vous prévoyez de rendre visite à une personne qui, d'après vous, sera gênée de voir un enfant au sein, offrez-lui de téter avant votre départ en espérant qu'il n'aura pas besoin de téter quand vous serez chez cette personne. S'il demande quand même à téter, vous pouvez essayer la solution de Rachèle Lebœuf, monitrice au Québec.

*J'allais à la salle de bain allaiter ma fille de 2 ans. Les gens croyaient que je l'aidais à aller à la toilette. La tétée était généralement courte. De cette façon, personne n'était offensé. Souvent, lors de réunions familiales, il m'arrivait d'aller dans une chambre à coucher pour allaiter Véronick, ce qui lui procurait un moment de calme au milieu de la fête.*

## Il tète trop ?

Plusieurs enfants allaités vont téter à l'occasion seulement, par exemple pour s'endormir ou pour se consoler s'ils se sont fait mal. Cependant, il arrive parfois qu'un enfant tète avec beaucoup plus d'avidité. Si vous croyez que votre enfant veut téter « trop souvent » pour son âge, examinez soigneusement ce qui se passe présentement dans sa vie ou dans la vôtre. Assurez-vous de lui donner beaucoup d'attention sous toutes sortes de formes et offrez-lui de prendre une bonne collation ou de lui lire une histoire avant qu'il ne vous demande à téter. Vous pouvez parler avec lui, chanter, lire, jouer ou partir explorer les environs. Laissez-le également participer à vos tâches. Il peut laver les couvercles des casseroles pendant que vous lavez la vaisselle, apporter les chaussettes que vous mettrez dans la machine à laver ou passer l'aspirateur.

Est-il loin de vous plus longtemps qu'il ne peut le supporter ? Êtes-vous à la maison avec lui mais occupée par d'autres travaux ? Passez-vous trop de temps au téléphone ? Vivez-vous un chagrin ? Déménagez-vous ? Votre enfant traverse-t-il une étape importante de son développement ? A-t-il une otite, une allergie ? Est-il malade ? Vous pouvez ajouter à cette liste vos propres idées concernant la raison qui pousse votre enfant à chercher un peu plus de réconfort au sein.

Quand votre enfant demande à téter et que vous n'êtes pas certaine qu'il en a vraiment besoin, vous pouvez lui offrir une pomme ou lui lire une histoire. Si cela le satisfait, tant mieux, mais s'il revient à la charge ou s'il pleure, vous saurez alors qu'il a vraiment besoin de téter. Respectez son développement personnel et son individualité, allaitez-le en ayant confiance qu'il grandira et qu'il délaissera cette relation à son propre rythme.

Julie Leclerc de Rouyn-Noranda, au Québec, a vécu cette expérience avec sa fille. Elle nous fait part de ses impressions.

*Lorsque mon « bébé » de 2 ans s'est remise à demander à téter très assidûment, j'ai perçu la situation comme un signal : quelque chose n'allait pas bien. Pourquoi ce retour en arrière ? Car je croyais que c'en était un. Ma fille avait senti les hésitations qui naissaient en moi : j'avais l'impression qu'allaiter un enfant aussi longtemps m'empêchait de retrouver ma liberté, d'être maîtresse de « mon » temps et, surtout, de rendre ma fille autonome. Je cherchais donc à la sevrer. Elle, du haut de ses 2 ans me faisait comprendre en demandant souvent le sein, que je m'y prenais bien mal, que ma liberté et son autonomie n'avaient rien à voir avec le nombre de chandelles sur son gâteau ! J'ai accepté, dès ce moment, de ne pas chercher à exclure ma bambine de ma routine quotidienne et surtout, de l'aider dans sa tâche à elle : celle de grandir ! Évidemment, nos occupations mutuelles s'en trouvèrent modifiées et furent encore ponctuées de quelques pauses-tétées. Et ces pauses-tétées étaient harmonieuses et bien méritées, pour elle comme pour moi...*

Certains bambins veulent téter encore plusieurs fois la nuit et le jour. Lorsque votre tout-petit se réveille la nuit, prenez-le, serrez-le dans vos bras, couchez-le avec vous et allaitez-le s'il en a envie. Puis, s'il semble bien disposé, recouchez-le dans son lit. Sachez cependant qu'il dormira peut-être mieux et plus longtemps s'il dort dans votre lit, près de vous. Il existe de nombreuses raisons pour lesquelles un bambin veut téter la nuit. Il perce peut-être des dents, ce qui fait souvent pleurer les tout-petits. Votre enfant peut avoir faim ou soif pendant la nuit, offrez-lui alors une saine collation avant le coucher. Ou bien il a été tellement affairé durant la journée qu'il n'a pas eu sa dose d'étreintes et de caresses et il a simplement besoin de sentir votre présence.

## Que faire quand il n'y a rien à faire ?

La mère a quelquefois besoin d'évaluer sa relation d'allaitement avec son bambin et de voir si tout va vraiment bien. Dans certains cas, l'allaitement devient une solution de facilité et remplace les autres formes d'attention dont l'enfant a besoin.

Un jeune enfant peut vouloir téter seulement parce qu'il n'a rien de plus intéressant à faire ou parce que c'est son seul moyen d'obtenir l'attention de sa mère. À mesure que votre enfant s'éloigne du stade de nourrisson, il a toujours autant besoin de sa mère. Ce besoin change évidemment et le maternage d'un bambin demande alors une bonne part d'ingéniosité, parfois même de délicatesse. Tout son être grandit. Son esprit, tout comme son corps, a besoin de stimulations. L'enfant a besoin de parler et d'avoir un compagnon pour explorer et connaître toutes ces nouvelles choses merveilleuses que l'élargissement de son horizon lui apporte.

Personne ne peut partager ces choses mieux que vous, son professeur, son guide, son protecteur, son être cher. Personne mieux que vous ne connaît son « langage », ne comprend aussi bien ses goûts et ses besoins. Vous savez quand il a faim, quand il lui faut une collation pour le faire patienter jusqu'au repas. Vous percevez quand il est fatigué et qu'il a besoin de relaxer dans vos bras.

Une mère raconte comment elle s'est rendu compte que sa fille avait besoin de nombreuses marques d'affection en plus de l'allaitement. Freda Main, de l'Arizona, nous a écrit ceci.

*Il y a un mois, Céleste était une enfant allaitée de 2 ans qui, tout à coup, s'est mise à exiger beaucoup de moi. Elle semblait mécontente et souvent fâchée contre tout et tous, y compris elle-même et moi. Je sais que cela n'est pas inhabituel pour une enfant ayant une petite sœur de 5 mois. J'avais toujours cru que Céleste se sèvrerait quand elle serait prête, sans que j'aie besoin d'intervenir.*

*Je me disais : « Cette enfant ne fait que téter ! » Puis je me suis aperçue que c'était exactement le cas. J'ai finalement compris. Je crois toujours que l'allaitement satisfait tous les besoins de Céleste. Mais je ne m'étais pas rendu compte jusque-là que je ne lui accordais pas toute l'attention qu'elle méritait quand elle ne tétait pas.*

*Pour moi l'allaitement était devenu si simple et si
facile que je n'ai pas vu que ma relation avec ma
fille n'avait pas évolué. Ce qui avait toujours si bien
fonctionné auparavant ne comblait plus ses besoins.*

*J'ai commencé à changer mes façons de faire.
Chaque jour, fidèlement, je passais du temps avec
Céleste et je lui donnais toute mon attention. Nous
avons fait beaucoup de choses ensemble : nous avons
joué avec de la pâte à modeler, nous avons amassé
et collé des bâtonnets de bois et avons lu de nombreuses histoires. Je pouvais m'asseoir, la prendre
dans mes bras, la serrer contre moi et l'embrasser
même sans l'allaiter. On parlait. Quand mon bébé
dormait, je passais du temps avec Céleste au lieu de
cocher des choses sur ma liste de travaux à faire.
Nous avons commencé à prendre nos repas à heures
régulières, à lire des histoires à l'heure du coucher
et à avoir un certain train-train quotidien. J'ai
commencé à prendre conscience du contact visuel
et j'ai vraiment fait un effort pour parler moins
et écouter plus.*

*À ma grande surprise, en l'espace de quelques
jours, la petite fille qui, me semblait-il, ne se
sèvrerait jamais, tétait à peine. J'étais plus sensible
à ce dont elle avait vraiment besoin et je tentais
davantage de satisfaire ses besoins.*

*Cela a été difficile pour moi de changer. En me
sevrant moi-même, Céleste s'est sevrée aussi. Je ne
crois plus maintenant que la mère n'a rien à faire
au cours du sevrage mené par le bébé. Comme dans
toute chose, l'expérience est le meilleur professeur.*

## Peut-on allaiter pendant une grossesse ?

Si vous êtes enceinte, il n'est pas nécessaire de sevrer
immédiatement. Votre enfant se sèvrera probablement au début
de la grossesse quand il s'apercevra que votre lait n'a plus le
même goût ou vers le quatrième mois alors qu'il y a diminution
de la sécrétion lactée chez certaines mères. Il peut aussi se sevrer
à la fin de la grossesse quand le lait redevient du colostrum ou

après la naissance à cause de la séparation qu'elle aura occasion-
née si vous devez aller à l'hôpital quelques jours. Par contre, si
votre enfant a vraiment envie de téter malgré les changements
dus à la grossesse, sentez-vous libre de continuer à l'allaiter si
vous en avez le goût.

Vous vous inquiétez peut-être des effets de l'allaitement
sur la grossesse. Si votre alimentation est bien équilibrée et
comporte une variété d'aliments nutritifs, vous n'avez aucune
raison de vous inquiéter des effets que cela peut avoir sur votre
bébé. Certaines mères craignent que l'allaitement pendant la
grossesse ne provoque une fausse couche. Rien ne le prouve ;
certaines femmes ayant déjà fait des fausses couches ont pu
allaiter leur bambin au cours de leur grossesse. Les hormones
qui provoquent les contractions utérines au moment de l'allaitement après la naissance, et qui aident à prévenir les hémorragies
post-partum, ont un effet beaucoup moindre durant la grossesse.

Enceinte, il se peut que l'idée de continuer à allaiter
votre bambin ne vous réjouisse pas. Si c'est le cas, nous vous
suggérons de suivre les conseils donnés précédemment concernant un sevrage « progressif et avec amour ». C'est à vous de
décider ce qui convient le mieux à votre famille.

Dans une étude menée auprès de 503 mères qui ont
allaité quand elles étaient enceintes, les chercheurs ont constaté
que 69 p. 100 des bébés se sont sevrés au cours de la grossesse.
Évidemment, il n'y a aucun moyen de savoir combien parmi
eux se seraient sevrés même si leur mère n'avait pas été enceinte.

## L'allaitement de non-jumeaux

Si vous allaitez durant toute votre grossesse, il se peut
que vous ayez à allaiter deux enfants d'âge différent. C'est ce
qu'on appelle l'« allaitement de non-jumeaux ». Si l'allaitement
est toujours très important pour le bébé plus âgé, il ne serait pas
juste (ni sage) de le sevrer brusquement à la naissance du bébé.
Les mères trouvent autant d'avantages que d'inconvénients à
cette situation quelque peu spéciale.

L'enfant plus âgé sera rassuré par l'allaitement, et le fait
de partager ces moments particuliers avec son petit frère ou sa
petite sœur peut aider à prévenir la jalousie. Cependant, vous
vous demandez peut-être si votre nouveau-né ne souffrira pas
d'un manque de lait ou de l'absence de cette relation intime
avec vous. Vous pouvez alors limiter les tétées de votre bambin
à certains moments de la journée ou bien le laisser téter seulement après que le nouveau-né a terminé. Pour la plupart des
mères, tout finit par se placer et le nouveau-né peut boire tout

le lait dont il a besoin sans aucun problème. Caroline Gascon, du Québec, nous offre ses réflexions sur l'allaitement de non-jumeaux et raconte son expérience.

*Lorsque je suis devenue enceinte de mon deuxième, la tétée occupait encore la majeure partie de la vie de Jonathan. Comme ce moment était privilégié entre nous, j'ai décidé de poursuivre l'allaitement en considérant mon fils aîné comme une personne unique sur tous les plans et non seulement comme un grand frère face au nouveau-né qui arriverait. Après tout, Jonathan n'avait pas choisi d'avoir un petit frère.*

*Vous dire que les premiers mois furent faciles serait mentir. Nicolas tétait tout le temps. Jonathan voulait téter tout autant. Bref, je ne faisais qu'allaiter. C'était très exigeant ! Mais l'allaitement n'était pas la partie la plus difficile. Il me permettait de satisfaire Nicolas qui avait besoin d'être collé, après ses neuf mois intra-utérins. Je répondais aussi aux besoins de Jonathan qui vérifiait s'il avait toujours sa place auprès de moi en tétant. Le plus pénible a été la réaction de cet aîné à l'arrivée de son petit frère. Et je sais que j'aurais vécu cette difficulté avec ou sans l'allaitement de non-jumeaux.*

*Aujourd'hui, je suis heureuse d'avoir eu la patience de continuer de les allaiter tous les deux. Jonathan a délaissé la « voie agressive » après les quatre premiers mois. Tout n'était évidemment pas réglé ! Mais leur relation fraternelle est maintenant très saine, et globalement positive. L'allaitement les a-t-il rapprochés ? Je ne le saurai jamais, mais les tétées ont été un précieux outil pour traverser cette période d'adaptation. Nicolas tète encore souvent. Jonathan lui n'en a besoin que deux ou trois petites fois par jour. Chacun suit son chemin vers le sevrage en sachant qu'il a sa place auprès de maman.*

Il arrive parfois aussi qu'un bambin, complètement sevré en apparence, demande subitement à téter. (Cela peut se produire au moment d'une nouvelle naissance.) N'ayez pas peur de le laisser essayer. Très souvent l'enfant se mettra à rire et glissera de vos genoux au lieu de boire au sein, rassuré par votre bonne volonté de répondre à sa demande. Voici ce que Sylvie Grégoire, une mère du Québec, nous a écrit à ce propos.

*Quand j'allaitais Isabelle, je m'occupais de Sébastien, je lui lisais des histoires, je chantais avec lui. Sébastien me demandait le sein occasionnellement, soit pour goûter ou me signaler que je ne m'occupais pas assez de lui. Il voulait faire comme sa sœur, mais le pauvre avait perdu le mode d'emploi ! Alors, à l'occasion, je tirais mon lait et lui donnais au verre. Il était très content.*

Par contre, si votre bambin se montre enthousiaste et enchanté à la découverte de cette abondance, prenez les choses calmement et laissez-le boire au sein. Plus vous ressentirez d'ambivalence à ce sujet, plus il doutera de votre amour pour lui et croira que vous voulez l'éloigner de vous. Bien des tout-petits ont encore besoin d'être rassurés de cette façon. Diane Pouliot, de Sherbrooke, au Québec, nous fait part de son expérience.

*À l'époque où Mickaël avait 21 mois, je croyais qu'il se sèvrerait de lui-même et que son sevrage serait facilité par le fait que j'étais de nouveau enceinte de presque quatre mois. À la fin de ma grossesse, Mickaël, alors âgé de 26 mois, ne tétait plus qu'une fois par jour et, quelquefois, tous les deux ou trois jours.*

*Et puis, ce fut le début d'une deuxième belle histoire ; David est né. Après mon séjour à l'hôpital, de retour chez nous, je crois que j'aurais préféré ne plus allaiter Mickaël car j'avais peur que David n'ait pas assez de lait.*

*La première semaine, Mickaël est devenu agressif envers moi et le bébé quand je lui refusais le sein. Il se fâchait, me tapait et voulait taper le bébé. Alors, j'ai compris que j'aggravais le problème en lui refusant. J'ai décidé de l'allaiter chaque fois qu'il me le demandait.*

*Par la suite, quand David avait 2 mois environ, j'ai décidé de donner le sein à Mickaël à des moments bien précis seulement, par exemple dans le lit le soir. Et je lui refusais les autres fois. Je l'allaitais seul. Je pouvais ainsi me concentrer sur nous deux et lui accorder tout mon amour. Je l'allaitais ainsi quatre fois par jour : avant et après chaque dodo et quelques fois aussi en même temps que David quand il me le demandait expressément. Je ne pouvais lui refuser de téter quelques minutes. Avec le temps, j'ai compris comment Mickaël pouvait tenir à ce que je l'allaite encore. C'était sa façon à lui d'être sûr que je l'aimais toujours. Je crois aussi qu'il avait encore un très grand besoin de succion.*

*Avec le temps, David et Mickaël ont grandi. Les temps difficiles ont passé et même si, parfois j'ai eu hâte que Mickaël se sèvre, je lui ai laissé tout le temps dont il avait besoin car c'était très important pour lui.*

Le livre de Norma Jane Bumgarner, *Le bambin et l'allaitement*, parle de tous les aspects de l'allaitement d'un bambin de plus d'un an. Monitrice de la LLL longtemps, elle nous fait part de l'expérience d'autres mères et des conseils des spécialistes. C'est un excellent livre de références. On y traite du sevrage, de l'allaitement pendant la grossesse et de l'allaitement de non-jumeaux. Vous pouvez vous le procurer auprès d'un groupe de la LLL.

# CHAPITRE 15

# La discipline : guider avec amour

*otre but,* comme parents, c'est d'avoir la sagesse de guider nos enfants tout au long de leur croissance pour qu'ils deviennent des êtres indépendants, réfléchis et affectueux dont les talents et les capacités auront atteint leur plein épanouissement.

Notre première tâche consiste à combler les besoins physiques et émotifs de notre enfant de notre mieux car cela servira de base à sa progression vers l'âge adulte. Ainsi l'allaitement permet de lui offrir un bon départ dans la vie. En effet, la relation d'allaitement nous rend plus sensibles à ses besoins, nous sommes donc plus sûres de nous et à même de trouver le moyen de les combler.

Les besoins de notre enfant changent au fur et à mesure qu'il grandit. Nous devenons lentement des observatrices pendant qu'il apprend à voler de ses propres ailes. Bien sûr ce processus se poursuit jusqu'à l'âge adulte, mais il commence dès la petite enfance. Par conséquent, le présent livre n'aurait pas été complet si nous n'avions pas parlé des débuts de l'indépendance.

Il est important que votre conjoint et vous discutiez de votre vision de la discipline avant que votre bébé ne devienne un bambin. Cela vous permettra d'élaborer votre propre style d'éducation.

## JETER LES FONDATIONS

La discipline fait partie intégrante de tout ce que nous faisons pour et avec nos enfants. Vous avez déjà développé votre philosophie du maternage des bébés et des enfants grâce à l'allaitement et au sevrage ; vous êtes maintenant prête à développer d'autres aspects de votre maternage des jeunes enfants. « Un bon maternage conduit à une bonne discipline », affirme le psychiatre Hugh Riordan, père et membre de la LLL.

Dans son livre *Becoming a Father*, le docteur William Sears expose la façon dont les parents commencent à discipliner leurs enfants.

> *En étant disponible et en répondant aux besoins de votre bébé pendant la première année, vous apprenez à décoder ses pleurs. Vous apprenez à prévoir le comportement qui suivra certains agissements. Vous apprenez à interpréter les sentiments de votre bébé en le regardant agir. Apprendre à reconnaître les sentiments qui se cachent derrière les agissements du bébé sert de fondations à une partie très importante de la discipline des enfants plus âgés : découvrir le sentiment qui se cache derrière l'action de l'enfant.*

### Le besoin d'être guidé

En grandissant l'enfant aura besoin d'être guidé, instruit et parfois corrigé pour apprendre les règles qui régissent notre monde. Si la base d'un amour inconditionnel a été posée alors qu'il était bébé et s'il voit ses parents comme des gens aimables, polis et prévenants, il s'efforcera de les imiter parce qu'il cherche à leur faire plaisir (la plupart du temps). Là encore nous devons respecter son rythme de croissance et ne pas lui en demander plus à ce stade de son développement. Cependant nous pouvons et nous devrions l'orienter vu son manque d'expérience. Comment y parvenir ? Voilà où réside souvent la difficulté. Avant de commencer à discipliner avec succès nos tout-petits, nous devons avoir une bonne idée de la raison qui justifie notre geste et de la façon dont nous devrions nous y prendre. Dès la petite enfance, les enfants ont besoin d'être guidés avec un amour qui reflète l'acceptation de leurs capacités et une sensibilité à leurs émotions.

Elizabeth Hormann, mère et monitrice à la Ligue La Leche, a écrit ce qui suit au sujet des besoins des bambins.

*Nous aimons penser que les enfants apprennent les vertus de notre civilisation – dévouement, compassion, considération – simplement par notre bon exemple. Mais la plupart d'entre eux ont besoin d'un peu plus que cela. Définir clairement ce qu'est un comportement acceptable, croire en leurs capacités et les rappeler périodiquement à l'ordre quand ils sont indisciplinés, ces choses leur sont nécessaires. Nous devons parfois contrarier nos tout-petits [...] Il nous faut être vigilantes pour ne pas qu'ils blessent quelqu'un d'autre ou abîment un objet. Nous devons faire la différence entre un comportement normal pour un bambin ou un jeune enfant et un qui devient dérangeant et excessif. Il n'est pas facile de guider un jeune enfant quand il tient à tout prix à prendre une direction, mais il a besoin que nous le fassions pour lui.*

*Ce n'est pas vraiment différent de ce que nous avons fait quand il était bébé. Nous nous occupions de ses besoins, les satisfaisions. Nous ne tenions pas compte des remarques des gens qui disaient que nous le gâtions, le dorlotions ou que nous oubliions trop nos propres besoins. Nous étions sûres de bien connaître notre bébé et la plupart du temps c'était le cas. Cela n'a pas changé. Nous connaissons encore notre enfant mieux que quiconque. Parce que nous le connaissons bien et l'aimons tendrement, nous sommes mieux préparées que toute autre personne pour l'aider à traverser les étapes complexes de la croissance, de l'apprentissage des règles et du développement du caractère.*

*Guider nos enfants avec amour constitue une
partie importante des soins que nous leur donnons.
Cela les aide à être aimants et aimables envers les
membres de notre famille et les autres. Après
l'allaitement, c'est le plus beau cadeau qu'un jeune
enfant puisse recevoir et, comme pour l'allaitement,
les avantages durent toute la vie.*

## DISCIPLINE ET PUNITION

Le mot « discipline » est souvent associé aux châtiments et à la privation. En fait, la discipline fait référence aux lignes de conduite que nous, les parents, enseignons avec patience à nos enfants afin de les aider à agir comme il faut, avec discernement. La discipline les aidera aussi à devenir des êtres confiants, heureux et bienveillants qui s'intégreront dans la vie en faisant confiance à leurs capacités de réussir tout ce qu'ils entreprennent.

Le docteur Ross Campbell explique dans son livre *Comment vraiment aimer votre enfant* en quoi les besoins émotifs de l'enfant constituent une part essentielle de la discipline.

*En satisfaisant les besoins émotifs de l'enfant et en
appliquant une discipline bienveillante, un lien
affectueux, sain, puissant et positif se tissera entre
les parents et l'enfant. Quand un problème, quel
qu'il soit, surgit chez l'enfant, les parents doivent
d'abord revoir les besoins de l'enfant et les satisfaire
avant de faire quoi que ce soit d'autre.*

Mais où la punition trouve-t-elle sa place dans cette définition de la discipline ? Le docteur Campbell poursuit :

*La discipline consiste à montrer à l'enfant le
chemin qu'il doit suivre. La punition en constitue
seulement une partie [...] Plus l'enfant est discipliné, moins le recours aux punitions sera nécessaire. La réaction plus ou moins positive de l'enfant
à la discipline dépend fondamentalement de sa
perception d'être aimé et accepté. Alors notre plus
grande responsabilité consiste à lui faire sentir qu'il
est aimé et accepté.*

D'autres spécialistes nous mettent en garde contre la confusion entre punition et discipline réelle. Voici, extrait de *Creative Parenting*, ce qu'en pense le docteur William Sears.

*La punition fait cesser l'action mais ne tient pas compte des sentiments qui ont conduit à cette action [...] Un enfant dont le comportement est motivé par la punition est souvent neutralisé facilement mais de façon illusoire. Il a un comportement soumis et complaisant mais il risque de manquer de spontanéité et de confiance en soi. Il peut présenter l'apparence d'un enfant docile mais intérieurement il est angoissé. Tôt ou tard l'enfant se rebelle.*

## Que penser de la fessée ?

Avoir plus d'imagination qu'un bambin déterminé relève du défi. Pour lui, ses frasques et ses explorations ne sont qu'un simple plaisir mais cela peut devenir dangereux ou causer des dégâts. Nous devons lui montrer où sont les limites et les fixer pour lui. Nous avons découvert qu'avec le temps la fessée mène seulement aux larmes, à la rancœur et au besoin irrésistible (mais compréhensible) de frapper un jeune frère ou une jeune sœur. Les enfants apprennent par l'exemple et ils désirent par-dessus tout imiter leurs parents. Il faut alors nous demander quel genre de modèle nous voulons être pour nos enfants. Punir de jeunes enfants en leur donnant la fessée ou en frappant fréquemment ne fait que refléter l'impatience et la frustration des parents. Ce n'est certainement pas le genre de comportement que nous voulons pour nos enfants. La fessée n'apprendra pas l'autodiscipline à l'enfant. Comme le dit si bien Eda LeShan, psychologue et journaliste, dans son livre *When Your Child Drives You Crazy* :

*La fessée est-elle une forme de discipline utile et positive ? Non, absolument pas ! Elle peut faire passer votre colère et changer l'atmosphère quand il y a de l'orage dans l'air, mais elle n'apprend rien de positif au sujet des relations humaines. N'est-ce pas là le but de la discipline : un moyen d'apprendre à nos enfants à vivre en société de façon civilisée ?*

*Même lorsque nous croyons agir de façon rationnelle en donnant une fessée, encore là nous n'enseignons rien de bien valable. Par exemple,*

*nous disons : « Je te donne la fessée pour que tu te
rappelles qu'il est dangereux de traverser la route. »
Voici la leçon que l'enfant retiendra : « Je suis là,
moi, un adulte – peut-être même un diplômé
universitaire – et la seule ressource dont je dispose
pour t'enseigner les dangers de la circulation,
c'est la violence physique ! »*

Bien sûr les parents font aussi d'autres choses qui
peuvent être nuisibles à l'enfant. Le châtiment physique n'est
qu'un aspect. En effet, les parents peuvent miner la confiance en
soi d'un enfant d'autres façons. Sidney D. Craig, psychologue
clinicien et auteur du livre *Raising Your Child, Not by Force but by
Love*, nous donne cette explication : « Chaque fois qu'un parent
exprime son désaccord, sermonne, gronde, réprimande, critique
ou punit un enfant, celui-ci perd un peu de sa dignité personnelle et il en souffre. »

## CARACTÉRISTIQUES DU BAMBIN

Les parents trouvent parfois difficile la transition entre le
don total qu'exigent les besoins du nouveau-né et le rôle plus
actif qu'ils doivent jouer pour combler les besoins du bambin.
Avec les années, plusieurs d'entre nous avons dû se défaire de
certains comportements qui nous avaient été enseignés. Nous
avons appris à nous relaxer un peu, à rire beaucoup et à retom-
ber très rapidement sur nos pieds.

Une bonne partie du maternage d'un bambin consiste à
l'aider à passer de la petite enfance, époque où chaque désir est
un véritable besoin, à l'enfance, quand il devient jeune enfant
extraverti qui commence tout juste à prendre conscience des
besoins d'autrui. Au cours de cette transition, on doit l'aider à
comprendre que tous ses désirs ne sont pas des besoins ; en fait
si certains de ces désirs étaient exaucés, cela pourrait s'avérer
très néfaste pour lui.

Bien que la plupart des gens essayent de respecter le
rythme de croissance de leur nourrisson, il en va autrement
quand il s'agit d'un bambin de 10 mois ou de 2 ans. Lorsque de
petits doigts s'approchent des appareils électriques, que des
pièces de monnaie se retrouvent dans la bouche et que les
lampes sont renversées, les parents font alors face à de nouveaux défis. Bien sûr nous ne pouvons permettre le désordre
complet dans notre maison ni la liberté totale. Il nous faut
cependant reconnaître que notre enfant arrive à un autre stade
de sa croissance. Il est en train de découvrir le monde qui
l'entoure, il veut donc toucher, sentir et démonter tout ce qu'il

voit. Il devient un détective privé curieux, examinant tout ce qu'il trouve. Ce comportement est tout à fait naturel à cet âge. Inutile de le punir, il n'en sera que plus frustré. Cela ne veut pas dire qu'il n'y a rien à faire. Au contraire, ce dont l'enfant a alors besoin, c'est qu'on le distraie et le guide fermement mais gentiment vers autre chose.

Tous les enfants ne sont pas identiques. Certains ont seulement besoin d'avertissements à quelques reprises. Si un enfant peut apprendre à respecter des règles, sans être repris continuellement ni réprimandé, et s'il n'est pas frustré, alors cette méthode lui convient. Toutefois, il est quand même plus prudent de placer les objets dangereux ou fragiles hors de sa portée.

Si votre petit explorateur découvre un objet interdit, une bonne façon de satisfaire sa curiosité est de vous asseoir avec lui et de le laisser toucher, sentir et même tenir cet objet. Montrez-lui comment fonctionne le séchoir à cheveux et expliquez-lui en langage simple, avec beaucoup de gestes, qu'il faut être prudent car cela peut être dangereux ou peut s'abîmer. Accordez-lui suffisamment de temps pour lui permettre de l'examiner sous votre surveillance. Puis changez de sujet, distrayez-le et rangez l'objet interdit hors de sa vue ou de sa portée. Mieux encore, rangez-le hors de sa vue et de sa portée. (Souvenez-vous que les bambins excellent en escalade.)

## Un peu de prévention

Le vieil adage « mieux vaut prévenir que guérir » prend toute son importance pour éviter des ennuis à votre bambin actif. Comme nous le rappelle Nancy Stanton, de la Floride :

*C'est le bon sens même que d'essayer d'aménager votre maison de façon sécuritaire pour votre bambin, autrement vous passerez la journée à le surveiller étroitement. C'est déjà assez difficile de protéger votre enfant des choses sur lesquelles vous n'avez aucune emprise (comme les voitures qui passent dans la rue), alors si vous avez un enfant d'âge préscolaire, laissez le moins de choses possible à sa portée.*

*Avec certains bambins très actifs, des mesures très sévères sont parfois nécessaires pour survivre. Ne vous en faites pas, un jour vous pourrez remettre en place les poignées de vos armoires de cuisine. Sans doute laissez-vous déjà votre bambin jouer dans une des armoires du bas. Mettez-y de véritables articles de cuisine comme une vieille cafetière ou des spatules.*

## Les situations dangereuses

En cas de réel danger, comme lorsque l'enfant mâche un fil électrique ou s'élance dans la rue, la mère devrait laisser libre cours à tous ses sentiments de frayeur. Peu à peu l'enfant comprendra que ces peurs sont justifiées et il évitera les dangers réels. Un cri soudain, suivi de pas précipités vers l'enfant qui s'approche d'un appareil électrique ou qui se jette dans la rue, lui fera très bien comprendre le message.

Ayez toujours votre bambin à l'œil, il en va de sa sécurité. Des pédiatres ont étudié attentivement les scénarios d'accidents chez les très jeunes enfants. Ils affirment que ce n'est que vers l'âge de 3 ans approximativement qu'on peut commencer à leur apprendre la prudence. Avant cet âge, l'enfant ne peut être en sécurité que sous l'œil vigilant de ceux qui en prennent soin. C'est votre devoir de vous assurer qu'il y a toujours quelqu'un pour le surveiller.

## Cherchez la cause

De nombreuses raisons peuvent justifier la mauvaise humeur de votre tout-petit ou son refus de coopérer. Est-il fatigué ? S'ennuie-t-il ? A-t-il faim ? Est-il surexcité ? Découvrir la cause d'un comportement indésirable suffit parfois à éviter d'éventuels problèmes.

Les petits enfants (comme les adultes) sont souvent de mauvaise humeur s'ils sont très fatigués ou s'ils ont faim. Nancy Stanton nous fait remarquer :

*Les bambins ont habituellement besoin d'une sieste dans la journée mais ils ne veulent rien perdre. Si votre enfant est vraiment fatigué, arrêtez tout, fermez les rideaux, le téléviseur et ne faites rien, placez un oreiller sur le sol et étendez-vous tous les deux.*

Son comportement peut être simplement un indice pour vous signifier qu'il est temps de laisser le téléphone, de cesser de parler aux voisins ou toute autre activité qui vous tient loin de lui mentalement sinon physiquement. C'est le moment de vous mettre à son niveau et de vous occuper de lui.

## Des paroles qui expriment votre pensée

« Rentre immédiatement, Catherine », demandez-vous pour la cinquième fois. Catherine, ne tenant nullement compte de votre appel, continue de jouer. Voulez-vous vraiment qu'elle vienne « immédiatement » ? Si cela vous importe peu, alors ne l'appelez pas tant que vous ne voulez pas qu'elle vienne. À ce moment-là, appelez-la une fois. Attendez quelques minutes, puis appelez-la à nouveau. Si elle ne vient pas, sortez, prenez-la par la main et dirigez-la rapidement et avec entrain vers la maison. Elle apprendra bien vite que vos paroles sont le reflet de votre pensée.

« Demander à un enfant de 2 ans d'arrêter de jouer et de venir manger peut être trop exigeant, certains jours », affirme Edwina Froehlich, une des fondatrices de la LLL. « Sortez dix minutes à l'avance avec une collation nutritive qu'il aime, quand il aura fini, faites-le entrer dans la maison. »

## Restreignez les heures d'écoute de la télévision

Les émissions de télévision peuvent avoir une grande influence sur le comportement des jeunes enfants. Il vous faudra donc surveiller le genre d'émissions que vos enfants regardent ainsi que le temps qu'ils passent devant le petit écran. L'apprentissage d'un jeune enfant se fait à partir d'activités diverses et d'interactions. La télévision ne lui offre pas ces possibilités d'apprentissage. Ce que les enfants apprennent en regardant la télévision peut très bien ne pas correspondre à vos valeurs familiales. Les enfants d'âge préscolaire ne peuvent pas faire la différence entre l'imaginaire et la réalité ; les émissions présentant de la violence peuvent donc les peiner et les perturber.

Mais souvent ce n'est pas tellement ce qui se passe à la télévision qui occasionne les plus gros problèmes, c'est ce qui ne se passe pas quand on l'écoute. La communication active entre les membres de la famille est entravée par une trop grande écoute de la télévision.

Bien sûr il existe des émissions éducatives conçues pour les jeunes enfants. Vous les jugerez peut-être valables. En tant que parent, vous avez la responsabilité de faire un choix éclairé. Malgré tout, il faut vous méfier des dangers des messages publicitaires. Un enfant peut être séduit par des jouets dispendieux ou des aliments non nutritifs simplement parce qu'il est bombardé de messages publicitaires.

## Les crises de colère

Au sujet des bambins et des crises de colère, Edwina Froehlich nous fait part de son expérience.

*Les crises de colère peuvent être dévastatrices pour la mère et pour l'enfant. Ayant eu deux enfants sujets aux crises de colère, j'en ai appris un peu sur le sujet. Avec le premier garçon, j'ai suivi les conseils habituels. Une bonne tape sur les fesses le faisait crier encore plus, évidemment ; l'empoigner fermement pour le conduire à sa chambre était douloureux pour mes tibias et ses cris couvraient toute réprimande sévère. L'ignorer semblait encore ce qu'il y avait de mieux à faire, à condition que cela n'empire pas son hystérie. Tout de même, cela ne changeait rien et ne prévenait pas non plus les crises. À mesure que j'étais mieux informée de ses besoins nutritifs, j'ai découvert que les crises de colère coïncidaient avec une période de faim. Ces crises survenaient rarement après un repas. Lorsqu'une crise est commencée, vous ne pouvez la faire cesser en présentant de la nourriture, mais le fait de comprendre la cause peut au moins vous permettre de la supporter. Encore mieux, cela peut vous aider à prévenir ou, à tout le moins, à diminuer les crises.*

*Quand notre dernier enfant avait à peu près 2,5 ans, une amie est venue dîner et Peter s'est amusé seul presque tout le temps. Mais vers la fin de l'après-midi, quand je lui ai demandé de cesser de faire quelque chose, il n'a pas pu en supporter davantage et il a fait sa première colère ! Je me suis approchée et je me suis assise près de lui pour lui caresser le dos doucement. Au début il a refusé ma main et il l'a même repoussée avec violence. Alors je suis restée assise près de lui en murmurant : « Je t'aime Peter. » Il s'est calmé rapidement, il a roulé vers moi, a enfoui son visage dans mes jambes et il a terminé de sangloter à son aise. Quand la crise a été finie, il avait oublié ce qui l'avait provoquée et*

*nous nous sommes rendus immédiatement à la*
*cuisine. Quoique j'étais heureuse et soulagée d'avoir*
*réussi à le calmer, je redoutais d'autres crises. À ma*
*grande surprise, il y en a eu seulement deux ou trois*
*autres, moins fortes et moins longues.*

Si votre enfant fait souvent des crises, essayez d'en
déterminer le schéma. Les crises surviennent-elles à la même
heure chaque jour ? Seulement en présence de certaines personnes ? Quelle semble être la source de sa frustration ? Pouvez-
vous éliminer cette source ? Vous essaierez de limiter les
frustrations qui le mettent en colère mais, naturellement, vous
ne pourrez pas toutes les éviter.

Si votre enfant fait une crise, il se calmera plus rapidement si vous restez calme, sans le menacer. Dès que l'enfant
vous le permet, touchez-le doucement et aidez-le à se remettre.
Lorsqu'il aura fini de sangloter, vous pourrez lui offrir une
bonne collation si vous croyez qu'il a faim. Cependant, assurez-
vous de donner quelque chose de nutritif sinon il pourra refaire
une autre crise peu de temps après.

Pour l'enfant, il n'y a pas de différence entre une crise
faite à la maison et une faite en public, mais pour les parents
c'est angoissant. Les passants montrent rapidement leur réproba-
tion face à cet enfant « capricieux ». Bien que cela soit gênant,
vous devez agir de la même façon pour dissiper la crise : il ne
faut pas réagir avec colère mais rester calme et parler d'une voix
rassurante. Dans cette situation la mère et l'enfant sont boule-
versés, mais des deux, c'est l'enfant qui est le plus désemparé. Il
ne peut pas taire sa rage sur commande. Donc, si vous le pouvez, prenez-le dans vos bras et trouvez un endroit plus retiré où
il dérangera moins de gens. Cela vous sera impossible si vous
avez un bébé dans les bras, si l'enfant en colère est trop lourd
pour être porté ou s'il donne trop de coups de pied. Dans ce cas,
toute tentative de raisonnement sera peine perdue avec lui. La
seule chose à faire alors, c'est de rester calmement auprès de lui
et d'attendre qu'il soit apaisé.

## L'enfant qui mord

Que penser de l'enfant qui mord ou qui donne des
coups ? Il semble que ce problème soit assez fréquent, et pénible,
particulièrement lorsqu'il y a d'autres enfants dans l'entourage.
Norma Jane Bumgarner, auteure de *Le bambin et l'allaitement*,
raconte cette histoire :

*Il y a environ deux ans (lors d'une réunion de la LLL), mon adorable bambin, parfait en tout point, materné à la perfection, a été mordu par un petit monstre gâté, laissé sans surveillance par sa mère. Du moins, c'est ainsi qu'il m'est apparu à ce moment. Tout en consolant mon bébé, j'ai lancé des regards chargés de reproches en direction de la mère du jeune coupable, sans même dissimuler les sentiments que nous éprouvons toutes quand quelqu'un fait mal à notre enfant.*

*Mais comme il existe une justice ici-bas, mon enfant suivant était non seulement un enfant qui mord mais aussi le plus déterminé et le plus dangereux de tous. C'est l'une des choses les plus difficiles auxquelles j'ai dû faire face dans ma vie, et les quelques mères qui ont réagi comme moi je l'avais fait deux ans auparavant m'ont rendu la tâche encore plus difficile.*

Évidemment, lorsque nous nous rendons compte que nous avons ce problème avec notre plus jeune enfant, il est de notre devoir d'être toujours vigilante et d'intervenir en entraînant l'enfant plus loin, promptement et fermement. La rapidité est essentielle. Crier, donner la fessée ou mordre l'enfant à son tour ne sert à rien. Diane Kramer, du Nouveau-Mexique, écrit :

*Les jeunes enfants réagissent habituellement beaucoup avec leur bouche. Elle leur sert à sentir, à aimer, à vérifier et à discuter. Il leur faut du temps et de la maturité pour s'apercevoir que ces réactions ne sont pas toutes acceptables. Entre-temps, aimez-les, caressez-les, aidez-les dans leurs frustrations et rappelez-vous que cela passera.*

Si votre enfant a tendance à mordre en présence d'un groupe d'enfants, il vous faudra éviter ces situations durant un certain temps. Apprenez-lui à s'entendre avec un seul enfant à la fois, tout en exerçant une grande vigilance.

## Le marchand de sable n'arrive pas

Pour certaines familles, l'heure du coucher constitue une frustration où tous sont épuisés et exaspérés avant d'aller au lit. Un peu de planification et vous éviterez cet enfer ! Même si cela n'a pas une grande importance de coucher votre enfant d'âge préscolaire à une heure déterminée parce qu'il n'a pas à se lever tôt le lendemain, c'est tout de même une bonne idée de le coucher à une heure régulière.

Il ne faut toutefois pas le coucher trop tôt sinon il n'aura pas sommeil. Les enfants ne dorment qu'un certain nombre d'heures par jour, donc si vous couchez votre enfant à 19 h, il sera peut-être debout à 5 h le lendemain. On ne peut tout avoir.

Faites de l'heure du coucher un moment intime, paisible et calme. Un bain chaud et du temps pour jouer dans l'eau, une bonne collation comme une pomme et la lecture d'une belle histoire alors que vous êtes bien au chaud tous les deux sous les couvertures, tout cela calmera votre enfant et le préparera à dormir de bonne grâce. Il vous demandera peut-être de rester un peu près de lui. Vous devriez accepter, rester seul, cela fait peur.

## Regards sur l'avenir

Lorsque les enfants vieillissent, la discipline devient encore plus difficile. Ils continueront à exercer de la pression sur vous, vérifiant vos limites, jusqu'à l'adolescence. S'ils savent que vous êtes ferme, constante, affectueuse, que vous leur faites confiance et que vous avez toujours agi de la sorte, alors ce sera plus facile.

Quand vous fixez des limites pour votre enfant plus âgé, il sera parfois véritablement en colère contre vous, mais il se calmera rapidement s'il sait que vous l'aimez vraiment. Prouvez-lui par vos gestes que vous l'aimez même lorsque vous devez lui dire « non ». Le docteur Ross Campbell nous rappelle que : « la première chose à comprendre quand on veut avoir un enfant bien discipliné, c'est qu'il doit se sentir aimé, c'est la partie la plus importante d'une saine discipline ».

Quoi qu'il arrive, souvenez-vous que chaque enfant est unique et que vous ne pouvez établir des règles strictes qui conviennent à tous les enfants. En matière de discipline, vous pouvez suivre votre instinct de parent sans aucun problème si vous avez appris à connaître parfaitement votre tout-petit, grâce à votre relation d'allaitement, et que votre conception de la discipline est bien claire. « Notre rôle de parent ne consiste pas simplement à prendre soin de nos enfants mais aussi à leur apprendre à s'occuper d'eux-mêmes », affirme Norma Jane Bumgarner. Jalelah Fraley, une mère habitant la Californie, a fait cette observation un jour :

*Ils deviendront des fils et des filles capables de
satisfaire les besoins de nos petits-enfants de façon
saine et heureuse ; nous serons alors témoins d'une
époque où des êtres humains affectueux auront été
éduqués avec douceur.*

Quand votre enfant vient au monde, vous vous
employez à satisfaire tous ses besoins. Vous l'allaitez quand il a
faim et vous le gardez dans vos bras tant qu'il en a besoin et
qu'il l'apprécie. En grandissant, il aime un peu moins se faire
prendre mais il apprécie la compagnie des gens. À l'occasion,
vous faites en sorte qu'il soit au cœur même de la vie familiale.
Au fil des jours et des mois, il devient plus indépendant, il
commence à manger des aliments solides et il tète moins longtemps ou moins souvent. Puis il saisit des morceaux d'aliments
qu'il porte à sa bouche. Et puis un jour, il mange de lui-même
en tenant sa cuillère dignement et fermement, bien qu'il fasse
parfois des dégâts considérables. Il sait maintenant boire à la
tasse et, comme le temps file, il ne prend plus qu'une seule
douce tétée avant de s'endormir. Vous êtes toujours là s'il a
besoin de vous. Vous continuez à l'aimer, au début par la chaleur et l'intimité de l'allaitement et plus tard, de façon différente.
Sécurisé par le fait qu'il peut régresser un peu s'il en a envie, il
avance de plus en plus sur le chemin de l'enfance et, finalement
(beaucoup trop tôt, quand on y repense), ce n'est plus un bébé.
Avant même de vous en apercevoir, il partira pour l'école en
vous saluant joyeusement de la main.

Les années passent et bien que le maternage devienne
un peu plus facile, il demeure un défi intéressant. Nos enfants
auront toujours besoin de nous d'une façon ou d'une autre,
Dieu merci ! Cependant il nous faudra savoir quand offrir notre
aide et à quel moment nous tenir à l'écart. Puis un jour, votre
petit garçon se tiendra près de sa femme en train d'allaiter leur
bébé avec bonheur. Ou bien ce sera votre fille, qui ressemble
tant à sa mère quand elle avait le même âge, qui allaitera fièrement son bébé. Tout ce travail, tous ces soucis, tout ce temps,
toute cette patience infinie seront récompensés. Cela en aura
vraiment valu la peine. Guidé avec amour, votre enfant passera
progressivement de la dépendance à l'indépendance.

# CIRCONSTANCES PARTICULIÈRES

# CHAPITRE 16

# Des difficultés dès la naissance

*ans des circonstances* particulières, il faut souvent de la patience et beaucoup de détermination pour allaiter. Des mères sont cependant parvenues à poursuivre l'allaitement malgré des situations parfois inimaginables. Elles ont découvert que les avantages uniques de l'allaitement sont encore plus importants lorsque les conditions ne sont pas tout à fait idéales.

Les nouveau-nés et les mères devant faire face à un problème particulier après la naissance apprécient l'intimité et le réconfort que l'allaitement leur procure. Il leur permet de se connaître mutuellement malgré les complications. De plus, les propriétés immunologiques et les qualités nutritives du lait maternel sont particulièrement importantes pour le bébé dont l'état de santé est précaire.

Les circonstances qui peuvent vous empêcher d'allaiter temporairement votre bébé sont très rares. Si votre bébé est malade ou si vous l'êtes, spécifiez au médecin que vous voulez continuer d'allaiter malgré cette situation particulière et demandez-lui sa coopération. Votre attitude positive envers l'allaitement constitue un facteur déterminant que votre médecin prendra en considération. Votre lait est ce qu'il y a de meilleur pour votre bébé s'il peut prendre des liquides ou de la nourriture par la bouche (ou même par un tube nasogastrique qui passe par le nez pour atteindre l'estomac). L'allaitement est non seulement sécuritaire pour le bébé malade mais c'est un des meilleurs remèdes. Les médecins ont souvent constaté la rapidité à laquelle un bébé allaité récupère. Votre persévérance à allaiter chaque fois que cela est possible pendant un traitement médical peut influencer le choix du traitement envisagé par le médecin.

Si la situation est vraiment inhabituelle, votre médecin pourra considérer la possibilité de téléphoner à la Ligue La Leche. Encouragez-le à le faire. Bien des médecins et des infirmières tirent profit des renseignements fournis par la Ligue et de son expérience auprès des mères ayant allaité dans des circonstances peu courantes.

Si votre médecin ne connaît pas la Ligue La Leche ni son Comité professionnel consultatif, parlez-lui des ressources de la Ligue. Le soutien d'une monitrice vous sera aussi profitable. Elle pourra peut-être vous indiquer le nom d'une autre mère qui a allaité son bébé pendant qu'elle vivait une situation semblable à la vôtre. Par ailleurs, si votre médecin est peu disposé à prendre des mesures favorisant l'allaitement ou s'il en est incapable, vous avez le droit de demander l'avis et l'aide d'un autre médecin. Le bien-être de votre bébé passe avant tout.

## L'ALLAITEMENT APRÈS UNE CÉSARIENNE

Vous pouvez très certainement allaiter votre bébé après une césarienne. L'allaitement démarrera probablement plus lentement car la césarienne est une intervention chirurgicale importante et il faut du temps pour s'en remettre. Si la césarienne est prévue, essayez d'obtenir à l'avance le plus de renseignements possible sur ce type de naissance. Si vous devez accoucher par césarienne, ou si vous lisez le présent chapitre après une césarienne, soyez assurée qu'elle ne constitue pas une entrave à une belle expérience d'allaitement. Il arrive souvent que les raisons justifiant une première césarienne ne se représentent plus. Bien des mères qui subissent une césarienne sont en mesure d'accoucher par voie vaginale par la suite.

Les bébés nés par césarienne peuvent être plus somnolents et moins alertes que ceux qui n'ont pas eu à subir les effets secondaires des anesthésiques. Cette somnolence sera complètement disparue au bout de quelques jours mais, pendant cette période, votre bébé peut avoir un réflexe de succion plus faible. Discutez du choix des anesthésiques avec votre médecin avant l'accouchement. Bien qu'une anesthésie générale soit plus facile à administrer, vous serez inconsciente à l'accouchement et somnolente durant un certain temps. Cela peut donc retarder le moment du premier contact avec votre bébé, vous qui avez attendu si longtemps pour le prendre dans vos bras et l'allaiter. Informez-vous si une anesthésie locale est possible. Cela vous permettrait d'être consciente à l'accouchement et de prendre votre bébé pour l'allaiter peu de temps après sa naissance.

Il vaut mieux allaiter votre bébé dès que possible après la naissance non seulement à cause de l'importance du contact précoce et du lien affectif mais aussi parce que l'allaitement fait contracter l'utérus qui reprend sa forme initiale plus rapidement.

Vous pouvez allaiter sur la table d'opération, mais il vous faudra de l'aide pour mettre le bébé au sein et pour le tenir. En effet, vous aurez encore un soluté et votre bras sera peut-être immobilisé pour permettre au médecin de recoudre l'incision. Il vous sera alors impossible de manipuler le bébé. Votre conjoint ou l'infirmière peut vous aider en couchant le bébé sur votre poitrine pour qu'il puisse téter et en le guidant doucement vers votre mamelon.

Si la première tétée a lieu dans la salle de réveil, placez le bébé sur des oreillers ou des couvertures pour lui permettre d'atteindre facilement le mamelon. Vous serez fort probablement étendue sur le dos à cause de l'anesthésie, alors assurez-vous qu'il est assez près de vous pour saisir facilement le mamelon.

Vous ne ressentirez aucune douleur puisque l'effet de l'anesthésique ne sera pas complètement disparu. Encore une fois, n'ayez pas peur de demander de l'aide pour mettre le bébé au sein.

Certains hôpitaux exigent encore aujourd'hui d'attendre 24 heures après la césarienne avant de laisser la mère seule avec son bébé. S'il n'y a aucune complication, vous pourrez déroger à cette règle si votre médecin comprend combien il est important pour vous d'être avec votre bébé immédiatement après la naissance. Demandez aussi à votre médecin d'écrire au dossier qu'on vous apporte votre bébé à la demande et non selon l'horaire habituel, c'est-à-dire toutes les trois ou quatre heures.

## Les premiers jours

Il n'y a rien de mieux que la cohabitation pour apprendre à connaître son bébé et pour bien démarrer l'allaitement. Certains hôpitaux ne la permettent pas pendant les 24 à 48 premières heures dans les cas de césarienne, mais la plupart des mères trouvent réconfortant d'avoir leur bébé avec elle en tout temps.

Les premiers jours, votre abdomen sera douloureux et sensible. Cependant, la plupart des médicaments contre la douleur n'auront aucun effet sur votre bébé allaité. Dès que vous le pourrez, levez-vous et marchez un peu. En effet, l'activité physique hâte la guérison. Buvez beaucoup de liquide et reposez-vous.

## Allaiter en position couchée

Il sera plus facile d'allaiter en position couchée les premiers jours. Vous pourrez sommeiller tous les deux ensemble, ce qui vous permettra de passer plus de temps avec votre bébé sans vous fatiguer.

Votre lit étant en position horizontale, relevez le côté du lit et placez des oreillers supplémentaires derrière votre dos pour un meilleur soutien. Tournez-vous alors doucement sur un côté en vous agrippant aux côtés de lit et en relâchant vos muscles abdominaux. Bougez lentement pour éviter toute tension. Placez ensuite une serviette ou une couverture roulée sur votre ventre pour vous protéger des coups de pieds du bébé. Puis mettez un oreiller entre vos genoux, cela vous soutiendra et la tension sur les muscles du ventre sera moins forte. Finalement, calez-vous sur les oreillers derrière votre dos.

Demandez à votre conjoint ou à une infirmière de déposer le bébé sur le côté, face à vous, pour que vous soyez ventre à ventre. Sa tête devrait reposer sur votre bras ou sur une couverture roulée pour que sa bouche soit à la hauteur de votre sein. Dans cette position, le bébé devrait pouvoir saisir le mamelon facilement.

C'est avantageux d'allaiter des deux côtés à chaque tétée, mais cela signifie qu'il faudra vous tourner. Les premières fois, vous devrez sans doute demander de l'aide, jusqu'à ce que vous trouviez un truc pour vous tourner. Demandez à une infirmière de placer le bébé de l'autre côté pendant que vous vous tournez.

En prenant appui sur vos pieds, tournez doucement vos hanches. Faites-le lentement, en évitant de tirer sur votre plaie. Là encore, utilisez les côtés de lit pour vous faciliter la tâche. Replacez les oreillers et demandez à l'infirmière de vous aider à mettre le bébé à l'autre sein.

Lorsque votre plaie sera moins sensible, vous pourrez vous tourner seule en tenant votre bébé contre votre poitrine. Servez-vous de la technique décrite ci-dessus tout en tenant bien votre bébé.

## Allaiter en position assise

Il est bon de varier les positions d'allaitement dans les premiers jours. Certaines femmes, malgré la sensibilité de leur plaie, préfèrent allaiter en position assise. Ici encore, relevez les côtés de lit, cela vous aidera à trouver une position confortable.

Demandez qu'on relève la tête du lit à la verticale et élevez légèrement vos jambes. Bougez les jambes à l'occasion pour favoriser la circulation sanguine. Placez un oreiller (ou une couverture roulée) sous votre bras et un autre sur votre plaie où vous déposerez votre bébé. Cela protégera votre abdomen et votre bébé sera à la hauteur de votre sein. Tenez le bébé très près de votre sein, ventre à ventre, sa tête étant soutenue par votre bras. De votre main libre, vous pourrez soutenir votre sein si vous le jugez nécessaire.

## Allaiter en position « ballon de football »

C'est une bonne façon d'éviter la pression sur votre plaie puisque le bébé n'appuie pas sur votre abdomen. En position assise, mettez un ou deux oreillers à côté de vous et déposez-y votre bébé. Son corps devrait être fléchi au niveau des hanches, ses fesses venant s'appuyer contre le dossier de la chaise où vous êtes assise ou contre le lit. Soutenez la tête de votre bébé avec votre main, son visage tourné vers vous, et maintenez son corps serré contre vous avec votre bras. Assurez-vous que sa tête est à la hauteur de votre sein, ainsi vous n'aurez pas à faire d'efforts. Pour plus de détails, consultez le chapitre 4.

## Le retour à la maison

Lorsque vous serez de retour à la maison, vous aurez besoin de beaucoup de repos. Non seulement vous avez donné naissance, mais vous avez aussi subi une intervention chirurgicale importante. Placez le berceau du bébé à côté de votre lit ; ainsi vous n'aurez pas à vous lever. Une pile de couches, un pichet de jus ou d'eau et une collation et vous pourrez tenir longtemps. Ou encore, couchez votre bébé avec vous. Ainsi vous pourrez vous reposer tous les deux tout en apprenant à vous connaître.

Évitez de faire la cuisine ou toute autre tâche ménagère. Si cela est possible, trouvez une personne qui s'en occupera pendant que vous vous reposerez. Demandez à vos amies d'apporter des repas, de jouer avec vos bambins ou de faire la lessive.

Bien que la plupart des familles s'adaptent bien à une naissance par césarienne, certaines femmes ressentent une douleur émotive en plus de la douleur physique. Une intervention chirurgicale importante, particulièrement quand elle est inattendue, peut se révéler bouleversante quand on avait prévu un tout autre genre de naissance.

La mère qui a accouché par césarienne a besoin de parler de ses problèmes et de son expérience. La Ligue La Leche est là pour vous aider. Ses monitrices vous feront des suggestions ; elles vous encourageront et vous donneront des renseignements concernant l'allaitement et le maternage après une césarienne. Voici ce que Ann Hague, de la Géorgie, nous a écrit.

*Même si la mère qui a accouché par césarienne et son bébé doivent faire preuve de plus de patience et de persévérance, cela en vaut vraiment la peine. Je me suis bien remise de l'opération et mon bébé et moi faisons l'expérience d'une belle relation grâce à l'allaitement. L'accouchement par césarienne peut être un moment qu'on redoute, mais cela ne devrait pas vous empêcher de vivre cette remarquable expérience d'amour qu'est l'allaitement.*

## QUE FAIRE S'IL A LA JAUNISSE ?

Votre bébé n'a peut-être que quelques heures, mais il est plus probable qu'il ait deux ou trois jours. Vous remarquez alors que le blanc de ses yeux et que sa peau sont de couleur jaunâtre. Le médecin confirme que votre bébé a la jaunisse et il peut même mentionner le taux de bilirubine dans son sang.

La jaunisse est fréquente chez les bébés au cours des premières semaines, qu'ils soient allaités ou nourris au biberon. Dans la plupart des cas, aucun traitement n'est nécessaire. La jaunisse disparaît et le bébé ne s'en porte pas plus mal. Même si un traitement s'avère nécessaire, il y a de nombreuses façons d'éviter que vous soyez séparée de votre bébé. Vous pouvez continuer à allaiter et être certaine que vous bénéficiez tous deux des avantages de l'allaitement. En fait, une bonne façon d'éviter que la jaunisse ne devienne un problème est d'allaiter votre bébé tôt après la naissance et fréquemment par la suite. Pour mieux comprendre ce qui se passe, il est bon de connaître les différents types de jaunisse.

## La jaunisse physiologique ou normale

Chez le nouveau-né, la jaunisse physiologique est fréquente et généralement sans conséquence. Près de la moitié des nouveau-nés sont atteints de la jaunisse, à un degré qui varie de faible à moyen, dans les jours qui suivent la naissance sans s'en porter plus mal.

La jaunisse physiologique du nouveau-né correspond à un excès de bilirubine temporairement accumulée dans le sang et les tissus du bébé. La bilirubine est un pigment jaune orangé qui donne à la peau du bébé une couleur jaune caractéristique de la jaunisse.

Normalement, de nouvelles cellules sanguines sont produites en permanence et les vieilles meurent. Les nouveau-nés ont plus de globules rouges parce que l'apport en oxygène étant limité dans l'utérus, le bébé a alors besoin d'une plus grande quantité de ces globules pour transporter l'oxygène. Après la naissance, les poumons du bébé reçoivent suffisamment d'oxygène et les globules supplémentaires ne sont donc plus nécessaires. Ces vieilles cellules meurent alors, ce qui libère du fer et de la bilirubine. Le fer est emmagasiné dans le foie et dans d'autres tissus. Plus tard, il servira à la production de nouvelles cellules sanguines.

Selon les connaissances scientifiques actuelles, la bilirubine serait simplement un résidu de cette élimination et le foie devrait la métaboliser. Il y a donc jaunisse lorsque le foie immature d'un nouveau-né ne parvient pas à transformer la bilirubine aussi rapidement qu'elle est produite.

La jaunisse physiologique apparaît généralement entre la deuxième et la quatrième journée chez un bébé sain et né à terme. Dans la plupart des cas, elle disparaît graduellement en une semaine environ, sans aucun traitement. La jaunisse normale n'est pas une maladie, c'est un état bénin qui ne laisse aucune trace. Il n'y a pas de raison de cesser l'allaitement dans les cas de jaunisse physiologique ou normale.

## La jaunisse pathologique ou anormale

Chez le nouveau-né, la jaunisse pathologique est due à une dégradation anormale des globules rouges ou à tout autre facteur d'augmentation de la production de bilirubine ou de diminution des sécrétions du foie. Une incompatibilité de type sanguin (Rh ou ABO) est la cause la plus répandue. Bien que l'incompatibilité de type Rh devienne de plus en plus rare, celle de type ABO, moins sévère, est encore assez fréquente. En procédant à une analyse de votre type sanguin avant la naissance de votre bébé, le médecin saura s'il doit surveiller l'apparition de l'un ou l'autre de ces états.

Contrairement à la jaunisse physiologique ou normale, la jaunisse pathologique ou anormale est souvent visible à la naissance ou dans les 24 heures qui suivent. Le taux de bilirubine peut s'accroître assez rapidement. Un traitement médical est parfois nécessaire dans les cas de jaunisse pathologique. L'allaitement peut toutefois se poursuivre durant le traitement et il peut même aider à réduire le taux de bilirubine.

## Les dangers d'un kernictère

Un taux excessif de bilirubine constitue une source d'inquiétude car il peut causer des dommages au cerveau. (Un taux de 20 mg/dl (342 µmol/l) ou plus est considéré élevé dans les cas d'incompatibilité de type Rh ; 25 mg/dl (425 µmol/l) ou plus dans les autres cas. Des taux inférieurs peuvent occasionner des problèmes chez les petits prématurés.) Le kernictère est un terme technique pour désigner les dommages au cerveau probablement causés par une concentration excessive de bilirubine. On observe une coloration des noyaux de certaines cellules du cerveau, causée par la bilirubine. Ce qui signifie qu'il y a risque de lésions au cerveau. Le kernictère est peu fréquent mais il est très inquiétant chez les prématurés ou les bébés malades atteints de jaunisse pathologique anormale.

## La photothérapie

Afin de déterminer s'il est nécessaire de traiter, on mesure le taux de bilirubine au moyen d'un test. Si le bébé a un taux anormalement élevé, on procédera fréquemment à de nouveaux tests pendant la première semaine afin d'en suivre les variations.

Si votre médecin juge nécessaire de traiter votre bébé, il prescrira probablement la photothérapie. Les lumières à rayonnement ultraviolet ressemblent à des lumières fluorescentes. Elles servent à accélérer l'élimination de la bilirubine. Ce traitement a pour but d'éviter que le taux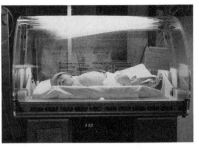
de bilirubine n'atteigne le niveau critique où, dans des cas extrêmes, des transfusions s'avèrent nécessaires pour changer complètement le sang du bébé.

En règle générale, plus l'élévation du taux de bilirubine se produit tôt et vite, plus la photothérapie commencera tôt. Chez un bébé né à terme, elle peut commencer à un taux de 15 mg (255 μmol/l). Les bébés malades ou prématurés présentent des problèmes particuliers, et il faut souvent commencer le traitement médical à un taux inférieur.

Si votre bébé doit être exposé à la photothérapie, il peut continuer à être allaité. Puisque l'allaitement aide le bébé à éliminer l'excès de bilirubine, assurez-vous qu'il boit toutes les deux heures environ ou 10 à 12 fois en 24 heures.

Il n'est pas nécessaire que la photothérapie soit continue pour être efficace. Lorsque vous allaitez votre bébé, retirez le bandeau qui lui couvre les yeux, serrez-le contre vous et regardez-le dans les yeux. Le fait de le tenir et de le caresser, même lorsqu'il est sous les lumières, vous rassurera tous les deux.

Dans certains cas, on pourra installer votre bébé et les lumières dans votre chambre. Vous vous sentirez mieux si votre bébé est près de vous et il sera d'autant plus facile de l'allaiter fréquemment. Dans certains hôpitaux, on place les lumières à rayonnement ultraviolet au-dessus de la mère et du bébé afin de minimiser la séparation mère-enfant et favoriser l'allaitement.

## Les avantages de l'allaitement

L'allaitement sera bénéfique au bébé atteint de jaunisse, quel qu'en soit le type. Un allaitement fréquent dès la naissance aidera à réduire ou à prévenir la jaunisse physiologique. En allaitant tôt après la naissance et très souvent, le taux de bilirubine augmentera peu et il baissera rapidement. Le colostrum ou « prélait » est particulièrement important car il a un effet laxatif. La bilirubine contenue dans le sang est éliminée par le foie, puis excrétée dans la bile qui passe dans l'intestin. Le méconium, la première selle noire et goudronneuse du bébé, contient beaucoup de bilirubine. Si elle n'est pas éliminée rapidement, la bilirubine sera réabsorbée par l'intestin. Le colostrum, en aidant le bébé à éliminer le méconium, prévient la réabsorption.

## « Faire passer » la jaunisse

À une certaine époque, on croyait qu'il était judicieux de donner des biberons d'eau au bébé pour « faire passer » la jaunisse. Cependant, des recherches ont démontré que les suppléments d'eau donnés aux bébés au cours des premiers jours n'aidaient pas à réduire la jaunisse. En fait, une étude rapporte que plus un bébé reçoit d'eau, plus son taux de bilirubine est élevé.

Les biberons d'eau ont un effet nuisible ; ils réduisent le nombre de tétées du bébé. Tout ce qui détourne le bébé du sein ou qui interfère avec l'allaitement peut faire augmenter la jaunisse. Des tétées fréquentes constituent une des meilleures façons d'aider le bébé à éliminer l'excès de bilirubine.

## La jaunisse tardive

La jaunisse tardive est un type inhabituel de jaunisse qui n'apparaît pas avant cinq à sept jours après la naissance. Elle est due, à un facteur contenu dans le lait de la mère. Aussi appelée « jaunisse au lait maternel », elle peut persister jusqu'à dix semaines. Auparavant, lorsque des bébés montraient des signes de jaunisse physiologique, les mères étaient amenées à croire, à tort, que leur lait en était la cause. Ces bébés ont été sevrés inutilement.

Le facteur contenu dans le lait maternel des mères ayant un bébé atteint de jaunisse tardive est inconnu, mais ce facteur semble favoriser grandement l'absorption de la bilirubine par l'intestin. Ces bébés sont en santé et continuent à se développer. Généralement l'allaitement peut se poursuivre sans interruption. Dans de très rares cas, si le taux de bilirubine dans le sang atteint un niveau excessif, votre médecin peut recommander de donner un autre type de lait pour une courte période (d'un à trois jours).

En plus de 20 ans, soit depuis qu'on a identifié ce type de jaunisse, on n'a rapporté aucune séquelle due à la jaunisse au lait maternel chez des bébés allaités. Par contre, aucune étude systématique du développement neurologique de ces enfants n'a été faite.

## La sortie de l'hôpital

Si votre bébé est en santé mais qu'il est toujours soigné pour la jaunisse lorsque vous obtenez votre congé de l'hôpital, parlez à votre médecin de la possibilité de poursuivre le traitement à la maison. Il est important d'allaiter fréquemment et vous pourrez exposer votre bébé à la lumière du jour chez vous (mais pas directement sous les rayons du soleil). Il est parfois possible de louer des lumières pour usage à la maison. Évidemment, il vous faudra retourner à l'hôpital pour les tests sanguins nécessaires à la surveillance du taux de bilirubine du bébé.

On comprend facilement l'inquiétude des parents qui se font dire que leur nouveau-né montre des signes de jaunisse car cela peut être dû à une grande diversité de facteurs. Cependant, dans la majorité des cas, la situation n'est pas grave.

## UNE NAISSANCE PRÉMATURÉE

La taille des bébés prématurés varie beaucoup. Certains pèsent 1 kg ou moins, d'autres sont complètement développés et dépassent les 2 kg. Certains parviendront à téter immédiatement après la naissance alors que d'autres devront être protégés, gardés au chaud dans une isolette et n'auront pas la force de téter. Si votre bébé est très petit, il lui faudra peut-être demeurer à l'hôpital plusieurs semaines ou même plus. Cependant, le fait de pouvoir lui donner votre lait vous aidera à surmonter les inquiétudes et les craintes que vous ressentez face à son état. Vous seule pouvez donner votre lait à votre bébé. S'il est très petit ou malade, les infirmières de l'hôpital pourront le nourrir de votre lait grâce à un tube inséré dans son nez et qui se rend jusqu'à son estomac ou à l'aide d'un biberon muni d'une tétine pour les prématurés. Souvent, si le bébé peut boire du lait au biberon, il peut téter au sein.

Lucienne Tenin Libeau, d'Anjou, en France, raconte son expérience.

*Anne est née à sept mois de grossesse, à la suite de la mort* in utero *de son frère jumeau, Guillaume. Les premiers jours furent une longue attente pour savoir si ce tout petit « bout de femme » allait vivre. Attente angoissée mais malgré tout sereine, car mon mari et moi étions persuadés qu'il fallait qu'elle vive, qu'il ne pouvait en être autrement. C'est pourquoi je pensai à démarrer au plus tôt l'allaitement.*

*Lien formidable qui permet, dans ces moments
difficiles, de se rapprocher de notre enfant perdu
dans cet univers d'alarmes sonnant à tout moment,
de tracés angoissants, de sondes et d'appareils. De
tout cela nous avons fait abstraction pour lui
transmettre, par le toucher, l'envie de vie que nous
avions dans le cœur.*

*J'ai tiré mon lait au tire-lait électrique
24 heures après la naissance, et ensuite quatre à
cinq fois par jour. Ces moments n'étaient pas du
tout contraignants. Au contraire cela tissait chaque
jour un peu plus nos liens avec Anne, et nous
permettait de penser souvent à elle.*

*En tant que parents d'un bébé prématuré, nous
avons un grand rôle à jouer : jour après jour venir
le voir, faire sa connaissance, le câliner, lui assurer
le meilleur lait qui est celui de sa maman, afin qu'il
puisse lutter avec toutes les forces dont il dispose.*

L'allaitement aide par la suite, à combler la séparation
que votre bébé et vous avez dû subir. Rebecca Strasser, du
Tennessee, était contente d'avoir persévéré à allaiter son fils
Jonathan, né à 28 semaines de grossesse et dont le poids était
inférieur à 1,4 kg. Elle affirme : « Allaiter Jonathan a adouci
notre séparation précoce [...] Je serai éternellement reconnais-
sante à tous ceux qui m'ont encouragée à continuer car je peux
maintenant goûter aux joies inestimables de l'allaitement. »

## Le lait maternel, ce qu'il y a de mieux

Votre bébé profite de votre lait sur de nombreux plans.
Une recherche a démontré que le lait des mères qui ont accouché prématurément s'adapte aux besoins particuliers de leur
bébé. Les facteurs immunitaires contenus dans votre lait le
protègent des maladies auxquelles les bébés prématurés sont
particulièrement fragiles. Le lait maternel se digère facilement ;
il n'exige pas d'effort supplémentaire de son organisme qui lutte
pour s'adapter à la vie extra-utérine. En donnant votre lait à
votre bébé, vous contribuez grandement à ses soins. La technologie médicale ne peut imiter le lait maternel, l'aliment par
excellence pour votre bébé.

Si votre bébé prématuré ne peut pas téter directement au sein, commencez à extraire votre lait dès que possible. Le colostrum est particulièrement important pour lui. Souvenez-vous aussi que dès qu'il peut prendre un aliment par la bouche (ou par tube nasogastrique), votre lait reste le meilleur choix. Il est préférable de le nourrir très souvent et peu à la fois (toutes les heures ou toutes les deux heures).

Il vous faudra du temps pour apprendre à extraire votre lait manuellement ou avec un tire-lait. Penser à votre bébé, regarder sa photographie, téléphoner à l'hôpital pour connaître ses progrès, tout cela vous aidera à produire davantage de lait. Ne vous découragez pas si votre production diminue un peu avec le temps. Votre corps ne peut réagir à un tire-lait comme il réagirait au contact du bébé. Quand vous commencerez à allaiter votre bébé au sein, votre production augmentera. (Vous trouverez plus d'information concernant l'extraction et la conservation du lait maternel au chapitre 7.)

Commencez en extrayant à la main ou avec un tire-lait toutes les deux à trois heures, soit presque aussi souvent que votre bébé demanderait à téter. Cependant vous avez besoin de beaucoup de sommeil et il n'y a aucun inconvénient à laisser passer cinq ou six heures la nuit sans extraire.

Idéalement, votre lait devrait être conservé au réfrigérateur et donné à votre bébé dans les heures qui suivent l'extraction sans aucune autre transformation. Chauffer le lait détruit considérablement plusieurs de ses qualités protectrices. Si votre bébé ne peut prendre immédiatement votre lait, vous devriez le congeler. Cela préviendra le développement des bactéries et n'aura que peu d'effet sur les autres composantes du lait.

L'hôpital vous fournira peut-être des contenants pour recueillir votre lait. Sinon vous pouvez utiliser n'importe quel contenant stérilisé. Utilisez de préférence des contenants en plastique car certains facteurs immunologiques importants contenus dans le lait maternel peuvent adhérer au verre. Ces éléments sont particulièrement précieux pour le bébé prématuré. Assurez-vous que vos mains sont très propres avant d'extraire votre lait. Par contre, la douche quotidienne suffit à garder les mamelons propres et il n'est pas nécessaire (ni recommandé) de les laver avec du savon, la nature les ayant dotés de leur propre antiseptique.

L'apparence de votre lait peut vous surprendre.
Il est habituellement clair et bleuté. De plus, si vous le laissez reposer, vous remarquerez que la crème remonte à la surface.
La quantité de crème sera différente d'une extraction à l'autre et

c'est bien ainsi. Rappelez-vous, votre lait est le lait parfait pour votre bébé et sa composition lui convient tout à fait.

Un bébé né très prématurément, plus de deux mois avant la date prévue d'accouchement, peut avoir besoin de suppléments de vitamines et de minéraux en plus du lait maternel. Si votre médecin juge que votre bébé a besoin de ce type de suppléments, ne croyez pas que votre lait n'est pas adéquat. C'est seulement que les bébés nés trop prématurément peuvent avoir davantage besoin de certains éléments nutritifs pour grandir et se développer normalement. Votre lait lui fournit toujours l'essentiel de cette alimentation particulière dont il a besoin.

## Le besoin de soutien

Le soutien et la coopération accordés aux mères de bébés prématurés varient selon les hôpitaux. C'est un véritable bienfait lorsque les médecins et les infirmières qui prennent soin de votre bébé vous soutiennent et vous encouragent à allaiter. Ils sont conscients que vous seule pouvez fournir l'aliment par excellence à votre bébé. Ils vous aideront à avoir confiance en votre capacité de l'allaiter.

Si, par contre, vous obtenez moins de soutien que vous ne l'espériez, vous pouvez quand même réussir. Si vous constatez que vous avez des difficultés avec le personnel de l'hôpital, essayez d'en découvrir la cause. Parfois l'infirmière qui s'occupe des prématurés ne sait pas très bien comment aider la mère qui allaite. Le soutien d'une monitrice de la Ligue La Leche peut vous aider à augmenter votre confiance en vous. De plus, le fait de savoir que d'autres mères ont allaité leurs bébés prématurés vous donnera confiance.

Gardez le contact avec l'hôpital et le médecin pour connaître les progrès de votre bébé. La plupart des professionnels comprennent très bien le besoin qu'ont les parents de savoir ce qui arrive à leur enfant. Ils vous encourageront également à venir lui donner autant de soins et d'attention que possible. Même dans son isolette le bébé a besoin de contacts physiques et vous avez aussi besoin d'être avec lui. Muriel Mendy, de Paris, en France, explique comment elle est parvenue à tisser des liens avec ses jumelles nées prématurément.

*Les filles sont arrivées avec violence à sept mois et demi de grossesse, alors ce que je devais leur donner c'était : paix, sécurité, amour. Safi et Manon étaient vivantes. On les soignait. Mon rôle, c'était le nez, l'ouïe et le toucher. Je me baladais avec des mouchoirs sous mon pull, des petites chemises à elles, je dormais avec leurs nounours. Et ce fut le début de la chaîne amour-odorat. Elles avaient deux jouets et quatre mouchoirs chacune. Le soir, je m'endormais un peu avec elles, elles s'endormaient un peu avec moi.*

*Mais tous les jours, c'était un peu plus difficile de les quitter. Elles commençaient à comprendre. Alors l'ouïe est entrée en scène. Je leur lisais des histoires, leur racontais des blagues, je leur disais mon repas quand elles tétaient, je chantais beaucoup [...] Les liens se tissaient, à chaque visite je les sentais plus complices. J'avais toujours une main qui se baladait dans l'une ou l'autre couveuse, le long de leurs petits corps frêles.*

*Quand elles sont rentrées à la maison, elles avaient 1,5 mois, et c'est dans le lit que le contact s'est établi : nous dormions tous ensemble. Elles ont maintenant 5 mois, ce sont des nanas super sympas, très souriantes, et je suis fière d'être leur mère.*

Bien que les avantages de l'allaitement maternel pour les bébés prématurés soient de plus en plus reconnus, il peut y avoir certaines raisons pour lesquelles votre bébé ne pourra prendre votre lait durant quelque temps. Si c'est votre cas, continuez à stimuler votre production en extrayant régulièrement. Vous pouvez congeler le lait pour plus tard ; vous en aurez sans doute besoin au cours de ces premières journées d'allaitement où votre production ne se sera pas encore adaptée à la demande de votre bébé.

## La première tétée

Selon la taille et l'âge gestationnel du bébé, il faut parfois des jours ou des semaines avant qu'il ne soit finalement prêt à téter. On peut d'abord utiliser une tétine (sucette) ou une tétine pour prématuré pour stimuler son intérêt mais, lorsque c'est possible, le sein maternel est toujours préférable. Si on utilise une tétine, on devrait l'utiliser seulement quelques instants et essayer de mettre le bébé au sein dès que possible.

La première fois qu'on allaite un bébé prématuré, c'est souvent difficile. La nouvelle mère et l'infirmière, qui n'a peut-être pas aidé très souvent à mettre un bébé prématuré au sein, peuvent être toutes les deux facilement frustrées du peu de progrès que semble faire le bébé.

Gardez à l'esprit qu'il n'est pas très fort et qu'il aura besoin de beaucoup de caresses, d'attentions et de patience. Peut-être qu'il ne pourra téter convenablement que quelques secondes à la fois. Vous devrez être aussi détendue et à l'aise que possible, ce qui n'est pas toujours facile. Essayez d'avoir un endroit tranquille et un fauteuil à bascule. Placez des oreillers sous votre bras et sur vos genoux et installez-vous tous les deux confortablement. Pour ne pas fatiguer votre bébé inutilement, extrayez un peu de lait jusqu'à ce que vous sentiez le réflexe d'éjection puis mettez votre bébé au sein. Soyez calme, douce et patiente. Au début il pourra manifester ou non de l'intérêt envers le sein. Puisqu'il a été alimenté de plusieurs façons, il peut être confus. Rassurez-le en le bougeant doucement, calmement.

Il est possible qu'il saisisse le mamelon immédiatement et qu'il se mette à téter, il peut aussi s'amuser au sein et téter sans conviction, ou simplement lécher le mamelon. Quoi qu'il en soit, cette expérience sera profitable pour vous deux. Rappelez-vous qu'un bébé peut ne pas téter convenablement dès les premières tentatives. Bien souvent elles sont beaucoup plus empreintes d'amour et de tendresse qu'elles ne constituent de véritables tétées. Vous bénéficiez tous les deux de ce contact étroit. Essayez de placer doucement votre mamelon dans sa bouche mais s'il ne tète pas ou s'il n'est pas intéressé cette fois-là, il fera sans doute mieux la prochaine fois, ou la suivante. Attendez environ 15 minutes entre chaque tentative d'allaitement.

Dans son livre, *A Practical Guide to Breastfeeding*, Jan Riordan, infirmière autorisée et titulaire d'une maîtrise en soins infirmiers, fait une description détaillée de la technique favorisant la mise au sein d'un bébé très prématuré. « Les positions utilisées habituellement pour nourrir un bébé plus gros et en santé doivent être adaptées au petit bébé prématuré », dit-elle. Elle suggère de se servir du bras opposé au sein pour tenir le bébé. Le bras de la mère soutient alors tout le corps du bébé et sa main tient la tête, ce qui permet de bien placer le bébé au sein. De son autre main, la mère présente le sein au bébé pour lui permettre de le saisir. L'auteure, également monitrice de la Ligue La Leche, poursuit : « Cette position permet à la mère de bien voir son bébé et de limiter les mouvements de ce dernier pendant qu'il est au sein. Toutes les mères ont trouvé cette position efficace. »

## Vous ramenez votre bébé à la maison

Arrivera finalement ce jour tant attendu où vous pourrez ramener votre petit bébé à la maison. Il est fort probable que vous mettrez en doute vos capacités d'en prendre soin puisque jusqu'à ce jour sa vie dépendait de connaissances techniques et d'un équipement médical spécialisé.

Soyez certaine qu'il a surtout besoin de vos bras aimants et de votre lait chaud à ce stade-ci. Le bébé prématuré a énormément d'amour et de tétées à rattraper, et il a besoin de tout le temps et de tout le contact que vous pouvez lui offrir. Dormez avec lui, portez-le dans vos bras ou dans un porte-bébé, faites-lui sentir votre présence par tous les moyens. Accordez-lui beaucoup de contacts physiques, qu'il n'y ait qu'une couche entre vous et lui. Soyez disponible pour l'allaiter.

S'il a reçu des suppléments, demandez au médecin de vous indiquer quand vous pourrez cesser de lui en donner. Faites-lui comprendre que vous visez un allaitement complet. Vous saurez que votre bébé boit assez en comptant le nombre de couches mouillées et souillées. En règle générale, s'il imbibe six à huit couches et s'il a de trois à cinq selles par jour, c'est qu'il boit assez de lait.

Si vous devez continuer à donner des suppléments, servez-vous d'un dispositif d'aide à l'allaitement si possible. Continuez à le mettre au sein régulièrement et lisez le chapitre 7 pour savoir comment augmenter votre sécrétion lactée.

Beaucoup de contacts physiques et de soins affectueux permettront à votre bébé prématuré de grandir et de se développer. Mais tous ces efforts pour maintenir votre sécrétion lactée dans le but de nourrir votre prématuré en valent-ils la peine ? Jo-Anne Montgomery, du Manitoba, pense que oui. Sa fille Shannon est née neuf semaines avant terme. « Allaiter ma fille a été l'un des plus grands plaisirs de ma vie et ça l'est toujours, dit-elle. J'encourage toutes les mères qui veulent allaiter leur bébé prématuré à persévérer. »

## UN BÉBÉ AUX BESOINS SPÉCIAUX

Le bébé qui naît avec un handicap ou un problème médical a encore plus besoin de l'allaitement qu'un bébé en santé. Le bébé aux besoins spéciaux bénéficie tout particulièrement de l'amour, de l'attention et du réconfort que procure l'allaitement. Si votre bébé a un problème, contactez une monitrice ou la Ligue La Leche pour obtenir de l'aide et des renseignements sur l'allaitement.

Une mère et sa fille, toutes deux monitrices de la LLL, ont écrit un livre destiné aux parents d'enfants handicapés. *A Special Kind of Parenting*, de Julia Good et Joyce Good Reis, donne des conseils pratiques et traite avec optimisme de sujets allant de l'acceptation durant les premiers jours aux soins de votre enfant lorsqu'il doit être hospitalisé.

*À la naissance d'un enfant handicapé, un effet immédiat et marquant se fait sentir sur les parents et la cellule familiale [...] Peu importe la nature du handicap ou du problème médical, cela cause un choc énorme aux parents [...] Le choc émotif est grandement influencé par la façon dont on leur permet d'interagir avec leur bébé [...] L'allaitement peut être une expérience normale dans ces situations déchirantes où à peu près rien ne semble normal.*

Vous pouvez vous procurer ce livre, disponible uniquement en anglais, auprès de la Ligue La Leche. Si votre bébé a un problème de santé qui rend l'allaitement plus difficile, souvenez-vous que l'allaitement est presque toujours possible et qu'on devrait le favoriser.

## Le bébé atteint du syndrome de Down

Pour le bébé atteint du syndrome de Down, une ambiance familiale chaleureuse ainsi qu'un maximum d'interactions avec les autres membres de la famille l'aideront à développer ses capacités au maximum.

L'allaitement crée des liens solides et démontre votre amour et votre affection d'une façon toute particulière à votre bébé. Il est aussi très important pour le bébé atteint du syndrome de Down car celui-ci est plus sujet aux infections que les bébés en santé. Les facteurs immunitaires que l'on trouve dans le colostrum et le lait maternel ont une valeur inestimable pour lui. De plus, la mère sera heureuse d'allaiter son enfant et de satisfaire ses besoins.

Le bébé atteint du syndrome de Down répond volontiers à l'amour et retourne cet amour avec ferveur à ceux qui l'entourent. Il fait souvent la joie de toute la famille. Voici ce que Lucille Clancy dit de son fils : « Mon cœur disait " je l'aime " et ma raison " si seulement les choses avaient été différentes ", mais bientôt Chad, par ses grands sourires, m'a rendu au centuple tout l'amour que je lui avais donné. »

Bien des mères ont souligné l'importance du soutien émotif apporté par leur conjoint et combien cela les avait aidées à accepter leur bébé handicapé. Comme le dit Louise Wills : « Je ne peux sous-estimer l'aide de mon mari pour Erika. Grâce à lui, j'ai appris à voir Erika d'abord comme une enfant et ensuite comme une enfant avec un handicap. » Souvenez-vous qu'en vous apportant mutuellement soutien et compréhension, votre conjoint et vous gagnerez force et courage avec le temps.

Le bébé atteint du syndrome de Down est souvent endormi et il peut avoir un réflexe de succion plus faible. Il vous faudra alors beaucoup d'aide et de patience pour l'allaiter. Soyez patiente quand il apprend à téter et à avaler. Les joies de l'allaitement valent bien les efforts supplémentaires, ne vous découragez donc pas si vous faites face à des difficultés. Votre bébé apprendra avec le temps et grâce à votre aide.

Juliana Côté, du Québec, nous parle de sa fille, Marie-Soleil, et de son allaitement.

*L'arrivée d'un enfant « spécial » nous amène à nous poser une foule de questions, et les deux premiers jours après la naissance ont été pour nous chargés d'émotions.*

*L'allaitement était aussi « spécial » car cette petite ne semblait pas connaître la faim. Elle s'est endormie au sein et semblait trop faible pour téter le soir même. La première nuit et le lendemain, elle n'a presque pas bu si bien que je suis vite devenue engorgée. Je me soutirais du lait. Marie-Soleil manquait de tonus musculaire, ne se tenait pas la tête et dormait beaucoup. J'essayais de la réveiller pour lui présenter le sein. Marie-Soleil ne pleurant jamais, je devais être à l'affût de ses besoins. Au début, sa succion était faible et elle prenait mal le sein car l'air entrait dans sa bouche à cause de sa langue qui sortait.*

*Étant monitrice de la LLL, j'ai consulté la documentation que j'avais pour aider une mère à allaiter un bébé avec le syndrome de Down. Jamais je n'aurais cru que la première mère que j'aiderais serait moi-même !*

*Puis les jours ont passé et elle prenait de mieux en mieux le sein car elle avait trouvé une façon de téter, la langue appuyée sur sa lèvre inférieure. La nature est bien faite, elle s'adapte. Il s'agit d'être réceptive, patiente et confiante. Vous comprendrez qu'après l'allaitement de mes six autres enfants l'idée d'un échec ne m'ait même pas effleuré l'esprit.*

*Le pédiatre consulté un mois après sa naissance
confirma sa trisomie et nous avisa qu'il n'y avait
rien à espérer du côté intellectuel et que, par conséquent, son développement ne se rapprocherait
jamais de la norme. Nous étions au contraire
convaincus de pouvoir faire beaucoup pour l'aider
et lui donner toutes les chances possibles. Nous
nous sommes donc tournés vers des spécialistes en
développement du potentiel humain et vers une
ostéopathe. Marie-Soleil a besoin d'être entourée de
personnes qui lui témoignent respect et amour, et ce,
surtout dans les soins qu'on lui prodigue.*

*Marie-Soleil est maintenant âgée de 3 ans et je
l'allaite toujours. Ses spécialistes étaient heureux
d'apprendre que je l'allaiterais longtemps car avec
les problèmes respiratoires et son système immunitaire plus faible que les autres, l'allaitement lui est
d'un secours inestimable. Marie-Soleil est
aujourd'hui une enfant souriante, heureuse,
épanouie et très enjouée.*

## Le bébé avec une fissure labiale (bec-de-lièvre) ou une fissure palatine

Ces deux anomalies sont souvent présentes en même temps bien que la fissure palatine soit un peu plus courante. Le bébé qui a une fissure labiale peut habituellement boire au sein avant même de subir une intervention chirurgicale. Chez le bébé avec une fissure palatine, un trou dans son palais mou (au fond de sa bouche) l'empêche de maintenir la succion qui l'aide à téter. Cependant, à moins que la fissure soit très grave, votre bébé et vous pourrez sans aucun doute découvrir une façon d'allaiter.

Cela ne signifie pas que l'allaitement sera toujours facile. Il peut parfois être très difficile, voire impossible. Mais même si votre bébé est incapable de téter, votre lait est toujours très précieux pour lui. Quand vous le nourrissez, prenez-le dans vos bras, serrez-le contre votre poitrine comme si vous l'allaitiez.

Durant huit mois, une mère a extrait son lait à l'aide d'un tire-lait électrique pour son huitième enfant et elle le lui donnait dans un biberon spécial. Son bébé était resplendissant de santé avant de subir l'opération chirurgicale nécessaire et il s'en est remis très rapidement.

Edith Grady, monitrice de la LLL en Indiana, a découvert que si elle maintenait son sein dans la bouche de sa fille Andrea, qui avait une fissure palatine, celle-ci parvenait à le « traire » avec ses gencives et sa langue. En effet, c'est surtout le mouvement des mâchoires, de la langue, des joues et des gencives qui extrait le lait du sein. Edith maintenait son sein dans la bouche d'Andrea en le tenant d'une main et en gardant la tête de son bébé très près de son sein toute la durée de la tétée.

Au début, elle extrayait aussi son lait pour lui donner dans un biberon après la tétée. Cependant, dès l'âge de 4 mois, Andrea était assez forte pour prendre tout son lait directement au sein de sa mère.

Le feuillet de la Ligue La Leche intitulé « L'allaitement du bébé ayant une fissure du palais mou » explique cette technique et fournit des renseignements supplémentaires concernant l'allaitement. Vous pouvez l'obtenir auprès d'un groupe de la LLL.

Si votre bébé est incommodé parce qu'il a du lait dans le nez pendant la tétée, il vous faudra faire une pause de temps en temps pour lui permettre de respirer. Souvent il boira mieux s'il est allaité assis ou couché sur un côté en particulier. Essayez différentes positions dans les premières semaines d'allaitement. Soyez patiente car il lui faudra probablement plus de temps pour apprendre à téter.

La reconstruction chirurgicale se fait généralement entre l'âge d'un an et de 2 ans. Il se peut que votre bambin ne veuille pas téter immédiatement après l'ntervention car son palais sera douloureux. Toutefois, il aura peut-être envie de s'appuyer contre votre sein ou de prendre votre mamelon dans sa bouche sans téter. Pendant sa convalescence – une semaine environ – il recommencera à téter, peut-être avec plus de ferveur que jamais puisque la reconstruction rend l'allaitement plus facile.

Si votre bébé a une fissure labiale, il parviendra probablement à téter sans trop de problèmes. Il est possible que le médecin veuille procéder à une restauration chirurgicale pendant la période où votre bébé est allaité. Ce type d'intervention chirurgicale se fait habituellement quand le bébé est assez jeune et qu'il ne boit que du lait maternel. Tammy Shaw, de l'Illinois, a convaincu son médecin de laisser Peter téter immédiatement après l'intervention.

*Mon mari et moi avons présenté de l'information concernant l'allaitement au docteur Johnson. Il a accepté d'emblée de me laisser allaiter aussitôt après l'intervention chirurgicale. Il croit au lien mère-enfant et il a compris mon désir d'allaiter Peter*

> *immédiatement après. Il m'a affirmé que si des*
> *points se détachaient après l'allaitement, il pourrait*
> *les refaire rapidement sans douleur pour Peter. Il*
> *comprenait l'importance de réconforter Peter. Quand*
> *le docteur Johnson est venu nous voir après l'inter-*
> *vention et qu'il a vu Peter téter allègrement, il était*
> *enchanté de le voir calme et radieux si vite.*

Une autre mère, du Massachusetts cette fois, Valerie Hawkes-Howat, a appris qu'il n'était pas facile de trouver un médecin qui accepterait de la laisser allaiter son fils tout de suite après la reconstruction chirurgicale. Finalement, elle a pu allaiter son fils Willie immédiatement après l'intervention. Il a merveilleusement bien guéri et la cicatrice est à peine visible. Voici ce qu'a écrit Valerie au sujet de la première tétée de Willie après l'intervention.

> *Quand on a ramené Willie de la salle de chirurgie,*
> *il m'a regardé de ses yeux brillants et il m'a fait un*
> *large sourire, endormi. J'en aurais pleuré de*
> *soulagement. Le seul bandage à recouvrir son visage*
> *était fait de trois petites bandes étroites au-dessus de*
> *sa lèvre supérieure. L'infirmière m'a aidée à le*
> *prendre et à l'installer sur mes genoux sans dépla-*
> *cer l'intraveineuse dans son pied. Je l'ai serré dans*
> *mes bras et il a commencé à chercher le sein alors je*
> *me suis mise à l'allaiter. Il a semblé très heureux*
> *d'être à nouveau au sein. Il n'a pas montré de*
> *signes d'inconfort, rien. J'ai remarqué comment sa*
> *lèvre supérieure reposait sur mon aréole, sans*
> *aucune tension. Il n'y avait pas d'enflure ni de*
> *contusion près des points de suture.*

> *Willie a fini sa première tétée postopératoire en*
> *s'endormant paisiblement dans mes bras, heureux*
> *et ignorant complètement combien ses parents ont*
> *dû travailler fort pour rendre cela possible.*

## La fibrose kystique et les autres cas de malabsorption

Les bébés atteints de fibrose kystique, de la maladie cœliaque ou d'autres maladies de mauvaise assimilation se développent très bien grâce au lait maternel. En fait, l'apparition de ce genre de maladie est souvent retardée si le bébé est allaité.

Lorsque celui-ci est plus âgé et que les symptômes de la maladie se manifestent, il est beaucoup plus facile de la traiter. Mais peu importe la nature de la maladie, il est très rare que le bébé ne puisse pas téter.

Le fils de Kathleen Winterer, Ben, a pris du poids régulièrement grâce au lait maternel malgré sa fibrose kystique. La santé de Ben était bien meilleure parce qu'il était allaité.

*Au moment de l'hospitalisation de Ben, on nous a dit qu'il aurait probablement une ou deux pneumonies pendant sa première année. Je suis heureuse de dire que Ben a fêté son deuxième anniversaire le mois dernier et qu'il n'a toujours pas eu de pneumonie. Évidemment, j'aime à croire que le colostrum l'a aidé à passer cette première année décisive.*

Le bébé de Lucie Roy, est né avec un bouchon de méconium, symptôme de la fibrose kystique.

*Je savais que l'allaitement était un élément essentiel pour protéger Hubert des infections et que, en plus, le colostrum aiderait à nettoyer son intestin.*

*Vivre loin de mon bébé, car il a dû être hospitalisé, était difficile. Tout mon amour, mon affection et ma chaleur [...] je les lui ai donnés avec le meilleur de moi-même. L'allaitement est ce que je considère de plus important pour mon bébé afin de le protéger des maladies pulmonaires et digestives.*

## LA PERTE D'UN BÉBÉ

La mort d'un bébé, qu'elle soit due à une fausse couche, à un décès à la naissance ou peu de temps après, ou plus tard à une maladie ou un accident, constitue une expérience que nous envisageons rarement. Malheureusement, la vie de nombreuses familles se trouve bouleversée par de telles tragédies. Les parents qui subissent cette terrible perte sont généralement en état de choc. Ils doivent péniblement faire face au fait que le corps de la mère ne réagit pas immédiatement à ce qui se passe ; en effet, elle continuera à avoir du lait.

Les femmes qui ont perdu un nouveau-né, un enfant mort-né ou qui ont eu une fausse couche après 20 semaines de grossesse, reçoivent souvent rapidement leur congé de l'hôpital. La production de lait commence donc à la maison. Il est bon d'être préparée à ce qui va arriver, mais souvent les mères vivent l'engorgement – le gonflement et le durcissement douloureux des seins – comme un véritable choc. Les mères qui ont perdu un bébé alors que leur sécrétion de lait était bien établie vivront aussi un engorgement et elles auront besoin d'en être soulagées.

Les femmes ont souvent peur de soulager leur engorgement en extrayant du lait de crainte de stimuler davantage leurs seins. Cependant, l'extraction du lait est probablement la meilleure chose à faire. Seulement quelques gouttes peuvent être suffisantes pour vous soulager. Une douche chaude ou un bain chaud est excellent avant de commencer l'extraction. La chaleur vous aidera non seulement à manipuler vos seins douloureux mais souvent aussi à faire couler un peu de lait. Au début, il vous faudra peut-être extraire de petites quantités de lait plusieurs fois par jour, de même que la nuit si vous ressentez de l'inconfort. On extrait un peu de lait premièrement pour soulager la sensation d'inconfort et deuxièmement pour prévenir l'accumulation de lait dans les canaux lactifères, ce qui pourrait mener à une infection du sein.

Quand la sécrétion lactée est bien établie, certaines mères disent que le fait d'extraire et de donner leur lait à une banque de lait les aide car elles sentent qu'elles font quelque chose d'utile pour un autre bébé. Si vous choisissez d'agir ainsi, vous pourrez réduire votre sécrétion graduellement et plus aisément. Vous trouverez sans doute utile de porter un soutien-gorge à support ferme pour plus de soutien et de confort. Choisissez une taille plus grande que celle que vous prenez normalement.

Bien des mères sont déconcertées par la manière dont le réflexe d'éjection peut être provoqué à la seule pensée de leur bébé. Il semble que cela se produise souvent au moment des funérailles du bébé. Les accolades de vos amis pour vous consoler peuvent aussi provoquer ce réflexe. Portez des compresses d'allaitement, mettez des vêtements amples et imprimés ou même apportez des vêtements de rechange, tous ces trucs pourront vous être utiles.

## L'aide des amis

Le soutien des amis, des parents et des professionnels de la santé est essentiel. Ayant perdu son fils Leo âgé de trois mois, Celia Waterhouse, de l'Angleterre, fait cette suggestion aux amis :

*Dites simplement à quel point vous êtes désolés. Cela ne chagrinera pas davantage la mère parce que vous rappelez à sa mémoire le souvenir de son bébé. Comme si elle pouvait l'oublier ! Même si la*

*conversation en reste là, le simple fait d'avoir*
*compris sa peine est important.*

L'aide aux tâches quotidiennes – préparer les repas, faire la lessive, s'occuper des enfants plus âgés – sera certainement bienvenue, mais des amis prêts à discuter, à pleurer et à écouter, c'est merveilleux.

Peu importe vos sentiments, ils sont normaux. Le chagrin peut durer très longtemps cependant. Se souvenir de la date de naissance du bébé et du jour de ses funérailles, regarder des photographies de lui, lui donner un nom même s'il est mort-né, tout cela peut vous aider. De plus, les conjoints doivent se soutenir mutuellement et comprendre que le chagrin peut les affliger de façons diverses, à des moments différents. Au début, l'aide est souvent abondante, mais après quelques mois les gens s'attendent à ce que les parents aient surmonté leur chagrin. Il s'agit d'un moment crucial pour les parents endeuillés, qui peuvent trouver que le chagrin refait surface très souvent. Le docteur Penny Stanway, un médecin britannique dont le troisième bébé était mort-né, affirme :

> *La plupart des femmes veulent relater, toujours et*
> *encore, les circonstances de la mort de leur bébé avec*
> *quiconque veut bien les écouter. La mère aura*
> *besoin de temps pour accepter cette perte. La*
> *meilleure façon d'y parvenir est de repasser le film*
> *des événements dans sa tête et d'en parler, comme*
> *pour assimiler, pour imprégner dans son esprit,*
> *ce qui est arrivé.*

Il existe de nombreux groupes de soutien pour les parents qui ont perdu un enfant. Dans ces groupes, d'autres parents en deuil vous écouteront exprimer vos sentiments et vos expériences.

# CHAPITRE 17

# Situations problématiques

*D*ans certaines situations, on pourra avoir besoin de connaissances précises ou de techniques spécialisées pour pouvoir allaiter. Si, après la lecture de ce chapitre, vous avez encore des questions ou des inquiétudes, souvenez-vous que les monitrices de la Ligue La Leche sont là pour vous donner de l'information et vous soutenir. N'hésitez pas à les contacter.

# Naissances multiples, joies multiples

Une mère peut-elle allaiter des jumeaux ? Oui, bien sûr. À vrai dire, les mères qui allaitent des jumeaux croient que les avantages de l'allaitement se multiplient lorsqu'elles ont deux bébés. Puisque les jumeaux sont parfois plus petits à la naissance, ils ont davantage besoin de l'immunité que procure le lait maternel.

Dans son livre *Jumeaux : allaitement et maternage*, Karen Gromada, monitrice de la LLL et mère de jumeaux, parle des avantages de l'allaitement de ces bébés.

*Les avantages de l'allaitement augmentent en ampleur et en intensité quand vous avez plusieurs bébés à la fois. C'est une bonne affaire de pouvoir économiser deux fois plus d'argent et éviter deux fois plus de préparation. C'est deux fois plus invitant de se pelotonner au lit pour les tétées de nuit, plutôt que de se réveiller au son de bébés qui pleurent et de les faire patienter, le temps de réchauffer leur biberon [...] Un des avantages de l'allaitement est particulièrement important [...] Vous profiterez d'un maximum de contacts cutanés avec chacun de vos bébés.*

## Du lait en abondance

Toutes les mères de jumeaux sont d'accord : elles ont assez de lait. Connue et éprouvée, la maxime qui s'applique à l'allaitement d'un bébé s'applique également à l'allaitement de jumeaux : plus vous allaitez, plus vous aurez de lait. Une mère de l'Illinois, Lee Mueller, a accouché de jumeaux qui pesaient chacun plus de 3,6 kg à la naissance. Pourtant, elle n'a pas eu besoin de recourir aux biberons de compléments ni d'introduire les aliments solides plus tôt. Une autre mère de jumeaux, Judy Latka, du Wisconsin, a fait ce commentaire : « Je considère l'allaitement d'un bébé tellement normal que je m'étonne que les gens soient surpris que j'allaite mes jumeaux. L'allaitement est facile, c'est d'une autre paire de bras aimants dont j'ai besoin. » Judy savait qu'il était important d'allaiter ses bébés tôt et souvent. Elle ajoute : « J'avais discuté de mes intentions à plusieurs reprises avec mon médecin et mes efforts ont été récompensés. Mon séjour à l'hôpital a été bref, j'ai pu retourner à la maison quand mes bébés avaient 28 heures. »

Quand vous vous préparez à une naissance multiple, écoutez les conseils visant à réduire les travaux ménagers et à faciliter le maternage et modifiez-les pour qu'ils répondent à vos besoins. Comme tous les bébés, vos jumeaux requièrent des soins affectueux donnés avec calme, mais une mère fatiguée y parvient difficilement. Si vous pouvez vous le permettre, engagez quelqu'un qui s'occupera de la maison les premiers mois. Vous devriez consacrer vos moments de répit à vous relaxer et à vous reposer et non à faire la lessive qui traîne.

Une mère qui est parvenue à allaiter ses jumeaux après avoir essayé sans succès d'allaiter ses six autres enfants s'interroge : « Peut-on imaginer que j'ai découvert comment materner calmement mes jumeaux alors que j'ai été incapable d'allaiter convenablement mes six premiers enfants ? »

Un couple du Massachusetts, Marge et Jon Saphier, savait qu'ils auraient des jumeaux et ils ont établi un plan d'action.

*Nous avons décidé d'essayer de réduire le plus possible ma part de travaux ménagers pour que je puisse consacrer mon temps aux jumeaux et à notre fille de 4 ans. Heureusement, une étudiante à la maîtrise a pu venir vivre chez nous. Elle devait préparer deux repas par jour, ranger la cuisine et faire le ménage de la maison en échange du logis et des repas. Nous avons aussi décidé d'acheter la nourriture en gros ; notre cave ressemble maintenant à un supermarché. Il ne me reste qu'à acheter des produits frais chaque semaine. Cela n'a pas seulement réduit le temps passé à faire les courses mais aussi notre facture de nourriture.*

Voici les cinq conseils de Marge pour réussir l'allaitement de jumeaux :

1. reposez-vous le plus possible ;

2. buvez beaucoup de liquides ;

3. prenez des collations et des repas sains et nutritifs ;

4. ayez de l'aide pour les repas et les tâches ménagères ;

5. le dernier mais non le moindre, contactez la LLL.

Des mères de jumeaux racontent leur expérience d'allaitement. Elles parlent aussi de leurs sentiments face à l'arrivée de jumeaux. Voici d'abord le témoignage de Susie Humbeutel, de Waterloo, au Québec.

*J*érémie avait 3 ans et 4 mois et François-Olivier avait 19 mois lorsque le couple jumeau-jumelle est né. J'étais convaincue d'allaiter grâce à deux autres allaitements réussis mais je me posais des questions par rapport aux techniques pour l'allaitement simultané. Michaël et Emmanuelle sont nés à 37 semaines de grossesse, pesaient 2 kg et 2,4 kg et ont bien tété dès le départ. J'avais si peur d'avoir des prématurés qui téteraient mal ou qui seraient séparés de moi. Tout petits, il fallait les réveiller toutes les trois heures pour boire et ça prenait une demi-heure. Je suis petite et mince et mon entourage s'étonnait que j'en allaite deux. Les gens s'inquiétaient pour ma santé mais j'étais fière et confiante, ne me laissant pas intimider.

*J*'ai évidemment eu besoin d'aide à la maison. Le centre local de services communautaires m'a donné de l'aide domestique durant cinq mois à raison de trois après-midi par semaine. Pour le reste du temps, j'ai engagé une dame de 8 h à 16 h. Elle est venue m'aider à partir du septième mois de grossesse pour me permettre de rendre les bébés le plus possible à terme. Il faut dire que la première année des jumeaux a été de la « survie » pour mon mari et moi, les plus grands ayant encore besoin de beaucoup de soins.

*L*es deux premiers mois, j'ai dû souvent allaiter les deux en même temps car ils avaient faim ensemble et ne patientaient pas. Je m'asseyais sur le divan et installais l'un à un sein et mon mari m'installait l'autre de telle sorte que, soutenus par des oreillers, ils étaient en ligne droite, tête contre tête. Mais j'ai toujours préféré les allaiter chacun à leur tour même si c'était deux fois plus long car ainsi j'étais plus libre de mes mouvements et je pouvais donner du temps exclusif à chaque bébé.

*L*es trois premiers mois, nuit et jour, je m'arrangeais pour qu'ils tètent selon le même horaire, c'est-à-dire que le premier se réveillait tout seul, je l'allaitais et le recouchais, car il s'endormait *au sein. J'allais ensuite réveiller l'autre pour l'allaiter et le rendormir. Ainsi, je pouvais avoir environ deux heures de tranquillité pour dormir.*

Voici maintenant le témoignage d'Anne Braconnay, de Paris, en France.

*L'allaitement de mes jumeaux a été pour moi une expérience très réussie et je garde de cette période, malgré la fatigue et les difficultés inévitables, un souvenir de bonheur et de plénitude.*

*J'avais le sentiment de donner à mes bébés tout ce dont ils avaient besoin. Cela me donnait confiance et courage pour affronter les nuits « en dentelle », les pleurs des bébés provoqués par des petits maux de ventre, et les accès de jalousie de l'aîné.*

*J'ai très rarement allaité les jumeaux ensemble, si ce n'est lorsqu'ils étaient tous les deux affamés exactement au même moment. Je n'avais pas envie de partager ce moment privilégié entre les deux, et je m'arrangeais pour que les tétées se succèdent, ce qui était assez facile car ils n'avaient pas exactement le même rythme.*

*Pour allaiter des jumeaux, il faut accepter d'être totalement disponible car on y passe au début 8 à 9 heures sur 24. Mais on peut en même temps s'occuper du plus grand, parler tranquillement avec son mari, lire ou simplement savourer le plaisir d'être bien avec son bébé.*

Louise Lemaire, de Brossard, au Québec, nous explique comment elle s'y prend pour allaiter ses deux filles en même temps.

*Je m'installe avec mes deux filles au sein. Une fois les bons coussins trouvés, c'est vraiment simple : trois coussins pour commencer (un de chaque côté des cuisses, puis un dessus), ensuite deux oreillers de plume, par exemple, dans lesquels je fais un creux, un nid, ou plutôt deux ! Les petites têtes sont l'une près de l'autre et les jambes passent sous mes aisselles. Maintenant qu'elles ont 4 mois, elles en profitent pour jaser (elles me font des « u »), elles murmurent, me fixent, me sourient [...] J'ai écrit mes cartes de remerciements, j'ai lu beaucoup, j'ai appelé mes amies, j'ai aussi pris des collations tout en allaitant mes deux filles car mes mains sont libres. Puisque ce sont les oreillers qui les support-ent, je n'ai pas mal au dos ni aux bras.*

*Nourrir son ou ses enfants à la demande, j'y crois. J'allaite alors couchée, cela me permet de dormir. D'ailleurs, depuis leur naissance, j'ai installé deux barrières de chaque côté de mon lit, je dors au milieu de mes filles. Quand Alice a faim, je me tourne à droite ; pour Coralie, c'est à gauche. Cela m'évite de manquer de sommeil. À l'occasion, elles dorment ensemble dans leur petit lit ; en fait, il n'y a pas de règle.*

Et voici le témoignage de Nicole Bachand, de Granby, au Québec.

*Enceinte d'un troisième enfant, j'appris que le nouveau poupon n'arriverait pas seul, qu'ils seraient en fait... deux ! Ma joie fut immense, une fois passée l'effet de surprise. Je doutais quelque peu du succès de mon futur allaitement étant donné que j'aurais des jumeaux et que je n'avais pas réussi à allaiter mes deux premiers enfants. Finalement, à mes cours prénatals, j'entendis parler d'une jeune femme de ma région qui, elle, allaitait ses jumelles avec succès et qui assistait tous les mois aux réu-nions de la Ligue La Leche.*

*Enfin, nous arrivèrent deux autres beaux garçons de 3,4 kg et 3,6 kg. J'avais dit au début, plus pour convaincre les autres que moi-même, que je les allaiterais seulement un mois et qu'ensuite je les mettrais au biberon. Quand j'ai constaté tout le temps que j'épargnais et aussi quelle relation*

*spéciale nous vivions tous les trois, j'ai décidé que ce
serait eux qui choisiraient le moment du sevrage.
Plus le temps avance, plus je redoute le moment
où ils le décideront. Dany et David ont maintenant
8 mois et ils tètent encore trois ou quatre fois par
jour et au moins une fois la nuit à mon grand
plaisir. J'ai eu dernièrement un canal lactifère
bloqué, mais heureusement j'avais appris à la Ligue
La Leche quoi faire si ça arrivait et en 48 heures
tout est rentré dans l'ordre. Je vais aux réunions
tous les mois depuis que mes bébés ont 6 semaines
et je crois que sans l'appui de toutes ces femmes,
je me serais découragée plusieurs fois. Maintenant,
je me préoccupe seulement de mes bébés et je laisse
parler mon cœur.*

Choisir d'allaiter les bébés ensemble ou séparément,
voilà une chose que les mères décident rapidement selon leur
convenance ou celle de leurs bébés. France Lemay, de Québec,
décrit sa façon de faire avec ses bébés.

*Les deux premières semaines, j'allaitais souvent
mes deux bébés en même temps. Chacun son sein et
on change de côté au boire suivant. Je nous revois,
moi, assise sur le divan, une pile d'oreillers sur
chaque cuisse et les bébés en tête-à-tête (en « ballon
de football ») tétant en cadence...*

*Comme ils ont pris du poids rapidement (preuve
qu'on a amplement de lait, quoique en disent la
voisine ou la parenté), les tête-à-tête ont bientôt pris
fin, et ce fut à tour de rôle que mes bébés prirent le
sein. Puisqu'ils buvaient presque toujours aux
mêmes heures, j'allaitais en premier celui qui
semblait le plus affamé tandis que l'autre était près
de moi dans un moïse. Je pouvais ainsi lui parler et
le toucher en attendant son tour. J'ai continué à
leur offrir un seul sein à chaque tétée.*

Presque toutes les mères qui allaitent plus d'un bébé à
la fois ont remarqué qu'elles avaient un très bon appétit et une
soif insatiable. Certaines ont même pris l'habitude de prendre
un repas additionnel avant d'aller au lit. Carolyn Johnson, de
l'Illinois, ajoute :

*J'ai remarqué que j'avais davantage faim et soif les premières semaines (je pense que je mangeais six fois par jour environ). C'est probablement ainsi que la nature comble nos besoins additionnels de nourriture et de liquide nécessaires à l'allaitement de deux bébés. J'ai perdu 9 kg à leur naissance et 3 kg supplémentaires dans les deux semaines qui ont suivi, ce qui m'a un peu amaigrie. Mais j'ai repris graduellement ces quelques kilos perdus et lorsque les jumeaux ont eu 6 semaines, nous étions tous en bonne forme.*

Une mère de jumeaux commente le travail à faire lorsqu'on a plus d'un bébé : « Les récompenses sont considérables, mais les trois premiers mois vous n'avez pas le temps d'y penser. »

Quand on a plus d'un bébé, notre attention est concentrée tout spécialement sur eux. Le simple fait de les regarder – remarquer leurs différences, leur croissance individuelle, leur tempérament propre – constitue un spectacle toujours changeant, jamais lassant. Cela vous donne une connaissance et une compréhension qui s'ajoutent à vos compétences de mère et qui multiplient votre plaisir. Comme le dit une mère de jumeaux : « J'ai bien peur de m'ennuyer avec un seul bébé après en avoir vu deux fleurir et s'épanouir ! »

Si vous attendez des jumeaux (ou s'ils sont déjà dans vos bras), vous trouverez de plus amples renseignements sur l'allaitement et les soins aux jumeaux dans le livre *Jumeaux : allaitement et maternage* disponible auprès des groupes de la Ligue La Leche.

## LA RELACTATION ET LA LACTATION PROVOQUÉE

Normalement, le corps de la mère se prépare à l'allaitement durant la grossesse et l'accouchement déclenche le processus de sécrétion du lait dans les seins. La succion active du bébé entretient cette sécrétion. Par contre, si le bébé n'est pas mis au sein à la naissance ou si l'allaitement cesse peu de temps après, alors la sécrétion cesse. La relactation consiste à rétablir la sécrétion lactée de la mère après quelques semaines ou quelques mois d'interruption. Il faut du temps et de la patience, mais on peut y arriver. C'est réalisable car la succion du bébé stimule la sécrétion de lait. En effet, certaines mères sont parvenues à allaiter un bébé adopté sans l'apport hormonal de la grossesse et de l'accouchement. C'est ce qu'on appelle la « lactation provoquée ».

Très souvent, les mères qui ont tenté une relactation sont celles dont les bébés ne pouvaient tolérer aucun lait artificiel. Ils avaient besoin de lait maternel pour survivre.

Hélène Fluet, du Québec, a vécu cette situation. Elle raconte ce qui s'est passé et comment elle est parvenue à produire du lait à nouveau après un sevrage de plus d'un mois.

*J'ai allaité Émilie les six premières semaines après sa naissance. À cause d'un gain de poids très lent, 500 g depuis sa naissance, le médecin suggère une investigation afin de voir quel pourrait être le problème. On hospitalise donc Émilie pour quelques jours où on lui fait passer plusieurs tests, mais, heureusement, elle n'a aucun problème apparent. C'est alors que le médecin suggère le sevrage. Le seul problème qu'il voit, c'est que l'allaitement est inadéquat.*

*Dès les premiers biberons de lait artificiel, Émilie vomit et a des diarrhées. Les médecins changent de lait plusieurs fois, elle vomit toujours. Après dix jours, Émilie a perdu 700 g. Elle a 2 mois, elle est plus petite qu'à sa naissance. Elle n'a plus de vigueur, elle est très pâle et j'ai maintenant peur qu'elle meure. Mon mari et moi la transférons donc dans un hôpital pour enfants où, dès son arrivée, les médecins constatent la gravité de son état.*

*Durant quatre semaines et demie, Émilie est branchée à des tubes lui fournissant de l'hyperalimentation. L'état d'Émilie est stable mais les médecins continuent à essayer d'autres laits artificiels qui lui faisaient toujours le même effet, vomissements, diarrhées.*

*Puis, une diététicienne suggère de lui donner du lait maternel car, dit-elle, ma petite n'était pas malade avec ce lait. Nous lui donnons quelques millilitres de mon lait que j'avais au congélateur. Et surprise ! C'est la première fois depuis six semaines que son petit estomac garde quelque chose. Le retour à l'allaitement serait favorable mais Émilie ne boit plus au sein depuis plus d'un mois et demi et je n'ai donc plus de lait.*

*Une monitrice de la Ligue La Leche m'explique comment m'y prendre pour une relactation : Émilie ne doit plus avoir de suce, son besoin de succion doit être comblé uniquement par le sein ; je dors à l'hôpital dans la chambre d'Émilie et je la mets au sein toutes les deux heures environ, même si elle ne le demande pas ; je bois et je mange bien ; je stimule mes seins chaque fois que je le peux.*

*Puis, au bout de quelques jours, je sens que mon lait monte mais pas tellement. Étant donné qu'Émilie n'a pas eu besoin de se nourrir durant plus d'un mois et demi, elle n'a pas la volonté de boire. Il faut que je fasse plus de lait pour stimuler l'appétit d'Émilie et il faut qu'Émilie stimule mes seins afin que je produise plus de lait. C'est un problème qui me semble bien compliqué.*

*Quelques mères ont accepté de fournir du lait pour Émilie. Avec beaucoup de patience, je nourrissais Émilie dont l'appétit revenait peu à peu et je complétais avec le lait qui m'était donné. Le jour où j'ai pu nourrir complètement Émilie sans avoir besoin d'utiliser d'autre lait fut peut-être, pour moi et mon mari, plus émouvant encore que le jour de sa naissance. Émilie revenait à la vie et cela grâce au lait maternel.*

Certaines mères qui ont introduit un biberon font parfois face, en peu de temps, à un sevrage qu'elles n'ont pas voulu. C'est ce qui est arrivé à Louise Mathieu, de Beauport, au Québec, qui a réussi sa relactation.

*Devenue mère pour la troisième fois, je m'étais fixé un but bien précis : allaiter Samuel durant six mois.*

*Comme il n'y a que 14 mois de différence entre mes deux derniers bébés, je n'ai pas besoin de vous dire que les commentaires négatifs sur l'allaitement affluaient de toutes parts. Alors, quand Samuel a eu 2 mois, j'ai fini par croire que la fatigue que j'éprouvais serait beaucoup moindre si je donnais quelques biberons par jour. J'ai donc commencé par un biberon le midi et augmenté graduellement, si bien qu'après un mois, je n'allaitais plus qu'une fois par jour, le matin. J'avais même commencé à donner des solides ! Je n'avais presque plus de lait et je regrettais amèrement ce sevrage hâtif.*

*Je savais qu'une relactation était possible. J'ai contacté une monitrice de la Ligue La Leche qui m'a confirmé que c'était faisable, mais que cela me demanderait beaucoup de volonté et d'efforts. Je lui ai dit que j'étais prête.*

*Je me suis donc mise à allaiter mon bébé toutes les deux heures. J'ai cessé les solides, j'ai arrêté de lui donner une tétine. Je prenais mon bébé dans mes bras le plus souvent possible : on faisait le dodo de l'après-midi ensemble, blottis l'un contre l'autre. Je l'endormais au sein, je m'alimentais bien, je prenais de la levure de bière ainsi que du germe de blé et j'avais confiance en moi. Je complétais avec du lait artificiel, et après un mois, je donnais, en moyenne, 250 ml de supplément au compte-gouttes.*

*Enfin, après deux mois d'efforts soutenus et je ne sais plus combien d'appels téléphoniques à la monitrice, mon bébé de 5 mois ne recevait plus que du lait maternel. Le lien qui nous unit ne s'exprime pas avec des mots ! Je dois vous dire que Samuel a été un bébé très coopératif et que, sans l'amour et l'appui de mon conjoint, je n'y serais pas arrivée.*

## L'allaitement d'un bébé adopté

Après avoir entendu l'histoire de mères ayant très bien réussi à rétablir leur sécrétion lactée pour leur bébé allergique, des mères qui prévoyaient d'adopter un bébé se sont demandé si elles ne pourraient pas, elles aussi, allaiter leur bébé. Les premières mères adoptives qui entrèrent en contact avec la LLL allaitaient déjà leur bambin quand elles ont adopté leur nouveau bébé. En mettant souvent le jeune bébé au sein, elles sont parvenues à augmenter suffisamment leur sécrétion lactée pour combler les besoins du nourrisson. Denise Belley, de Beauharnois,

au Québec, a réussi à allaiter un jeune bébé qu'elle a adopté
par la suite.

*J'allaitais Alain, mon fils de 10 mois, lorsque ma
sœur mourut, trois semaines après son accouchement, laissant un petit bonhomme tout seul dans la
vie. Mon instinct maternel me dit d'aller chercher ce
petit. Je l'amène alors à la maison. Il est tout rouge
de petits boutons sur le corps. Il était au biberon et
ma sœur avait déjà introduit des céréales.*

*Cet enfant pleure sans arrêt. Il ne garde rien. Il
vomit tous ses biberons et il a toujours faim. Le soir,
au souper, j'ai réfléchi et je me suis dit : « Pauvre
bébé, tu viens juste de perdre ta mère, mais il n'y a
vraiment pas de raison pour que tu sois encore plus
malheureux. » J'ai donc décidé de lui donner le
sein, en me disant que si je pouvais lui donner de
mon lait quelques semaines, ce serait beaucoup
pour le rassurer.*

*Je savais d'après la Ligue qu'on pouvait allaiter
un bébé adopté et aussi des jumeaux. Mais Pascal
était spécial. Je n'avais pas pensé l'adopter, mais
seulement le garder quelque temps jusqu'à ce que
les événements se passent.*

*J'ai appelé un médecin très compétent en allaite-
ment maternel. Elle m'a dit de prendre ce bébé 24
heures sur 24 parce qu'il avait besoin d'être rassuré
et qu'il avait aussi besoin de téter souvent. Je
donnais le sein aux deux bébés tant que je pouvais
dans la journée. Quand mon Alain dormait le soir,
j'allais au salon funéraire et ma belle-mère gardait
Pascal. Elle lui donnait un biberon le soir
et moi à peu près quatre dans le jour.*

*Après les funérailles, j'ai téléphoné à une moni-
trice de la Ligue pour du soutien parce que je ne
savais plus quoi faire. Quel encouragement j'ai eu
d'elle ! C'est vraiment le contact avec les femmes de
la Ligue qui m'a encouragée à continuer. Deux
semaines après, il n'avait plus aucun biberon et
moi, plus je l'allaitais, plus je m'attachais à lui.*

*Après maintes réflexions et maintes discussions, nous avons choisi de le garder, ce petit poupon et nous sommes passés à l'adoption. Il a fallu un an avant d'obtenir tous les papiers pour qu'il soit à nous officiellement. Cela a été long, mais dans notre cœur, il était à nous depuis le début.*

Encouragées par ces succès, d'autres mères qui prévoyaient d'adopter un bébé se sont intéressées à l'allaitement. Même des mères n'ayant jamais été enceintes sont parvenues à établir une certaine sécrétion lactée de sorte que leurs bébés pouvaient prendre un peu de lait maternel. Ils devaient bien sûr boire un supplément de lait artificiel ou d'autres suppléments.

Jo Young, de l'Angleterre, n'avait jamais été enceinte et elle a réussi à produire du lait pour Peter, le fils qu'elle a adopté. Elle a commencé à stimuler sa production quand il avait 3 semaines. Elle explique.

*Grâce aux efforts et aux sacrifices d'un petit groupe de personnes, j'ai réussi à provoquer ma lactation et, aussi incroyable que cela puisse paraître, Peter était totalement nourri au sein à l'âge de 3 mois. Il a été allaité uniquement jusqu'à ce qu'il commence à goûter aux aliments solides vers 6 mois. Durant les premiers mois où il dépendait du lait artificiel, Peter avait l'air faible et souffrant et il avait constamment le rhume. Je suis convaincue que les merveilleux changements survenus dans son apparence sont dus au lait maternel qu'il a reçu. Sa peau s'est éclaircie et il a maintenant l'air typique d'un bébé allaité, potelé, réjoui, épanoui.*

L'idée d'allaiter un bébé adopté a été si bien acceptée que certaines agences d'adoption offrent des réunions aux mères qui prévoient d'allaiter. Les mères affirment que les efforts supplémentaires pour arriver à établir la sécrétion lactée pour leur bébé adopté en valent la peine. La proximité et l'intimité de la relation d'allaitement sont extrêmement importantes pour ces mères adoptives. Anne Sanger, de l'Arizona, a écrit ceci :

*Il me semble que c'est hier que nous sommes allés à l'agence d'adoption pour ramener Lisa dans notre famille. Elle avait 4 jours et semblait tellement petite. C'est maintenant une belle petite fille d'un an, heureuse.*

*J'ai pu allaiter Lisa grâce à un dispositif d'aide à l'allaitement. Je m'étais beaucoup préparée avant son arrivée. Quand Lisa a eu 10 mois, nous avons cessé d'utiliser le dispositif d'aide. L'allaitement se poursuit avec joie pour nous deux.*

*C'est difficile d'expliquer ce que cela signifie pour moi de pouvoir allaiter Lisa. Je voulais lui faire don de l'amour et du merveilleux mode de communication que la relation d'allaitement offre aux mères.*

*Je sais que l'allaitement de mon enfant adopté n'a pas été la chose la plus facile que j'ai eu à faire dans la vie, mais c'est celle qui m'a apporté le plus. Nous sommes enchantés d'être les parents d'une enfant aussi heureuse.*

L'essentiel de la technique de relactation ou de lactation provoquée consiste à encourager le bébé à téter aussi souvent que possible. C'est ainsi que vous stimulez les seins à produire du lait. Les mères adoptives peuvent souvent commencer à établir leur sécrétion lactée avant l'arrivée du bébé. Évidemment, si vous pouvez savoir à quelle date vous aurez le bébé, cela vous aidera. Utilisez un tire-lait ou extrayez à la main durant trois à cinq minutes à chaque sein, plusieurs fois par jour, en augmentant graduellement le nombre d'extractions par jour. Si vous le faites fidèlement, vos seins commenceront à produire du lait, habituellement après deux à six semaines. Au début vous n'obtiendrez que quelques gouttes, mais cela augmentera dès que votre bébé aura commencé à téter.

L'une des plus grandes difficultés de la relactation c'est de parvenir à intéresser le bébé à téter le mamelon s'il a l'habitude du biberon depuis déjà quelques semaines ou quelques mois. Cela demande beaucoup de patience et de détermination. La mère qui essaie de rétablir sa sécrétion lactée a grandement besoin d'être encouragée et soutenue. C'est une bonne idée de contacter une monitrice de la Ligue La Leche, elle pourra vous donner plus de renseignements.

Votre bébé devra continuer à prendre des biberons de lait artificiel. Allaitez-le d'abord, aussi longtemps qu'il le voudra bien, puis offrez le supplément de lait. De nombreuses mères offrent ces suppléments à la cuillère, à la tasse, dans un petit bol flexible ou à l'aide d'une seringue et évitent ainsi le recours au biberon. On peut aussi utiliser un dispositif d'aide à l'allaitement (DAL) qui permet au bébé de recevoir un supplément tout en tétant au sein.

Si votre bébé boit au sein aussi souvent que possible et s'il prend des suppléments seulement pendant ou après la tétée, alors vous pourrez réduire graduellement la quantité totale de lait artificiel que vous lui offrez au fur et à mesure que votre sécrétion augmentera. En écrivant la quantité de supplément qu'il prend chaque jour, vous constaterez qu'elle diminue graduellement et vous saurez ainsi que votre sécrétion lactée augmente. Surveillez le nombre de couches mouillées ainsi que les selles de votre bébé pour être certaine qu'il boit assez.

Lorsque vous rétablissez votre sécrétion lactée, il est essentiel de consulter le médecin du bébé et de surveiller son gain de poids chaque semaine pour s'assurer qu'il se développe normalement.

Bien des mères adoptives continuent d'utiliser le DAL à chaque tétée pour donner des suppléments à leur bébé jusqu'à ce qu'il commence à manger des aliments solides. Même si elles continuent à offrir des suppléments, elles considèrent que l'allaitement procure une intimité bénéfique à leur relation.

La mère qui tente de rétablir sa sécrétion lactée en allaitant aussi souvent que possible constate qu'elle est presque exclusivement occupée à nourrir son bébé, du moins durant un certain temps. Évidemment, plus le bébé tète souvent, plus il obtient de lait maternel et plus il aura de lait à la prochaine tétée.

Une monitrice de la LLL, Kathryn Anderson, a compilé dans une brochure des informations provenant de mères qui ont allaité leurs bébés adoptés. « Nursing Your Adopted Baby » décrit la façon d'établir une sécrétion lactée et traite de l'importance d'avoir une vision globale de la situation. Des exemplaires sont disponibles auprès de la LLL.

## ET SI LA MÈRE EST MALADE ?

Comment pourrai-je prendre soin de mon bébé si je suis malade ? C'est une question fréquente de la part de mères inquiètes. Bien sûr, s'occuper d'un bébé actif et en santé constitue un travail exigeant et incessant, mais lorsque la mère est malade, cela devient préoccupant. C'est rassurant de savoir que l'allaitement facilite les soins. Dans le cas de maladies bénignes comme le rhume ou la grippe, il n'est pas nécessaire d'interrompre l'allaitement. En effet, les microbes ne sont pas transmis par le lait. De plus, votre bébé a certainement été exposé à la maladie, au moins aussi longtemps que vous, et il y a sûrement été exposé avant même que votre maladie ne se déclare.

Le lait maternel peut protéger votre bébé de la maladie puisque vous développez des anticorps aux microbes auxquels vous avez été exposée. Ces anticorps sont alors transmis à votre bébé par le lait maternel. De plus, l'allaitement vous aidera à prendre le repos nécessaire dont vous avez besoin lorsque vous ne vous sentez pas bien. Un sevrage brusque ne serait bon ni pour vous ni pour votre bébé.

Si vous souffrez d'une maladie plus grave – par exemple une pneumonie, une hépatite ou même la tuberculose – les médecins membres du Comité professionnel consultatif de la Ligue internationale La Leche recommandent quand même de poursuivre l'allaitement. Cela exige un minimum d'efforts de votre part et vous permet de vous reposer davantage. De plus, votre lait protège tout particulièrement votre bébé contre le virus ou la bactérie qui cause la maladie.

## L'hospitalisation

Si vous pouvez demeurer à la maison durant votre maladie, c'est encore mieux. Obtenez de l'aide pour les travaux ménagers, la lessive, les repas et pour prendre soin des autres enfants. Couchez votre tout-petit avec vous, il sera toujours près de vous et il pourra téter quand il en aura envie.

Si vous devez être hospitalisée à la suite d'une maladie grave ou d'un accident, essayez de vous arranger pour avoir votre bébé avec vous ou, à défaut, pour qu'on vous l'amène. Les mères qui allaitent ont découvert toutes sortes de trucs ingénieux pour éviter d'être séparées de leurs bébés durant leur séjour à l'hôpital. Discutez de vos besoins et de ceux de votre bébé avec votre médecin et votre conjoint. L'état dans lequel vous êtes, les possibilités offertes par l'hôpital, l'âge de votre bébé et son mode d'allaitement exerceront tous une influence sur la situation.

De nos jours, de plus en plus d'interventions chirurgicales se font sous anesthésie locale et ne nécessitent qu'une consultation externe. Vous pouvez retourner à la maison pour récupérer et allaiter votre bébé sans en être séparée longtemps. Les interventions comme la chirurgie dentaire peuvent presque toujours se faire sans interrompre l'allaitement. Quand l'intervention éventuelle est facultative, votre médecin sera sans aucun doute disposé à la remettre à plus tard, lorsque votre bébé aura vieilli un peu plus.

Si vous devez demeurer à l'hôpital pour la nuit ou pour quelques jours, votre conjoint, une amie ou un parent, peut vous amener votre bébé pour que vous l'allaitiez. Certains hôpitaux accepteront même le bébé et permettront qu'il demeure avec vous dans votre chambre à condition qu'une personne soit présente pour vous aider à en prendre soin. Aline Gagnon, de Stoke, au Québec, a dû être hospitalisée à deux reprises pendant qu'elle allaitait. Elle raconte.

*Quand Antoine a eu 7 mois, j'ai eu un abcès à la gorge. Il a fallu que je sois hospitalisée pour une antibiothérapie. J'avais déjà entendu parler de femmes hospitalisées avec leur bébé pour permettre de continuer l'allaitement. Eh bien ! quand j'ai su que je devais être hospitalisée, j'ai été tellement persuasive (j'ai tellement pleuré) qu'ils ont accepté que je garde mon bébé. Mais malgré toute ma bonne volonté, je n'étais pas en état de prendre soin de mon Antoine comme il le fallait [...] Ça bouge un bébé de 7 mois !*

*Le lendemain, j'ai demandé à Pierre de le reprendre avec lui et de venir souvent pour les tétées. Nous appréhendions la nuit qui allait suivre. Comment Antoine allait-il se passer de ses nombreuses tétées nocturnes ? Je crois qu'Antoine a senti qu'il n'avait pas le choix. Il devrait passer la nuit seul avec son père. Tout s'est très bien passé ! Il a dormi plus que lorsque j'étais à ses côtés. Bien sûr, il a été très heureux de venir téter le lendemain matin. Il s'est passé trois jours ainsi puis j'ai pu sortir de l'hôpital, après avoir beaucoup insisté et m'être fait dire que je n'avais pas été « raisonnable » de garder mon petit avec moi. J'ai continué le traitement chez nous, cette fois en comprimés.*

*Puis j'ai eu un autre garçon. Il a 8 mois quand je fais le même genre d'abcès qu'à Antoine et j'ai encore un traitement intraveineux. Cette fois, je ne pleure pas pour garder Vincent avec moi. Je sais par expérience que je ne suis pas capable de bien m'en occuper avec une aiguille dans le bras. Pierre a la possibilité de prendre quelques congés et c'est lui qui prend soin de nos petits. Il m'amène Vincent trois fois par jour pour les tétées. Je sais qu'il a compris que, même s'il me voit moins souvent, je suis toujours là et que bientôt je vais revenir chez nous, comme avant. Il a confiance, je le sens. Je sais aussi*

> *que même si pendant mon séjour ici il tète moins,*
> *dès que nous serons réunis, se réinstallera notre*
> *petite routine des tétées à la demande.*

Quand vous ferez vos demandes au médecin et aux responsables de l'hôpital, soyez compréhensive et polie. Généralement, si vous êtes disposée à collaborer avec les membres du personnel de l'hôpital, ils le seront aussi. Montrez-leur combien c'est important pour vous d'avoir votre bébé avec vous. Cela n'est pas toujours possible mais il existe des solutions. Lise Langlois, de Verdun, au Québec, a vécu l'une de ces situations.

*D*ans la nuit, une crise d'asthme impossible à calmer a commencé. Ma respiration faisait tellement de bruit que mon mari s'est réveillé. Il voulait que j'aille à l'hôpital, mais j'ai refusé. Le matin, la situation avait empiré. J'ai allaité ma fille et expliqué à mon grand de 4 ans que maman allait à l'hôpital pour se faire soigner.

*À* l'hôpital, soluté et inhalothérapie toutes les heures. Je pensais à Isabelle qui tétait toutes les trois à quatre heures. Je n'ai pu l'allaiter que six heures plus tard lorsque ma mère me l'a amenée. Deux heures après, voyant que mon état ne s'améliorait pas vraiment, le médecin m'a dit qu'il n'y avait pas d'autre solution que le sevrage car on doit me donner de la cortisone à très forte dose pour calmer ma crise. On essaie de m'encourager en me disant que le sevrage n'est pas si grave, que mon bébé a 9 mois. Mais cela ne réussit qu'à aggraver mon état. Je ne faisais que penser à Isabelle qui, en plus des tétées fréquentes le jour, tétait encore deux fois la nuit. Et la vie pour elle, c'était « maman ». J'étais donc incapable d'arrêter d'allaiter.

*J*'ai communiqué avec une monitrice de la Ligue La Leche et après vérification auprès d'un médecin associé, il aurait pu être possible de poursuivre l'allaitement à certaines conditions (doses, intervalles). Cependant, à l'hôpital, on préféra interrompre l'allaitement. J'essayais de tirer mon lait, 30 ml de chaque côté seulement.

*Je faisais des rechutes d'asthme toutes les quatre heures environ. C'était les heures où Isabelle devait boire. J'étais inquiète et incapable de dormir. J'avais les seins durs et engorgés. L'infirmière m'a laissée aller prendre une douche chaude pour que je puisse me tirer du lait. En pensant à Isabelle qui devait chercher maman, j'ai réussi à me tirer 90 ml de chaque côté.*

*Comme je me sentais peu comprise et vivais difficilement cette situation, j'ai demandé de bénéficier du projet pilote qui s'appelait « Hôpital à domicile » (HAD). Enfin un peu d'espoir, on me dit oui !*

*Je suis donc retournée à la maison avec mon soluté et mes traitements d'inhalothérapie. On avait cessé la cortisone (mais ce n'aurait pas été une objection à mon retour à la maison). Cela faisait beaucoup de va-et-vient entre les infirmières, l'inhalothérapeute et les médecins mais peu importe, je pouvais allaiter à la demande et j'étais avec des gens qui m'appuyaient. Le cauchemar était fini ! J'ai eu l'hôpital à domicile durant deux semaines et ensuite tout est revenu au beau fixe.*

## Les interventions chirurgicales importantes

Même lorsque la mère doit subir une intervention chirurgicale d'importance, elle peut souvent s'arranger pour poursuivre l'allaitement. S'il vous est impossible de donner toutes les tétées, utilisez un tire-lait, ainsi vous ne risquerez pas d'avoir les seins engorgés. Dans certains cas où une séparation de quelques jours est inévitable, votre tout-petit sera d'autant plus prêt et impatient de recommencer à téter lorsque vous serez à nouveau réunis.

## Allaitement et médication chez la mère

Consultez votre médecin avant de prendre tout médicament lorsque vous allaitez, même en ce qui concerne les médicaments vendus sans ordonnance. En règle générale, la quantité de médicament trouvée dans le lait maternel est tellement petite qu'elle ne peut pas être nocive pour le bébé. Cependant, il est préférable d'éviter les médicaments lorsque vous allaitez.

Si un médecin vous prescrit un médicament, assurez-vous qu'il sait que vous allaitez votre bébé et que cela est important pour vous de poursuivre l'allaitement. Quand une mère a besoin d'un médicament, il faut se poser trois questions : cela sera-t-il nocif pour le bébé ? Le sevrage nuira-t-il au bébé ou à la mère ? Existe-t-il d'autres solutions ?

En prescrivant un médicament à une mère qui allaite, certains médecins insistent invariablement sur la nécessité de sevrer comme mesure préventive. Dans les faits, peu de médicaments se sont avérés nuisibles pour le bébé allaité. Par contre, le sevrage brusque est traumatisant pour la mère et le bébé. Chez la mère, il y a risque d'engorgement douloureux, pouvant mener à la mastite. Cela s'ajoutera aux problèmes pour lesquels elle devait initialement prendre la médication. La relation mère-enfant en souffre également. Prendre soin du bébé et le satisfaire devient difficile, voire impossible. Le bébé demeure souvent inconsolable.

Il existe d'autres contre-indications au sevrage, même temporaire. En effet, un bébé issu d'une famille sujette aux allergies risque de faire de l'asthme ou de l'eczéma s'il doit prendre du lait de vache ou du lait artificiel. En outre, il ne bénéficie plus des avantages immunologiques présents dans le lait maternel, tels les anticorps nécessaires pour combattre de nombreuses infections auxquelles les bébés sont particulièrement sensibles. Ces anticorps, dans bien des cas, le protégeront aussi contre la maladie qui affecte sa mère.

La plupart des médecins savent qu'il existe d'autres possibilités qui préserveront l'allaitement dans presque tous les cas. Si un médicament précis constitue un risque potentiel pour le bébé, il est habituellement possible d'en donner un autre qui présentera moins de risques ou même aucun. Cela s'applique également à un médicament dont on connaît peu les effets chez le bébé allaité. Il est souvent possible d'utiliser un médicament aux effets mieux connus. On peut aussi modifier le traitement ou le remettre à plus tard, quand le bébé sera plus âgé.

Nous sommes encouragées de constater qu'un nombre croissant d'études traitent des effets des médicaments sur l'allaitement. Si les effets d'un médicament chez la mère qui allaite et chez son bébé vous inquiètent, n'hésitez pas à consulter une personne qui connaît bien les médicaments et qui est en faveur de l'allaitement. Une monitrice de la LLL pourra vous aider ou vous diriger vers une personne qui vous donnera des informations précises.

Si votre médecin insiste pour prescrire un certain médicament et qu'il vous conseille de sevrer votre bébé, rappelez-vous que vous avez le droit de demander une autre opinion.

## Médicaments à éviter lorsqu'on allaite

Il existe très peu de médicaments contre-indiqués lorsqu'on allaite. L'Académie américaine de pédiatrie publie une liste de médicaments qui ne présentent aucun danger pour le bébé allaité de même que ceux qui sont contre-indiqués.

Les substances radioactives servant à diagnostiquer ou à traiter une maladie sont contre-indiquées. Si elles s'avèrent nécessaires, vous devrez cesser d'allaiter temporairement puisque ces éléments peuvent passer dans votre lait et qu'ils sont dangereux pour votre bébé. Votre médecin ou le radiologiste qui supervise le traitement vous conseillera quant au moment où vous pourrez reprendre l'allaitement sans aucun danger. Entre-temps, il vous faudra extraire votre lait et le jeter.

De nombreux experts croient que la mère qui allaite devrait éviter de prendre des contraceptifs oraux combinés contenant des œstrogènes car on a découvert qu'ils altèrent la qualité du lait maternel et qu'ils en réduisent la quantité. On s'inquiète aussi de la présence d'hormones dans le lait maternel et de leurs effets possibles à long terme chez le bébé.

Vous devriez également éviter de faire usage de drogues comme l'héroïne, la cocaïne et la marijuana quand vous allaitez. En effet, ces substances sont potentiellement nocives pour votre bébé puisqu'elles sont présentes dans votre lait et qu'elles diminuent vos facultés, ce qui vous empêche de prendre soin de votre bébé. On a découvert que l'usage de la marijuana fait baisser le taux de prolactine, l'hormone « maternelle » qui joue un rôle particulièrement important dans la production d'une quantité suffisante de lait.

Selon l'avis des médecins, il existe certaines autres drogues qui ne devraient pas être consommées par les mères qui allaitent. Assurez-vous que quiconque vous prescrit un médicament sait que vous allaitez.

## Les vaccins

Si votre groupe sanguin a un facteur Rh négatif et que celui de votre bébé est positif, on vous fera une injection de gamma-globuline anti Rh peu de temps après votre accouchement. Ce vaccin est largement utilisé dans la prévention des complications dues au facteur Rh et il n'est pas nuisible pour votre bébé allaité.

Tout comme le vaccin de gamma-globuline anti Rh, bien d'autres vaccins n'ont aucun effet sur le bébé allaité. Selon le Center for Disease Control du United States Public Health Service : « La plupart des vaccins peuvent être donnés sans aucun danger à la mère qui allaite. » On range parmi ceux-ci les vaccins contre la variole, le typhus, la typhoïde, la fièvre jaune, la poliomyélite (vaccin oral), le tétanos, la diphtérie, la coqueluche, la rage, la rougeole, la rubéole, le choléra et la grippe.

Concernant l'immunisation de votre bébé, le calendrier de vaccination du bébé allaité est identique à celui du bébé nourri au biberon. Vous pouvez allaiter votre bébé avant ou après l'administration d'un vaccin, même dans le cas du vaccin antipolio oral.

## LES MÈRES AYANT UN PROBLÈME PARTICULIER

Une mère atteinte d'un handicap quelconque s'apercevra qu'il est beaucoup plus pratique d'allaiter son bébé. Cela s'applique à la mère non voyante, mal entendante, à celle qui se déplace en fauteuil roulant et à celle qui se rétablit d'une maladie ou de blessures. En effet, l'allaitement nécessite moins d'efforts que l'alimentation au biberon. De plus, la mère souffrant d'une incapacité trouvera réconfort et satisfaction à nourrir son bébé de son propre lait. De nombreuses publications de la LLL sont disponibles, en anglais, sur cassette vidéo ou en braille, pour les parents non voyants ou handicapés.

Les mères atteintes de maladies chroniques tirent également profit de la facilité et de la satisfaction de l'allaitement. Des maladies comme le diabète, le lupus, l'arthrite, l'épilepsie ou la sclérose en plaque ne devraient pas peser dans la balance lorsque la mère choisit le mode d'alimentation de son bébé. L'allaitement simplifie les choses. Voici le témoignage d'une mère diabétique.

*Quand la mère allaite, elle ne perd pas de temps à stériliser des biberons et à les préparer. Elle n'a qu'à prendre son bébé avec elle dans son lit, se*

*relaxer et apprécier. Le plus grand des avantages est*
*probablement que le bébé jouit d'une meilleure*
*santé. L'allaitement nous fait épargner bien*
*des consultations médicales pour des otites,*
*des problèmes digestifs et des allergies.*

De plus, les bébés allaités ont tendance à être moins maussades puisque le lait maternel se digère plus facilement que le lait artificiel. Si votre bébé allaité est maussade, il suffit bien souvent de le mettre au sein pour le calmer.

Un des avantages physiques de l'allaitement est particulièrement remarquable. Bien des mères atteintes de maladies chroniques ont noté que le changement hormonal dû à la grossesse entraîne une rémission temporaire de leurs symptômes. Quand la mère allaite, elle ne retrouve pas immédiatement le taux d'hormones qu'elle avait avant la grossesse. Ce passage se fait graduellement. Si le sevrage s'effectue naturellement, bien souvent les symptômes réapparaîtront beaucoup plus tardivement que si son bébé était nourri au biberon. Cela lui permet d'avoir une meilleure santé durant la période où son petit bébé a le plus besoin d'elle. Cette rémission temporaire, pendant la grossesse et l'allaitement, a été notée par des mères atteintes de polyarthrite rhumatoïde, de sclérose en plaque, de lupus et de diabète. Certaines mères diabétiques prennent seulement la moitié de la dose d'insuline dont elles avaient besoin avant de devenir enceintes. Les premiers mois suivant l'accouchement, cela facilite la vie de la mère qui a déjà d'autres problèmes.

Quant aux mères ayant une maladie dégénérative, l'allaitement peut rehausser leur estime personnelle et leur confiance en soi en tant que mère. Ces sentiments positifs peuvent avoir un effet favorable sur l'évolution de leur maladie. Une mère atteinte d'épilepsie raconte.

*L'allaitement a été salutaire pour moi, surtout ces*
*journées où je savais que je ne pouvais faire que*
*peu de choses pour mon enfant. Au moins, je lui*
*donnais le meilleur de moi-même en ce qui concerne*
*des aspects extrêmement importants : nourriture,*
*chaleur, affection, contact corporel et soins. Je*
*n'aurais jamais eu la force ni l'énergie de donner*
*des biberons.*

Il y a certaines choses que la mère peut faire pour faciliter l'allaitement selon sa maladie. Dans le cas de la mère atteinte de polyarthrite rhumatoïde, par exemple, il peut être utile d'aménager un endroit pour allaiter offrant un bon soutien et d'avoir des oreillers à sa disposition. Pour la mère épileptique, il est pratique d'avoir un endroit où déposer le bébé en cas de crise. Elle peut prévoir d'allaiter dans un fauteuil bien rembourré ou dans un lit muni de barrières, dans lequel se trouvent des oreillers supplémentaires.

Un autre avantage de l'allaitement pour la mère atteinte d'une maladie chronique, c'est la sensation intense procurée par sa relation avec son bébé et l'aspect normal de la situation.

Gail Stutler, en convalescence à la suite d'une intervention chirurgicale au cerveau après la naissance de son deuxième enfant, se rappelle qu'elle ne pouvait même pas « dire le mot " couche " ». Elle ajoute : « Je pouvais prendre un tout petit paquet, le mettre à mon sein et l'allaiter contre mon cœur. Je pouvais au moins satisfaire un de mes besoins désespérés alors que j'avais perdu tous mes moyens. »

## Le diabète

Au cours des dernières années, la médecine a rendu la grossesse et l'accouchement plus sûrs pour la femme diabétique et elles sont de plus en plus nombreuses à choisir l'allaitement pour leur nouveau-né. Bien des mères diabétiques constatent que l'allaitement améliore leur état. Le passage de la grossesse à l'allaitement se fait plus en douceur et demande moins d'ajustements physiques puisque le corps de la mère continue à subvenir à ses propres besoins et à ceux du bébé.

La mère diabétique devra toutefois modifier quotidiennement son régime selon le nombre de tétées prises par le bébé. Si elle prend de l'insuline, elle devra équilibrer le dosage aussi soigneusement qu'elle le faisait pendant la grossesse afin de garder son diabète stable pendant l'allaitement. L'insuline en elle-même n'aura pas d'effet nocif chez le bébé. Le feuillet d'information de la Ligue La Leche « La mère diabétique et l'allaitement » donne plus de détails.

## L'épilepsie

Les mères épileptiques profitent des hormones liées à l'allaitement ainsi que de la relaxation qu'il procure. Si la mère doit prendre des médicaments pour stabiliser son épilepsie, elle devrait vérifier auprès de son médecin quels sont les effets des médicaments sur l'allaitement. La plupart des médicaments prescrits pour l'épilepsie n'affecteront pas le bébé. Si le médecin doute des effets d'un certain médicament, peut-être parce qu'il est tellement récent qu'on en connaît peu sur le sujet, il devrait pouvoir en prescrire un autre.

Si vous êtes une mère ayant un handicap, une incapacité ou une maladie chronique, il vous serait sans doute utile de communiquer avec une monitrice de la LLL. Elle pourra vous donner des informations additionnelles et vous encourager. Elle pourra peut-être même vous mettre en contact avec une autre mère qui a allaité son bébé dans des circonstances semblables aux vôtres. Parler à quelqu'un qui « est passé par là » peut vous aider à trouver la confiance dont vous avez besoin pour franchir les obstacles.

## Si votre bébé tombe malade

La plupart du temps, votre bébé allaité sera heureux et en bonne santé. Vous serez ravie et fière de savoir que sa santé est due en grande partie à votre lait. Mais quel est le meilleur aliment à donner au bébé s'il est malade et qu'il vomit ou qu'il a la diarrhée ?

Tout d'abord, souvenez-vous que toutes les selles molles ne sont pas synonymes de diarrhée. Si, à part cela, votre bébé se porte bien et qu'il se développe normalement, la consistance de ses selles n'a pas vraiment d'importance. Chez le bébé allaité, il est plutôt normal d'avoir des selles molles et fréquentes. Nombreux sont ceux qui, particulièrement dans les premières semaines, ont de six à huit selles par jour. Plus tard, lorsqu'ils sont plus grands, ils peuvent ne faire qu'une selle par semaine et parfois moins souvent. Toutes ces situations sont de l'ordre du possible. Il n'y a pas lieu de s'inquiéter non plus si un bébé en santé a à l'occasion une selle verte et liquide.

Si le bébé ne fait pas de fièvre, il est bon d'examiner d'autres possibilités avant de conclure que la maladie est la cause de la diarrhée ou des vomissements. Si, dernièrement, vous avez introduit des suppléments de vitamines, de fer ou de fluor, ils pourraient bien en être la cause. (Ces suppléments ne sont pas nécessaires pour la plupart des bébés allaités.) Il arrive parfois que les suppléments de vitamines ou de fer absorbés par la mère qui allaite causent des problèmes digestifs au bébé. Un biberon occasionnel de lait artificiel peut provoquer de la diarrhée ou des vomissements chez un bébé particulièrement sensible. La diarrhée est aussi un effet secondaire de certains médicaments, comme les antibiotiques, qu'ils soient pris par la mère ou le bébé. Une autre des causes possibles est la sensibilité du bébé à un nouvel élément introduit dans son alimentation. Dans certains cas, un aliment pris par la mère qui allaite peut déranger le bébé.

Grâce à l'immunité reçue du lait maternel, un bébé allaité sera moins sujet à contracter le rhume ou la grippe des personnes qui l'entourent. Quand la mère est malade, il est préférable que son bébé continue à boire au sein. En effet, le bébé a déjà été exposé aux microbes qui causent la maladie et le lait maternel le protégera. La mère qui allaite produit des anti-corps pour combattre les microbes qui infectent son bébé. Par exemple, le bébé attrape un microbe et le passe à sa mère. Alors le système immunitaire de la mère, mieux développé, commence à fabriquer les anticorps nécessaires et elle les transmet à son bébé par son lait.

Malgré cela, les bébés allaités sont parfois atteints de diarrhée. Si le bébé fait de 12 à 16 selles par jour ou si ses selles dégagent une odeur nauséabonde et contiennent de petites taches de sang, il a sans doute la diarrhée. Généralement les symptômes disparaîtront en trois à cinq jours ; la diarrhée cause parfois des problèmes plus graves chez les bébés et les jeunes enfants. La paroi de l'intestin étant enflammée et irritée, elle laisse passer les liquides et les éléments nutritifs trop rapidement dans le corps. La perte d'eau et de sel peut conduire à la déshy-dratation et éventuellement à un état de choc. Parmi les symptô-mes de la déshydratation, on note l'inactivité, l'abattement, la sécheresse de la bouche, une diminution de la sécrétion des larmes, des urines peu abondantes et de la fièvre. Consultez votre médecin si vous pensez que votre bébé souffre de déshy-dratation. Vous pouvez prévenir la déshydratation en vous assurant que votre bébé boit beaucoup de liquides. Dans le cas d'un bébé allaité, le meilleur moyen d'y parvenir c'est de lui offrir de petites tétées fréquentes.

Certains médecins recommandent systématiquement de ne rien donner par la bouche, même pas de lait maternel, au bébé ou au bambin qui a des vomissements ou de la diarrhée. La mère qui allaite est en droit de se poser des questions lors-qu'on lui fait cette recommandation. En effet, les mères qui allaitent un bébé ou un bambin savent qu'un sevrage brusque, même temporaire, peut rendre la vie difficile. Quand sa source de réconfort lui est enlevée, le bébé malade devient encore plus frustré et contrarié. Sans parler des seins de la mère qui se gonflent et deviennent sensibles.

Il existe de nombreux choix pour la mère qui allaite lorsque les recommandations de son médecin vont à l'encontre de ses instincts et des autres informations qu'elle possède. Certaines mères demanderont l'avis d'un autre médecin qui partage davantage leurs idées et qui connaît mieux l'allaitement. D'autres mères seront tentées d'agir à leur façon sans en parler au médecin. Le mieux, c'est encore de travailler de concert avec le médecin pour en arriver à une solution acceptable pour chacun, c'est-à-dire le médecin, la mère et le bébé.

Des études récentes soutiennent la thèse qu'un bébé souffrant de diarrhée devrait continuer à boire au sein. La plupart des travaux sur ce sujet proviennent de pays en voie de développement où la diarrhée constitue un problème grave, parfois mortel, pour les nourrissons et les petits enfants. Même les bébés allaités peuvent avoir de fréquents accès de diarrhée dans les régions où les installations sanitaires et l'hygiène sont limitées. Ne pas allaiter les bébés durant quelques jours, chaque fois qu'ils ont la diarrhée, peut entraîner de la malnutrition et un sevrage précoce et, par le fait même, une diarrhée encore plus grave. Une étude effectuée en 1985 en Birmanie conclut que le meilleur traitement, c'est encore de laisser les bébés au sein.

Chez les enfants allaités qui souffrent de vomissements légers ou de diarrhée légère, il n'est pas nécessaire de prendre des mesures spéciales. Jan Riordan, titulaire d'une maîtrise en soins infirmiers, écrit dans son livre *A Practical Guide to Breastfeeding* :

> *Si un bébé allaité présente des symptômes de la grippe, il peut faire un peu de fièvre, être irritable, avoir des vomissements et de la diarrhée durant quelques jours. S'il accepte de prendre quoi que ce soit par la bouche, ce devrait être du lait maternel. Bien que de nombreux professionnels de la santé recommandent que même les bébés allaités ne prennent aucun produit laitier lorsqu'ils ont des vomissements ou de la diarrhée, c'est une grave erreur [...] Grâce à la rapidité avec laquelle le lait maternel est digéré, même le bébé qui vomit réguliè-rement absorbera certains des éléments nutritifs et des liquides du lait maternel avant qu'il ne soit régurgité [...] Il peut être nécessaire de remplacer le lait maternel par une solution orale d'électrolytes, comme le Pédialyte, seulement dans les cas de diarrhée modérée à grave, mais cela est peu fréquent chez l'enfant allaité.*

Donc la règle d'or concernant le bébé allaité est : si le bébé peut prendre quoi que ce soit par la bouche, ce devrait être du lait maternel. Tant qu'il mouille au moins deux ou trois couches par jour lorsqu'il est malade, il n'y a pas de risque de déshydratation.

Pour le bébé qui vomit, il est préférable de retirer les aliments solides le temps que durent les vomissements. Si son estomac est vraiment dérangé, il peut être utile d'extraire presque tout votre lait du sein et de le laisser se réconforter au sein presque vide. En lui offrant de petites quantités de lait maternel à chaque tétée (mais en l'allaitant assez souvent), votre bébé aura plus de chance d'en garder un peu. S'il tolère bien ces petites quantités de lait, votre bébé pourra commencer à en prendre un peu plus à chaque tétée. Par contre, si même les petites tétées sont vomies rapidement, alors consultez votre médecin et surveillez les signes de déshydratation.

Concernant le bébé de 6 mois et plus ou le bambin qui réclame quelque chose à boire, un peu de glace concassée ou quelques cuillerées d'eau pourront étancher sa soif pour un certain temps. La glace a l'avantage de fondre lentement et en plus elle constitue une distraction intéressante. Si cela lui suffit pour l'instant, tant mieux. Sinon, laissez-le téter à un sein vide mais ne lui donnez rien d'autre. Dans tous les cas, le sevrage est inutile et non recommandé.

Le lait maternel est le meilleur aliment possible pour le bébé malade et tant qu'il peut prendre quelque chose par la bouche, ce devrait être votre lait. Quand un bébé allaité est malade, le réconfort apporté par l'allaitement est sans doute le bienfait le plus important qui soit.

## L'intolérance au lactose

On croit parfois qu'un bébé qui a des selles molles et fréquentes souffre de ce qu'on appelle une « intolérance au lactose ». On vous conseillera de cesser l'allaitement. Cela n'est pas nécessaire. La véritable intolérance au lactose est à peu près inconnue chez les bébés et les jeunes enfants qui n'ont pas atteint l'âge du sevrage. À mesure que l'enfant grandit, la lactase, enzyme présente à la naissance et nécessaire à la digestion du sucre du lait (lactose), disparaît graduellement de son système digestif. Cela se produit car, après le sevrage, le lait n'est plus un élément essentiel du régime alimentaire de l'humain.

L'intolérance au lactose n'est pas un problème chez le bébé exclusivement allaité. Toutefois, l'allergie au lait de vache (sensibilité à la protéine du lait de vache) est couramment confondue avec l'intolérance au lactose. Cette intolérance devrait être exclue des causes possibles de diarrhée chez un bébé. Par contre, les bébés sensibles peuvent avoir une réaction aux produits laitiers absorbés par leur mère.

Si le bébé est malade ou s'il prend certains médicaments, comme des antibiotiques, il peut alors avoir ce qu'on appelle une « intolérance secondaire au lactose » qui se traduit par de la diarrhée. Dans un tel cas, la meilleure chose à faire c'est de ne rien donner au bébé sauf votre lait. Pour le bambin qui mangeait une variété d'aliments et qui buvait d'autres liquides, il vous faudra sans doute lui donner aussi de l'eau puisque votre sécrétion lactée ne pourra le satisfaire entièrement. À mesure que les symptômes de la maladie ou que les effets des médicaments disparaissent, ses selles redeviendront normales. Entretemps, grâce à la relation spéciale et au réconfort que procure l'allaitement et grâce aussi aux bienfaits physiques de votre lait, votre bébé se remettra plus facilement.

Ne cédez pas à la panique si votre enfant allaité, peu importe son âge, qu'il soit un bambin vigoureux ou un tout petit bébé, fait de la diarrhée. Continuez à l'allaiter, tout en lui prodiguant les autres soins nécessaires.

## LE GAIN DE POIDS LENT

Un gain de poids lent chez un bébé allaité et en santé constitue un signal d'alarme. Il faut alors examiner de plus près le bébé, la mère et leurs habitudes d'allaitement. Si vous faites face à cette situation, ne vous empressez pas de remplacer le lait maternel, l'aliment le plus complet qui soit pour les bébés, par un substitut artificiel. On peut faire des ajustements et l'allaitement, avec ses avantages à long terme, peut se poursuivre.

Pourquoi certains bébés prennent-ils du poids lentement ? L'explication peut être simple ou dépendre d'une multitude de facteurs. Une maladie sans gravité en serait-elle la cause ? Souvent, un bébé qui ne se sent pas bien ne boira pas bien. Évidemment, le médecin du bébé l'examinera attentivement pour être certain qu'aucune maladie n'est la source du problème. Et si le bébé est effectivement malade, alors l'allaitement est d'autant plus profitable. Un effort maximal pour poursuivre l'allaitement, accompagné d'un traitement approprié à la maladie, accélérera la guérison.

Tous les bébés qui prennent du poids lentement devraient être suivis par un médecin. Dans la plupart de ces cas, le bébé va bien et la majorité des difficultés d'allaitement peuvent être surmontées facilement. Consultez la section du chapitre 7 intitulée « Boit-il assez de lait ? ». Elle donne des explications sur de nombreuses techniques d'allaitement qui favorisent l'augmentation de la sécrétion lactée de la mère, ce qui permet au bébé de prendre du poids.

Souvenez-vous que la plupart des bébés perdent du poids après la naissance. On devrait calculer le gain à partir du poids le plus bas et non à partir du poids à la naissance.

Quel est le gain de poids moyen acceptable ? Un gain d'environ 400 g par mois, ou 100 g par semaine, est acceptable pour un bébé allaité. Certains en prennent le double les premières semaines alors que d'autres en prennent un peu moins durant un certain temps. Si votre bébé mouille de six à huit couches, s'il fait de trois à cinq selles par jour, s'il est éveillé et actif, s'il se développe bien, alors un gain de poids légèrement inférieur à 400 g par mois constitue sans doute une croissance normale pour lui. L'augmentation de sa taille, de sa circonférence crânienne et de la circonférence de sa poitrine sont aussi des signes de sa croissance. De plus, un bon tonus musculaire indique que le bébé boit assez.

## Le temps passé au sein

Si un bébé ne prend pas assez de poids, la première question à se poser c'est : à quelle fréquence le bébé est-il allaité ? La cause la plus souvent associée au gain de poids lent est probablement un allaitement peu fréquent. Le lait maternel se digère rapidement. Les tétées fréquentes sont donc mieux adaptées au bébé et lui fournissent des éléments nutritifs régulièrement. Si votre bébé gagne du poids lentement, il est important que vous allaitiez des deux seins toutes les deux heures au moins, sauf pour un intervalle que vous pourrez prolonger à trois ou quatre heures la nuit s'il dort. Par exemple si votre bébé commence à téter à 8 heures, remettez-le au sein à 10 heures, quelle que soit la durée de la tétée de 8 heures. Prévoyez d'allaiter votre bébé de 10 à 12 fois par 24 heures.

## Alternez souvent

Si votre bébé ne prend pas assez de poids, allaitez toujours des deux seins à chaque tétée et changez souvent de sein pendant la même tétée. Cela signifie que vous allaitez d'un sein aussi longtemps que votre bébé tète activement et avale du lait. Dès qu'il ralentit son rythme de succion et qu'il montre moins d'intérêt, passez à l'autre sein. Pour certains bébés cela peut durer jusqu'à dix minutes par sein alors que pour d'autres, il faudra changer de sein après deux ou trois minutes. Assurez-vous que votre bébé boit aux deux seins au moins deux fois par tétée. S'il a tendance à s'endormir, vous pourrez le réveiller en changeant sa couche avant de le mettre à l'autre sein.

Chez le bébé somnolent, le fait d'alterner souvent gardera son intérêt pour la tétée et il obtiendra davantage de lait puisqu'il tétera plus activement. Cela favorise également la montée du lait chez la mère tout en stimulant davantage ses seins. Tout cela fera augmenter la sécrétion lactée. Quelques jours de ce régime d'alternance peut parfois amener un changement considérable dans le gain de poids du bébé.

## La confusion entre tétine et mamelon

L'usage de la tétine, de la téterelle ou du biberon peut entraîner une confusion entre la tétine et le mamelon et empêcher le bébé de téter efficacement au sein. Un seul biberon suffit parfois à rendre certains bébés confus, particulièrement dans les premières semaines. Le bébé utilise des techniques tout à fait différentes pour extraire le lait du sein et d'un biberon. Pensez-y bien avant d'utiliser une tétine ou de donner un biberon si votre bébé prend peu de poids, car la confusion entre tétine et mamelon peut aggraver le problème au lieu de le résoudre.

## Le bébé dormeur

Le bébé au gain de poids lent peut être un enfant calme, qui dort régulièrement de quatre à cinq heures. Ce gros dormeur ne prend pas assez de poids justement parce qu'il ne boit pas autant qu'il le devrait. Si votre bébé dort beaucoup, vous pensez sûrement qu'il est « un bon bébé ». Ne vous laissez pas aveugler par cette tranquillité. Vérifiez soigneusement le nombre de couches mouillées et souillées. À l'âge d'une semaine, le bébé devrait mouiller de six à huit couches quotidiennement. Un nouveau-né de moins de 6 semaines fait généralement de trois à cinq selles par jour. En grandissant, le nombre de selles peut diminuer et il peut même arriver qu'il ait une selle tous les trois ou quatre jours seulement, mais dans ce cas-là la quantité de selles sera importante.

La mère d'un bébé dormeur doit prendre l'initiative et encourager fortement son bébé à boire plus souvent. Il faut donc surveiller l'heure. Durant un certain temps vous lui donnerez un coup de pouce en l'encourageant gentiment à téter. En le prenant et en l'allaitant souvent, vous l'aiderez à s'éveiller. Il a tout autant besoin de cette stimulation qu'il a besoin de votre bon lait. Toutes ces actions servent à l'aider à se développer.

## Éveiller le bébé dormeur

Pour éveiller un bébé dormeur qui doit téter plus fréquemment, enlevez-lui tous ses vêtements sauf sa couche et tenez-le contre vous, peau à peau. (Si vous avez un peu froid, enveloppez-vous tous les deux d'une couverture.) Frottez son dos ou ses pieds. Parlez-lui ou chantez pour lui. La mère d'un bébé dormeur lui parlait chaque fois qu'il ouvrait un œil pendant la tétée. « Oui ! Bravo ! Tu vas y arriver ! » lui disait-elle. Chaque fois il réagissait à ses paroles en tétant convenablement environ une minute de plus. Est-ce les paroles encourageantes de la mère ou ses soins attentifs qui ont fait la différence ? Personne ne peut le dire, mais ce petit bébé est rapidement devenu potelé.

Si votre bébé est trop endormi pour téter, essayez de l'asseoir sur vos genoux en soutenant son menton d'une main et en relevant doucement son dos de l'autre pour l'asseoir. Ou encore, en soutenant sa tête de votre main, faites-le passer de la position couchée à la position debout. Vous pouvez aussi faire marcher vos doigts le long de sa colonne vertébrale.

## Le bébé menu et agité

Il arrive parfois qu'un bébé soit éveillé, agité même, et qu'il passe beaucoup de temps au sein sans pour autant prendre du poids rapidement. Dans ce cas-là, il faut se demander si la succion du bébé est efficace. Prend-il bien le mamelon ? Sa bouche devrait couvrir au moins 2 centimètres de l'aréole (la partie foncée qui entoure le mamelon). Le bébé qui tète du bout des lèvres obtiendra seulement le lait accumulé dans les seins. Il ne bénéficiera pas du lait supplémentaire qui coule lorsque le mamelon s'étire dans sa bouche et qu'il tète vigoureusement. Il n'aura donc pas tout le lait dont il a besoin, ni celui de fin de tétée qui contient plus de gras.

Si vous croyez que votre bébé tète ainsi, surveillez-le attentivement au moment de la tétée. Lorsque le gain de poids du bébé est en cause, sa position au sein devient très importante. Relisez la partie du chapitre 4 intitulée « La tétée en détail ».

Assurez-vous que votre bébé vous fait face et qu'il n'a pas à tourner la tête pour prendre le sein et saisir le mamelon. En utilisant la position « ballon de football », vous verrez mieux la position du bébé au sein et vous pourrez observer sa technique de succion. Vérifiez que son corps est plié à la hauteur des hanches et que son dos n'est pas arqué.

## Une sécrétion lactée trop abondante

Il arrive parfois qu'une mère qui semble avoir une sécrétion lactée trop abondante a un bébé qui, bien qu'il tète souvent, prend peu de poids, est agité, souffre de gaz et fait des selles molles et verdâtres. Il semble boire trop de lait et il peut même régurgiter après les tétées. La mère d'un bébé présentant ces symptômes devrait le laisser boire à un seul sein jusqu'à ce qu'il s'en détache lui-même parce qu'il est rassasié avant de lui offrir l'autre sein. Il est parfois bon de n'offrir qu'un seul sein à la fois durant un certain temps afin de voir si le bébé s'en porte mieux. C'est peut-être parce qu'il boit trop de lait de début de tétée et pas assez de celui de fin de tétée, plus riche.

## Points à surveiller chez la mère

Si votre bébé prend du poids lentement, prenez bien soin de vous. Vous pourrez ainsi établir une sécrétion lactée qui comblera ses besoins. En faites-vous trop, ce qui vous laisse peu de temps pour vous reposer ? Concernant les bébés qui prennent du poids lentement, les pédiatres recommandent que la mère et le bébé restent au lit ensemble durant quelques jours. Essayez de réduire le stress dans votre vie. Que votre bébé devienne une priorité pour le moment.

Mangez-vous bien ? Pensez-y, qu'avez-vous mangé au déjeuner ? Et à midi, avez-vous mangé « sur le pouce » ? Buvez-vous assez d'eau ou de jus ? Votre apport en liquides peut inclure du café et du thé, mais souvenez-vous que ces boissons, contenant de la caféine, ont un effet négatif sur le gain de poids de certains bébés si elles sont prises en grandes quantités. Cela s'applique également au tabagisme, particulièrement si vous fumez beaucoup.

Prenez-vous des contraceptifs oraux qui contiennent des œstrogènes ? Il est prouvé qu'ils diminuent la quantité et la qualité du lait maternel. Seriez-vous anémique ou auriez-vous un problème de glande thyroïde ? Ces deux problèmes, s'ils ne sont pas traités, peuvent nuire à la sécrétion de lait maternel. Consultez votre médecin à ce sujet.

Lorsqu'un bébé ne prend pas autant de poids qu'il le devrait, il y a lieu de s'inquiéter. Cependant, le sevrer est rarement la solution. Il y a toujours un risque que le sevrage entraîne de nouveaux problèmes.

## Aide-mémoire

Quand un bébé allaité exclusivement ne prend pas assez de poids, tout le monde s'inquiète. La mère a peur et se sent fautive. Le médecin insiste sur le fait qu'il faut faire quelque chose. Mais un manque de connaissance de l'allaitement peut mener à des interventions peu appropriées. Les points qui suivent indiquent que quelques changements, incluant parfois des compléments de lait artificiel, peuvent être nécessaires pour un certain temps. Déterminer la cause du faible gain de poids et agir en conséquence peut dissiper l'inquiétude de chacun et faire prendre du poids rapidement au bébé.

- Le gain de poids du bébé est inférieur à la prise recommandée de 100 g à 150 g par semaine ou de 400 g par mois.
- À l'âge de 2 à 3 semaines, le bébé n'a pas repris son poids de naissance.
- Le bébé mouille peu de couches ou ses selles sont peu abondantes.
- Le bébé ne s'éveille pas la nuit pour téter.
- Le bébé tète moins de 10 à 12 fois par jour.
- Le bébé ne prend que le bout du mamelon ou ne tète que durant de très courtes périodes ou bien refuse le sein.
- Le bébé tète « tout le temps » mais dort la plupart du temps ou mâchouille le mamelon sans téter activement et sans avaler.
- La mère a les mamelons constamment douloureux malgré les traitements et la bonne position du bébé au sein.

Chacune des ces situations peut indiquer que le bébé ne tète pas efficacement. Ce genre de bébé empêche la mère d'établir une sécrétion lactée qui satisfera ses besoins. La mère et le bébé ont donc besoin de l'aide de quelqu'un qui connaît bien les problèmes de succion.

Dans un tel cas, l'allaitement peut et devrait se poursuivre mais il faudra sans doute recourir aux compléments un certain temps. En utilisant un dispositif d'aide à l'allaitement, vous pouvez donner le complément pendant que le bébé tète. Cette façon de faire évite la confusion entre tétine et mamelon et permet en même temps d'obtenir la stimulation dont vos seins ont besoin pour produire du lait.

Lorsqu'on doit donner des suppléments à un bébé allaité, le premier choix est évidemment le lait de sa mère qu'elle aura extrait à la main ou avec un tire-lait. Cela permet à votre bébé de continuer à profiter de tous les avantages du lait maternel tout en stimulant vos seins à produire davantage. Quand votre bébé parviendra à mieux téter, vos seins seront pleins de lait pour récompenser ses efforts. Ne donnez pas de lait artificiel à votre bébé, ni aucun autre aliment, sans l'avis de votre médecin.

## L'avis du médecin

Le médecin devrait voir votre bébé régulièrement pour évaluer son gain de poids et son état de santé général. Si son poids augmente très lentement, votre médecin peut recommander de donner des compléments. Demandez-lui si cela peut attendre une ou deux semaines, le temps que vous amélioriez votre routine d'allaitement, ou bien si vous pouvez extraire votre lait entre les tétées pour le donner en complément à votre bébé.

Si votre médecin insiste pour que vous donniez des compléments, vous pouvez demander l'opinion d'un autre médecin, surtout si votre bébé est en santé et qu'il prend au moins 100 g par semaine. De meilleures techniques d'allaitement peuvent faire augmenter le gain de poids du bébé.

Si le médecin juge que votre bébé met du temps à gagner du poids et qu'il ne faut pas attendre que votre sécrétion lactée soit plus abondante, il importe alors de donner les compléments tel qu'il le recommande. Demeurez en contact avec votre médecin, surveillez attentivement les progrès de votre bébé ainsi que le nombre de couches mouillées et souillées, et continuez vos efforts pour améliorer vos techniques d'allaitement.

## Un peu plus d'aide

La mère dont le bébé prend du poids lentement a besoin d'information supplémentaire et de beaucoup d'encouragements. Une monitrice de la Ligue La Leche peut vous offrir le soutien dont vous avez besoin dans ce cas-là. Elle pourra vous faire des suggestions adaptées à vos besoins ou encore vous diriger vers une monitrice plus expérimentée ou une consultante en lactation. Votre bébé a sans doute besoin d'être davantage guidé pour apprendre à téter efficacement. Il existe des experts en la matière qui sont disponibles pour vous enseigner comment amener votre bébé à mieux téter.

Les bébés sont faits pour grandir et se développer, et cette perspective rend tout le monde heureux. Si le gain de poids de votre bébé est faible, l'inquiétude est légitime mais soyez certaine que votre lait est toujours l'aliment idéal pour lui. Il a simplement besoin d'en boire davantage ! Quand il y sera parvenu, sa santé resplendissante et ses joues rondes feront votre fierté et votre satisfaction.

. . . . . . . . . . . . . . . . . . . . . . . . . . . . . . . . . . . . . . . .

# L'ALLAITEMENT :
# LE MEILLEUR CHOIX

# CHAPITRE 18

# L'aliment par excellence

*Le fait est reconnu* depuis longtemps : le lait maternel est l'aliment par excellence pour le nourrisson. Il contient tous les éléments nutritifs dont votre bébé a besoin pour grandir et se développer.

« Oh ! Comme il a grandi ! » Comme c'est agréable à entendre pour une mère. La croissance du bébé est beaucoup plus rapide les premiers mois de sa vie que durant toute autre période. La taille du cerveau d'un bébé naissant équivaut au tiers de celle du cerveau d'un adulte, et vers l'âge d'un an, elle aura atteint les deux tiers. La circonférence de la tête du bébé s'agrandit d'environ 10 cm à 12 cm la première année afin de faire place au développement extrêmement important de son cerveau.

Un bon développement musculaire, une augmentation de la taille de même qu'un gain de poids du bébé sont autant d'indices de sa croissance. Grandir est une affaire sérieuse pour le bébé et le lait représente le moyen d'y parvenir.

Puisque le lait constitue le seul aliment du bébé pendant une période décisive de sa vie, il doit, d'une part, être un aliment complet, c'est-à-dire qui fournit tout ce qui est essentiel dans des proportions idéales. Aucun lait artificiel ne peut avoir ces caractéristiques.

D'autre part, un aliment pour nourrisson doit non seulement ne pas lui causer de tort, mais il devrait aussi pouvoir convenir à son système digestif qui n'a pas encore fini de se développer. Encore une fois, l'alimentation artificielle n'est pas à la hauteur. Le lait maternel est fait sur mesure pour le système digestif du bébé et il est assimilé plus facilement que le lait de vache. L'introduction d'autres éléments dans son régime alimentaire vient modifier l'équilibre parfait entre le lait maternel et le bébé. Votre lait correspond en tous points aux besoins nutritifs de votre bébé. Il le nourrit, le fortifie, le protège, le fait grandir et donne une douceur incomparable à sa peau. C'est tout ce dont il a besoin jusqu'à ce qu'il soit prêt pour les aliments solides, c'est-à-dire vers l'âge de 6 mois s'il est né à terme et en santé. Un chercheur de grande renommée, le regretté docteur Paul György, disait :

> *On devrait considérer le lait maternel supérieur au lait de vache comme premier aliment physiologique pour le bébé humain [...] L'allaitement maternel réduit à la fois le taux de morbidité et le taux de mortalité, particulièrement ce dernier [...] Le lait maternel est fait pour le bébé humain et le lait de vache est fait pour le veau.*

## CONÇU POUR LE BÉBÉ

Le lait diffère d'une espèce à l'autre, tout comme les cellules du corps de la femme diffèrent de celles des autres espèces. Le lait maternel et le lait de vache, comme le lait de tout mammifère, contiennent principalement de l'eau, des protéines, des matières grasses, du lactose (sucre) et une bonne dose de vitamines, minéraux et sels ainsi que des traces d'hormones. Bien que la valeur énergétique de ces deux laits soit identique pour une même quantité (20 calories par 30 ml), les proportions de chacun des éléments qui les composent sont différentes. Pour transformer le lait de vache en préparation lactée pour nourrisson, il faut le diluer dans une quantité à peu près égale d'eau et y ajouter du sucre afin de combler la perte énergétique. Les deux laits sont blancs, bien que le lait maternel semble parfois clair et bleuté comparativement aux laits homogénéisés et artificiels. Ce que vous ne pouvez pas voir, cependant, c'est à quel point votre lait est parfaitement adapté au système digestif de votre bébé et à ses besoins nutritifs.

Quand on compare le lait maternel au lait de vache ou à du lait artificiel, les similitudes s'estompent et les différences apparaissent. Après tout, le lait maternel est le seul aliment conçu spécialement par la nature pour le petit de l'homme.

## Les protéines assurent la croissance

De toutes les matières qui composent les êtres vivants, les protéines sont les plus caractéristiques, les plus typiques de chaque espèce. Certaines protéines clés de votre lait sont totalement différentes de celles du lait de vache. Parmi leurs fonctions les plus remarquables, les protéines se décomposent en acides aminés, les matériaux de base des cellules. Votre lait contient tous les acides aminés essentiels nécessaires à votre bébé, dans les proportions dont il a besoin. La grande quantité de caséine contenue dans le lait de vache forme des caillés volumineux, durs et caoutchouteux, difficiles à digérer pour le bébé. Voilà pourquoi les bébés nourris au biberon restent plus longtemps « rassasiés » que les bébés allaités. La protéine du petit-lait, plus abondante dans le lait maternel, convient parfaitement au système digestif du bébé et elle est facile à digérer. De plus, elle a une plus grande valeur nutritive que la caséine.

Le lait contient des protéines particulières capables de détruire des bactéries nuisibles ou de protéger le bébé contre les infections qui peuvent passer dans son système sanguin. Les protéines du lait de vache protègent le veau contre les maladies propres à son espèce et votre lait protège votre bébé contre les menaces de son environnement. Lorsque ces protéines sont chauffées, comme c'est le cas pour les laits artificiels, leurs propriétés sont facilement détruites.

Le lait de vache contient au moins trois fois plus de protéines que le lait maternel. Cet écart est justifié quand on compare la croissance bovine et humaine. Le veau peut se tenir sur ses pattes peu après sa naissance. Le développement musculaire et la croissance des os constituent donc ses tout premiers besoins physiques. En moins de deux mois, le veau aura doublé son poids à la naissance ; en moyenne il aura pris 30 kg. Contrairement au veau, le nourrisson ne prend pas tant de volume et il ne double généralement pas son poids avant l'âge de 5 ou 6 mois. De plus, il ne marchera pas avant l'âge d'un an environ.

Dans les premiers mois de sa vie, il est primordial pour le bébé d'avoir les bons éléments nutritifs pour que son cerveau et son système nerveux puissent continuer à se développer. Comme l'indiquent Jelliffe et Jelliffe dans *Human Milk in the Modern World* : « Dans le cas du nouveau-né humain, la croissance rapide du cerveau constitue la caractéristique de l'espèce. » Selon une analyse présentée en 1989 par M.F. Goldfarb :

*Il existe, dans le lait maternel, un équilibre parfait entre son contenu et le besoin en protéines du bébé. De plus, le lait procure un large éventail de molécules de transport qu'on ne trouve pas dans les laits artificiels. Il renferme une combinaison complexe de plusieurs centaines de protéines.*

## Les acides aminés et la taurine

La juste proportion d'acides aminés contenus dans le lait maternel constitue une de ses principales caractéristiques. Il doit y avoir une certaine quantité et une certaine proportion d'acides aminés pour qu'ils travaillent bien ensemble ou individuellement. Quand il y a une trop grande proportion de certains acides aminés par rapport à d'autres, alors le bébé doit éliminer le surplus. Lorsque le bébé est allaité, cet équilibre est parfait. En effet, tous les acides aminés contenus dans le lait maternel sont utilisés.

La taurine est un exemple d'acide aminé essentiel présent en concentration élevée dans le lait maternel mais totalement absent du lait de vache. Il devient de plus en plus évident que la taurine joue un rôle biologique important dans le développement des cellules du cerveau ainsi que dans la stabilité de la rétine. Le nourrisson est incapable de synthétiser la taurine. Il dépend donc entièrement de son alimentation pour obtenir cet acide aminé. À cause de son importance potentielle sur le développement du cerveau, elle est fréquemment ajoutée à certains laits artificiels. La taurine a toujours été disponible pour l'enfant allaité.

## Le gras fournit de l'énergie

Le taux de gras contenu dans le lait illustre bien la spécificité du lait de chaque espèce. En effet, le lait de certains mammifères contient jusqu'à 30 fois plus de gras que le lait d'une autre espèce. Par exemple, les petits de mammifères

marins doivent se couvrir rapidement d'une épaisse couche de
graisse qui les protégera des
eaux glaciales. Le lait de
phoque, très riche en gras,
répond donc à ce besoin.

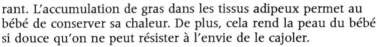

Pour votre bébé, le
gras de votre lait représente
beaucoup d'énergie, sous forme
de calories, qui assure sa croissance.
Il lui sert aussi de réserve de carbu-
rant. L'accumulation de gras dans les tissus adipeux permet au
bébé de conserver sa chaleur. De plus, cela rend la peau du bébé
si douce qu'on ne peut résister à l'envie de le cajoler.

En moyenne, le lait maternel contient 4 p. 100 de gras,
ce qui représente plus de 40 p. 100 des calories du lait maternel.
Les mères souffrant de malnutrition grave et n'ayant aucune
réserve de gras ont tendance à produire un lait dont le pourcentage de gras est légèrement inférieur à celui des mères bien
alimentées. Cependant, la teneur en protéines et en lactose de
leur lait demeure tout à fait acceptable.

Contrairement au taux de gras du lait artificiel qui est
toujours le même, celui du lait maternel varie de tétée en tétée
et de semaine en semaine, mais les besoins du bébé sont toujours satisfaits. Cette variation du taux de gras se produit même
durant la tétée. Donc, il ne sert à rien d'essayer de savoir si le
lait d'une mère est « trop riche » ou « pas assez riche » en lui
demandant d'extraire un peu de lait pour l'examiner et en
connaître le taux de gras.

Le type de cellules graisseuses du nourrisson dépend du
type de gras dans son régime alimentaire. Le bébé nourri au lait
de vache ou au lait artificiel aura des dépôts de graisse dont la
composition sera différente de celle du bébé allaité.

Certains gras sont essentiels au développement du
cerveau et du système nerveux. Il est donc inquiétant de constater que certains gras contenus dans les laits artificiels sont mal
conçus du point de vue biologique et qu'ils sont loin d'être
idéaux pour le bébé. Selon un article paru en 1989 dans
l'*American Journal of Clinical Nutrition* :

*Il est presque impossible de compléter le régime
alimentaire d'un bébé nourri au biberon avec des
aliments entiers, généralement disponibles sur le
marché, pour qu'il reçoive autant d'acides gras
polyinsaturés à longue chaîne qu'un bébé allaité.*

Les gras qui ne peuvent être absorbés sont inutiles pour le bébé. De plus, les gras non absorbés peuvent agir comme des bandits, en volant le calcium du bébé. Ces gras et le calcium peuvent former une masse insoluble qui ne peut être utilisée par le système digestif du bébé.

Le bébé absorbe et utilise le gras du lait maternel d'une façon remarquablement efficace. Cela est rendu possible grâce à la lipase, enzyme présente dans le lait maternel et servant à digérer le gras. La lipase maternelle se combine à celle du bébé et la complète. Elle agit dans l'intestin et facilite la digestion du gras ou des lipides qui sont adaptés au bébé et présents dans le lait.

Afin d'augmenter l'absorption du gras chez les bébés nourris de lait artificiel, le gras du lait de vache est remplacé par un acide linoléique, l'huile végétale. Cette substitution augmente l'apport de gras insaturés et diminue l'apport de cholestérol. Au cours des dernières années, on a incité les adultes à réduire le taux de cholestérol dans leur régime alimentaire, mais le bébé a besoin de cholestérol au cours de ses deux premières années. En effet, il permet la formation d'une gaine isolante autour des nerfs qui coordonnent les muscles. Ce processus s'appelle la « myélinisation ». À mesure que ce processus avance, votre bébé peut s'asseoir, puis ramper et, enfin, marcher.

Des recherches semblent indiquer que l'ingestion de cholestérol, contenu dans le lait de femme, soit bénéfique plus tard dans la vie. Il permet à l'adulte de mieux assimiler le cholestérol provenant de son alimentation. Le meilleur moyen de protéger le bébé contre d'éventuelles maladies est, semble-t-il, de lui donner un bon départ dans la vie.

## Le lactose joue un rôle déterminant

Du point de vue nutritif, le lactose (sucre) partage la tête d'affiche avec les protéines et le gras. On le trouve seulement dans le lait et on l'appelle communément le « sucre du lait ». Parmi les différents sucres, le lactose possède des propriétés formidables, bénéfiques au nouveau-né. En tant qu'hydrate de carbone, il constitue une source d'énergie rapide, mais ce n'est là qu'un de ses rôles. En effet, le lactose contribue au bon développement du cerveau et du système nerveux de votre bébé. En règle générale, plus le cerveau d'une espèce est volumineux, plus le taux de lactose dans le lait est élevé.

Le lactose favorise aussi l'absorption de certains minéraux, le calcium plus particulièrement, nécessaires à la saine croissance des os et des dents. De plus, il influe de façon importante sur le niveau d'acidité dans l'intestin de votre nouveau-né, milieu jusqu'ici stérile.

Le lait maternel contient une fois et demie plus de lactose que le lait de vache, chose que le palais de l'adulte peut vérifier facilement grâce au goût sucré du lait. Lorsque le lait de vache sert à nourrir les bébés, il faut augmenter la quantité de sucre et, bien souvent, on utilise du sucre de table, le sucrose. Le sucrose et les autres substituts du sucre ne peuvent égaler le lactose. En effet, ce dernier se décompose et libère de l'énergie à un rythme lent et régulier. Cela évite d'avoir un taux de sucre en dents de scie dans le sang, caractéristique du sucrose.

Ce taux élevé de lactose dans le lait maternel est proportionnellement apparenté à un faible taux de minéraux et de sels dans le lait, une combinaison idéale pour le petit de l'homme. Par contre, dans le lait de vache, ces proportions sont inversées.

Le lactose de votre lait est parfait pour votre bébé parce qu'il a un effet particulier sur les micro-organismes de ses intestins. Ce sucre du lait favorise la croissance de bactéries spéciales, le *Lactobacillus bifidus* en particulier, qui empêchent le développement de bactéries nuisibles entraînant une diarrhée sévère chez les jeunes enfants. Une substance appelée « facteur bifidus » aide à la croissance de ces bonnes bactéries et le lait maternel en contient bien plus que le lait de vache ou le lait artificiel. Tous ceux qui changent la couche d'un bébé allaité ont la preuve de cette efficacité. Les selles d'un bébé entièrement allaité ont une odeur caractéristique, aucunement désagréable, semblable à celle du babeurre. Voilà la preuve que son organisme est habité par une multitude de bactéries utiles. Au contraire, les selles d'un bébé nourri au biberon dégagent une odeur âcre.

D'ici à ce que le système immunitaire de votre bébé soit bien développé, votre lait lui fournit non seulement une nourriture par excellence mais aussi une protection efficace contre la diarrhée.

## Vitamines et minéraux : un équilibre parfait

Les vitamines et les minéraux sont essentiels à la croissance et à la santé. On doit s'approvisionner quotidiennement, et le lait maternel constitue la meilleure et la mieux équilibrée des sources d'approvisionnement pour le bébé. Quelques gouttes d'un supplément de vitamines et de minéraux données par la bouche à votre bébé, « au cas où », n'est pas un bon moyen d'éviter les problèmes. Le fer est un bon exemple.

Quand on donne des suppléments de fer au bébé allaité, le délicat mécanisme d'absorption du fer est alors déréglé. Le lait maternel contient deux protéines spécialisées, la lactoferrine et la transferrine, qui s'associent au fer dans le tube digestif du bébé et le fixent. En captant le fer, elles arrêtent brusquement les bactéries nuisibles. Ces bactéries pouvant causer la diarrhée, y compris la bactérie *E. coli* potentiellement dangereuse, sont alors privées du fer dont elles ont besoin pour se reproduire. Quand on donne des suppléments de fer au bébé allaité, la lactoferrine et la transferrine sont incapables de fixer tout ce fer. Les bactéries peuvent alors se multiplier.

Le peu de fer contenu dans le lait maternel suffit au bébé puisqu'il l'assimile extrêmement bien. Ainsi, près de 50 p. 100 du fer présent dans le lait maternel est assimilé. Dans le cas des laits artificiels enrichis de fer, seulement 4 p. 100 est assimilé. À mesure qu'il grandit, votre bébé, né à terme et allaité, prend le fer dans votre lait. Il va aussi puiser le reste dont il a besoin dans les réserves qu'il s'est fait à la naissance.

Cette réserve de fer provient principalement du sang qui circule dans le cordon ombilical après la naissance. Votre bébé recevra tout l'apport sanguin possible si le cordon n'est pas pincé ou coupé avant de devenir blanc et mince, ce qui prend de cinq à dix minutes environ. En procédant ainsi, votre nouveau-né recevra plusieurs millilitres additionnels de sang, soit une augmentation d'environ 30 p. 100 de son volume sanguin. Ce sang additionnel apporte un surplus d'oxygène à l'organisme nouvellement actif de votre bébé. Lorsque les cellules sanguines se décomposent, le surplus de fer est emmagasiné pour plus tard. De cette façon, les réserves de fer du bébé né à terme seront suffisantes jusqu'à l'âge de 6 à 12 mois environ.

### Le calcium, le phosphore et la vitamine D

Le calcium et le phosphore sont deux minéraux importants, présents dans le lait. Généralement, ils vont ensemble. On connaît particulièrement bien le rôle du calcium dans la formation d'os solides et d'une bonne dentition. Le lait de vache renferme des taux élevés de calcium et de phosphore, plus élevés que dans le lait maternel. Cela est essentiel car le veau doit marcher dès la naissance. Cependant, malgré la présence d'une grande quantité de calcium dans le lait de vache, le rachitisme, maladie causée par le manque de calcium chez les jeunes enfants, sévissait aux États-Unis au début du siècle. Cette maladie était due au fait que la population se déplaçait vers les villes et que l'alimentation artificielle supplantait l'allaitement. Il n'était pas rare de voir des enfants plus âgés ayant des jambes anormalement arquées jusqu'à ce qu'on découvre qu'il ne servait à rien d'avoir une forte concentration de calcium dans le sang s'il n'y avait pas aussi assez de vitamine D pour l'activer. Mieux vaut tard que jamais, le lait de vache vendu pour la consommation humaine a été additionné de l'indispensable vitamine D.

Quelques spécialistes se sont inquiétés du faible taux de vitamine D dans le lait maternel. Pourtant, avec le temps, on a rarement diagnostiqué le rachitisme chez les bébés allaités exclusivement.

En 1989, le *Journal of Pediatrics* publiait une étude selon laquelle « les bébés allaités qui ne reçoivent pas de suppléments ne montrent aucun signe de carence en vitamine D pendant les six premiers mois ». Bien sûr, vous ferez prendre l'air à votre bébé, lorsque le temps le permet, pour qu'il bénéficie de la lumière solaire. Un peu de soleil sur ses joues, quelques minutes par jour, voilà généralement tout ce qu'il lui faut.

Cependant, si la mère ne reçoit pas assez de vitamine D par le soleil ou l'alimentation, ou qu'elle ou son bébé ont la peau foncée, ou que le bébé ne passe pas assez de temps dehors avec la peau suffisamment découverte, il peut arriver que la mère et éventuellement son bébé allaité aient besoin d'un supplément de vitamine D. Consultez votre médecin.

L'histoire du calcium dépend également de ses voisins, le phosphore et le gras. Si les taux de calcium et de phosphore ne se situent pas dans les bonnes proportions, l'utilité de ces minéraux pour l'enfant est diminuée. Encore une fois, les chercheurs ont dû manœuvrer pour que le lait de vache contienne des quantités suffisantes de ces deux minéraux et ressemble ainsi au lait maternel. Comme nous l'avons déjà mentionné, le gras non utilisé entre en réaction avec le calcium dans l'organisme du bébé. Chez le bébé allaité, le gras est bien absorbé et il y a équilibre entre calcium et phosphore. Malgré le faible taux de calcium dans votre lait, votre bébé allaité en retient généralement davantage qu'un bébé nourri de lait artificiel et l'apport en calcium correspond exactement aux besoins de votre bébé.

### Le zinc

Le lait maternel contient moins de zinc que le lait de vache, mais la quantité présente est mieux assimilée par votre bébé. En fait, le lait maternel constitue le traitement spécifique de l'acrodermatite entéropathique (AE), maladie du métabolisme rare et héréditaire. Les enfants atteints souffrent d'une carence en zinc due à la réduction de leur capacité à l'assimiler. Bien que la maladie se déclare chez les bébés sujets à l'AE et nourris de lait de vache, qui contient davantage de zinc, les bébés qui en sont atteints guérissent si on leur donne uniquement du lait maternel, contenant moins de zinc. Cette propriété particulière du zinc présent dans le lait maternel a été découverte seulement en 1978. On comprend maintenant pourquoi l'incidence de cette maladie est plus élevée à mesure qu'on délaisse l'allaitement.

### Les vitamines $B_6$ et $B_{12}$

Un pionnier de la recherche dans le domaine de l'allaitement, le docteur Paul György, est connu pour avoir découvert la riboflavine et la vitamine $B_6$. Avant ses recherches, personne ne savait que les bébés avaient besoin de vitamine $B_6$. À l'époque, les laits artificiels étaient le reflet de ce manque d'information. Des bébés, nourris d'un lait artificiel renommé, étaient inexplicablement atteints de convulsions. Ce problème a cessé avec l'addition de vitamine $B_6$, substance qui faisait déjà partie intégrante du lait maternel.

Les scientifiques savent aussi maintenant qu'une certaine protéine du lait maternel a la propriété de fixer la vitamine $B_{12}$. Dans un sens, cette protéine joue le rôle d'un agent de sécurité consciencieux qui garde la vitamine $B_{12}$ sous clé pour l'usage exclusif du bébé et qui en interdit l'accès aux redoutables agents pathogènes. Comme dans le cas de la lactoferrine, cette action prive les bactéries nuisibles, présentes dans le tube digestif du bébé, des éléments nécessaires à leur croissance. Cela prévient l'apparition d'un éventuel problème.

### La vitamine C

Le lait d'une mère bien alimentée contient toute la vitamine C dont son bébé a besoin. Les bébés allaités ne souffrent presque jamais du scorbut, une maladie qui est causée par une carence en vitamine C.

Souvenez-vous que cette vitamine essentielle n'est pas emmagasinée par l'organisme et que la mère qui allaite doit en prendre tous les jours ou presque. C'est rarement un problème car une variété de fruits et de légumes contiennent de la vitamine C. Il n'est pas recommandé de donner des suppléments de vitamine C directement au bébé. Si on a des raisons de croire que le bébé ne prend pas assez de vitamine C, alors la mère peut prendre un supplément. Non seulement elle en bénéficiera elle-même, mais son bébé recevra la bonne quantité de vitamine, sous une forme appropriée, grâce à son lait.

### Le fluor

Le fluor reçoit généralement beaucoup d'attention car il est lié à une saine dentition et à la protection contre la carie. Le lait maternel contient un peu de fluor et, bien que cette quantité soit minime, il semble merveilleusement bien adapté aux besoins du bébé. Malgré cela, les parents subissent souvent des pressions pour qu'ils donnent des gouttes de fluorure à leur bébé. Des mères se sont aperçues que les suppléments de fluor rendaient leurs bébés d'humeur maussade.

# LE LAIT MATERNEL, ARSENAL CONTRE LES MALADIES

Les mères qui allaitent ont souvent constaté que lorsque toute la famille est enrhumée ou grippée, le bébé allaité, lui, se porte bien ou n'est presque pas malade. Elles sont convaincues que l'allaitement offre une protection particulière à leurs bébés. Jusqu'à tout récemment, elles ne pouvaient le prouver qu'en mentionnant des études comparatives effectuées sur des bébés allaités et des bébés nourris au biberon. Ces études, qui datent du début du XX$^e$ siècle, démontrent que l'allaitement prolonge réellement la période d'immunité naturelle contre de nombreuses maladies virales, y compris les infections respiratoires. Elles démontrent également que l'allaitement offre une protection contre bon nombre de maladies bactériennes. En outre, on sait depuis fort longtemps que les bébés allaités sont moins souvent atteints de diarrhée que les bébés nourris au biberon.

Dans les années 70, les scientifiques ont élaboré des techniques de pointe pour étudier les facteurs immunologiques du lait. Ainsi, les chercheurs connaissent maintenant certaines des raisons scientifiques aux résultats des premières études. Elles ont confirmé ce que de nombreuses mères qui allaitaient savaient depuis toujours. Les révélations suivantes sont encore plus étonnantes que ce qu'on aurait pu imaginer. En 1974, le docteur John W. Gerrard, chercheur canadien, a écrit dans *Pediatrics* :

> *On supposait que le lait maternel jouait d'autres rôles outre le fait qu'il était la source de nourriture. Nous savons maintenant qu'il offre aussi une protection efficace, plus efficace encore que les antibiotiques, contre certains agents pathogènes communs de l'intestin. Il offre une protection relative au jeune enfant contre les allergies, qui sont un problème grandissant lié aux habitudes alimentaires des temps modernes.*

Le docteur Herbert Ratner a trouvé le mot juste pour décrire les propriétés exclusives du lait maternel : « le vaccin naturel du nouveau-né ». Cette protection unique débute dès la première tétée de colostrum de votre bébé.

## Le « vaccin naturel », le colostrum

Le premier lait produit par vos seins, appelé « colostrum », contient peu de gras et de glucides mais beaucoup de protéines. Il se digère très facilement et constitue un remontant extraordinaire pour le nouveau-né. Après quelques jours, le colostrum crémeux et consistant laisse graduellement la place au lait proprement dit, plus liquide.

Dans les années 70, les chercheurs ont découvert que le colostrum, presque méconnu auparavant, contenait des cellules vivantes qui protégeaient le nouveau-né contre un bon nombre d'agents potentiellement nuisibles. On reconnaît maintenant que le sein maternel reprend le rôle protecteur amorcé par le placenta.

Votre bébé naît avec une provision d'anticorps qui lui sont parvenus par le placenta. Ces anticorps, aussi appelés « immunoglobulines », ont été fabriqués par votre propre système immunitaire pour combattre les infections auxquelles vous avez été exposée. Cela comprend quelques-unes des maladies contagieuses fréquentes chez les enfants. Même si votre immunité vous protège toute votre vie, l'immunité que vous transmettez à votre nouveau-né ne le protège que temporairement, c'est-à-dire jusqu'à ce son propre système immunitaire fonctionne de lui-même.

De plus, les anticorps qui vous protègent des microbes, avec lesquels vous êtes en contact quotidiennement, rejoignent également votre bébé dans l'utérus. Ces immunoglobulines permettent à votre bébé d'avoir la même immunité que vous lorsqu'il entre dans votre maison. Jusqu'à récemment, les chercheurs croyaient que tous les anticorps offerts en cadeau par la mère provenaient du placenta. Ils ont été induits en erreur par l'information contenue dans des études sur les vaches, qui font l'objet de nombreuses recherches à cause de leur importance dans l'alimentation.

Les recherches avaient démontré que le veau, contrairement au bébé, ne reçoit aucun anticorps avant sa naissance. Sa seule et unique source de cellules protectrices provient de sa toute première tétée. Comme tous les producteurs laitiers le savent, le veau privé de colostrum est un veau mort. Les recherches ont aussi révélé que l'anticorps le plus important présent dans ce colostrum vital est l'immunoglobuline G (IgG). Lorsque les chercheurs se sont intéressés au petit de l'homme, ils ont découvert que l'IgG était le premier anticorps présent dans son organisme à la naissance.

Les conclusions de ces premières études, quoique sensées, n'étaient pas non plus tout à fait véridiques. On croyait que le transfert d'anticorps de la mère au bébé se faisait avant la naissance. Parce que l'IgG, si importante, était déjà présente à la naissance, on croyait que le colostrum maternel avait peu d'influence dans la lutte contre les infections.

Grâce aux progrès de la technologie, les chercheurs ont découvert que le colostrum regorgeait d'anticorps. Ils étaient présents sous une forme concentrée et avaient une combinaison différente qui surclassait même ceux provenant du placenta.

Les chercheurs ont fait une découverte étonnante : le colostrum contient une abondante quantité d'un anticorps inconnu chez le bébé, l'immunoglobuline A sécrétoire. Ils ont également découvert que le colostrum (ainsi que le lait maternel) est vivant et qu'il contient des globules blancs protecteurs, les leucocytes. Ces globules blancs, qu'on trouve aussi dans le sang, sont les principaux défenseurs de l'organisme contre les infections. Ils peuvent détruire ou bloquer les bactéries et les virus, sources de maladies graves.

La présence de globules blancs vivants dans le lait signifie qu'il est un tissu vivant, un peu comme le sang. Bien avant que les chercheurs ne fassent cette découverte, certains médecins parlaient du lait maternel comme du « sang blanc », précisément parce qu'il a des propriétés vivifiantes généralement associées au sang.

Lorsqu'on a découvert que le lait maternel contenait autant de leucocytes que le sang, la nouvelle a fait sensation dans la communauté scientifique. Les globules blancs se présentent sous une infinité de formes correspondant à autant de propriétés exclusives. Parmi ceux qui sont contenus dans le lait maternel, certains produisent l'immunoglobuline A sécrétoire (IgA), si importante.

## Le fonctionnement de ce bouclier protecteur

L'IgA sécrétoire est la première ligne de défense de l'organisme. Contrairement à l'IgG, l'anticorps prédominant donné au bébé par le placenta et qui est un anticorps sanguin ou humoral, l'IgA exerce son action protectrice directement là où les microbes sont le plus susceptibles de se présenter, c'est-à-dire aux portes d'accès du corps humain : la gorge, les poumons et les intestins. Ces régions sont couvertes de muqueuses, formant une barrière contre l'invasion d'éléments pathogènes. C'est là que l'IgA est sécrétée pour lutter contre les infections. Les leucocytes s'installent dans le tube digestif du bébé, par exemple, et continuent d'y produire les IgA. Leur constitution, quelque peu différente de leurs cousines du système sanguin, leur permet d'échapper au processus de la digestion. Les immunoglobulines sont postées comme des sentinelles le long de la paroi du tube digestif. Elles empêchent les microbes ou les protéines étrangères, sources d'allergies, de pénétrer dans l'organisme.

Les macrophages viennent en tête de la liste des spécialistes des mécanismes de défense. Appartenant à la famille des leucocytes, les macrophages peuvent anéantir les corps étrangers. Ils mangent les microbes et avec l'aide d'une enzyme, le lysozyme, ils les détruisent. (On a découvert que le lysozyme était abondant dans le lait maternel.) Une fois que l'envahisseur est détruit, les macrophages se dirigent vers le prochain.

Le colostrum contient un maximum d'anticorps dans les heures qui suivent la naissance de votre bébé. Voilà donc une autre bonne raison de mettre le bébé au sein le plus rapidement possible. Tous les autres liquides, glucose, eau, thé, lait artificiel, n'arrivent pas à la cheville du colostrum pour votre bébé.

À mesure que les semaines passent et que le colostrum fait place au lait, la concentration d'anticorps dans votre lait diminue. Mais s'il y a moins d'anticorps dans chaque millilitre, votre bébé compense en augmentant sa consommation de lait. Il reste ainsi constamment protégé contre de nombreux micro-organismes, qu'ils soient d'origine bactérienne ou virale.

Les chercheurs ont découvert que la présence d'IgA dans le lait maternel stimule le développement du système immunitaire du bébé de sorte qu'il est non seulement protégé par les IgA du lait mais aussi par les immunoglobulines sécrétées par son tube digestif. Cette stimulation précoce de son système immunitaire a probablement des effets d'une grande portée, ce qui devrait le protéger contre les maladies à l'âge adulte.

Des études confirment toujours l'importance de l'IgA dans le lait maternel et de ses effets sur le tube gastro-intestinal du bébé. Une de ces études, publiée dans l'*American Journal of Public Health* en 1985, révèle que « les risques de maladie gastro-intestinale grave chez les bébés nourris de lait artificiel sont six fois supérieurs comparativement aux bébés allaités et deux fois et demie supérieurs dans le cas des enfants nourris au lait de vache ».

Une autre étude, publiée cette fois dans une revue médicale scandinave en 1988, a démontré que les immunoglobulines IgA protègent le bébé contre un type de diarrhée infantile provoquée par une toxine. En 1989, le *British Medical Journal* mentionnait que l'allaitement protégeait les bébés contre les maladies du système respiratoire même en présence d'autres facteurs de risque. Finalement, en 1986, le *Journal of Pediatrics* signalait que l'allaitement protégeait les bébés contre l'*Haemophilus influenzae* de type b jusqu'à 6 mois. C'est cette bactérie qui est associée à la méningite, maladie grave chez les jeunes enfants.

## Une programmation sur mesure pour combattre la maladie

Des chercheurs de Hong Kong ont découvert que la présence de virus stimule certains leucocytes du lait maternel à produire de l'interféron, protéine qui avertit les cellules voisines d'un danger imminent. L'interféron produit par les leucocytes du lait maternel ressemble considérablement à celui produit par les leucocytes du sang. Pour le bébé, c'est un mécanisme de défense additionnel contre une multitude de maladies virales.

Autre découverte extraordinaire : le sein peut produire des anticorps particuliers qui protègent le bébé d'une menace éventuelle même si ces anticorps ne sont pas présents dans le sang de la mère. Cette réaction en chaîne débute lorsque le bébé entièrement allaité est infecté par un nouveau microbe. Les tétées peuvent être plus fréquentes car il ne se sent pas bien. Pendant qu'il est au sein, le micro-organisme étranger passe du bébé à la mère. Le processus n'est pas très bien compris. On sait que le sein produit l'immunoglobuline appropriée localement. Elle passe par le lait pour parvenir au bébé. C'est un système de « programmation spécialisée ». La mère qui allaite produit sur demande les anticorps correspondants aux microbes qui rendent son bébé malade. Le bébé passe la commande et la mère ordonne à ses cellules de produire les anticorps appropriés.

La découverte de ce rôle actif et direct de l'allaitement dans la prévention des maladies explique pourquoi les bébés peuvent survivre, aussi longtemps qu'ils sont allaités, dans des milieux vraiment insalubres. Malheureusement, on s'en rend compte quand cet avantage est absent. C'est ce qu'on a pu observer à la suite de l'introduction de l'alimentation artificielle dans les pays en voie de développement.

# C'EST PROUVÉ, LES BÉBÉS ALLAITÉS SONT EN MEILLEURE SANTÉ

L'allaitement est important pour la santé du bébé. Même dans les pays où le taux de mortalité infantile est faible, les bébés allaités sont malades moins souvent et moins gravement que ceux qui sont nourris au biberon. Dans les pays en voie de développement, l'allaitement est primordial pour la survie du bébé.

Une étude de l'Organisation mondiale de la santé, menée auprès de la population rurale du Chili en 1970, indiquait un taux alarmant de décès chez les bébés. Après étude des données, les chercheurs ont découvert un rapport étroit entre le mode d'alimentation du bébé et son état de santé. En effet, les bébés nourris avec du lait artificiel ou du lait de vache avant l'âge de 3 mois couraient trois fois plus de risques de mourir que les bébés exclusivement allaités. Les jeunes bébés partiellement allaités se portaient un petit peu mieux que ceux qui dépendaient entièrement du biberon. Les mères appartenant aux classes sociales supérieures étaient davantage portées à donner des biberons et donc, sans le savoir, elles augmentaient les risques pour leur bébé. On en a conclu que le lait maternel offrait une protection exceptionnelle contre les infections chez les jeunes enfants.

## Des études récentes

Des études plus récentes confirment toujours les avantages de l'allaitement pour le bébé vivant en milieu défavorisé. D'après une étude effectuée en 1982 auprès des bébés des Philippines, le taux de mortalité due aux infections et à la diarrhée était de beaucoup supérieur parmi les bébés nourris exclusivement de lait artificiel que parmi ceux qui étaient allaités, même partiellement. À cause des changements de politique dans les hôpitaux, le taux d'allaitement est passé de 40 p. 100 à 87 p. 100 et le taux de mortalité causée par des infections graves a chuté de 95 p. 100. Une étude portant sur des bébés décédés dans des régions métropolitaines du Brésil a démontré que le risque de décès dû à la diarrhée était de 14,2 fois supérieur chez les enfants sevrés que chez les bébés totalement allaités. Le risque de mortalité due à des infections respiratoires était de 3,6 fois supérieur. Les bébés partiellement allaités étaient davantage à risque que ceux qui l'étaient exclusivement mais moins que ceux nourris uniquement de lait artificiel. Au Bangladesh, on a associé l'allaitement à une réduction de 70 p. 100 des risques de contracter le choléra ; les enfants allaités jusqu'à l'âge de 30 mois étaient moins susceptibles d'être gravement malades, malgré une épidémie de choléra.

Ce ne sont là que quelques exemples des effets extraordinaires de l'allaitement sur la santé des bébés vivant dans des milieux où la pauvreté et le manque d'hygiène, d'eau potable, de soins médicaux engendrent de graves problèmes de santé publique. Le lait maternel est le premier moyen de défense des plus petits et des plus vulnérables membres de la communauté. Des informations provenant du monde entier indiquent que, dans les pays en voie de développement, le taux d'allaitement diminue à mesure que le mode d'alimentation artificiel des Américains, qui le considèrent sûr, prend de l'ampleur. Les résultats sont souvent catastrophiques. Pourtant, même dans les régions prospères des États-Unis, du Canada et de l'Europe de l'Ouest, l'allaitement améliore la santé des bébés. C'était vrai il y a 60 ans et cela l'est toujours aujourd'hui.

Tout récemment, en février 1995, le *Journal of Pediatrics* publiait les résultats d'une étude regroupant 766 enfants du Nouveau-Brunswick. Les auteurs concluaient que l'allaitement protégeait contre les maladies du système respiratoire, ainsi que contre les otites et les maladies gastro-intestinales. L'allaitement diminue aussi les hospitalisations dues aux maladies du système respiratoire.

## Des statistiques qui en disent long

L'étude renommée de Grulee a été menée, dans les années 20 et 30, auprès de plus de 20 000 bébés de Chicago. Les mères devaient faire examiner régulièrement leurs bébés au Chicago Infant Welfare Society où ils étaient suivis durant au moins neuf mois. Grulee et ses collaborateurs ont divisé les bébés en trois groupes selon leur mode d'alimentation : 9 747 bébés allaités, soit près de la moitié des bébés participant à l'étude ; 8 605 bébés allaités partiellement et 1 707 bébés nourris artificiellement. On a consigné les décès de toutes sortes et les maladies causées par des infections.

Chez tous les bébés, les infections du système respiratoire étaient de loin la cause la plus fréquente de maladie. Parmi les trois groupes, on a noté une différence marquée concernant l'âge auquel les bébés ont contracté des maladies respiratoires. Passé l'âge de 5 mois, seuls quelques bébés allaités ont souffert d'infections du système respiratoire alors que le taux est demeuré élevé parmi les bébés nourris artificiellement. Une différence encore plus accentuée, parmi les trois groupes, a été notée concernant le nombre de décès dus à des infections du système respiratoire : 4 bébés sur les 9 700 allaités, 44 bébés sur les 8 600 allaités partiellement et 82 bébés sur les 1 700 nourris artificiellement sont décédés des suites de maladies respiratoires.

Le taux de mortalité liée aux infections du système respiratoire était de 120 fois supérieur chez les bébés nourris artificiellement comparativement aux bébés allaités.

Les infections gastro-intestinales, comme la diarrhée, constituaient le deuxième problème en importance chez ces bébés. Les bébés allaités avaient beaucoup moins d'infections intestinales comparativement aux bébés allaités partiellement ou nourris artificiellement et encore moins d'infections que de problèmes du système respiratoire. Après compilation du nombre total de décès dus à des infections de toutes sortes, on a constaté que 129 des bébés décédés étaient nourris artificiellement et 75 autres étaient allaités partiellement. Si on avait appliqué le taux de décès des bébés nourris artificiellement au groupe de bébés allaités, on aurait pu s'attendre à plus de 730 décès parmi ce grand groupe de bébés. Pourtant, on n'a constaté que 13 décès dus à des infections parmi les 9 700 bébés allaités. Malgré les progrès de la médecine moderne, le faible taux de mortalité des bébés allaités, enregistré par Grulee dans les statistiques de la Chicago Infant Welfare Society, demeure un record enviable.

Une mise à jour comparée des maladies des bébés allaités et nourris au biberon a été faite en 1977 aux États-Unis. Les bébés participant à l'étude venaient de familles de la classe moyenne bénéficiant de bons soins médicaux, d'une bonne éducation et de logement décent. Le docteur Allan S. Cunningham a constaté que les 164 bébés allaités étaient rarement atteints de maladies importantes et, s'ils étaient malades, c'était toujours plus tard que ceux qui étaient nourris avec du lait articifiel.

## Visites chez le médecin moins fréquentes

Une étude, citée dans le *American Family Physician*, mesurait les cas de maladies chez les bébés selon la fréquence de leurs visites chez le médecin. On a comparé les dossiers de 66 bébés nourris au biberon et de 40 bébés allaités. Seulement 25 p. 100 des bébés allaités ont dû être vus une fois par un médecin pendant leurs six premiers mois parce qu'ils étaient malades. Du côté des bébés nourris au biberon, la proportion atteignait 97 p. 100. Jusqu'à l'âge d'un an, les bébés allaités ayant été malades ont été emmenés chez un médecin entre une et 5 fois alors que les bébés nourris au biberon ont été examinés par un médecin jusqu'à 16 fois. Une étude publiée en 1990, portant sur des bébés allaités longtemps et des bébés sevrés tôt, révèle que les maladies nécessitant des soins chez le médecin étaient de beaucoup supérieures à la moyenne dans le cas des bébés sevrés. Ces derniers avaient pris moins de poids, dans leurs quatre premiers mois, que les bébés allaités.

Au cours des ans, des recherches effectuées dans des pays industrialisés ont indiqué que de nombreux types particuliers de maladies infectieuses sont moins fréquents parmi les bébés allaités ; cela inclut les infections du système respiratoire, la diarrhée et la gastro-entérite, les otites, la pneumonie et la méningite. En 1993, la revue *Pediatrics* publiait une étude menée par le docteur B. Duncan qui concluait que les enfants allaités exclusivement durant quatre mois ou plus avaient deux fois moins d'otites moyennes aiguës que la moyenne de ceux qui n'étaient pas allaités du tout et 40 p. 100 de moins que les bébés qui prenaient d'autres aliments avant l'âge de 4 mois. Les études démontrent également que l'allaitement protège contre des problèmes chroniques de santé, comme les allergies. Depuis longtemps, on associe l'allaitement à de plus faibles taux de diabète juvénile, de la maladie cœliaque, de cancers chez les jeunes et de maladies graves du foie.

La résistance aux maladies offerte aux bébés par le lait maternel ne peut être égalée. Votre lait est primordial pour votre bébé. Comme le fait remarquer le docteur James Baggott, biochimiste éminent dans la recherche sur le lait maternel : « La puissance de prévention du lait maternel devrait être utilisée au maximum. » Même lorsque le bébé bénéficie de tous les autres avantages possibles, l'allaitement lui donne un excellent coup de pouce sur la route de la santé. Le lait maternel est l'aliment par excellence pour le nourrisson. Bien plus, lorsque les mères vivant dans les pays industrialisés, dont l'influence est grande, décident d'allaiter leurs bébés plutôt que de leur donner des produits manufacturés coûteux, comme les laits artificiels, elles sont les porte-parole d'un message qui s'adresse à toutes les femmes : votre lait est important pour votre bébé. L'allaitement, c'est ce qu'il y a de mieux pour le bébé, quel que soit l'endroit où il habite.

## COMMENT LE SEIN DONNE DU LAIT

La façon dont le sein produit du lait pour nourrir un bébé est aussi extraordinaire que le lait lui-même. Dans une « culture du biberon », on peut associer inconsciemment certaines des caractéristiques du biberon au sein. Ainsi, on recommande aux mères d'attendre que leurs seins soient pleins avant d'allaiter leur bébé, tout comme il faut emplir le biberon avant de le donner au bébé. C'est inexact. Vos seins peuvent vous sembler vides mais, à mesure que votre bébé tète, le lait s'écoulera. Si le biberon n'est qu'un contenant, les seins de la mère, eux, sont une usine de production. Ils ne sont jamais entièrement vides et ils peuvent toujours produire davantage de lait.

La succion efficace de votre bébé est le secret de la production de lait. Bien qu'on associe généralement la lactation à la naissance du bébé, des femmes sont parvenues à produire du lait pour un bébé qui n'était pas le leur, simplement en l'encourageant à téter souvent. Une des membres de la Ligue affirme avoir été allaitée par sa grand-mère à la suite du décès de sa mère. Sa grand-mère avait allaité tous ses enfants et elle croyait que c'était la moindre des choses à faire pour sa petite-fille orpheline.

## Le sein : sa structure

La structure interne du sein rappelle les ramifications d'un arbre. Les branches supérieures sont enfouies dans le sein et sont rattachées au tronc, le mamelon. Les bourgeons correspondent aux cellules productrices de lait, les alvéoles. Celles-ci choisissent les éléments nutritifs et protecteurs nécessaires à la production du lait. Les gouttelettes de lait suivent les petits canaux et sont emmagasinées dans les réservoirs situés juste derrière le mamelon.

Le lait s'accumule continuellement dans ces réservoirs entre les tétées. Après un certain temps, cette accumulation peut faire croire que le sein est plein mais ce n'est là qu'une fraction du lait que prend le bébé. Le lait qui s'accumule ainsi entre les tétées, qu'on appelle « premier lait », représente environ le tiers du lait pris par le bébé au cours d'une tétée. Le reste, soit la plus grande partie du lait, provient directement de « l'usine de production » lorsque votre bébé tète. Ce processus se met en branle au moment où la succion active de votre bébé stimule les nerfs de votre mamelon. Cette stimulation transmet des influx nerveux à l'hypophyse, principale glande du cerveau, en passant par l'hypothalamus. Ce dernier est situé à côté du centre nerveux des émotions agréables. La nature a voulu qu'il soit plaisant pour les mères d'allaiter leurs bébés.

Deux hormones puissantes, la prolactine et l'ocytocine, sont alors libérées l'une après l'autre, continuellement. La prolactine provoque la sécrétion du lait alors que l'ocytocine l'expulse dans les canaux. Grâce à la succion vigoureuse de votre bébé, les cellules en forme d'anneau entourant les alvéoles se contractent et expulsent du gras et des protéines en plus grande concentration que dans le « lait de début de tétée ». Le bébé obtient alors le « lait de fin de tétée ». C'est ce lait qui lui fait prendre du poids. Voilà pourquoi le bébé doit téter correctement pour prendre assez de poids. Puisqu'il doit téter assez longtemps avant d'obtenir le « lait de fin de tétée », il est préférable de ne pas limiter le temps de succion du bébé.

L'intérêt et les réactions du bébé devraient déterminer la durée de la tétée. Généralement, il tète activement et avale souvent pendant les dix premières minutes environ. Puis, le débit du lait diminue et le bébé commence à s'endormir ou à perdre de l'intérêt. C'est le moment de lui offrir l'autre sein. Tant qu'il tète correctement, laissez-le boire aussi longtemps qu'il le voudra.

## Les hormones de l'allaitement

Niles Newton, titulaire d'un doctorat et professeure en sciences du comportement à la Northwestern University, s'est intéressée de près à l'ocytocine et à la prolactine, les hormones liées à la lactation. Elle appelle l'ocytocine l'« hormone de l'amour » et affirme que sa présence justifie en partie le fait que la mère qui allaite soit différente de celle qui n'allaite pas son bébé. L'ocytocine déclenche un comportement maternel, « élément essentiel au succès de la reproduction » d'après Niles Newton.

Les recherches actuelles indiquent que la sécrétion d'ocytocine est un réflexe conditionné. En effet, le corps de la mère peut produire de l'ocytocine en réaction à des images, des activités et des sons connus et non seulement en réaction à la stimulation directe de la succion. Chez 30 p. 100 des mères participant à l'étude, le taux d'ocytocine augmentait lorsque leur bébé commençait à s'éveiller. Chez 20 p. 100 des mères, le taux d'ocytocine s'élevait pendant qu'elles se préparaient à allaiter. Par contre, le taux de prolactine augmentait seulement quand le bébé tétait activement au sein.

## Le réflexe d'éjection du lait

Le réflexe d'éjection ou d'écoulement du lait est déclenché par l'ocytocine. Produite et libérée par l'hypophyse, l'ocytocine provoque l'éjection du lait dans les canaux lactifères, rendant ainsi le lait disponible pour le bébé. Quand cela se produit, la mère peut ressentir un chatouillement, une crampe ou un picotement dans les seins. Chez un petit nombre de femmes cette sensation peut être si intense qu'elles en retiendront leur souffle. C'est un signe évident que le lait coule dans les canaux, alors détendez-vous et soyez confiante. L'éjection du lait se produit plusieurs fois pendant la tétée.

Peu importe si vous sentez, ou non, le réflexe d'éjection ou d'écoulement du lait. Vous pouvez cependant le reconnaître en observant votre bébé : son rythme de succion changera et vous l'entendrez avaler plus souvent.

Pour certains bébés, le lait jaillit trop rapidement et les prend par surprise. Ils s'étouffent alors et se mettent à tousser. Si cela arrive, enlevez votre bébé du sein pour lui permettre de reprendre son souffle. Ayez sous la main une couche ou une serviette pour absorber le surplus de lait. Il s'agit habituellement d'un problème temporaire car en grandissant le bébé s'ajuste à la situation. Par contre, si cela se produit régulièrement, extrayez un peu de lait manuellement jusqu'à ce que le lait coule moins vite avant de mettre le bébé au sein. Il sera aussi utile de tenir le bébé en position plus verticale pendant qu'il boit.

Si votre réflexe d'éjection tarde à venir les premiers jours, c'est peut-être parce que vous êtes un peu nerveuse et que votre corps s'adapte à cette nouvelle expérience. Dans peu de temps, tout s'ajustera, votre production de lait, votre bébé et vous. Vous vous apercevrez que votre lait coule dès les premiers pleurs du bébé, que ce bébé soit le vôtre ou celui d'une autre.

La peur ou une émotion forte peut empêcher temporairement le réflexe d'éjection, surtout dans les premiers jours d'allaitement. La mère peut alors avoir l'impression que son lait est « disparu », mais il est toujours là et il y en aura encore plus quand la mère et son bébé seront calmés. Les chercheurs croient que ce phénomène remarquable d'éjection du lait s'est développé aux débuts de l'évolution humaine. Ainsi, quand un animal féroce ou un danger menaçait la mère et son bébé, ils devaient fuir tous les deux. Ce n'était par le temps de rester assise pour allaiter.

Si vous vous sentez nerveuse et que votre réflexe d'éjection tarde à venir, installez-vous confortablement avec votre bébé et imaginez que votre lait jaillit en abondance, que vous êtes la fabuleuse Voie lactée. Un peintre du XVIᵉ siècle, Tintoret, a représenté ce qu'on a reconnu comme l'éjection du lait dans un tableau, nommé à juste titre « L'origine de la Voie lactée ». On y voit Junon allaitant Hercule au moment où le lait jaillit de son sein en une pluie d'étoiles.

## ON NE PEUT PAS IMITER LE LAIT MATERNEL

Le lait maternel est une denrée unique et incomparable. Dans leur livre *Human Milk in the Modern World*, Jelliffe et Jelliffe affirment : « Il est impossible de transformer biologiquement le lait de vache en lait de femme. Ces deux aliments sont beaucoup trop complexes et différents. »

Certains des constituants du lait maternel sont encore à découvrir. Un chercheur en la matière, le docteur W. Allan Walker du Massachusetts General Hospital, déclare : « Ce que nous savons au sujet du lait maternel n'est que la pointe de l'iceberg [...] Bien d'autres facteurs du lait, qui augmenteront sa valeur nutritive et préventive, restent à découvrir. »

Votre lait n'est pas une combinaison inerte d'ingrédients qui peuvent être déterminés, mesurés et imités parfaitement. Même si on parvenait à combiner toutes les protéines exclusives du lait maternel pour en faire un lait artificiel, bon nombre d'entre elles seraient détruites au cours du traitement indispensable pour le rendre sécuritaire. Le président d'une entreprise bien connue de production de lait artificiel a résumé ainsi l'apport de l'industrie à la nutrition infantile :« Nous sommes bon deuxième après le lait maternel. » Et nous sommes tentées d'ajouter : « mais bien loin derrière ».

Dans un article publié en 1989 et intitulé : « Science et politique en matière d'allaitement », T.B. Mepham déclare :

*Non seulement les tentatives d'imitation du lait maternel par la transformation du lait de vache se sont révélées de plus en plus insatisfaisantes, mais les avantages non nutritifs de l'allaitement, comme la prévention des maladies et ses propriétés contraceptives, prennent une importance humaine et économique de plus en plus grande.*

On ne peut pas imiter le lait maternel car, en réalité, il n'y a pas deux mères qui produisent le même lait. Même que le lait d'une mère varie de jour en jour et pendant la journée. Le colostrum que prend le bébé le premier jour est différent du colostrum du deuxième ou du troisième jour. Même le goût du lait change avec l'alimentation de la mère. On peut dire que votre lait prépare les papilles gustatives de votre bébé pour qu'il apprécie ses repas dans l'avenir. Au cours de la tétée, votre lait passe d'une consistance claire à une consistance crémeuse, ce qui permet à votre bébé d'apprécier un changement de goût.

Tout le monde admet que le lait maternel est l'aliment par excellence pour le bébé. Pourtant, de nombreux messages publicitaires visent à persuader les mères que leur lait n'est pas suffisant et que leur bébé allaité a besoin de quelque chose de plus. Ce « quelque chose », semble-t-il, a toujours un prix. Des messages accrocheurs vous féliciteront d'allaiter votre bébé. Puis, subtilement, on glisse une phrase où l'on mentionne que la quantité d'une certaine vitamine ou d'un autre élément populaire ou assez important est à la « limite de l'acceptable » dans votre lait. La seule solution, semble-t-il, c'est de donner le produit annoncé à votre bébé. Mais c'est plutôt l'origine scientifique de ces messages publicitaires qui est à la « limite de l'acceptable ».

Dans un document présenté à l'occasion d'un séminaire sur l'allaitement offert aux médecins par la Ligue internationale La Leche en Californie en 1976, le docteur W.G. Whittlestone de la Nouvelle-Zélande, sommité internationale en matière d'allaitement, notait : « En fait, le lait est une source d'information biologique qui prolonge le processus entrepris par le placenta et qui se termine par le sevrage et l'entière indépendance du jeune enfant en croissance. »

Nous pouvons affirmer avec certitude que le bébé qui boit l'aliment prévu par la nature, le lait de sa mère, est sur la bonne voie, d'un point de vue nutritif. Par contre, si on modifie le scénario, certaines des hypothèses ne tiennent plus. Le nouveau-né nourri artificiellement s'engage donc sur des voies inexplorées. Voici une citation du docteur Herbert Ratner :

> *Dans sa grande sagesse, dame Nature a prévu des moyens et ces moyens sont parfaits. L'art, par contre, n'est qu'une imitation de la nature et, comme toute imitation, elle ne fait que ressembler au produit naturel sans jamais l'égaler. Voilà pourquoi les meilleures préparations lactées, puisqu'elles sont artificielles, ne pourront jamais rivaliser avec le lait maternel, préparé par la nature et perfectionné avec le temps.*

# CHAPITRE 19

# Les avantages de l'allaitement

**T**out *au long* de l'ouvrage nous avons expliqué les avantages et les bienfaits de l'allaitement pour vous et pour votre bébé. Dans le présent chapitre, nous apportons des précisions sur certains éléments.

## PRÉVENTION DES ALLERGIES

L'un des nombreux avantages du lait maternel est la protection contre les allergies. Votre bébé ne sera pas allergique à votre lait, soyez-en absolument certaine. C'est une loi de la nature, les bébés ne sont jamais allergiques au lait de leur mère.

La différence se trouve dans les protéines. Celles de votre lait conviennent parfaitement à votre bébé. Par contre, les protéines du lait de vache, ou des préparations lactées à base de lait de vache, peuvent éventuellement occasionner des problèmes au bébé. Certains bébés exposés à ces protéines étrangères développent alors une sensibilité. Lorsqu'ils sont à nouveau nourris de lait de vache, ou de préparations lactées à base de lait de vache, ils ont des réactions variées selon la partie du corps qui a été sensibilisée. Une réaction allergique peut ressembler à une infection du système respiratoire ou à une infection intestinale en produisant le même type de symptômes sévères.

Non seulement le bébé ne sera jamais allergique au lait de sa mère mais, en plus, l'allaitement peut contribuer à le protéger contre d'éventuelles allergies. En octobre 1974, le docteur John W. Gerrard, pédiatre allergologue au Canada et membre du Comité consultatif professionnel de la Ligue La Leche, écrivait dans *Pediatric Annals* :

*Cinq facteurs prouvent que l'allaitement prévient les allergies. Premièrement, des allergologues tels que Glaser, qui pratiquaient à une époque où l'allaitement était courant, ont remarqué que les allergies étaient plus fréquentes chez les bébés nourris de lait artificiel que chez les bébés allaités. Deuxièmement, les bébés allaités, après avoir développé des allergies à la suite de l'ajout d'aliments, se rétablissent lorsque ces aliments sont évités. Troisièmement, les bébés exclusivement allaités peuvent développer des allergies qui disparaissent aussitôt que l'aliment allergène est éliminé du régime alimentaire de la mère. Quatrièmement, certains bébés, soit approximativement 20 p. 100 selon notre expérience, ne sont plus allergiques au lait de vache vers l'âge de 12 mois. (Ces bébés, s'ils sont allaités et s'ils ne reçoivent pas de lait de vache avant l'âge de 12 mois, ne développeront probablement pas d'allergie au lait de vache.) Et cinquièmement, selon notre expérience, les bébés atteints de gastro-entérite causée par une allergie au lait de vache retrouvent souvent une fonction gastro-intestinale normale lorsqu'ils prennent uniquement du lait maternel.*

Le docteur E. Robbins Kimball, pédiatre et membre du Comité consultatif professionnel de la Ligue La Leche, a découvert au cours d'une étude effectuée auprès de 1 378 enfants que la fréquence des allergies est étroitement liée à la durée de l'allaitement. Les bébés nourris au biberon dès la naissance, ou allaités moins de cinq jours, présentaient le plus haut pourcentage d'allergies. L'allaitement d'un bébé durant six mois ou plus offrait la plus grande protection contre les allergies. Aucun des 528 bébés allaités, ou comme dit le docteur Kimball « qui n'ont eu que maman » durant six mois, n'a présenté d'allergie quand il n'y avait pas d'antécédents de ce genre dans leur famille.

Selon une étude menée en 1988 et citée dans *Annals of Allergy*, les allergies sont beaucoup moins fréquentes parmi les bébés allaités. En réalité, cette recherche démontrait que l'allaitement, même durant une brève période, était étroitement lié à une moins grande fréquence de problèmes respiratoires, de rhumes interminables, de diarrhées et de vomissements.

La prévention des allergies constitue la principale raison qui motive certains parents à choisir l'allaitement. Une mère, Brenda Bane, nous a écrit ceci.

*Nous avons trois beaux enfants : Stephen, 7 ans, Brian, 6 ans et Sara qui a maintenant 13 mois. Mes deux garçons ont été nourris au biberon. Je voudrais vous faire part des avantages que j'ai observés pendant la première année d'allaitement, comparativement à la première année au biberon.*

*Pendant leur première année, mes deux garçons ont été chez le médecin au moins une fois par mois, surtout pour des bronchites et des amygdalites. Sara a été chez le médecin seulement deux fois dans sa vie. Mes deux garçons étaient allergiques au lait artificiel, alors que Sara grandit bien avec mon lait. Mes deux garçons ont encore des allergies ; Stephen en souffre assez sévèrement. Sara n'a toujours pas d'allergie.*

*Quand ils étaient bébés, les garçons souffraient beaucoup de coliques ; Sara n'en a pas. Les garçons dormaient en moyenne seulement 5 heures par nuit à l'âge d'un an, Sara profite de 11 heures de sommeil. C'est tellement un bébé heureux ; les garçons pleuraient tout le temps, cela me rendait nerveuse et, naturellement, j'étais souvent fatiguée et maussade.*

*Un dernier avantage mais pas le moindre, pensons au coût des préparations lactées hypoallergènes, des céréales, des aliments pour bébé, des biberons, du stérilisateur et des vitamines, comparativement au coût du lait maternel durant presque toute la première année et des petites quantités prises à même notre nourriture. Pour ma part, je mange mieux, ma santé est meilleure et j'ai vraiment apprécié me relaxer avec ma fille.*

## Une démarche désespérée

Pour certains nourrissons, l'allaitement est à la fois une mesure préventive et un remède à l'allergie. La Ligue La Leche a connu très tôt dans son histoire un des cas les plus dramatiques d'un bébé très malade et dont la santé s'est améliorée grâce au lait maternel. David, le bébé de Lorraine et Emil Bormet, âgé de 2,5 mois et nourri au biberon depuis sa naissance, souffrait presque continuellement de diarrhée, de difficultés respiratoires et d'eczéma. Les parents avaient essayé de nombreux laits artificiels, y compris ceux à base de soya et de viande, sans aucune amélioration de l'état de David. En dernier recours, le médecin a mentionné que le lait maternel était probablement le seul aliment que David pourrait tolérer.

Lorraine a finalement trouvé une mère qui allaitait. Celle-ci a accepté de les aider même si elle habitait à des kilomètres de leur ferme dans l'Illinois. Après avoir bu son premier biberon de lait maternel très tard en soirée, David « s'est endormi et a dormi toute la nuit pour la première fois de sa vie », a dit sa mère stupéfaite.

Convaincus de la valeur du lait maternel, les Bormet se sont mis à espérer que Lorraine puisse allaiter même s'il s'était écoulé trois mois depuis la naissance du bébé. Elle a demandé conseil à la Ligue La Leche. Nous lui avons affirmé que la production du lait est stimulée par la succion du bébé. C'est ainsi qu'elle a commencé un dur labeur, stimuler David à prendre le sein. Lorraine a communiqué régulièrement avec Marian Tompson, une des fondatrices de la Ligue La Leche, et David a continué à recevoir du lait maternel offert par de généreuses donatrices. Après huit jours de tentatives d'allaitement, des gouttes de lait sont apparues. Quelques semaines plus tard, Lorraine Bormet allaitait seule son bébé. Pendant ce temps, les symptômes avaient totalement disparu. David était devenu un bébé heureux et en santé.

Dans les années qui ont suivi l'histoire des Bormet, d'autres mères aux prises avec des allergies chez leur bébé se sont adressées à la Ligue. Plusieurs d'entre elles ont découvert que, malgré un départ tardif, elles pouvaient allaiter leurs bébés.

## Cela vaut la peine d'essayer

D'autres récits enthousiastes nous parviennent de parents ayant connu des problèmes d'allergie chez leur enfant plus âgé et qui choisissent d'allaiter leur prochain bébé. Ils sont nombreux et font probablement partie des plus ardents défenseurs de l'allaitement. Kathy Driskell, de l'Illinois, raconte l'histoire de Michael, le deuxième enfant de la famille.

*Nous avons vécu toute une série de problèmes avec notre première enfant, Jennifer, nourrie au biberon. Elle vomissait après chaque biberon, ou presque, jusqu'à ce qu'elle ait à peu près 6 mois. Puis, elle a souffert d'une diarrhée chronique jusqu'à ce qu'elle ait plus de 2 ans. Son pédiatre a changé plusieurs fois ses préparations lactées mais sans résultat. Il a finalement conclu que c'était une allergie héréditaire.*

*Je désirais ardemment éviter ce cauchemar à Michael, inutile de le dire. Certaines de mes amies ont essayé de m'encourager à allaiter mais, franchement, cela me faisait terriblement peur. Je viens d'une famille nombreuse, très liée et nourrie uniquement au biberon. Je voyais déjà les membres de ma famille hocher la tête de pitié devant mon pauvre bébé affamé. Finalement, après bien des discussions, mon mari Ed et moi avons décidé que la meilleure chose à faire pour Michael serait que j'essaie de l'allaiter une semaine ou deux. Aujourd'hui, 14 mois plus tard, je regarde en arrière et je ris. Michael est devenu l'enfant le plus potelé et le plus en santé que je n'aurais jamais pu imaginer. Inutile de mentionner qu'il n'a pas eu de problème digestif (même qu'il régurgite rarement). L'allaitement de mon fils a été une expérience que je n'aurais pas voulu manquer pour rien au monde.*

## Le bébé n'est pas à l'abri des allergies

Évidemment, le bébé peut avoir des réactions allergiques à des aliments autres que le lait de vache, par exemple à des aliments solides introduits trop tôt ou même aux vitamines ou au fluorure en gouttes. Vous rendrez donc service à votre bébé en étant attentive à ce qu'il consomme et en vous limitant à ce que son organisme peut assimiler. Votre lait constitue votre meilleur atout au cours des six premiers mois environ. En effet, tant que votre bébé ne boit que du lait maternel, son tube digestif est protégé et il peut ainsi atteindre un développement complet. Les aliments potentiellement allergènes qu'il consommera sans doute plus tard, comme le blanc d'œuf, les agrumes, le maïs et le blé, lui causeront moins de problèmes. Si votre bébé montre des signes d'allergie à un nouvel aliment ou s'il y a des allergies dans votre famille, vous pourriez retarder l'introduction des aliments solides. Lisez le chapitre 13 sur l'introduction des solides avant de donner un nouvel aliment à votre bébé.

Jani Howd, du Dakota du Sud, pensait qu'il n'y aurait pas de problème d'allergie dans sa famille. Elle a découvert par la suite que sa fille souffrait d'allergies sévères.

*Éviter les risques d'allergie ne faisait pas partie de mes priorités quand j'ai décidé d'allaiter notre premier enfant. Maintenant, deux ans plus tard, je sais véritablement que cet avantage ne doit pas être pris à la légère.*

*Tout au long de sa première année, Angie était le parfait exemple du bébé allaité, heureux et en santé. Son seul problème semblait une hypersensibilité de la peau. Quand j'ai commencé à lui donner des aliments que nous mangions à table, vers l'âge de 6 mois, elle mangeait de bon cœur et avec appétit. À 12 mois, Angie avait une réaction allergique chaque fois qu'on lui donnait du lait de vache ou des œufs. Vers 18 mois, les œufs ne posaient plus de problèmes et à 21 mois, elle semblait tolérer le lait.*

*Peu de temps après, Angie s'est mise à faire de l'eczéma. Nous avons immédiatement retirer le lait de vache de son alimentation. Mais l'eczéma n'a pas disparu complètement tant que je n'ai pas soumis Angie à un régime strict pour déterminer avec exactitude à quels aliments elle était allergique. La disparition progressive de l'eczéma n'était pas le seul changement appréciable chez Angie. Vers l'âge de 18 mois, elle avait commencé à avoir régulièrement des crises de rage, à dormir moins la nuit et à perdre l'appétit. John et moi pensions que cela était dû au fait qu'elle devenait de plus en plus autonome et nous essayions de la traiter avec amour et patience.*

*Maintenant qu'elle mange des aliments qui lui conviennent, elle a rarement des crises de colère. C'est notre bambine allaitée, heureuse et comblée. Elle a plus d'appétit et son changement d'attitude est presque incroyable. L'allaitement ne prévient pas totalement les allergies, surtout dans le cas d'une personne très allergique comme Angie. Mais cela m'a rassurée d'entendre son dermatologue dire que, si elle n'avait pas été allaitée, ses allergies auraient été plus sévères, plus nombreuses, qu'elle aurait eu bien avant des problèmes de peau liés à la nourriture et que cela aurait duré plus longtemps.*

S'il y a des allergies dans votre famille, c'est souvent une bonne idée de manger tous les aliments en quantité modérée au cours de votre grossesse. Il est prouvé que le bébé peut être sensibilisé, avant sa naissance, à un aliment consommé par sa mère.

## Le bébé peut-il réagir à un aliment consommé par sa mère ?

Un aliment consommé par la mère entraînera quelquefois une réaction chez son bébé. Les protéines du lait de vache, des œufs ou de certains autres aliments consommés par la mère qui allaite peuvent traverser son tube digestif. Ces protéines « errantes » dans le sang maternel risquent de passer dans son lait. Si l'organisme du bébé réagit à ces protéines errantes, c'est qu'il est extrêmement sensible à cet aliment et il est fort probable que le bébé aura tendance à développer des allergies. Dans un cas semblable, il faut exclure l'aliment contenant la protéine allergène du régime alimentaire de la mère. Le lait maternel lui-même est excellent. C'est simplement la protéine errante qu'il faut éliminer. Passer au lait artificiel ne fera qu'exposer davantage le bébé à une grande concentration d'allergènes éventuels et, bien souvent, cela ne fait qu'envenimer la situation.

Le docteur R. Chandra a mené plusieurs études sur la prévention des allergies et l'allaitement. En 1992, il écrivait dans la revue *Nutrition Research* que des études récentes sur la prévention des allergies chez les familles à haut risque ont démontré les effets bénéfiques de l'allaitement exclusif, particulièrement si la mère élimine de son alimentation certains éléments habituellement allergènes.

Quand on cherche à savoir pourquoi le bébé est soudainement maussade, qu'il a des rougeurs, de la diarrhée ou qu'il montre d'autres symptômes semblables à de l'allergie, il faut se rappeler que la cause peut en être assez simple. Envisagez d'abord les causes les plus fréquentes. Le bébé prend-il des suppléments de lait artificiel ou de jus ? Des vitamines ou du fluorure en gouttes ? Peut-être pleure-t-il parce qu'il est malade. Le bébé qui tète très souvent peut faire une poussée de croissance. Considérez aussi votre état de santé. Si vous êtes continuellement fatiguée ou débordée, ralentissez votre rythme ; la vie sera plus agréable pour vous et votre bébé. Prenez-vous des médicaments ? C'est peut-être la cause du problème. Quant aux rougeurs, elles peuvent être causées par quelque chose qui touche la peau du bébé. Parmi les causes les plus fréquentes, on trouve : les détergents, les savons, les produits assouplissants pour tissus, les teintures (les draps de couleur), la laine, les plumes, les lotions, les désodorisants en aérosol ou la laque en aérosol pour cheveux (placez une serviette sur vos épaules quand vous vaporisez vos cheveux).

Si les rougeurs, la mauvaise humeur ou tout autre symptôme persiste, alors votre bébé allaité exclusivement réagit probablement à un aliment que vous consommez. Heureusement, il existe une méthode relativement simple et peu coûteuse pour savoir si votre alimentation est en cause. Éliminez d'abord un aliment précis de votre alimentation pendant une semaine environ et voyez si l'état de votre bébé s'améliore. Puisque le lait de vache constitue l'aliment qui risque le plus de causer l'allergie, éliminez-le en premier. Assurez-vous d'éliminer aussi les autres produits laitiers et tous les aliments qui contiennent du lait ou des solides du lait. Lisez les étiquettes de tout plat préparé pour être certaine d'éviter totalement les produits laitiers. Il faut parfois de cinq à sept jours pour éliminer complètement l'aliment allergène de votre organisme, alors ne vous attendez pas à une amélioration immédiate de l'état de votre bébé.

Si, après avoir éliminé les produits laitiers, il n'y a aucune amélioration, éliminez d'autres aliments durant une semaine, un à la fois (ou plusieurs en même temps), et surveillez votre bébé pour voir si les symptômes disparaissent. Les œufs, le blé, les agrumes, le maïs, le chocolat et les noix sont d'autres allergènes fréquents. Si l'état de votre bébé semble s'améliorer quand vous éliminez un groupe d'aliments, réintroduisez-les, un à la fois, afin de trouver la source de l'allergie.

Quelquefois la mère peut manger une petite portion d'un aliment au cours d'un repas sans que le bébé n'en souffre. Par contre, si cet aliment est consommé seul et en grande quantité, il devient synonyme de problème. Si votre enfant semble allergique à tout, il vous faudra sans doute faire un peu de travail de détection, mais déjà, en allaitant, vous maîtrisez la situation.

Si votre bébé est sensible aux aliments que vous consommez, prenez bien soin de retarder l'introduction des aliments solides. Choisissez soigneusement ceux que vous lui offrez.

## Qu'en est-il des contaminants chimiques ?

Les produits chimiques synthétisés par l'homme, comme le DDT, les BPC, la dioxine et l'heptachlore, ont déjà été largement utilisés en agriculture et dans l'industrie. Depuis, ces produits ont été classés parmi les contaminants, des déchets qui polluent notre environnement. On trouve des traces de ces contaminants aussi bien dans le lait maternel que dans le lait de vache. La situation peut devenir angoissante lorsque la mère qui allaite vit dans une région où on a découvert de grandes quantités de contaminants. Quelles sont alors les conséquences pour elle et son bébé ?

Fiez-vous à votre jugement. Ayez une vision globale des contaminants. Jusqu'à ce jour, rien ne prouve que la présence de contaminants dans le lait d'une mère ait causé quelque tort que ce soit au bébé allaité. Ces substances ne sont présentes qu'en quantités minimes. Même lorsque les mères sont exposées subitement à des taux élevés de pollution, comme cela s'est produit en 1973 au Michigan après que des bestiaux ont été accidentellement nourris d'aliments contenant des diphényles polybromés, leurs bébés allaités ne présentent aucun signe d'intoxication.

Dans une déclaration de principes, l'American Academy of Pediatrics affirme : « Il n'y a aucun effet connu chez les enfants d'après les taux décelés chez la population américaine. » En tant que président de l'Academy's Environmental Hazards Committee, le docteur Robert Miller déclarait : « Pour la santé des bébés, nous encourageons les mères à allaiter. » Le docteur R.J. Roberts, président de l'American Academy of Pediatrics Committee on Drugs (1988-1989), faisait remarquer : « Notre capacité à déceler les contaminants dépasse notre connaissance des conséquences qu'ils ont sur le bébé allaité. »

Dans son édition de juillet 1993, la revue *Canadian Medical Associate Journal* faisait le compte rendu d'une présentation donnée par le docteur John W. Frank à l'occasion de la réunion de la Commission mixte internationale, tenue à l'automne 1991. Cette commission est un organisme canado-américain chargé de surveiller les progrès conformément à l'*Accord relatif à la qualité de l'eau dans les Grands Lacs*. Le docteur Frank disait qu'en 1991 une véritable controverse entourait un rapport résumant des documents scientifiques, traitant des effets, sur la croissance et le développement de l'enfant, des contaminants chimiques présents chez les femmes et dans leur lait. Certains ont vu dans ce rapport une propagande alarmiste servant les intérêts des activistes environnementaux. Le rapport final, révisé en fonction de ces critiques, explique clairement et exactement que, malgré la contamination du lait maternel par l'environnement, « l'allaitement est encore ce qu'il y a de mieux ». Cependant, il peut demeurer une certaine confusion au sujet des conséquences réelles des contaminants environnementaux, particulièrement les biphényles polychlorés (BPC), dans le lait maternel.

Le docteur Frank concluait qu'il y a de fortes preuves que les effets minimes sur la santé des fœtus et des bébés sont le résultat d'une exposition prénatale aux BPC et à d'autres toxines. Cependant, les effets sur le développement neuromoteur, démontrés chez les enfants de mères dont le taux de BPC se situait dans les 95 percentiles de l'échelle utilisée en Amérique du Nord, avaient généralement peu d'importance. De plus, chez les enfants qui ont été suivi jusqu'à l'âge de 5 ans, les effets perçus sur leur développement quand ils étaient jeunes semblent avoir été temporaires. En ce qui concerne l'exposition postnatale aux BPC par l'intermédiaire de l'allaitement, il n'y a aucune preuve d'effets nuisibles sur le développement des enfants vivant en Amérique du Nord et soumis à une même charge corporelle.

Bien sûr, la question des contaminants ne doit pas être prise à la légère. Elle constitue un problème pour nous tous et la recherche doit se poursuivre afin d'en déterminer les risques. Cependant, lorsque l'attention des médias se porte sur la quantité de contaminants dans le lait maternel, ceux-ci ont tendance à perdre de vue ce qui se passe à d'autres moments de la vie du bébé, la période qui précède la naissance, par exemple. Comme le fait remarquer le docteur Thoman : « L'agression chimique causée par une toxine quelconque a une portée plus grande dans les six à huit premières semaines de grossesse que durant la période de l'allaitement. »

En choisissant bien les aliments que vous consommez et les produits que vous utilisez à la maison, vous pouvez abaisser le taux de contamination auquel votre bébé, votre famille et vous-même êtes exposés.

Utilisez le moins possible de pesticides et autres produits en aérosol dans votre maison et sur votre terrain. Selon le docteur Thoman : « On considère certains produits chimiques sécuritaires, mais s'ils sont utilisés près de jeunes bébés, ils ne le sont plus. J'ai découvert que des vaporisateurs soi-disant non toxiques pouvaient être dangereux. » Vous pouvez également éviter les produits pour la lessive contenant des produits chimiques. Les tissus traités pour être imperméables, infroissables ou avec des produits antimites peuvent aussi être suspects. Les vêtements traités de façon permanente contre les mites peuvent contenir de la dieldrine, substance absorbée par la peau.

Si possible, évitez de consommer des aliments ayant des résidus de pesticides. Les fruits et les légumes doivent être pelés ou lavés soigneusement sous l'eau courante. Lorsque vous êtes enceinte ou que vous allaitez, il est préférable de ne pas consommer de poissons d'eau douce provenant d'endroits que l'on sait contaminés. Enlevez le gras de la viande et de la volaille car la plupart des substances nocives y sont concentrées. Les contaminants étant emmagasinés dans les graisses, il n'est pas recommandé de suivre un régime amaigrissant intensif pendant la grossesse ou l'allaitement. La perte soudaine de poids libère certains des produits chimiques accumulés dans les graisses et ce surplus peut traverser le placenta ou passer dans le lait.

Périodiquement, on recommande aux mères de faire analyser leur lait afin d'y déceler les contaminants. À l'analyse du lait, il n'est pas rare d'y découvrir au moins un contaminant dont le taux dépasse la norme limite fixée pour la vente d'aliments. Cela clarifie très peu la situation. Le docteur Edward Kendrick, de l'Université du Wisconsin, traitait de ce sujet dans *Pediatrics* en 1980 :

*Tous devraient être conscients que l'analyse des
risques et des avantages mène à des conclusions
différentes pour le lait commercialisé si on le
compare au lait maternel. L'analyse mène à des
conclusions différentes parce que les solutions de
rechange sont très différentes dans les deux cas.
L'imposition de normes limitant la teneur en
contaminants dans le lait de vache destiné à la
consommation humaine n'entraîne pas le recours à
un aliment substitut mais plutôt à un lait de vache
dont le taux de contaminants est plus faible. Cependant, l'imposition de ces limites dans le cas du lait
maternel entraîne le recours à un aliment substitut
vraisemblablement mal adapté au nourrisson,
c'est-à-dire le lait artificiel.*

De plus, le bébé nourri de préparations lactées se trouve
exposé à d'autres contaminants liés à l'alimentation artificielle,
tels que le plomb et les contaminants contenus dans l'eau
entrant dans leur préparation. En plus, l'analyse du lait maternel
indique des variations selon le jour et même le moment de la
journée. Alors un test effectué sur un seul échantillon de lait ne
peut pas être concluant. En Norvège, une étude effectuée sur la
présence d'insecticides dans le lait maternel a révélé que, dans le
cas du lait provenant d'une même mère, les taux varient grandement d'après le moment d'extraction. Dans la plupart des cas,
les tests répétés et l'analyse minutieuse visant à obtenir des
résultats significatifs sont très longs et onéreux. Le docteur
Kendrick résume bien la pensée des experts en disant :

*Demander aux mères de prélever volontairement
leur lait, alors que ni les experts ni les médecins
ne peuvent déchiffrer les résultats, n'est qu'un
gaspillage des fonds consacrés à la santé et engendre
inutilement de la nervosité chez les mères. Avant de
faire une telle suggestion, il nous faut avoir la
certitude qu'il y a des risques liés à l'allaitement.
Jusqu'à maintenant, il y a autant de risques
éventuels que d'avantages connus, et les avantages
doivent prévaloir.*

## LA DENTITION ET LE DÉVELOPPEMENT DES MÂCHOIRES ET DU LANGAGE

Le fervent du culturisme s'entraînant dans un gymnase et votre tout-petit à votre sein – les poings fermés, des perles de sueur au front, et les mâchoires continuellement en mouvement – ont un point commun : ils font tous deux des exercices de musculation. Les exercices du culturiste visent à développer sa musculature ; les exercices de mastication de votre bébé auront des répercussions sur la forme de son visage, son sourire et sa capacité de s'exprimer clairement.

Bien sûr l'hérédité joue un rôle dans la structure du visage. Des mâchoires carrées ou un petit menton, par exemple, sont des caractéristiques de la famille. Toutefois, quelle que soit la forme du visage de votre enfant, ce simple mouvement de succion répété à votre sein mettra son visage en valeur. L'allaitement favorise le développement facial et peut même prévenir l'apparition d'éventuels problèmes de dentition ou de language chez votre enfant.

Le bébé ne tète pas de la même manière une tétine et le sein de sa mère. La succion au biberon peut entraîner un sous-développement de la structure faciale et aussi inciter le bébé à étirer sa langue vers l'avant, tendance qui lui donne de mauvaises habitudes quand il avale. Si cela se poursuit au-delà de la période d'alimentation artificielle, il est possible que l'alignement des dents permanentes soit modifié. La tétine de caoutchouc, la sucette ou le pouce du bébé peuvent tous exercer une pression contre son palais, ce qui rétrécit l'arcade dentaire supérieure et limite l'espace disponible pour la dentition. Dans un rapport, présenté par des chercheurs du John Hopkins School of Public Health et portant sur une étude effectuée auprès de 10 000 enfants environ, on signale que plus la période d'allaitement est longue, moins il y a de cas de malocclusion. Les enfants allaités durant une année ou plus ont eu besoin de 40 p. 100 moins de traitements d'orthodontie que ceux qui avaient été nourris au biberon.

## La carie dentaire

On répète souvent aux mères de ne pas laisser leur bambin s'endormir avec un biberon contenant du lait artificiel ou un liquide sucré car on sait que cette habitude cause le syndrome de la carie du biberon. On a parfois laissé entendre que l'allaitement pouvait aussi causer des caries, surtout si le bambin tète souvent la nuit. Il y a tout lieu de croire que cela est faux. Le lait maternel ne coule généralement pas du sein si le bébé ne tète pas activement, ce qui l'oblige à avaler. Par contre, la tétine d'un biberon, si elle n'est pas tenue fermement dans la bouche du bambin, peut laisser couler des gouttes de liquide qui colle aux dents et cause la carie.

Si un bambin allaité a des caries malgré tout, une meilleure hygiène dentaire et une surveillance plus étroite des friandises et des collations peuvent souvent améliorer la situation. Il n'est généralement pas nécessaire de limiter la durée des tétées de nuit.

Le docteur Otto Schaefer, directeur de recherche médicale dans le Grand Nord à Santé Canada, affirme que, selon son expérience, aucun cas de syndrome de la carie du biberon n'a été constaté chez plusieurs centaines d'enfants inuits traditionnellement allaités jusqu'à l'âge de 2 à 3,5 ans.

## Le développement facial

Quand votre bébé boit à votre sein, votre mamelon épouse la forme de sa bouche, ce qu'aucune tétine ne peut faire. En effet, le mamelon est souple. À l'aide de sa langue, votre bébé l'étire, le place au fond de sa bouche et le maintient contre son palais. Ses gencives et ses lèvres entourent alors l'aréole ou une partie de celle-ci. Les muscles de ses joues sont donc très actifs, favorisant ainsi le développement facial.

Par un travail appliqué, le bébé obtient son lait et il exerce sa langue et sa bouche à faire les mouvements complexes utilisés pour émettre des sons et parler clairement. Ces « exercices de diction » supplémentaires, exécutés grâce à l'allaitement, sont particulièrement avantageux pour nos fils. En effet, les garçons sont généralement un peu moins développés que les filles à la naissance et ils semblent avoir besoin de traitements orthophoniques deux fois plus souvent que les filles lorsqu'ils atteignent l'âge scolaire.

Deux enquêtes sur l'orthophonie, menées en Nouvelle-Zélande, avaient pour objet de vérifier si « des facteurs agissant sur le développement de la réaction de succion pouvaient avoir un effet positif sur les muscles régissant la parole ». Frances E.

Broad, responsable des enquêtes, cherchait « toute différence de langage entre les enfants allaités et ceux nourris au biberon ». Elle a aussi considéré « les éléments pouvant influencer tôt les aptitudes en lecture » car, explique-t-elle, « les professeurs de langue ont toujours cru que, lorsqu'un enfant peut parler clairement, il a de meilleures chances de bien lire ». Ces enquêtes ont été effectuées auprès de 319 enfants âgés de 5 et 6 ans. Selon le docteur Broad : « Les enquêtes menées à Pataruru et sur la côte ouest démontrent que l'allaitement favorise une meilleure articulation et de plus grandes aptitudes en lecture ; cet avantage est encore plus marqué chez les garçons. »

Une articulation adéquate dépend également d'une bonne audition. Un jeune enfant ayant eu des otites régulièrement alors qu'il était bébé aura plus de difficultés à saisir les nuances dans les sons. L'effet protecteur de l'allaitement contre les infections constitue une prime additionnelle. Le périodique *Journal of Pediatric* rapportait, en 1993, que pour diminuer la fréquence d'otites moyennes avec présence de liquide au cours des deux premières années de l'enfant, on devrait favoriser l'allaitement prolongé, le nourrir en position verticale et réduire au minimum l'exposition à la fumée du tabac. Il serait aussi judicieux de limiter les contacts du jeune enfant avec de larges groupes d'enfants.

Évidemment, les bienfaits de l'allaitement sur le développement du langage du bébé sont amplifiés lorsque ses parents lui parlent et qu'ils répondent à ses premiers balbutiements.

## LE DÉVELOPPEMENT MOTEUR, SOCIAL ET MENTAL

Tous les parents sont fiers du développement de leur bébé et ils surveillent attentivement ses progrès au fur et à mesure qu'il apprend à se tourner, à s'asseoir, à ramper, à se tenir debout et à marcher. Ils s'intéressent également à son développement social lorsqu'il répond par des sourires et des gazouillis, qu'il apprend à faire coucou ! et à battre des mains. Chaque bébé est unique et se développe à son rythme. Il est donc difficile de mesurer et de quantifier ce développement. Cependant, une étude effectuée en 1984 révèle que le bébé allaité bénéficie, dans les 12 premiers mois, d'un avantage marqué du point de vue de son développement psychomoteur et social sur ses compagnons nourris au biberon. L'allaitement est aussi lié à un meilleur fonctionnement physiologique et à une sensibilité accrue. Une étude menée en 1987 laisse supposer que la tendance des bébés allaités à réclamer le sein plus souvent lorsqu'ils sont éveillés aurait pour but de stimuler davantage l'interaction mère-enfant dont les effets sur le développement sont bénéfiques.

Une étude effectuée en 1988 démontre qu'il existe une relation, faible mais importante, entre la durée de l'allaitement et le score obtenu par des enfants d'un ou 2 ans sur l'échelle de développement mental de Bayley. Une recherche menée sur des bébés de faible poids à la naissance révèle que ceux qui étaient allaités avaient un score supérieur de 8 points sur cette échelle comparativement à ceux qui n'étaient pas allaités.

Le docteur E. Birch publiait, en 1993, une étude qui révélait qu'à 57 semaines après la conception (c'est-à-dire vers l'âge de 4 mois) les bébés allaités, nés avant terme ou à terme, avaient, d'une manière significative, un meilleur potentiel visuel que les bébés nourris avec du lait artificiel. Ils avaient aussi une acuité visuelle supérieure à ces derniers dans les choix forcés. À 36 mois, les enfants nés à terme et allaités reconnaissaient mieux les lettres que ceux nourris aux biberons.

Mais, quoi qu'en disent les spécialistes, vous pouvez être certaine que la croissance et le développement de votre bébé vous étonneront toujours. Vous serez surprise de la vitesse à laquelle votre nouveau-né impuissant se transforme en un bambin d'un an actif et bavard. Il deviendra sans aucun doute l'enfant le plus mignon, le plus charmant, le plus intelligent et le plus choyé du monde entier.

## ALLAITEMENT ET CYCLE MENSTRUEL

Dès le début de l'allaitement, votre cycle menstruel prend une période de repos. Si votre bébé tète souvent, jour et nuit, vous n'aurez probablement pas de menstruations avant plusieurs mois. Votre période de fécondité est ainsi retardée. Bien qu'il vous soit possible de devenir enceinte pendant que vous allaitez, cela ne se fera pas aussi rapidement que si vous n'allaitiez pas.

Presque toutes les mères qui allaitent exclusivement leur bébé n'ont pas de menstruations les trois à six mois qui suivent la naissance et parfois même plus longtemps. C'est ce qu'on appelle l'« aménorrhée de la lactation ». L'allaitement exclusif signifie que le bébé dépend entièrement de sa mère pour sa nourriture et pour tous ses besoins de succion.

Une étude menée au Mexique en 1988 démontre qu'« en l'absence de saignement, 100 p. 100 des mères qui allaitent sans donner de suppléments n'ont pas d'ovulation les trois mois qui suivent la naissance et 96 p. 100 durant les trois autres mois suivants ».

De nombreuses mères ont remarqué que leurs menstruations ne reviennent pas avant que leur bébé n'ait un an ou plus. À cet âge, il tète moins souvent et mange une variété d'aliments. Le docteur Herbert Ratner constate que :

*C'est la succion du bébé qui empêche l'ovulation chez la mère. En effet, plus il a besoin de téter, moins il est prêt à céder sa place à un autre bébé. Moins il a besoin de téter, plus il est prêt à accepter la venue d'un petit frère ou d'une petite sœur.*

Cette période de repos dans votre cycle menstruel se produit parce que les tétées fréquentes de votre bébé empêchent la libération des hormones ordonnant à votre corps de se préparer pour une nouvelle grossesse chaque mois. L'ovulation, la libération d'un œuf, n'a généralement pas lieu et vous n'avez pas de menstruation. Cet état d'aménorrhée, naturelle et saine, se manifeste aussi longtemps que la mère allaite exclusivement son bébé.

En 1990, le *Lancet* publiait un rapport indiquant que les possibilités d'ovulation sont réduites par un allaitement très fréquent, des tétées plus longues et moins de suppléments. Le taux d'ovulation accidentelle pendant les six mois post-partum se situait entre 1 p. 100 et 5 p. 100 parmi les femmes en aménorrhée qui allaitaient exclusivement.

## Comment ça marche ?

Des études démontrent que c'est la fréquence des tétées qui empêche l'ovulation. Dans une étude effectuée auprès des mères ! Kung en Afrique, on a découvert que les naissances étaient espacées de 44 mois en moyenne grâce à l'allaitement. Ces mères mettent leur bébé au sein très souvent dans une même heure mais pour de courtes périodes chaque fois. Elles gardent leur bébé avec elles presque tout le temps, la nuit comme le jour. Le lait maternel est l'unique source de nourriture du bébé dans ses six premiers mois environ et l'allaitement se poursuit durant la deuxième année.

Dans les cultures où on abandonne l'allaitement exclusif pour le biberon, on constate une augmentation considérable de naissances rapprochées, soit un bébé par année. Ce n'est cependant pas ainsi que la nature a programmé le corps des femmes. On reconnaît que l'allaitement est un facteur important dans la limitation de l'accroissement de la population. Selon des données d'*Enquêtes démographiques et de santé* publiées en 1983 :

> *Dans la majorité des pays en voie de développement, l'effet de l'allaitement maternel sur le plan de l'espacement des naissances entraîne une diminution du taux de fécondité. L'allaitement a joué un rôle capital au Honduras dans la réduction de la fécondité. Si la durée moyenne de l'allaitement n'avait pas augmenté entre 1981 et 1987, la fécondité en milieu urbain aurait augmenté en moyenne d'une naissance par femme. Si la durée et le degré d'utilisation de l'allaitement maternel diminuent sur le plan national, il devient nécessaire d'augmenter sensiblement l'utilisation des contraceptifs pour arriver à maintenir le niveau actuel de fécondité. Rien que pour aider les couples supplémentaires où la femme pourrait devenir enceinte, les pays en voie de développement devraient investir des sommes encore plus importantes pour élargir la portée de leurs programmes de planification familiale.*

Dans certaines parties du monde en développement, où l'allaitement maternel est sur le déclin et les programmes de planification familiale ne sont pas largement utilisés, un investissement dans la promotion de l'allaitement au sein et de la méthode de l'« aménorrhée de la lactation » pour l'espacement des naissances est un moyen efficace et peu coûteux de réduire la fécondité. C'est un bon complément aux autres méthodes de planification familiale.

De nombreuses études effectuées depuis des années confirment que l'allaitement a une incidence sur la fertilité. C'est également ce que l'expérience personnelle nous a appris, la nôtre et celle de centaines de mères qui ont fait partie de la Ligue La Leche. John et Sheila Kippley, fondateurs d'un regroupement pour couples, ont compilé des données sur les Américaines qui allaitaient exclusivement. Ils ont découvert que le retour des menstruations avait lieu en moyenne 14,6 mois après la naissance. Sheila Kippley, monitrice de la LLL, écrit dans son livre *Breastfeeding and Child Spacing* : « Ce n'est qu'une moyenne. Certaines femmes, quelques exceptions, auront à nouveau leurs règles après six mois alors que d'autres peuvent attendre jusqu'à deux ans et demi avant d'avoir leurs règles. »

Une étude menée en 1986 a permis de constater que les femmes qui allaitent plus de huit fois par jour, et qui allaitent aussi la nuit, étaient en aménorrhée plus longtemps que celles qui introduisaient des suppléments tôt ou dont les bébés ne tétaient pas la nuit.

Bien qu'il reste de nombreux facteurs à établir concernant le lien entre allaitement et ovulation, l'allaitement prolonge la période d'aménorrhée et retarde, de façon naturelle, la possibilité d'une autre grossesse.

Durant la période de repos de votre cycle menstruel, vous serez moins sujette à l'anémie et à la fatigue qui s'ensuit puisque vous n'aurez pas de perte de sang mensuelle. De plus, vous ne ressentirez pas de syndrome prémenstruel ni de sautes d'humeur.

## Le retour des règles

Si certaines femmes sont deux ans et plus sans menstruations, d'autres, qui allaitent exclusivement leur bébé, voient leurs règles revenir peu après la naissance.

L'allaitement exclusif retardera toujours l'ovulation un certain temps, mais le retour des règles indique généralement qu'une ovulation a eu lieu. Chez certaines femmes, particulièrement celles qui allaitent toujours exclusivement, les premières ou les deux premières menstruations se produisent sans qu'il y ait eu ovulation. Cependant, une mère qui a régulièrement ses menstruations doit se considérer fertile à nouveau. Le retour des règles ne signifie pas qu'on doive sevrer le bébé. L'allaitement peut et devrait se poursuivre.

Quand le bébé est plus âgé, qu'il tète moins et qu'il consomme une variété d'aliments, la mère qui n'a pas encore eu de menstruation peut avoir une ovulation et elle peut concevoir avant le retour de ses règles. Cela peut aussi arriver à la mère qui retourne travailler et qui est séparée de son bébé plusieurs heures chaque jour ou à celle dont le bébé tétait souvent et qui se met, du jour au lendemain, à dormir la nuit.

Dès que le bébé commence à téter moins souvent, la mère doit être consciente que son taux d'hormones peut être modifié et que ses règles peuvent revenir à tout moment. De plus, si ce changement dans la fréquence d'allaitement se fait subitement, il est fort probable que l'ovulation aura lieu avant le retour des règles.

Il est aussi possible que vos premières menstruations soient plus irrégulières qu'elles ne l'étaient avant la grossesse. En effet, il faut un certain temps pour que le cycle menstruel reprenne un rythme plus prévisible après un accouchement, que vous allaitiez ou non. Le livre de Sheila Kippley, *Breastfeeding and Natural Child Spacing*, donne plus de détails et explique en profondeur les changements physiologiques de votre cycle menstruel au cours de l'allaitement de même que les moyens de reconnaître ces changements. Vous pourrez aussi trouver des renseignements fort utiles dans la brochure « Témoignage sur l'allaitement et l'infertilité naturelle », publiée par l'organisme Serena.

## L'allaitement et la contraception

Quoiqu'il ait été démontré que l'allaitement retarde effectivement le retour des menstruations, vous prévoyez peut-être d'utiliser une autre forme de contraception pendant l'allaitement. L'usage de la pilule contraceptive n'est pas recommandé aux mères qui allaitent.

Toutefois, les études effectuées sur l'usage des pilules combinées (celles qui renferment des œstrogènes) et sur l'usage des pilules ne contenant qu'un progestatif présentent des résultats différents. On a découvert que la pilule combinée diminue la quantité et la qualité du lait de la mère. On s'inquiète aussi des effets à long terme que peuvent avoir, sur le bébé, les hormones synthétiques présentes dans le lait. Robert Buchanan écrivait dans *Population Reports* :

> *Presque toutes les études révèlent que l'usage de contraceptifs oraux combinés semble réduire le volume de lait sécrété ou diminuer la durée de la lactation chez certaines femmes [...] Certaines femmes employant des contraceptifs ont produit un lait contenant moins de protéines, de matières grasses, de lactose, de calcium et de phosphore. Bien des questions demeurent sans réponse.*

Les recherches sur les effets des progestatifs seuls n'ont pas donné les mêmes résultats concernant la quantité ou la composition du lait chez les mères bien alimentées. Cependant, les effets à long terme des hormones transmises au bébé par le lait inquiètent certains spécialistes.

Les stérilets renfermant des produits chimiques peuvent contenir des hormones identiques à celles des pilules contraceptives. Ils ne sont pas recommandés pour les mères qui allaitent. Des études démontrent que le risque de perforation utérine dû au stérilet est plus grand chez la femme qui allaite.

La femme qui veut éviter de devenir enceinte pendant qu'elle allaite, sans employer un moyen de contraception artificiel, peut apprendre à reconnaître les signes d'ovulation que son corps lui donne. Ces signes d'ovulation sont la modification de la glaire cervicale et un changement dans l'ouverture de l'orifice cervical (le col de l'utérus). La mère qui allaite peut s'apercevoir que sa glaire s'étire davantage ou qu'elle est plus abondante avant la première ovulation post-partum qu'au cours de ses cycles réguliers. Cela indique avec certitude le retour de la fertilité. De nombreuses femmes qui choisissent l'espacement naturel des naissances prennent aussi leur température dès leur réveil. L'augmentation de la température indique que l'ovulation s'est produite.

Les barrières comme les condoms, le diaphragme, les éponges ou mousses contraceptives et la cape cervicale n'ont aucun effet sur l'allaitement. Des études faites sur des êtres humains indiquent que le corps de la femme n'absorbe pas les spermicides.

## L'ALLAITEMENT ET LE CANCER DU SEIN

Les femmes qui allaitent sont-elles moins sujettes au cancer du sein que les autres ? On cherche toujours la réponse à cette question et la recherche est d'autant plus compliquée que le taux de cancer du sein parmi la population est influencé par d'autres facteurs. Récemment, les chercheurs ont publié plusieurs études qui citent l'allaitement comme un élément déterminant dans la prévention du cancer du sein. La prestigieuse revue *British Medical Journal* publiait, en 1993, une étude rapportant que les risques de cancer du sein chez les jeunes femmes diminuent selon la durée de l'allaitement (trois mois ou plus) et selon le nombre de bébés allaités.

Parmi la population inuit du Canada, un seul cas de cancer du sein a été diagnostiqué en 15 ans, entre 1954 et 1969, même si la population est passée de 9 000 à 13 000 personnes au cours de cette même période. Les cas de cancer du sein ont augmenté avec l'assimilation des Inuits à la culture occidentale et avec la réduction de la durée de l'allaitement (ou le remplacement de l'allaitement par le biberon). Le docteur Otto Schaefer, un Canadien, a fait cette remarque :

*Nous avons observé des changements sensibles dans l'épidémiologie régionale du cancer du sein chez les Inuits et les autres populations. Ces changements semblent être liés directement à la durée de l'allaitement. En Alaska et au Groenland, ce n'est*

*que dernièrement qu'on a découvert des cas de*
*cancer du sein parmi la population autochtone.*
*Cela n'existait pas auparavant.*

Le rôle protecteur de l'allaitement pourrait éventuellement s'expliquer par l'état hormonal des femmes qui allaitent
exclusivement. En effet, cet état diffère de celui des femmes qui
allaitent peu ou pas du tout. Le fait qu'il y ait plus de cas de
cancer du sein parmi les femmes qui n'ont pas d'enfants tend à
confirmer cette hypothèse.

Un des facteurs qui semble étroitement lié aux rares cas
de cancer du sein parmi les femmes qui allaitent est le rapport
entre le nombre total de mois sans ovulation et les années de
fécondité. Chez les Inuits étudiés par le docteur Schaefer, il était
courant de voir les mères allaiter leurs bébés jusqu'à l'âge de
3 ans et plus. Survenait alors une autre grossesse et quelques
années d'allaitement. Les grossesses et l'allaitement se succé-
daient ainsi de nombreuses années.

Une étude datant de 1985 révèle que les probabilités
d'un cancer du sein avant la ménopause étaient de 25 p. 100
inférieures chez les femmes ayant allaité durant 12 mois ou plus,
comparativement à celles qui n'avaient jamais allaité. En 1986,
une des plus vastes études jamais menées sur le cancer du sein
confirmait qu'il y avait moins de probabilités de déceler un
cancer du sein avant la ménopause parmi les femmes qui
avaient allaité, et que plus elles avaient allaité longtemps, plus
les probabilités étaient faibles. Cette étude, rapportée par
W. Douglas Thompson de l'École de médecine Yale, laisse également supposer que l'allaitement peut tout aussi bien avoir une
incidence sur le taux de cancer du sein après la ménopause.

Une autre étude menée en 1986, dont fait mention
l'*American Journal of Epidemiology*, démontre que plus les femmes
allaitent longtemps, moins elles sont exposées au cancer du sein,
que ce soit avant ou après la ménopause, bien que l'effet protecteur soit beaucoup plus marqué chez les femmes non méno-
pausées. En 1989, le *Journal of Clinical Epidemiology* mentionnait
une étude effectuée auprès de 4 599 femmes chez qui on avait
préalablement diagnostiqué un cancer du sein et dont l'âge
variait entre 20 et 55 ans. Un nombre identique de femmes du
même groupe d'âge et venant de la même région avait été choisi
comme groupe témoin. Après avoir écarté le facteur âge à la
première grossesse menée à terme, on a pu démontrer que le
nombre de grossesses et la durée de l'allaitement diminuaient
fortement le risque de cancer du sein. Comparativement aux
femmes ayant accouché mais n'ayant pas allaité, celles qui ont

allaité 25 mois ou plus avaient 33 p. 100 moins de risques
d'avoir un cancer du sein.

En 1994, le *New England Journal of Medicine* publiait les
résultats d'une vaste étude sur l'allaitement et la réduction du
risque de cancer du sein chez les femmes préménopausées.
Le risque de cancer du sein chez les femmes préménopausées
décroît avec la durée cumulée d'allaitement. Il existe un rapport
important entre l'âge de la femme au premier allaitement et la
diminution du risque de cancer du sein chez la femme
préménopausée.

Le cancer du sein et l'allaitement ont fait les manchettes,
il y a quelque temps, dans la couverture médiatique d'une
recherche établissant un lien entre un virus oncogène découvert
dans le lait d'une mère souris et le cancer du sein chez ses filles.
Des recherches ultérieures ont contredit la théorie voulant que
ce type de virus oncogène, transmis par le lait, joue un rôle dans
l'apparition du cancer du sein chez la femme.

## ÉCONOMIQUE, PRATIQUE ET AGRÉABLE

« En tant que mère ayant fait l'expérience des deux
modes d'alimentation, je peux vous dire qu'il n'y a rien de plus
pratique que l'allaitement », dit Katie Hartsell, de l'État du
Kansas. « Quand le bébé commence à pleurer, la mère a déjà
une réserve de lait chaud disponible pour son bébé. Pas besoin
d'attendre que le biberon se réchauffe. C'est une véritable
économie dans le budget familial et il n'y a aucune perte. »

Le coût de l'allaitement constitue un avantage énorme,
surtout si on le compare au coût des laits artificiels et des biberons jetables. Un jeune couple, essayant de planifier ses dépenses
pour son nouveau-né et son appartement, a été surpris par le
« bond appréciable » du coût hebdomadaire de la nourriture qui
comprenait l'achat régulier de lait artificiel.

Viola Lennon, une des fondatrices de la Ligue La Leche,
propose de consacrer l'argent économisé grâce à l'allaitement à
l'achat d'un appareil ménager. Un père de la Nouvelle-Zélande,
Harry Parke, de Cambridge, racontait à un groupe de pères :

*Ma femme et moi avons estimé qu'avec l'allaite-*
*ment de notre premier fils, Christopher, nous*
*économisions beaucoup durant la première année.*
*Nous n'avions pas à utiliser de lait artificiel, de*
*stérilisateur, des aliments solides trop tôt, davantage*
*d'électricité, de moyen de contraception, etc. Raewyn*
*a tout de suite décidé que l'argent ainsi économisé*

> *servirait à l'achat d'un congélateur ; il est*
> *maintenant dans l'entrée !*

La revue québécoise *Protégez-vous* a publié, en mars 1994, un dossier sur les substituts du lait maternel. On y rapportait que :

> *Une enquête de la Commission fédérale du commerce des États-Unis révélait en 1991 que le prix des préparations avait augmenté de 150 % entre 1979 et 1989 [...] Les trois principaux fabricants américains [...] ont été accusés à plusieurs reprises et dans différents États d'avoir comploté pour fixer les prix et pour empêcher la libre concurrence [...] D'après un reportage radio présenté en octobre dernier à* Tout compte fait *(Radio-Canada), le Bureau de la politique de la concurrence d'Industrie Canada mènerait actuellement une enquête pour vérifier si les compagnies ont fait la même chose ici [...] Une étude effectuée en 1991 pour le compte du ministère de la Santé de la Saskatchewan révèle des pourcentages d'augmentation pour le moins étonnants : entre 1984 et 1991, le prix des préparations en poudre aurait augmenté de 155 %, celui du liquide concentré de 175 % et celui des préparations prêtes-à-servir, de 218 % !*

Les mères américaines à faible revenu peuvent recevoir des aliments supplémentaires pour elles, leurs bébés et leurs jeunes enfants grâce au programme WIC (Women, Infants, and Children) mis sur pied par le gouvernement fédéral. Le prix des laits artificiels a fait monter en flèche les coûts de ce programme. En 1986, seulement 38 p. 100 des mères participant au programme WIC allaitaient leur bébé à leur sortie de l'hôpital. Dans un rapport publié en 1987 par le ministère américain de l'Agriculture, on évaluait à 29 millions de dollars l'économie annuelle si les mères participant au programme WIC allaitaient leur bébé durant seulement un mois.

Au Québec, les mères bénéficiant du programme de « l'assistance de dernier recours » reçoivent une allocation pour les aider à mieux se nourrir.

## Les implications à l'échelle mondiale

Dans les pays en voie de développement, les conséquences sur l'économie seraient désastreuses si les mères décidaient d'arrêter d'allaiter. Gabrielle Palmer, nutritionniste et consultante en lactation Grande-Bretagne, écrivait dans *The Politics of Breastfeeding* :

> *Le lait maternel constitue une denrée non répertoriée dans les stocks nationaux et négligée dans les enquêtes de consommation en alimentation. Pourtant il fait économiser des millions de dollars en droits d'importation et en dépenses de santé au pays. Le ministre de la Santé du Mozambique a calculé, en 1982, qu'une simple augmentation de 20 p. 100 dans l'alimentation au biberon coûterait au pays environ dix millions de dollars américains, et cela n'inclut pas le coût du carburant, les frais de distribution et les dépenses de santé. On a aussi calculé qu'il faudrait utiliser tout le carburant requis par un des principaux programmes forestiers uniquement pour faire bouillir de l'eau. Les inventeurs de voitures économiques reçoivent des récompenses, pourquoi pas les femmes qui économisent l'énergie ? Pour nourrir trois millions de bébés au biberon, il faut 450 millions de boîtes de conserve de lait artificiel. Cela représente 70 000 tonnes de métal non recyclé dans les pays industrialisés.*

Quand vous allaiterez, en vous relaxant dans votre fauteuil préféré, vous pourrez prendre un moment pour réfléchir au fait que vous donnez à votre tout-petit le meilleur départ qui soit dans la vie, mais aussi aux conséquences de votre geste. Peut-être n'avez-vous pas pris conscience que votre décision d'allaiter a des répercussions sur l'économie, l'écologie et la politique ?

Le monde entier se tourne vers l'alimentation artificielle et cela a des effets désastreux sur la santé des mères et des bébés. Nous pouvons être fières des efforts entrepris par la Ligue La Leche pour renverser cette tendance. Il y a 35 ans, les sept fondatrices voulaient aider leurs amies et leurs voisines à profiter des avantages de l'allaitement. Actuellement, le rayon d'action de l'organisme s'étend à toutes les mères, où qu'elles habitent, ayant besoin de cette même forme d'encouragement et de soutien de mère à mère.

## Le lait maternel est toujours disponible

En tant que mère qui allaite, vous pouvez, à la dernière minute, partir pour une randonnée familiale, un long voyage ou un pique-nique d'une journée. Vous pouvez vous préparer et faire vos bagages sans vous demander si vous aurez assez de lait artificiel, produit qui n'est peut-être pas disponible partout. Vous n'aurez pas non plus à vous inquiéter de la qualité de l'eau potable puisque le bébé allaité n'a pas besoin de supplément d'eau.

Quel que soit l'endroit où vous êtes, votre bébé aura son lait. C'est une pensée rassurante surtout dans les cas, rares mais combien difficiles, où on est coupé de toute source d'approvisionnement en nourriture. Cela ne se produit pas souvent, mais des mères ayant vécu des expériences de ce genre nous ont dit qu'elles étaient très contentes que leur tout-petit n'ait pas eu à subir le choc de ces événements fâcheux.

Une violente tempête de neige imprévisible a bloqué une famille du Midwest américain dans sa voiture. Tandis que le mari partait chercher du secours, la femme a pris son bébé sous son manteau, ce qui les a gardés tous deux au chaud, puis elle l'a allaité et il s'est endormi. Cette jeune femme a trouvé que le sentiment de normalité lié à l'allaitement l'avait aidée à rester calme jusqu'à l'arrivée d'une équipe de secours.

## Les situations d'urgence

Une autre famille a été forcée de dormir une nuit dans les montagnes. Les Walker, de l'Ohio, la mère, le père, Scott, 5 ans, et Adam, un an, porté sur le dos de son père, étaient partis en après-midi pour une courte randonnée, mais ils n'ont pu retourner à leur véhicule que 21 heures plus tard. « Nous avions parcouru ces sentiers tellement souvent qu'on croyait les connaître par cœur », écrit Judy Walker. Lorsqu'ils ont pris le chemin du retour, ils se sont engagés par mégarde sur un autre sentier qui, ils l'ont su plus tard, ne menait nulle part. Cette nuit passée dans une région éloignée a été froide, pluvieuse et tellement noire « qu'on ne pouvait pas se voir ». Judy termine en disant :

*Mon mari a passé la nuit à nous couvrir de feuilles pour nous protéger de la pluie et Adam s'est réveillé toutes les heures, affamé, trempé, en pleurs. Je l'allaitais chaque fois car c'était la seule chose qui le calmait. Je remercie le ciel d'avoir eu du lait chaud pour le rassasier et le consoler pendant cette nuit froide et humide.*

Kay Troisi, de l'Alabama, raconte l'expérience que sa famille a vécue.

> *Un ouragan s'approchait de notre localité et nous avions été avisés de sa proximité et de sa force que peu de temps à l'avance. Il y a eu beaucoup de dommages matériels, de nombreux fils arrachés, et des pins déracinés dangereusement perchés sur des fils électriques. Par conséquent, nous avons été privés d'électricité durant deux jours et demi. J'ai pris encore plus conscience, pendant cette période, des avantages de l'allaitement. Tamara, notre fille, n'avait que 3 semaines. C'était un véritable soulagement que de ne pas avoir à me soucier de la façon de la nourrir. Pas besoin de préparer son lait, sans parler de la stérilisation, de l'approvisionnement ni de la nécessité de le faire chauffer sans électricité. Non seulement Tamara était nourrie et rassurée, mais les tétées nous ont consolées, elle et moi, dans les pires moments de la tempête. On pouvait se retrouver dans notre petit monde durant les tétées et oublier la fureur à l'extérieur. Après la tempête, le contact permanent permettait au bébé d'être calme, à la mère de se sentir comblée et, surtout, à la famille d'être plus heureuse à un moment où d'autres familles pouvaient ressentir de l'angoisse.*

## Une expérience agréable

L'allaitement constitue une expérience agréable pour la mère. Une femme qui allaite avec fierté et satisfaction est consciente que l'allaitement est empreint de sensualité. Elle sait également que c'est un aspect tout à fait sain et normal de sa sexualité. Dorothy V. Whipple, médecin, a écrit dans le *Journal of the American Medical Women's Association* ce qui suit.

> *Donner le sein à un bébé est un moment particulièrement émouvant pour une femme qui accepte et apprécie sa féminité. La sensation physique est agréable, la bouche gourmande et avide entourant le tissu érectile et sensible du mamelon est un geste agréable en soi. Le corps entier et la personnalité sont envahis de paix, de contentement, d'accomplissement. Cette sensation n'est pas un orgasme, elle ressemble plutôt à la béatitude qui le suit. Cela*

*apporte à la femme une compréhension profonde et personnelle de son rôle de femme. Cela crée également un lien entre elle et les femmes des temps anciens et d'autres cultures. La femme adulte qui satisfait à toutes les fonctions de sa féminité sait qu'elle a sa place dans l'ordre fondamental de la nature.*

Dans sa description de l'apprentissage de l'amour par le bébé, Selma Fraiberg parle de la satisfaction réciproque de l'allaitement.

*Le bébé allaité repose dans les bras de sa mère. Le plaisir de la succion, la satisfaction de la faim, la proximité du corps de sa mère sont intimement liés au visage maternel. Le bébé apprend à associer ce visage, le visage de sa mère, à un moment agréable et réconfortant. Si nous observons un bébé en train de téter, nous voyons sa peau se teinter graduellement de rose, une réaction sensuelle de plaisir et de bien-être.*

*Quand un bébé est au sein, toute la surface de son ventre est en contact avec le corps de sa mère.*

*Ce plaisir des sens lui fait prendre davantage conscience de son propre corps. Les mères qui allaitent font aussi l'expérience de sensations agréables par la succion du bébé. Cela ne devrait pas causer de gêne. Il s'agit simplement d'une récompense, d'un moyen de lier la mère à son bébé et vice versa par la réciprocité du plaisir des sens.*

À la liste des caractéristiques de l'allaitement nous devons en ajouter une autre, l'universalité. Le bébé au sein représente le langage commun du maternage. Les bébés ont des besoins fondamentaux qui ne changent pas, quel que soit l'endroit où ils naissent et peu importe l'époque. De plus, ce geste naturel et merveilleux qu'est l'allaitement de votre tout-petit garde toujours cette éternelle qualité. C'est un lien entre les mères et même un signe du pouvoir féminin. La femme puise sa force dans sa capacité à nourrir son enfant. Ainsi, grâce à la douceur de l'allaitement, un havre de paix est assuré. C'est un miracle qui appartient de plein droit aux mères, aux bébés et aux familles du monde entier.

# Des mères qui en aident d'autres

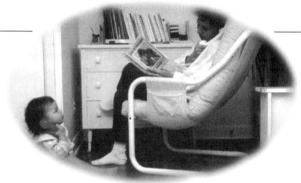

# CHAPITRE 20

# À propos de la Ligue La Leche

La Ligue La Leche a vu le jour grâce au désir, au rêve à vrai dire, que toutes les mères qui veulent allaiter leur bébé puissent le faire. Nous, les sept fondatrices, avions surmonté bien des difficultés avant de parvenir à allaiter avec aisance et assurance. Nous connaissions trop de mères qui n'avaient pas réussi à allaiter simplement parce qu'elles n'avaient personne vers qui se tourner pour obtenir information et conseil.

## Voici comment tout a commencé

C'est au cours d'un pique-nique paroissial que Mary White et Marian Tompson ont conclu qu'il devait y avoir une façon d'aider leurs amies qui voulaient allaiter mais qui ne vivaient que frustration et échec. Par cet après-midi de l'été 1956, Mary et Marian, leur bébé allaité dans les bras, ont discuté de la façon d'aider les femmes à connaître les joies et la satisfaction profonde qu'apporte l'allaitement.

Dans les semaines qui ont suivi, Mary en a parlé à Mary Ann Kerwin, sa belle-sœur, et à Mary Ann Cahill, qui a fait part de l'idée à Betty Wagner. De son côté, Marian en a parlé à Edwina Foehlich, qui a téléphoné à sa bonne amie Viola Lennon. Nous avions toutes connu au moins une expérience d'allaitement. Nos plans concernant la façon d'aider nos amies n'étaient pas très élaborés, mais nous étions pleines de bonne volonté. Deux médecins de notre localité, les docteurs Herbert Ratner et Gregory White, nous ont conseillées sur les aspects médicaux de l'allaitement et du maternage.

Sûres de nos informations et enthousiastes à l'égard de l'allaitement, nous avons invité nos amies enceintes à une réunion chez Mary White un soir d'octobre 1956. Ce que nous avons alors donné à nos voisines qui s'intéressaient au sujet – et ce que les 28 000 monitrices de la Ligue La Leche qui nous ont succédé continuent de donner –, c'était de l'information, des encouragements et du soutien. La chaleur des relations de mère à mère et l'attention accordée à chacune ont été la pierre angulaire de notre organisme depuis le début. Bien que la Ligue La Leche soit devenue un organisme mondial présent dans 43 pays et comptant plus de 2 500 groupes (répartis aux États-Unis, au Canada, en Nouvelle-Zélande, en Europe, en Afrique, en Asie et en Amérique du Sud), notre but demeure le même : informer et encourager chaque nouvelle mère afin qu'elle acquière l'assurance dont elle a besoin pour allaiter son bébé.

La Ligue La Leche est maintenant reconnue internationalement comme une autorité en matière d'allaitement. Des mères, des pères, des médecins, des infirmiers et infirmières ainsi que d'autres professionnels du monde entier se sont adressés à elle pour obtenir son expertise en allaitement. La Ligue internationale La Leche siège au conseil des organismes consultatifs non gouvernementaux du Fonds international de secours à l'enfance (UNICEF), organisme parrainé par les Nations unies qui est un organisme bénévole privé inscrit à l'Agence internationale de développement. Elle est aussi membre accrédité de la Coalition nationale des mères et des bébés en santé des États-Unis.

Les séminaires réservés aux médecins, et tenus chaque année en Amérique du Nord par la Ligue La Leche, attirent des médecins de tous les coins du monde. Ces séminaires sont reconnus par l'Association américaine des médecins, par le Collège américain des obstétriciens et des gynécologues, par l'Académie américaine des médecins de famille, par l'Association américaine des ostéopathes et par l'Académie américaine de pédiatrie.

Des ateliers ont lieu chaque année, au printemps et à l'automne, pour répondre aux besoins des nouveaux professionnels de la santé qui se spécialisent dans les soins aux mères qui allaitent et à leurs bébés. Les consultantes en allaitement accréditées et les infirmières diplômées peuvent obtenir des unités de crédit de formation continue.

## La LLL et la francophonie

### Au Québec

Au début des années 60, deux nouvelles mamans de langue anglaise, Martha Larouche de Kénogami et Barbara Pitre d'Arvida, ont été mises en contact par l'intermédiaire de la Leche League International américaine. Ces dernières communiquaient avec la Ligue depuis quelque temps pour mieux réussir leur allaitement. Très enrichies par l'aide reçue de la Ligue américaine, Martha et Barbara voulaient partager leurs nouvelles connaissances sur l'allaitement avec les Canadiennes-françaises. Au printemps de 1960, Martha et Barbara donnaient, pour la première fois à l'extérieur des États-Unis, une série de réunions en français, au Centre commémoratif de Kénogami. C'était là une première mondiale qui allait avoir des suites.

Sans aucun doute, la publication, en 1966, de la traduction française de l'ouvrage *The Womanly Art of Breastfeeding*, soit *L'Art de l'allaitement maternel*, a été un événement marquant pour l'essor de la Ligue au Québec. Pour une fois, un ouvrage en français devenait l'ouvrage de référence des mamans désireuses de réussir leur allaitement.

En 1970, la Ligue s'est implantée dans la grande région de Montréal, puis s'est étendue à tout le Québec, le Nouveau-Brunswick, l'Ontario, le Manitoba et même la Colombie-Britannique.

Janvier 1978, apparaît la première revue francophone officielle *La Voie Lactée*. Plusieurs bénévoles mettent la main à la pâte et arrivent à publier, tous les deux mois, une revue d'information et de témoignages. Elle rejoint les populations francophones du Canada, de la France, de la Belgique, de la Suisse romande et même en Afrique.

Au début des années 80, l'aide financière de Santé Canada permet de traduire la nouvelle édition de *L'Art de L'allaitement maternel*. Ginette Chartier, en prenant la direction du Secrétariat général en 1984, a pu coordonner la traduction et la distribution de plusieurs livres, brochures et feuillets d'information au fil des ans.

En 1980, un premier congrès francophone accueille plus de 500 personnes. Depuis ce temps, nous organisons un congrès tous les printemps avec une quarantaine d'ateliers.

Depuis 1987, un symposium annuel sur l'allaitement réunit près de 300 professionnels de la santé. Ces journées donnent des crédits de formation reconnus par leur corporation.

En 1994, dans le cadre de l'année de la famille, le programme « Grandir ensemble » permet l'obtention de subventions qui permettront de réaliser trois projets d'envergure. Ces projets ont pour objectifs de promouvoir l'allaitement maternel et d'offrir une information pratique aux parents de bébés allaités. Le premier a été la réalisation d'une cassette de trois vidéos de moins de 20 minutes. Elle est largement diffusée par les hôpitaux, les CLSC, les écoles de nursing et de diététique. Le deuxième permet de remettre à chaque nouvelle mère un numéro spécial de *La Voie Lactée* tiré à 200 000 exemplaires. Et enfin le dernier que vous avez entre les mains aujourd'hui, soit *L'Art de l'allaitement maternel*. Cet ouvrage est la traduction de l'édition du 35e anniversaire du *Womanly Art of Breastfeeding*. Une traduction mais aussi une adaptation qui, nous l'espérons, reflète les différences culturelles de la francophonie. La France, la Belgique et la Suisse romande se sont jointes au Québec afin de partager les témoignages des mères et des pères qui vivent l'allaitement.

Aujourd'hui, la Ligue La Leche compte plus de 125 monitrices qui animent des groupes répartis dans tout le Québec.

### En France

Les premières réunions de La Leche League en France ont eu lieu en 1975, sur l'initiative de femmes américaines ayant connu l'association aux États-Unis. Les premiers groupes se créent en région parisienne, avec Karima Khatib et Beverly Ivol. Les premières animatrices françaises seront Françoise Delpoulle, à Lille, et Joëlle Cukier, en Provence.

En 1979, l'association LLL France était officiellement créée. À l'époque les animatrices se comptaient sur les doigts d'une seule main. Seize ans après, elles étaient plus de 100 à animer 55 groupes dans (presque) tous les coins de France.

Quelques dates jalonnent cette progression.

1985. La première réunion rassemblant les responsables de toutes les LLL d'Europe a lieu en Grande-Bretagne. Depuis, d'autres réunions se sont déroulées en Hollande, en Autriche, en France, en Allemagne et en Suisse.

1986. LLL France réunit près de 500 professionnels de la santé à l'Unesco pour un colloque portant sur la « conduite pratique de l'allaitement ». Forte de ce succès, LLL France crée l'Institut de formation (IFAM) pour les professionnels de la santé. Devenu en 1993 le Département de formation, il a assuré 4 000 heures de formation.

1989. LLL France lance deux publications trimestrielles, *Allaiter Aujourd'hui* et la *LLLettre des associés médicaux*. Elle édite également un grand nombre de feuillets et de brochures, certains traduits et adaptés de l'anglais, d'autres inédits.

1992. Pour la première fois, grâce à des animatrices de la LLL, l'examen de consultant en lactation a lieu en France et en français.

Dans le cadre de l'Initiative Hôpitaux Amis des Bébés, LLL France est amenée à travailler avec des professionnels de la santé du Gabon et de Côte d'Ivoire, pays africains francophones, et à La Réunion.

1994. LLL France fête le 15e anniversaire de sa création. De nouvelles animatrices sont accréditées (50 sont en formation), de nouveaux groupes se créent, pour aider encore plus de mères françaises à allaiter leur bébé : alors qu'elles sont 70 p. 100 à dire vouloir allaiter quand on les interroge par sondage, elles ne sont que 40 p. 100 à allaiter vraiment au sortir de la maternité.

Le premier Congrès public européen a eu lieu à Vienne (Autriche). S'est fait sentir à ce moment l'urgente nécessité d'une organisation à l'échelle européenne, organisation qui puisse jouer un rôle notamment auprès de l'Union européenne.

### En Suisse romande

C'est avec beaucoup d'enthousiasme que Christine Luthi a commencé à former le premier groupe LLL francophone en Suisse, au début de 1982. Forte de son expérience d'allaitement de ses premier et deuxième enfants et de sa formation d'animatrice LLL suivie aux États-Unis pendant les années où elle y a vécu avec sa famille, elle décidait d'implanter le premier groupe.

De langue maternelle allemande, Christine avait fait la connaissance de quelques animatrices de Suisse alémanique pendant ses vacances au pays. Elles étaient les pionnières de la

LLL Suisse. En effet, c'est en 1973 que Christina Hurst a tenu la première réunion LLL près de Zurich.

Aux États-Unis, Christine était entourée de plusieurs animatrices et la quasi-totalité de ses amies faisaient partie de la LLL. Le maternage selon la philosophie de la LLL lui venait donc « naturellement ». Rentrée en Suisse, ce fut une autre histoire, car c'est elle qui montrait un autre chemin et elle se heurtait souvent à son entourage. Quel changement !

Il existait très peu de documentation de la LLL en allemand et strictement rien en français. Il fallait s'adresser au Québec pour en avoir en français. Il a fallu mettre beaucoup d'énergie pour faire des traductions anglais-français et allemand-français.

Les contacts avec les mères étaient plutôt encourageants. Par contre, ceux avec les professionnels de la santé s'avéraient difficiles, car la LLL était totalement inconnue en Suisse romande. Le nom de notre association n'aidait pas non plus, car sa prononciation n'est pas facile pour des francophones.

Les deux premières années, la LLL Suisse romande pouvait déjà profiter de l'expérience de quatre animatrices. Être les premières animatrices était d'une part gratifiant, mais d'autre part, l'isolement pesait à la longue. Cependant, les rapports avec les animatrices de la Suisse alémanique, qui avaient connu les mêmes problèmes, donnaient du courage. Aujourd'hui, 10 animatrices francophones sont actives en Suisse romande, soutenues par quelques animatrices bilingues dans les autres parties de la Suisse (nombre total : 150 animatrices).

### En Belgique

Annette Foltmar nous raconte comment la LLL s'implante en Belgique.

*Je suis venue du Danemark en Belgique en 1983 car mon mari commençait à travailler à la Commission de la Communauté Européenne. Je n'étais pas anxieuse de déménager parce que je connaissais l'existence d'un groupe LLL à Bruxelles et je savais que là je pourrais toujours trouver des amies.*

*J'ai donc rejoint Barbara Craven qui était animatrice depuis environ 1982, l'année durant laquelle Jill Nenninger avait dû quitter la Belgique. Jill avait mis sur pied le premier groupe LLL en Belgique au moins cinq ans auparavant, ce qui veut dire que la LLL existe régulièrement en Belgique depuis 1977 au moins.*

*Jill et Barbara tenaient des réunions en anglais. Mais après quelques années, Barbara et moi, nous commencions des réunions en français avec traduction en anglais ou vice versa. Pendant quelques années, nous étions un groupe actif avec beaucoup de mères actives et intéressées.*

*Liliane Marage et Catherine Marcandella devinrent les premières animatrices belges respectivement en 1991 et 1992. En 1991, je décidais alors d'arrêter d'être animatrice active après 17 ans.*

*En novembre 1993, les quatre animatrices actives ont fondé une « association sans but lucratif » de LLL Belgique, et elles me demandèrent d'en devenir la présidente d'honneur, ce qui était pour moi une bonne conclusion à ma carrière dans LLL Belgique.*

*En janvier 1992, un tournant marque LLL Belgique : le groupe était scindé en deux. Un groupe anglophone et un groupe francophone se réunissaient séparément.*

*Depuis lors « la machine est lancée » : il y a actuellement cinq animatrices en fonction, parmi lesquelles deux sont d'origine belge, plusieurs autres (principalement belges) suivent ou terminent leur formation d'animatrice et huit groupes se réunissent en plusieurs endroits du pays ! Notre petit bulletin « LLLiaison » a pris de l'ampleur et nous permet de communiquer aux mamans les dates des réunions, de lire des témoignages, d'obtenir de l'information et du soutien. De plus en plus LLL est reconnue comme acteur en Belgique en matière d'allaitement maternel. Ainsi, de plus en plus de demandes d'information, de collaboration, de participation à des salons parviennent d'associations diverses, d'écoles d'infirmières, etc. LLL fait enfin partie des associations et personnalités qui fondèrent en 1992 le Réseau Allaitement Maternel en Belgique francophone.*

# COMMENT LA **LLL**
## PEUT VOUS AIDER

Au fil des ans, la Ligue La Leche a aidé des centaines de milliers de mères à allaiter leurs bébés. Pour nous, la Ligue La Leche, c'est simplement une mère souriante tenant son bébé dans ses bras, fière d'elle et désirant ardemment faire part de son expérience. L'âme de la Ligue La Leche : des mères qui vous ressemblent, qui trouvent satisfaction et joie à nourrir leur bébé.

Où qu'elles soient, les monitrices de la Ligue La Leche se réjouissent de savoir qu'en aidant les mères à allaiter leurs bébés, elles aident aussi à affermir et fortifier les liens d'amour qui se tissent dans l'enfance et qui durent toute la vie.

### Notre organisme

Notre nom, La Leche, vient de l'espagnol et se prononce « lé-tché ». Cela se traduit simplement par « lait ». Ce nom nous a été inspiré par une chapelle à St. Augustine, en Floride, consacrée à la mère du Christ. Elle s'appelle « Nuestra Señora de la Leche y Buen Parto », ce qui signifie « Notre-Dame du lait abondant et de l'heureuse délivrance ».

Notre siège social, situé à Schaumburg, dans l'État de l'Illinois, aux États-Unis, emploie 40 personnes. Chaque année, elles répondent à des centaines de lettres et à un nombre incalculable d'appels téléphoniques provenant de gens du monde entier qui veulent avoir de l'aide et des renseignements sur l'allaitement. On trouve des organismes affiliés à la LILL au Canada, en Grande-Bretagne, en Suisse, en Allemagne et en Nouvelle-Zélande. La Ligue La Leche est un organisme sans but lucratif et fonctionne uniquement grâce aux dons, aux cotisations et à la vente d'articles.

### Le soutien aux professionnels

Des médecins et des professionnels de la santé venant du monde entier forment le Conseil professionnel consultatif. Nous faisons appel à ce conseil pour obtenir des renseignements sur des cas médicaux et des opinions sur de nouvelles recherches. Les membres du Conseil révisent les publications de la Ligue La Leche traitant d'aspects médicaux. De plus, des médecins du monde entier agissent comme médecins associés à la Ligue La Leche et complètent le Conseil professionnel consultatif.

Le Conseil professionnel consultatif s'est aussi adjoint des experts légaux et financiers.

## Les publications

L'ouvrage de base de la Ligue La Leche, *L'Art de l'allaitement maternel*, s'est vendu à plus de deux millions d'exemplaires. Il est disponible en neuf langues, en cassette audio (en anglais) et en braille (en anglais). D'autres publications de la LILL sont disponibles en plus de 30 langues.

La Ligue La Leche est la source d'information sur l'allaitement la plus répandue au monde. Actuellement, la Ligue internationale a publié 20 ouvrages et distribue plus de trois millions de publications annuellement. Une liste de près de 200 ouvrages, feuillets d'information et dépliants, apparaît dans le catalogue de la LILL.

## Congrès

Des congrès internationaux et régionaux pour les parents et les professionnels ont lieu périodiquement. Les conférenciers sont experts en allaitement, en parentage, en accouchement, en nutrition, en soins aux enfants et dans des domaines connexes. Les médecins, éducateurs, chercheurs, auteurs et parents offrent un éventail d'expériences et d'opinions.

## Adhésion à la Ligue La Leche

Les mères qui allaitent ou qui ont allaité se posent souvent des questions auxquelles d'autres mères qui allaitent peuvent répondre. La LILL est devenu un réseau mondial de mères ayant l'expérience de l'allaitement qui informent, soutiennent et encouragent d'autres mères.

L'adhésion à la Ligue La Leche vous permet de profiter :

• d'un abonnement d'un an à la revue *La Voie Lactée* au Canada français ou *Allaiter Aujourd'hui* en France. Ces revues sont source d'inspiration. Elles sont remplies de conseils pratiques, de photos, de comptes rendus d'ouvrages et d'informations sur l'allaitement ;

• d'un rabais de 10 p. 100 sur la plupart des articles offerts dans le catalogue de la LILL, qui contient également une grande variété d'excellentes publications sur l'allaitement, l'accouchement, la nutrition et le parentage ;

• de la compagnie d'autres mères de bébés et de jeunes enfants au cours des réunions mensuelles des groupes de la LLL ;

• de toute l'information contenue dans les ouvrages qui se trouvent dans la bibliothèque de votre groupe ;

• d'un rabais sur les frais d'inscription aux événements spéciaux de la LLL, y compris les congrès.

En devenant membre de la Ligue La Leche, vous appuyez les efforts des monitrices, toutes bénévoles, du groupe de votre localité. Vous faites alors partie d'un réseau international d'aide de mère à mère.

## Les réunions de la Ligue La Leche

Les réunions de la Ligue La Leche constituent une merveilleuse source d'information et d'encouragement. Elles offrent aussi l'occasion de nouvelles amitiés parmi ces mères qui ont beaucoup de choses en commun. Elles ont lieu dans des maisons privées ou dans des locaux publics. Les renseignements sont groupés par thèmes qui englobent les aspects pratiques, physiques et psychologiques de l'allaitement.

Au cours des réunions, la monitrice du groupe parle de ses connaissances en allaitement et des sujets qui s'y rattachent. Elle encourage les mères à poser des questions et à faire part de leur expérience. Pour chaque question ou difficulté mentionnée, il y a généralement plusieurs mères qui peuvent offrir des solutions ou des suggestions. C'est à la fois excitant et rassurant de voir les bébés du groupe grandir et s'épanouir. C'est agréable de constater que chaque bébé est unique et de voir les relations chaleureuses et merveilleuses qui s'établissent entre chacune des mères et leur bébé. Dans les réunions de la Ligue La Leche, on accueille les bébés avec plaisir.

Outre qu'on donne des renseignements sur l'allaitement, les réunions de la LLL représentent un moment extraordinaire pour en apprendre davantage sur le maternage du bébé auprès de mères qui « sont passées par là » et qui se font un plaisir de transmettre leurs connaissances.

Nos monitrices sont d'abord et avant tout des mères qui ont allaité leur bébé. Elles veulent partager leurs connaissances en allaitement ainsi que leur enthousiasme avec des mères qui cherchent de l'aide. L'expérience personnelle et une formation spéciale préparent les monitrices à ce rôle. Chaque monitrice a franchi une série d'étapes précises, basées sur son expérience personnelle d'allaitement et de maternage, avant de pouvoir représenter officiellement la Ligue La Leche.

## Où trouver la Ligue La Leche ?

Plus de 2 500 groupes de la Ligue La Leche tiennent des réunions mensuelles, alors il est fort possible qu'il y ait un groupe près de chez vous. Les monitrices font de leur mieux pour faire connaître leurs réunions afin que les mères trouvent rapidement et facilement un groupe. Presque tous les groupes font paraître un avis de réunion dans les journaux locaux.

Vous pourrez trouver la Ligue La Leche dans l'annuaire téléphonique de certaines grandes villes. S'il n'y a aucune inscription, téléphonez à la clinique de maternité des grands hôpitaux ou à des obstétriciens, ou encore à des pédiatres de votre région. Aux cours prénatals ou à la bibliothèque municipale, il y a peut-être des renseignements sur les groupes de la Ligue La Leche de votre localité.

Pensez aussi à vous informer auprès de vos amies ou de vos voisines qui sont enceintes ou qui ont de jeunes enfants. Parmi elles, il y en aura au moins une qui aura assisté à des réunions de la Ligue La Leche et elle se fera un plaisir de vous diriger à la monitrice du groupe.

## Aimeriez-vous nous aider ?

Peut-être n'y a-t-il pas de groupe dans votre localité et cet ouvrage aura été votre seul guide pendant votre allaitement. Au fil des mois et à mesure que votre bébé grandit et s'épanouit grâce à votre lait, vous constatez peut-être que d'autres mères vous posent des questions concernant l'allaitement. On sait ce que c'est, nous avons commencé ainsi ! Si vous croyez aimer cela, pourquoi ne pas nous écrire pour savoir comment démarrer un groupe de la Ligue La Leche ? La Ligue La Leche a besoin de mères comme vous qui ont lu cet ouvrage, suivi ces recommandations et allaité leur bébé avec joie.

## Le présent ouvrage et ses auteures

Lorsque nous avons écrit la première édition de *The Womanly Art of Breastfeeding* dans les années 50, nous étions toutes les sept des mères à temps plein, à la maison. La rédaction s'est effectuée entre les autres tâches, pendant que le bébé dormait ou s'amusait tout près, avec peut-être un frère ou une sœur d'âge préscolaire. Plus souvent qu'autrement, notre bureau était la table de la cuisine et on devait ramasser les pages manuscrites à la hâte à l'heure des repas.

On s'était entendu sur le fait que notre famille demeurait notre priorité. Cette entente nous donnait la liberté de mettre de côté le travail de la Ligue lorsque notre famille avait

besoin de nous. À mesure que nos enfants ont grandi et que les circonstances ont changé, certaines d'entre nous ont accepté un travail rémunéré au siège social de la Ligue La Leche. L'intérêt que nous avons manifesté il y a de cela 35 ans n'est pas moindre aujourd'hui. Nous sommes encore toutes membres du Conseil consultatif des mères fondatrices. Mary Ann Kerwin siège toujours au conseil d'administration de la LILL. Viola Lennon et Mary Ann Cahill travaillent actuellement à la Ligue La Leche.

Quand nous avons fondé la Ligue, chacune d'entre nous connaissait un ou plusieurs autres membres du groupe mais certaines se rencontraient pour la première fois. Nous étions loin de toutes nous ressembler. Certaines avaient nourri des enfants plus âgés au biberon, d'autres avaient eu le bonheur d'allaiter leur premier bébé. Seize ans séparent la plus âgée et la plus jeune du groupe et nous sommes toutes différentes. Mais nous sommes fortement unies par notre conviction de l'importance du maternage et de la valeur de l'allaitement.

Puisque notre philosophie repose sur ce que, d'après notre expérience personnelle, nous croyons le plus valable, nous vous présentons le cheminement de chacune d'entre nous.

**MARY ANN CAHILL, McHenry, Illinois :**
La première grossesse de Mary Ann était déjà avancée lorsqu'elle a découvert un exemplaire du livre de Grantly Dick-Read, *Childbirth without Fear*[1], dans un marché aux puces au sous-sol du Marshall Field, à Chicago. « J'ai lu des passages à haute voix à Chuck tout l'été avant la naissance d'Elizabeth, se rappelle Mary. J'étais convaincue que j'accoucherais naturellement et que, bien sûr, j'allaiterais notre bébé. » Malheureusement, le rêve d'un accouchement naturel s'est effondré avec l'administration systématique d'une anesthésie rachidienne et l'allaitement s'est résumé à « un effort louable ». Lorsque les Cahill ont déménagé à Franklin Park en 1951, ils ont fait la connaissance du docteur White, médecin « aux opinions modernes ». Les autres membres

---

1. Accoucher sans crainte.

de la famille Cahill sont nés par ses soins, sans médication, et ils ont grandi grâce au lait de leur mère.

En 1960, la famille a emménagé à Libertyville et, avec les années, leur maison de briques rouges de trois étages a retenti de la bonne humeur de dix jeunes grandissant, leurs neuf enfants : Bob, Elizabeth, Tim, Teresa, Mary, Joe, Margaret, Charlene (Charlie), Fran et leur jeune amie Janet, qui a fait partie de la famille durant de nombreuses années. Maintenant devenue une jeune femme, elle se joint toujours à eux au moment des réunions familiales. De nos jours, c'est le plus souvent à l'occasion d'un mariage ou à la naissance d'un petit-enfant. Mary Ann est fière de dire qu'elle a jusqu'à maintenant 17 petits-enfants. Mary Ann travaille à la LILL, comme auteure, depuis le décès de Chuck en 1978. En 1981, Mary Ann était très fière de la publication de la troisième édition américaine du *Womanly Art of Breastfeeding* car elle l'a presque entièrement réécrite et révisée. En 1983, la Ligue a publié *The Heart Has Its Own Reasons*, et c'est Mary Ann qui l'a rédigé. Depuis elle travaille au Funding Development Department de la LILL.

**EDWINA FROEHLICH, Franklin Park, Illinois :**
Dans les années 50, Edwina faisait partie de ces quelques femmes qui consacraient beaucoup de temps à leur carrière et qui se sont mariées tardivement. Elle était âgée de 36 ans lorsqu'elle et John ont fondé leur famille. Tout le monde les a mis en garde contre les dangers d'avoir un bébé à un âge aussi « avancé ». De plus, leur a-t-on dit, aucune femme au-dessus de 30 ans ne peut produire assez de lait pour satisfaire les besoins d'un bébé. Paul est né à la maison, de façon naturelle, et ces soi-disant vieilles glandes mammaires ont produit du lait en abondance pour lui et pour ses deux frères, David et Peter. Au tout début de son maternage, Edwina a trouvé très difficile de mettre de côté sa vision d'une vie bien réglée, vision qui lui était tellement utile sur le marché du travail. Ce n'est qu'à partir du moment où elle a pu se relaxer et accepter les besoins imprévisibles de son bébé qu'elle est parvenue à profiter de sa maternité.

Edwina a quitté son poste à la LILL mais elle demeure active au sein du Conseil consultatif des mères fondatrices. Elle est également monitrice d'un groupe de la LLL à Franklin Park, en Illinois, là même où la Ligue a vu le jour il y a 38 ans. Edwina adore son rôle de grand-mère auprès de ses neuf petits-enfants.

**MARY ANN KERWIN, Denver, Colorado :**
Quand Mary Ann et Tom Kerwin sont devenus parents pour la première fois en 1955, Mary Ann désirait ardemment allaiter même si aucune de ses amies n'allaitait. Son inexpérience, associée à un bébé dormeur, a rendu les choses difficiles au

début. Greg et Mary White (Mary est la sœur de Tom Kerwin) lui ont donné des conseils utiles et l'ont encouragée. Mary Ann et son premier bébé sont bientôt devenus un couple heureux grâce à l'allaitement. Le principal regret de Mary Ann, concernant son premier allaitement, c'est d'avoir sevré son bébé à l'âge de 9 mois. Cela a été une période douloureuse et éprouvante pour la mère et le bébé, mais Mary Ann a appris la leçon. Tous ses autres enfants ont pu se sevrer à leur propre rythme. Les Kerwin ont huit enfants : Tom, Ed, Greg, Mary, Anne, Katie, John et Mike. Un neuvième enfant, Joseph, né en 1959 est décédé à l'âge de 6 semaines, victime du syndrome de mort subite du nouveau-né.

Après avoir été présidente du conseil d'administration de la LILL de 1980 à 1983, Mary Ann a fait un retour aux études et a obtenu un diplôme universitaire en droit en 1986. L'expérience acquise auprès de ses enfants lui a donné la détermination et l'autodiscipline nécessaire pour atteindre son but. Elle est toujours active au sein du conseil d'administration de la LILL et pratique le droit au Colorado.

Mary Ann a maintenant six petits-enfants en santé, grâce en bonne partie à un allaitement réussi. Il n'est jamais facile d'être une mère qui allaite et un parent, mais Mary Ann croit que ses enfants ont eu un bon départ grâce à la Ligue internationale La Leche. « Ce que j'ai pu faire pour aider les autres m'a été rendu au centuple », dit-elle.

**VIOLA LENNON, Park Ridge, Illinois :**
Les dix petits Lennon de Viola sont tous de tailles différentes et, juste pour prouver qu'il n'y a pas de défi trop grand pour elle, elle a même accouché de jumelles en 1961. À cette époque, c'était déjà un exploit que d'allaiter un seul enfant, alors Viola a causé tout un émoi dans son voisinage quand elle s'est mise calmement à allaiter totalement ses deux filles, Catherine et Charlotte. Quand elle était bébé, Cathy était très éveillée et buvait toutes les deux heures au moins alors que Charlotte, plus endormie, tétait beaucoup moins souvent mais prenait du poids plus rapidement que sa sœur. Elle s'est sevrée cinq mois après Cathy. Les jumelles étaient les sixième et septième enfants de la famille. Elles étaient précédées de Elizabeth, Mark, Mimi, Rebecca et Matthew, et suivies de Martin, Maureen et Gina. Quand elle était bébé, Mimi avait des coliques et Viola a supposé que cela était l'indice d'un tempérament nerveux. Mais Mimi est devenue une jeune femme calme et d'humeur facile.

Viola est actuellement directrice du Funding Development de la Ligue et aide à amasser des fonds de l'extérieur pour financer l'expansion de la Ligue la Leche. Viola a été la dernière des fondatrices à devenir grand-mère. Présentement, elle a quatre petits-fils et deux petites-filles.

**MARIAN TOMPSON, Evanston, Illinois :**
Bien qu'elle ait changé de médecin pour l'accouchement de chacun de ses trois premiers bébés, Marian a été incapable d'allaiter chacun d'eux aussi longtemps qu'elle l'aurait voulu. Chaque médecin lui donnait les conseils types de l'époque : allaitez uniquement toutes les quatre heures, donnez des suppléments et introduisez les aliments solides à 6 semaines. Ce n'est qu'à leur quatrième bébé, né en 1955, que Marian et son mari, Tom, ont découvert l'aide bénéfique du docteur Gregory White et de sa femme Mary. Leur bébé Laurel a été allaité jusqu'au sevrage naturel, de même que les autres bébés qui sont nés par la suite. Les sept enfants Tompson, Melanie, Deborah, Allison, Laurel, Sheila, Brian et Philip sont maintenant des adultes et les cinq filles sont mariées. Marian est particulièrement heureuse d'avoir pu assister à la naissance de la plupart de ses 12 petits-enfants.

Marian a été la première et la seule présidente de la Ligue La Leche. Au cours de ses 24 ans à la présidence, elle a parlé franchement et avec amour au nom des mères et des bébés allaités dans de nombreux pays. Membre du Conseil consultatif des mères fondatrices de la LILL, elle siège également à de nombreux conseils d'organismes qui traitent de la nutrition, de l'accouchement et de la famille. Elle est présidente d'honneur de la Capital Campain de la LILL.

**BETTY WAGNER SPANDIKOW, Springville, Tennessee :**
Betty a allaité tous ses enfants, dès 1943, en grande partie grâce à sa mère qui a su lui donner l'aide pratique dont elle avait besoin. C'est à son sixième enfant que Betty a dû faire face à de nouveaux défis. Dorothea pleurait beaucoup et n'était heureuse que dans les bras de sa mère. Betty a jugé nécessaire de restreindre toutes ses activités extérieures et de réorganiser sa vie autour de cette petite fille qui avait tant besoin d'elle. Dorothea avait plus de 3 ans lorsqu'elle a commencé à s'éloigner de sa mère. Vers l'âge de 3,5 ans, elle est devenue une petite fille pleine d'assurance et sociable. Les Wagner ont eu sept enfants, Gail, Robert, Wayne, Mary, Peggy, Dorothea et Helen. Parmi les filles des fondatrices, la fille de Betty, Mary, a été la première à devenir monitrice de la Ligue La Leche. Betty a 24 petits-enfants et 3 arrière-petites-filles. Ils ont tous été allaités avec succès. Betty a épousé Paul Spandikow en 1993, Paul a aussi 7 enfants et 16 petits-enfants.

**MARY WHITE, River Forest, Illinois :**
La première tentative d'allaitement de Mary a été comme celle de toutes les mères des années 40, désastreuse ! En peu de temps, son bébé Joseph est passé au biberon. À la naissance de

son deuxième enfant, son mari Greg, médecin, était de retour de l'armée américaine et elle a eu le soutien dont toute mère qui allaite a besoin. Bill, Peggy, Katie, Anne, Jeannie, Mike, Mary, Clare, Molly et Liz ont tous été allaités avec joie, sans aucun biberon. Seuls les trois premiers sont nés à l'hôpital, les autres sont nés à la maison et ont un écart de deux à cinq ans, seulement grâce à la méthode la plus naturelle d'espacement des naissances : l'allaitement. Neuf de ses enfants sont maintenant mariés. Tous ses 43 petits-enfants ont été allaités et sont nés à la maison, sauf quatre. Mary a le temps d'apprécier son rôle de grand-mère tout en demeurant active au sein de la Ligue.

La foi de Mary envers cette forme particulière de maternage, qui fait fondamentalement partie de l'allaitement, a toujours constitué une source d'inspiration à la Ligue La Leche. Si vous demandez à Mary quel est le rôle le plus important d'une mère, elle vous répondra que c'est d'apprendre à vos enfants à aimer et à croire en Dieu pour toute leur vie.

## Les personnes qui nous aident

Du personnel de bureau dévoué et de nombreux consultants professionnels ont travaillé de longues heures à préparer le manuscrit de la troisième édition de l'ouvrage, en 1981. Mary Ann Cahill en avait écrit la majeure partie avec l'aide des autres fondatrices. Puisque cet ouvrage est dédié aux mères, il n'y a pas de renvois ni de références dans le texte, mais vous pouvez être certaine que nos affirmations sont fondées.

La quatrième édition, révisée et publiée en 1987, a été composée et préparée pour la publication par Judy Torgus, monitrice de la Ligue depuis très longtemps et directrice des publications de la LILL. Judy a participé à l'édition de 1981 et elle est parvenue à rassembler les informations nécessaires, provenant de sources diverses, afin de rendre cette quatrième édition aussi complète et à jour que possible. Les fondatrices ont révisé attentivement la version finale du manuscrit avec l'aide de Sally Murphy et Gwen Gotsch. Joyce Kasheimer a consacré ses soirées et ses fins de semaine à dactylographier le tout à la dernière minute pour que l'ouvrage sorte à temps.

La présente édition a été imprimée pour célébrer le 35e anniversaire de la Ligue La Leche aux États-Unis. Un chapitre traitant de l'histoire de l'organisme et de son avenir a été ajouté. Les informations ont été recueillies par Marlene Sweeney. D'autres révisions ont été faites pour les nouvelles recommandations qui remplacent les anciennes informations. Les recherches se poursuivent. Elles permettent de découvrir d'autres avantages au lait maternel et de confirmer ceux qui sont déjà connus. La révision et la parution de cette édition sont dues encore une fois à Judy Torgus, directrice des publications de la LILL, assistée de Elayne Shpak et d'autres membres du personnel du siège social.

La plupart des témoignages sont tirés de *New Beginnings*, la revue bimestrielle de la LILL destinée aux membres, de *La Voie Lactée* et d'*Allaiter Aujourd'hui*. Nous tenons à remercier les parents qui nous ont fait part de leurs expériences, de même que tous ceux et celles qui apparaissent sur les photographies. Toutes les photographies de l'ouvrage nous ont été gratuitement fournies par les photographes.

Nous sommes très reconnaissantes à toutes les personnes ci-haut mentionnées ainsi qu'à toutes les autres – trop nombreuses pour que nous puissions les nommer – qui nous ont aidées à faire de *L'Art de l'allaitement maternel* un classique du genre.

# CHAPITRE 21

# Trente-cinq années de force

*C'était en 1956.* Le Moyen-Orient connaissait des affrontements. Le nouveau président égyptien, Abdul Gamal Nasser, venait de nationaliser le canal de Suez. L'avenir était incertain.

Aux États-Unis, il y avait un sentiment de prospérité et une meilleure protection du consommateur. Les femmes commençaient à faire carrière à l'extérieur. Le rêve américain, c'était : « plus et mieux ».

Le taux d'allaitement des bébés d'une semaine était de 18 p. 100. On encourageait les mères à respecter un horaire strict, imposé par le médecin, dans les soins à donner à leur bébé. L'information sur l'allaitement n'existait à peu près pas.

En 1991, alors que la LILL fête ses 35 ans d'existence, le Moyen-Orient connaît à nouveau des affrontements. Les gens du monde entier s'inquiètent. Aux États-Unis, les consommateurs bénéficient d'une protection inégalée mais les valeurs familiales commencent à émerger et à être reconnues.

Le taux d'allaitement est à 50,6 p. 100. Les mères cherchent des moyens d'être avec leur bébé sans que cela nuise à leur carrière. Les informations sur l'allaitement abondent : ouvrages, articles, cassettes audio et vidéo.

Certaines choses ont changé, d'autres sont restées pareilles.

À l'occasion du 35e anniversaire de la Ligue La Leche, nous réfléchissons à notre passé, nous nous réjouissons du présent et nous réaffirmons notre confiance en l'avenir.

De nombreux changements survenus au cours des 35 dernières années, relativement aux soins du bébé, ont été attribués à l'influence de la Ligue La Leche.

En 1956, on introduisait les aliments solides généralement quand le bébé était âgé entre un et 3 mois. Les fondatrices de la Ligue La Leche ont recommandé de retarder l'introduction des solides jusqu'à l'âge de 4 à 6 mois environ. Elles se basaient sur de sérieuses recherches médicales ainsi que sur le fait qu'elles avaient réussi à maintenir leur production de lait en retardant l'introduction des solides. La Société canadienne de pédiatrie recommande maintenant d'introduire les aliments solides plus tard et peu de mères se font dire de donner des aliments solides dans les premiers mois.

Aux débuts de la Ligue La Leche, on séparait systématiquement les mères de leur bébé après la naissance pour une période aussi longue que 24 heures. La Ligue La Leche a plaidé haut et fort : le bébé a besoin de sa mère et la mère tire aussi avantage d'un allaitement immédiat et d'un lien affectif ininterrompu. De nos jours, les femmes s'attendent à tenir leur nouveau-né dans leurs bras immédiatement après la naissance. Ce qui était inimaginable il y a 35 ans est devenu monnaie courante aujourd'hui. La LLL a aidé les mères à y parvenir.

Le docteur Ruth Lawrence, auteure de *Breastfeeding : A Guide for the Medical Profession*, a recueilli des données historiques sur l'allaitement. Citant des magazines et des publicités des années 40 et 50, le docteur Lawrence précise qu'il y avait un doute énorme dans l'esprit des mères à cette époque. On leur faisait croire qu'elles devaient élever leurs enfants selon les conseils des « experts ».

Les femmes des années 50 sont venues à la Ligue La Leche avec des questions de base. Comment savoir si j'ai assez de lait ? Comment savoir si mon bébé a faim ? Quand dormira-t-il toute la nuit ? Encore aujourd'hui, les mères s'adressent à la LLL pour obtenir des réponses, du soutien et pour être encouragées car nous sommes reconnues pour cela. Les mères qui cessent d'allaiter dès les premières semaines donnent toujours la même raison : elles pensent qu'elles n'ont pas assez de lait.

Lynn Werner, historienne et professeure au Women's Studies à la Northwestern University, décrit la Ligue La Leche comme un précurseur du mouvement féministe. Sept femmes ont entrepris de redonner les bébés à leur mère à une époque où les hommes étaient les experts et dominaient les soins aux enfants. Madame Werner croit que cette prise de pouvoir par les femmes a été le début des groupes d'entraide et de l'autonomie des femmes en matière de soins de santé.

De ses débuts modestes, la Ligue La Leche est devenue un organisme international, reconnu dans le monde entier comme un expert en allaitement. Il y a présentement 2 500 groupes de la LLL répartis dans 43 pays. La Ligue La Leche s'est transformée en un groupe expérimenté, fort, essentiel qui influence notre monde. La Ligue internationale La Leche a l'accréditation d'associations de médecins pour présenter des séminaires annuels destinés à leurs membres. Des médecins et d'autres professionnels de la santé de tous les coins du monde y assistent.

Récemment, le docteur Method A. Duchon, de l'Ohio, spécialiste en périnatalité, a pris la parole à un séminaire pour les médecins offert par la LILL. Il a souligné que les obstétriciens et les pédiatres sont souvent incapables d'éduquer et de soutenir les mères qui allaitent parce que leur propre éducation, leurs connaissances et leur expérience en allaitement sont limitées. En relisant des journaux influents dans les domaines de l'obstétrique et de la pédiatrie, des manuels classiques et des publications d'éducation permanente en médecine, il a découvert qu'on examinait très peu la question de l'allaitement. Les informations qu'il a trouvées insistaient sur les maladies, les problèmes et la suppression de la lactation. « Ce que je sais de l'allaitement, je l'ai appris de ma femme », disait-il, exhortant les autres professionnels de la santé à apprendre auprès des mères qu'ils reçoivent en consultation.

À l'automne 1991, Betty Wagner, une des fondatrices de la LLL et alors directrice de la LILL, a représenté la Ligue aux Nations unies quand les chefs des gouvernements se sont réunis lors du Sommet mondial pour les enfants. La Ligue La Leche est demeurée au premier plan en plaçant les besoins du bébé allaité à l'ordre du jour. Elle agissait à titre de conseiller non gouvernemental des Nations unies par l'intermédiaire du Bureau consultatif de l'UNICEF, l'organisme des Nations unies qui se préoccupe du bien-être des enfants dans le monde. La Ligue La Leche participe directement à de nombreux programmes mondiaux visant à promouvoir et appuyer l'allaitement.

Aux États-Unis, un programme de la Ligue La Leche a été mis sur pied pour favoriser l'allaitement parmi les mères des minorités ayant un revenu faible. Ce programme s'est étendu depuis à d'autres pays. En coopération avec des organismes locaux de santé communautaire, y compris les cliniques WIC[1] aux États-Unis, le Breastfeeding Peer Counsellor Program[2] de la LLL donne les renseignements les plus récents et offre du soutien de mère à mère.

## Ce que nous réserve l'avenir

Récemment, on a interrogé les fondatrices de la Ligue La Leche et les membres du conseil d'administration sur l'avenir de la Ligue. Voici ce qu'elles ont répondu.

**De nos jours, presque toutes les sources d'information réputées s'entendent pour dire que l'allaitement est ce qu'il y a de mieux pour les mères et les bébés. Pourquoi a-t-on encore besoin de la Ligue La Leche ?**

Betty Wagner répond : « Les sources d'information réputées peuvent s'entendre et les médecins peuvent louer la supériorité de l'allaitement, mais notre culture est sans aucun

---

1. Programme qui vise à améliorer l'alimentation des mères et de leurs enfants.
2. Ce programme mis sur pied par la LLL vise à rejoindre les mères de milieux défavorisés.

doute une culture du biberon. » Puisque les professionnels de la santé n'ont pas toujours le savoir-faire pratique de l'allaitement, notre soutien de mère à mère est unique et précieux dans notre monde actuel.

Mary Ann Cahill, une autre des fondatrices de la LLL, fait cette suggestion :

*L'allaitement est un engagement à long terme. Pour réussir, la mère a besoin de l'encouragement et de la présence d'autres mères. La Ligue La Leche a réussi au début et continue son bon travail parce qu'elle répond à ces deux besoins, c'est-à-dire des renseignements pratiques et pertinents, et du soutien. Les bébés ne changent pas, pas plus que leur mère, même si les circonstances sont différentes d'une génération à l'autre.*

Mary Ann Kerwin ajoute :

*L'allaitement est un don du passé qui était en train de se perdre quand nous avons fondé la LLL. Aux États-Unis, le taux d'allaitement est passé de 60 p. 100 dans les années 40 à moins de 20 p. 100 dans les années 60. C'est probablement le taux le plus bas dans l'histoire de l'humanité. Aucune culture avant la nôtre n'avait osé mettre de côté une ressource aussi précieuse. Les mères ont toujours eu besoin de soutien quand elles allaitaient leurs bébés, mais le réseau a été défait. L'art de l'allaitement maternel commence à revivre seulement parce que nous établissons un réseau de soutien de mère à mère. Dans une société de plus en plus morcelée qui sépare trop souvent la mère et son bébé, la LILL est plus que jamais nécessaire.*

Les préoccupations au sujet de l'allaitement changent avec les années. Quelles seront les préoccupations d'ici la fin des années 90 ?

Presque toutes les personnes consultées s'entendent pour dire que les mères qui allaitent et travaillent à l'extérieur auront besoin d'encouragements et qu'il faudra continuer à relever ce défi.

Viola Lennon a l'impression que la scène internationale offre des défis nouveaux et nombreux en ce qui concerne la mortalité et la morbidité infantile. Barbara Heiser, membre du conseil d'administration de la LILL, croit que « si nous voulons qu'il y ait un changement dans les pays en voie de développement, il faut présenter l'alimentation au biberon comme un comportement à risque élevé ».

**En quoi la mère qui allaite de nos jours est-elle différente de celle de 1956 ?**

Marian Tompson répond : « Dans les années 50 et 60, l'allaitement était plus simple d'une certaine façon. La plupart des mères de jeunes enfants restaient à la maison pour prendre soin d'eux. » On exige davantage de la mère d'aujourd'hui, elle subit plus de pression pour donner « tout à tous ». La mère qui allaite sent beaucoup de pression de l'extérieur et cette pression la pousse à faire passer les choses et les autres avant son bébé. Joan Crothers, ex-membre du conseil d'administration de la LILL, nous rappelle que la Ligue a une manière d'envisager la question qui peut aider les mères des années 90 à établir leurs priorités et à « faire passer les personnes avant les choses ».

Selon Mary Ann Kerwin :

> *De nos jours, les mères qui allaitent sont sollicitées de toutes parts, beaucoup plus que les mères ne l'étaient en 1956. La vie est bien plus compliquée. Les nouvelles possibilités d'emploi qui s'offrent aux jeunes femmes créent aussi une pression énorme. Dans les années 50, on croyait que les femmes, les enfants et les bébés seraient inévitablement pris en charge. Aujourd'hui, les mères n'ont plus ce sentiment de sécurité.*

**Comment la Ligue La Leche a-t-elle influencé votre famille ?**

Cette question vient confirmer sans l'ombre d'un doute ce que toute nouvelle mère veut savoir. Oui, il y a des bénéfices à long terme à votre style de maternage. Toutes les fondatrices de la Ligue La Leche sont maintenant grands-mères et chacune d'elles affirme que la Ligue La Leche a eu une influence sur la génération suivante. Edwina Froehlich donne cette explication.

> *Il ne fait aucun doute que nos trois fils ont assimilé d'une façon ou d'une autre ce que j'ai appris de la Ligue La Leche : l'importance d'une relation mère-enfant très tôt dans la vie, le fait d'être attentif aux besoins émotifs des bébés et des enfants, l'importance des sentiments dans une relation à deux, comme dans le mariage. Je crois que ce n'est pas par*

*hasard qu'ils ont épousé des femmes qui partageaient leurs opinions. Ces trois jeunes mères semblent avoir commencé leur maternité avec une longueur d'avance sur ce que je connaissais quand moi je suis devenue mère. Elles savaient déjà bien des choses que j'avais dû apprendre péniblement. En tant que grand-mère, cela me rend heureuse de voir grandir mes petits-enfants entourés d'autant d'affection.*

**Dans quelle direction croyez-vous que la Ligue La Leche s'oriente à la veille du XXIᵉ siècle ?**

Notre influence dans le monde se fait certainement sentir. Les fondatrices et les membres du conseil d'administration présument que la Ligue La Leche deviendra le porte-parole international de toutes les mères qui allaitent. Elles voient déjà la LLL travailler de concert avec des organismes mondiaux, collaborer avec eux et les aider en ce qui concerne les questions de santé des mères et des enfants. « Nous améliorerons la perception de l'allaitement, processus qui ne consiste pas uniquement à fournir l'aliment par excellence au bébé mais qui comporte beaucoup plus », prévoit Barbara Heiser.

Selon Mary Ann Kerwin, « partout dans le monde on se donne la main pour faire reconnaître que l'allaitement est une question de santé mondiale et pour aider les mères du monde entier à éprouver la joie d'allaiter leurs bébés. »

Betty Wagner ajoute :

*Notre travail est nécessaire à l'échelle mondiale. Les mères répondent à ce besoin et deviennent des monitrices bénévoles, accréditées par la Ligue. Pour que le taux d'allaitement augmente, il faut que les mères connaissent les avantages pour leur bébé et pour elles. Une mère qui allaite avec succès comprend, plus qu'une autre, les principaux avantages de l'allaitement. Elle est la mieux placée pour passer le mot aux autres femmes. La Ligue La Leche continuera à grandir. Les mères de la Ligue savent bien que l'allaitement c'est beaucoup plus que de donner du lait à leur bébé.*

Mary White résume tout cela en disant :

*Notre but est, et a toujours été, d'encourager un bon maternage par l'allaitement et, par le fait même, de favoriser une croissance saine, physiquement et émotivement, pour l'enfant ainsi que l'établissement de relations familiales plus étroites et plus heureuses. C'est de cette façon que nous l'avons conçu au début et c'est de cette façon que nous le concevons encore aujourd'hui !*

## DES FÉLICITATIONS

*La Ligue, dans la meilleure des traditions d'auto-assistance, se consacre à aider les mères qui allaitent à s'apporter un appui réciproque. Elle contribue depuis de nombreuses années aux programmes pertinents de l'OMS, y compris la nutrition, la santé maternelle et infantile et la lutte contre les maladies diarrhéiques ; elle a été admise aux relations officielles avec l'OMS en janvier 1993. L'OMS coopère avec la Ligue La Leche (Europe) à la préparation de sa première réunion régionale européenne qui doit se tenir à Vienne en juillet 1994.*

[Rapport du directeur général de l'Organisation mondiale de la santé sur la nutrition chez le nourrisson et le jeune enfant, 1993.]

*Il faut ajouter qu'à côté du secteur de la santé, la
déclaration [conjointe OMS/UNICEF de 1989]
prend en compte l'existence de groupements
et d'associations de soutien constitués de mères
et dont le caractère bénévole et la motivation sont
garants de la pérennité et de l'efficacité. La Leche
League France qui nous réunit aujourd'hui en
est l'exemple vivant.*

[Docteur Benbouzid, OMS, Genève, au Colloque
organisé à l'UNESCO, Paris, par LLL France,
juin 1989.]

*[La Leche League], c'est une organisation bénévole
qui répond, même le dimanche, par téléphone, aux
mamans qui sont angoissées par leur allaitement.
On vous encourage à continuer. C'est tellement
meilleur pour le bébé. Déjà au point de vue immunité. Et puis il se passe tellement de choses entre lui
et sa mère à ce moment-là. Alors, j'ai téléphoné et
on m'a dit : « Ne vous inquiétez pas, ça peut
reprendre. » Et je continue à lui donner le sein.
Doucement.*

[Inès de la Fressange, top model,
interview dans *Elle*, 11 avril 1994.]

*Moins de Québécoises allaitent aujourd'hui qu'il y
a dix ans et seulement 17 p. 100 des femmes défavo-
risées le font à l'heure actuelle. Cette triste réalité
me fait beaucoup réfléchir car je ne peux comprendre pourquoi tant de femmes sous-estiment la valeur
extraordinaire du lait maternel pour la santé
globale du bébé. Les projets réalisés par la Ligue La
Leche sont tout indiqués pour aider à renverser cette
tendance et pour aider les femmes à bien initier et
mieux vivre la période de l'allaitement.*

*La Ligue La Leche a fait ses preuves et connaît
bien les besoins des mères. Elle possède l'expertise
nécessaire pour faire une différence dans le milieu et
compléter l'information incomplète transmise à
l'hôpital au moment de l'accouchement.*

[Louise Lambert-Lagacé, diététiste.]

*C'est la grande idée de La Leche League d'avoir recréé la solidarité et la transmission de l'expérience par-delà les murs des maisons, des villes et même les continents. Les groupes se réunissent régulièrement autour d'un thème et offrent ce qu'offre leur animatrice, du plus fécond échange au militantisme dogmatique. Mais toujours la générosité domine. La Ligue La Leche est irremplaçable pour débarrasser l'allaitement du maillot serré des préjugés et de l'ignorance, et pour que les femmes puissent retrouver sa candeur. Du vécu ?*

*Une réunion de La Leche League, exactement telle qu'on peut l'imaginer : toutes assises en cercles, mi-sérieuses, mi-dissipées. Certaines portent un petit crapaud tout contre elles ; d'autres ont posé leur nourrisson qui se propulse sur le tapis ; les enfants plus grands jouent dans la pièce à côté et, de temps à autre, reviennent se brancher au sein de leur mère qui soulève son pull sans s'interrompre, puis ils repartent en courant.*

[Extrait de *Les enfants de la chance*, Denoël, 1988, Marielle Issartel, écrivain, cinéaste, féministe].

*L'ART DE L'ALLAITEMENT MATERNEL n'est pas un manuel. C'est une œuvre d'art. Chaque femme enceinte, chaque jeune mère devrait connaî- tre l'atmosphère que ce livre dégage.*

Michel Odent, M. D.
Obstetrics, France

*Maintenant que de nombreux groupes d'entraide sont florissants, c'est extraordinaire que la Ligue La Leche ait été fondée en 1956, bien avant qu'on reconnaisse largement à quel point les gens qui vivent des problèmes semblables et qui ont bon cœur peuvent s'aider les uns les autres en se regroupant. C'est certainement remarquable que cet organisme de femmes qui allaitent offre maintenant des cours, qui font autorité en la matière, à des médecins et d'autres professionnels de la santé.*

Niles Newton, Ph. D.
Professeur en Sciences du comportement
Northwestern University Medical School

*Le nouveau-né n'a besoin que de trois choses :
la chaleur des bras de sa mère, le lait de ses seins
et sa présence rassurante. L'allaitement comble
ces trois besoins.*

Dr Grantly Dick-Read

*Les médecins savent depuis longtemps que « le sein
est plus sain », mais il y a aujourd'hui une prise de
conscience croissante du rôle crucial que joue le lait
maternel pour la survie et le développement des
enfants (aussi bien dans les pays industrialisés que
dans les pays en voie de développement),
plus crucial que nous ne l'avions imaginé
jusqu'à présent.*

James P. Grant
Directeur général de l'UNICEF

*L'UNICEF a fait de l'allaitement le fer de lance de
sa stratégie visant à réduire le taux de morbidité et
de mortalité infantile dans le monde et à soutenir
les femmes qui nourrissent les enfants de l'univers.*

Uffe W. Konig
Directeur, UNICEF, Genève

Les bébés nés à terme devraient être allaités.

L'Académie américaine de pédiatrie

*L'allaitement fait partie intégrante du processus de
reproduction, c'est une façon naturelle et idéale
d'alimenter un bébé et c'est un moyen unique qui
profite au développement biologique et émotionnel
de l'enfant.*

L'Organisation mondiale de la santé

*Si j'avais à décerner une très grosse médaille d'or,
brillante, je l'offrirais à la Ligue La Leche au nom
des centaines de milliers de femmes qui, comme moi,
ont tellement appris sur l'art de l'allaitement et du
maternage grâce au bon sens universel des mères de
la Ligue La Leche. »*

Dr Penny A. Stanway, MRCS, LRCP, MBBS

*La médecine préventive par excellence est l'immunisation. Si on découvrait un nouveau vaccin pouvant prévenir la mort de plus d'un million d'enfants par année et si, en plus, il ne coûtait presque rien, qu'il était sûr, qu'il s'administrait oralement et qu'il n'était pas nécessaire de le réfrigérer, il deviendrait immédiatement un impératif pour la santé publique. L'allaitement pourrait assurer tout cela et plus encore. Toutefois, il a besoin de son propre réseau de soutien, c'est-à-dire des soins compétents pour les mères afin qu'elles gagnent de l'assurance, qu'elles apprennent ce qu'il faut faire et pour qu'elles soient à l'abri des pratiques dangereuses. Si ce réseau de soutien ne fait plus partie d'une culture, ou s'il fonctionne mal, alors il appartient aux services de santé de le rétablir.*

The Lancet, novembre 1994

# Index

# $C$omment rejoindre la Ligue La Leche

**LLL B**ELGIQUE **:**    32 (2) 21 90 0 76

**LLL C**ANADA **:**    (514) La Leche
                 525-3243
Télécopieur : (514) 747-6667
Ligue La Leche
Case Postale 874
St-Laurent, Québec
H4L 4W3

**LLL F**RANCE **:**    33 (1) 39.58.45.84
La Leche League France
Boîte Postale 18
78620 L'Étang la Ville
France

**LLL L**UXEMBOURG **:**    35 (2) 43 7730

**LLL S**UISSE **:**    41 56.83.15.80
Case Postale 197
8053
Zurich, Suisse

**LILL :**    (708) 519-7730
Télécopieur (708) 519-0035
P.O. Box 4079
1400 N. Meacham Road
Schaumburg, Illinois, États-Unis
60168-4072

**[ᔆ MARQUIS**

ACHEVÉ D'IMPRIMER
EN JANVIER 1997
SUR LES PRESSES DE L'IMPRIMERIE D'ÉDITION MARQUIS
MONTMAGNY (QUÉBEC)